Über die Autorin

Erica Burgauer, Dr. phil., wurde
1958 in New York geboren und
lebt seit 1963 in Zürich.
Sie ist Historikerin und Germanistin.

Erica Burgauer

Zwischen Erinnerung
und Verdrängung –
Juden in Deutschland
nach 1945

rowohlts enzyklopädie

rowohlts enzyklopädie

Herausgegeben von Burghard König

Originalausgabe
Veröffentlicht im Rowohlt Taschenbuch Verlag GmbH,
Reinbek bei Hamburg, August 1993
Copyright © 1993 by Rowohlt Taschenbuch Verlag GmbH,
Reinbek bei Hamburg
Umschlaggestaltung Jens Kreitmeyer
Satz Bembo und Futura
Gesamtherstellung Clausen & Bosse, Leck
Printed in Germany
2490-ISBN 3 499 55532 8

Inhalt

Einleitung 9

1. Die jüdische Nachkriegsbevölkerung Deutschlands 14

1. Die deutsch-jüdische Restgruppe 14
2. Die ostjüdischen Flüchtlinge 18
3. Remigranten 22
4. Dunkelziffern 26

2. Jüdisches Leben in der BRD 27

1. Demographische Daten 27
2. Neugründung und Organisation der jüdischen Gemeinden 31
3. Religiöses Leben 36
4. Synagogen 39
5. Soziale und kulturelle Organisationen 41
6. Das Selbstverständnis der Juden in der BRD 44
   Exkurs: Die «deutsch-jüdische Symbiose» –
   ein Mythos? 44
   Identifikation nach dem Holocaust 49
   Zionismus / Israel 53
   Das Verhältnis zur restlichen Diaspora 58
7. Das Verhältnis der Juden zur nichtjüdischen Umwelt 62
   Die «Wiedergutmachung» 62
   Die Rückerstattung 62
   Entschädigung an Israel und die Claims Conference 66
   Die individuelle Entschädigung 69
   Entschädigung für Zwangsarbeit 76
   Neonazismus, Antisemitismus 78

«Vergangenheitsbewältigung» 78

Neonazismus 82

Der traditionelle Antisemitismus 89

Assimilation, Integration, Isolation 95

Exkurs: Die Mischehenproblematik 99

Christlich-jüdischer Dialog 102

Fremde im eigenen Land? —
Die Auseinandersetzung der jüdischen Linken
mit der BRD und der deutschen Linken 104

Politische Haltung 112

3. Jüdisches Leben in der DDR 137

1. Neuanfänge 137
   Die Gemeinden 137
   Die Synagogen 143
   Religiöses Leben 145
2. Demographische Daten 153
3. Innerer Aufbau 156
4. Das Verhältnis des Kommunismus zu Religion,
   Judenfrage und Antisemitismus 164
   Ideologische Grundlagen 164
   Der sozialistische Antisemitismus
   der frühen 50er Jahre 168
   Osteuropäische Entwicklungen 168
   Die «Lehren aus dem Prozeß gegen das
   Verschwörungszentrum Slansky» 176
   Die DDR, Israel und die Juden 186
   Der «real existierende Antifaschismus» 196
5. Jüdische Identität in der DDR 202
6. Eingriffe und Verflechtungen 208
   Von der Nazitochter zur jüdischen Gemeindevorsitzenden —
   eine Biographie 208
   Die Juden als Einsatz im SED-Westpoker 221
7. Von der «Wende» zur deutschen Einheit 239
   Konsequenzen in der DDR-Politik 239
   Neues Selbstbewußtsein, neue Lebensformen 248

Der Jüdische Kulturverein 248
Adass Jisroel 253

4. Gesamtdeutsche Entwicklungen 265

1. Ein ‹Abschiedsgeschenk› der DDR:
   Die sowjetischen Juden 265
2. (Keine) Angst vor Deutschland 273
3. Jüdische Vereinigung 280
4. Gestörte Totenruhe 286

Nachwort 295

Anmerkungen 300
Tabellen 356
Glossar 360
Bibliographie 362
Register 372

Einleitung

Die Geschichte der Jüdinnen und Juden ist – mindestens seit der Zerstörung des zweiten Tempels und Jerusalems 70 n. Chr. – geprägt von Verfolgung und Exil. Zwei weltgeschichtliche Ereignisse treten aus diesem Kontinuum jedoch besonders hervor: die spanische Inquisition, die 1492 zur Vertreibung (oder Zwangsassimilierung) der jüdischen Bevölkerung aus diesem zuvor für die jüdische Kultur so bedeutsamen Zentrum führte, und die Herrschaft des Nationalsozialismus 1933 bis 1945, welche die weitgehende Vernichtung der europäischen Juden zur Folge hatte. Spanien, wo die Inquisition bis 1834 fortbestand, wurde noch Jahrhunderte nach der Vertreibung von Juden gemieden: Sie verhängten einen Bann über das Land, wonach sich dort Juden nicht niederlassen sollten. Anders verhält es sich mit Deutschland nach Auschwitz. Juden blieben, kehrten zurück oder ließen sich sogar erstmals dort nieder; an einigen Orten wurde versucht, die zerstörten Gemeinden wieder aufzubauen.

Das vorliegende Buch will die Hintergründe für diese in mancherlei Hinsicht erstaunliche Tatsache erhellen; zudem sollen die Entwicklung und die Probleme einer neuerlichen Existenz jüdischen Lebens in Deutschland aufgezeigt werden. Der Neuaufbau wird in erster Linie aus der Sicht der Betroffenen dargestellt. Eine der wichtigsten Fragen dabei ist, wie es den Überlebenden gelang, mit der verfolgungsbedingten Traumatisierung umzugehen, diese allenfalls zu überwinden oder gar an die jüdische Tradition des ‹vornazistischen› Deutschland anzuknüpfen.

Bei meinen Recherchen zeigte sich ein unerwartetes Problem: ein ausgeprägtes Desinteresse jüdischer Kreise in der BRD an der Aufarbeitung dieses Themas, oft sogar deutlich geäußerte Ablehnung. Nur wenige der angefragten dortigen Institutionen (z. B. keine der Gemeinden[1]) war bereit, mir ihre Quellen zugänglich zu machen. Mög-

9

liche Gründe dafür wurden erst sichtbar bei der Auseinandersetzung mit dem individuellen und kollektiven Verhältnis zur Geschichte der Verfolgung und Vernichtung, welches sich nicht zuletzt durch Formen und Inhalte neuerlicher jüdischer Existenz in Deutschland manifestiert.

Im Laufe meiner Arbeit erfuhr ich, daß an den meisten Orten eigentliche Archive bisher noch nicht eingerichtet wurden, daß zwar meistens Dokumente zur eigenen Geschichte gesammelt werden, doch erst in jüngster Zeit vereinzelt mit deren Erfassung, Ordnung und Publikation begonnen worden ist.[2] Seit 1987 existiert in Heidelberg das *Zentralarchiv zur Erforschung der Geschichte der Juden in Deutschland*, das vom *Zentralrat der Juden in Deutschland* getragen wird. Diese Institution verfügt jedoch bisher nur über sehr geringe, weitgehend noch ungeordnete Bestände und kann zudem nicht selbständig über den Zugang zu den vorhandenen Akten entscheiden; diese Befugnis liegt weiterhin bei den Organisationen, die dem Archiv ihre Dokumente überlassen haben. Außerdem sind nur sehr beschränkte finanzielle und personelle Mittel vorhanden, weshalb mit der Möglichkeit wissenschaftlicher Nutzung in absehbarer Zeit nicht zu rechnen ist.

Forschungsschwierigkeiten aufgrund mangelnder Kooperation der Gemeinden waren schon früher von den Soziologen Maor (1961) und Kuschner (1977), beide damals selbst Mitglieder jüdischer Gemeinden in der BRD, bei ihren Untersuchungen konstatiert worden. Die Quellenlage führte auch dazu, daß statistische Angaben nur schwer zugänglich waren – und die vorhandenen Daten meist nicht verifiziert werden konnten. Wenn sie hier dennoch verwendet wurden, so deshalb, weil sich aus ihnen, auch bei Ungenauigkeiten der absoluten Zahlen, Grundtendenzen ablesen lassen, die zum Verständnis jüdischen Lebens in der BRD beitragen. Zudem werden sie durch oft autobiographisch geprägte Berichte bestätigt. Die Darstellung der Entwicklung in der BRD stützt sich also primär auf Bücher, Zeitungen und Zeitschriften, weniger auf persönliche Kontakte.

Ganz anders die Situation in der ehemaligen DDR: Die Untersuchung wurde 1986 begonnen, zu einer Zeit, da zwar bekannt war, daß hier jüdische Gemeinden existierten, jedoch kaum konkretere Informationen vorlagen. Die wenigen Artikel, die bis dahin zu diesem Thema erschienen waren, vermittelten meist nur spärliche, oft ungenaue Angaben über die Gemeinden; Beschreibungen eines jüdischen Alltags im «real existierenden Sozialismus» lagen nicht vor. Der Versuch, genauere Daten zu erhalten oder mit jenseits der Mauer lebenden Juden in Verbindung zu treten, scheiterte in der ersten Phase meiner Arbeit an deren (wohl begründeter) Angst vor ‹Westkontakten›. Die Öffnung der Mauer veränderte diese Situation drastisch: Seit Bestehen der DDR waren die dort existierenden Gemeinden von der übrigen Diaspora und Israel weitgehend abgeschnitten. Das Bedürfnis nach Austausch, nach Möglichkeiten zur Schilderung der Erfahrungen, die sie als Juden in der DDR und mit der DDR gemacht hatten, war entsprechend groß: Nur eine einzige um ein Interview gebetene Person lehnte ab.

Allerdings ist auch hier die Quellenlage äußerst schwierig. Die schnelle und umfassende (Vor-)Verurteilung der ‹Ossis› durch die ‹Wessis› («jeder, der dort – womöglich noch einigermaßen gut – lebte, war ohnehin ein ‹Mitläufer›») hat die Bereitschaft, mir als einer dem Westen zuzuordnenden, Historikerin Einsicht in die Archive zu gewähren, nach einer ersten, kooperativen Phase deutlich schwinden lassen. Hinzu kommt eine nachträgliche Feststellung: Die fast tägliche neue Entlarvung ehemaliger DDR-Bürger als «informelle Mitarbeiter» der Stasi (oder diesbezügliche unbeweisbare Behauptungen) legen die Vermutung nahe, daß sich auch unter meinen Gesprächspartnern «IMs» oder Personen befinden, die in der einen oder anderen Form mit dem Überwachungsapparat verbunden waren. Ob die Glaubwürdigkeit dieser Kontaktpersonen und ihrer Angaben deshalb grundsätzlich verneint werden muß, scheint mir mindestens fraglich. Verwendet wurden aber – wo immer möglich – Aussagen, die von mehreren Quellen bestätigt wurden. Vereinzelt waren Dokumente zur eigenen Geschichte und Korrespondenzen auch nicht mehr ‹auffindbar›. – Die Annahme, daß staatliche Organe diese Akten, welche die antifaschistische Fassade des Regimes (zusätzlich) zu beschädigen imstande gewesen wären, haben verschwinden lassen, scheint plausibel. Die zur Verfügung stehenden Dokumente umfassen die Zeit von 1955 bis 1970, insbesondere die 60er Jahre. Obschon damit nur ein Ausschnitt der untersuchten Periode abgedeckt wird und die Unterlagen zudem lückenhaft sind, vermitteln sie dennoch ein eindrückliches Bild von den Lebensbedingungen jüdischer Gemeinden in diesem Staat.

Die Untersuchung umfaßt den Zeitraum von der Befreiung 1945 bis zur deutschen (und jüdischen) Vereinigung im Herbst 1990 und versteht sich in erster Linie als historisch.[3] Sie greift nur insofern auf die umfangreichen psychologischen und psychiatrischen Erkenntnisse und soziologischen Erhebungen zurück, als diese für das geschichtliche Verständnis unerläßlich sind. Ich habe mich, soweit dies möglich und sinnvoll war, jeweils an die Chronologie der Entwicklung gehalten; einzelne Problemkreise (Mischehen, «deutsch-jüdische Symbiose») verlangten jedoch eine exkursive Behandlung.

Viele Aspekte jüdischen Lebens in Deutschland können im Rahmen dieser Arbeit nur am Rande gestreift werden. Dies ist einerseits durch die Komplexität des Themas und die äußerst unbefriedigende Quellenlage bedingt, andererseits durch die psychologischen Auswirkungen der sehr großen (örtlichen und zeitlichen) Nähe der Betroffenen zu einer wohl nicht zu bewältigenden Vergangenheit, zu Auschwitz.

Die Schwierigkeiten manifestieren sich nicht zuletzt im sprachlichen Umgang mit dem Unfaßbaren. Seit dem 50. Jahrestag des 9. November 1938 ist es – in beiden Teilen Deutschlands – z. B. üblich geworden, die früher allgemein gebräuchliche Bezeichnung «Kristallnacht» für dieses Datum durch «Pogromnacht» zu ersetzen, da laut einigen Publikationen der Begriff der «(Reichs-)Kristallnacht» angeblich von den Nazis geprägt worden ist. Initiiert wurde diese Neubenennung durch Wissenschaftler und Publizisten, die über den bisherigen, ihrer Meinung nach beschönigenden Sprachgebrauch in der Auseinandersetzung mit der deutschen Geschichte besorgt waren. Fremdwörter wie «Reichspogromnacht» (oder «Holocaust» und «Shoa» statt Vernichtung) dienen m. E. aber einer (neuerlichen) Verschleierung und illegitimen Distanzierung – selbst wenn sie auch von Juden gebraucht werden –, da sie in ihrer Bedeutung verschwommen bleiben.[4] Zudem lenkt die Verwendung nicht-deutscher Bezeichnungen vom spezifisch deutschen Kontext ab oder impliziert gar, die benannte Sache habe mit den Deutschen selbst nicht direkt zu tun. Ich habe mich deshalb bemüht, wo immer möglich die deutschen Begriffe zu verwenden; wo der Gebrauch euphemistischer oder unklarer Bezeichnungen unumgänglich war, sind diese kenntlich gemacht.

Auch in anderer Hinsicht zeigte sich die Unmöglichkeit, klare sprachliche Kategorien zu finden: in der Benennung der Angehörigen der jüdischen Gemeinschaft. Unter den Betroffenen selbst wird vermehrt und zunehmend heftig darüber gestritten. Deutsche Juden? Jüdische Deutsche? Juden in Deutschland? Deutsche Staatsbürger jüdischen Glaubens? Keiner dieser ‹Schuhe› scheint recht zu passen. Damit ist allerdings mehr als nur ein Benennungsproblem bezeichnet. Vielmehr drückt sich hierin die fundamentale Frage nach dem Selbstverständnis aus – eine der Grundfragen, die dieses Buch durchzieht.

1. Die jüdische Nachkriegsbevölkerung Deutschlands

1. Die deutsch-jüdische Restgruppe

Im Jahr 1933 zählte die jüdische Bevölkerung Deutschlands laut einer Volkszählung 499682 Personen.[1] Im gleichen Jahr kam es zur Entlassung aller Jüdinnen und Juden aus dem Staatsdienst, und die nationalsozialistischen Machthaber erließen im Frühjahr einen Aufruf, jüdische Geschäfte zu boykottieren. Diese beiden Maßnahmen lösten eine erste panikartige Fluchtwelle aus. Ende 1933 schien sich die Lage für die jüdische Bevölkerung – oberflächlich betrachtet – zu beruhigen; es kam zu einer Rückwanderung, die bis Mitte 1935 anhielt.[2] Im September 1935 wurden die Nürnberger Gesetze erlassen, welche die «Kategorie» der als jüdisch bezeichneten und deshalb diskriminierten Personen stark erweiterten. Trotzdem wurden bei einer neuerlichen Erhebung 1938 nur noch etwa 234000 Jüdinnen und Juden gezählt[3]; 1942 war die Zahl auf etwa 80000 gesunken[4], wovon nahezu die Hälfte in Berlin lebte.[5]

Diese Tatsache läßt sich mehrfach begründen. Zum einen hatte schon vor der Machtergreifung mit etwa 160000 Personen mehr als ein Drittel der deutschen Juden in Berlin gelebt. Die Hauptstadt galt seit der Jahrhundertwende als Hochburg der Sozialdemokratie; weite Teile der Bevölkerung sollten sich als relativ immun gegen den Nationalsozialismus erweisen. Zum anderen wurde die massenhafte Auswanderung der Berliner jüdischen Bevölkerung teilweise kompensiert: Die geographische Lage – zahlreiche Seen, Wasserwege und Wälder, welche die Wohnviertel deutlich voneinander abgrenzten, was wiederum die Anonymität förderte – und das Klima geistiger und politischer Toleranz ließen Berlin als idealen Ort erscheinen, wenn man untertauchen mußte. Dieser Eindruck mag viele dazu bewogen haben, in dieser Zeit nach Berlin zu ziehen, oft eben, ohne sich anzumelden.

Ein zusätzlich begünstigender Aspekt für Berlin ergab sich dadurch, daß die Reichshauptstadt den Beobachtungen der internationalen Öffentlichkeit durch Presse und Diplomatie sehr stark ausgesetzt war, was die Machthaber viel länger als an anderen Orten zur Zurückhaltung zwang. Joseph Goebbels, der nicht nur Reichspropagandaminister, sondern auch Gauleiter von Berlin war, hatte sich vorgenommen, ‹seinen› Gau judenfrei zu machen. Doch die außenpolitischen Rücksichtnahmen und auch der riesige Bedarf an Arbeitskräften für die Rüstungsindustrie verhinderten dies bis Ende 1942, als Hitler einwilligte, die beschäftigten Juden durch aus den besetzten Gebieten verschleppte «Fremdarbeiter» zu ersetzen.[6] Daraufhin wurde für Ende Februar 1943 eine Massenverhaftung der in Berlin verbliebenen jüdischen Bevölkerung unter dem Tarnnamen «Fabrik-Aktion» geplant. Am 2. März stellte Goebbels in einem Tagebucheintrag rückblickend fest:

«Leider hat sich auch hier wieder herausgestellt, daß die beßren Kreise, insbesondere die Intellektuellen, unsere Judenpolitik nicht verstehen und sich zum Teil auf die Seite der Juden stellen. Infolgedessen ist unsere Aktion vorzeitig verraten worden, so daß uns eine ganze Menge von Juden durch die Hände gewischt sind.»

Und am 11. März:

«Im ganzen sind wir 4000 (...) Juden nicht habhaft geworden. Sie treiben sich jetzt wohnungs- und anmeldungslos in Berlin herum und bilden natürlich für die Öffentlichkeit eine große Gefahr.»[7]

Ein nicht unbedeutender, wenn auch zahlenmäßig kleiner Teil der Öffentlichkeit setzte sich im Zusammenhang mit dem Untertauchen dieser Menschen tatsächlich einer sehr großen Gefahr aus: Für manche war es ein Akt des Widerstandes gegen das nationalsozialistische Regime, Juden zu verstecken, ihnen Nahrungsmittel, in seltenen Glücksfällen sogar gefälschte Papiere zu beschaffen, die sie als Arier auswiesen, oder auch nur Stillschweigen zu bewahren, wenn sie von einem Untergetauchten wußten.

Für andere war es eine oft religiös begründete moralische Pflicht oder ein selbstverständliches Opfer für Freunde. Unter den Helfern, die Gross in seinem Buch «Versteckt» schildert, findet sich auch die Gattin eines SS-Offiziers.[8] Von den zehn hier geschilderten Schützlingen konnten neun gerettet werden; insgesamt wurden für Berlin nach der Befreiung 1416 Personen gezählt[9], die im Untergrund überlebten, obschon die Gestapo verschiedentlich aufgegriffene Jüdinnen und Juden vor die Wahl stellte, mit ihr zu «kollaborieren» und als sogenannte «Fänger» die untergetauchten Glaubensgenossen zu verraten oder selbst deportiert zu werden. Für Gesamtdeutschland schwanken die Schätzungen der überlebenden Illegalen zwischen 2000 und 5000 Personen.[10]

Eine weitere Gruppe deutsch-jüdischer Überlebender waren die sogenannten «Sternträger». In diese Kategorie fielen alle, die mit einem nichtjüdischen Ehepartner verheiratet waren, aber entweder kinderlos waren oder ihre Kinder dem Judentum zugeführt hatten, also in einer «nichtprivilegierten Mischehe» lebten. Für den 1. April 1943 stellte der SS-Statistiker Korherr für das «Altreich» 4551 solcher Mischehen fest. Wohl unternahmen die Nazis ab Ende 1941 verschiedene Versuche, zu einer Einigung darüber zu gelangen, wie auch diese Personen der «Endlösung» zugeführt werden könnten. So gab es Vorschläge, beide Ehepartner zu deportieren, wobei das «Muster-KZ» Theresienstadt als Zielort vorgesehen war. Andere Pläne sahen Zwangsscheidungen all dieser Ehen vor[11], weil klargeworden war, daß diejenigen «Arier», die sich zu diesem Zeitpunkt – selbst unter dem Druck der auch sie betreffenden Diskriminierung – noch nicht von ihren jüdischen Partnern getrennt hatten, diesen Schritt, der für ihre Gatten möglicherweise einem Todesurteil gleichkam, nicht freiwillig unternehmen würden. Die Bestrebungen der Machthaber, dieser Menschen habhaft zu werden, scheiterten einerseits daran, daß man sich über die zu treffenden Maßnahmen nicht einigen konnte, andererseits an der Loyalität der nichtjüdischen Partner. Der Anteil dieser Überlebenden an der deutsch-jüdischen Restgruppe, die allgemein mit ca. 15000 Personen beziffert wird, beträgt rund 23 Prozent, für Berlin 1791 Personen.[12]

Die Gruppe der überlebenden sogenannten «Nichtsternträger» setzt sich zusammen aus «Mischlingen» und aus jüdischen Partnern der «privilegierten Mischehen». Als Mischling 1. Grades galt, wer entweder nur einen jüdischen Elternteil oder zwei jüdische Großeltern hatte und selbst nicht der jüdischen Religion angehörte. Wer nur einen jüdischen Großelternteil hatte, getauft und nicht mit einem jüdischen Partner verheiratet war, galt als «Mischling 2. Grades».[13]

Die «Mischlinge» waren zwar «Nichtarier», wurden aber mit Ausnahme des Verbots der Ausübung bestimmter Berufe (Chefredakteur, Verleger, Rechtsanwalt, Staatsdienst) und der Unmöglichkeit, Parteimitglied zu werden oder landwirtschaftliche Güter zu erben, von der Diskriminierung «verschont».[14] Als «privilegierte Mischehen» wurden Ehen zwischen einem jüdischen und einem «arischen» Partner[15] bezeichnet, sofern deren Nachkommen («Mischlinge 1. Grades») der christlichen Kirche angehörten, auch wenn der einzige «Mischlingssohn» im Krieg gefallen war. SS-Statistiker Korherr zählte für den 1. April 1943 12 117 Mischehen, die «Mischlinge» wurden meines Wissens zahlenmäßig nicht erfaßt. Hilberg bemerkt dazu:

«Mischlinge und Mischehe-Juden waren die einzigen Deportationskandidaten, die dem Schicksal, das Heydrich ihnen zugedacht hatte, entgingen. Die Mischlinge wurden gerettet, weil sie mehr deutsch als jüdisch waren; die Juden in Mischehe blieben verschont, weil sich das Gefühl breitmachte, ihre Deportation könnte letztlich den gesamten Vernichtungsprozeß gefährden. Es zahlte sich einfach nicht aus, die Geheimhaltung des gesamten Unternehmens um der Deportation von 28 000 Juden[16] willen zu opfern, von denen einige zudem so alt waren, daß sie womöglich vor Abschluß der Aktion auf natürlichem Weg sterben würden.»

In Berlin wurden bei Kriegsende gesamthaft 4 147 Mischehen gezählt, 2 183 «privilegierte» und 1964 «nichtprivilegierte».[17]

Unmittelbar nach der Befreiung kehrten außerdem laut Maor rund 470 ehemalige KZ-Insassen nach Berlin zurück. Sie kamen größtenteils aus Theresienstadt, das kein eigentliches Vernichtungslager war, sondern eher als Ghetto bezeichnet werden kann. Viele von ihnen waren Kriegsveteranen des Ersten Weltkriegs, manche versehrt, zahlreiche mit Orden dekoriert und fast alle eingefleischte deutsche Patrioten.

Gemäß Maor, der sich auf verschiedene Erhebungen stützt[18], wird allgemein davon ausgegangen, daß die Berliner Juden rund die Hälfte der deutsch-jüdischen Restgruppe ausmachen (*Tabelle 1*, S. 356). Da es in der Sowjetischen Besatzungszone keine DP-Lager gab und etwa 3 500 Personen aus der Emigration in diesen Teil Deutschlands zurückkehrten, zudem einige als «Sternträger» oder «Nichtsternträger» am Ort überlebten, ist anzunehmen, daß der überwiegende Teil der jüdischen Bevölkerung in der nachmaligen DDR (die sich zudem mehrheitlich in Ostberlin niederließ) deutsch-jüdischen Ursprungs war.

2. Die ostjüdischen Flüchtlinge

«Es mutet paradox und ironisch zugleich an, daß Deutschland, das seine jüdische Bevölkerung ausgestoßen und in den Tod getrieben hatte, nach dem Krieg unter dem Schutz der alliierten Siegermächte zum Rettungshafen einiger Hunderttausend Juden, sogenannter ‹Displaced Persons› (DP's) (...) wurde.»[19]

Harmsen gibt für die DP's folgende Definition:

«Der Ausdruck ‹verschleppte Person› wurde dabei auf eine Person bezogen, die infolge von Handlungen der Nazi- oder faschistischen Regierungen oder deren Verbündeten im Zweiten Weltkrieg oder durch Quisling- und ähnliche Regierungen deportiert wurde oder gezwungen war, das Land ihrer Nationalität oder ihren früheren Wohnsitz zu verlassen, wie auch Personen, die gezwungen waren, Zwangsarbeit zu leisten, oder die aus rassischen, religiösen oder politischen Gründen deportiert wurden.»[20]

Laut Hilberg befanden sich im April 1946 ca. 74000 jüdische DP's in den Westzonen Deutschlands, davon mehr als zwei Drittel (54000) in der amerikanischen Zone.[21] Es kann davon ausgegangen werden, daß es sich hier ausschließlich um gerettete KZ-Insassen handelte, die unter der Verantwortung der UNRRA (United Relief and Rehabilitation Administration) in Auffanglagern untergebracht waren, die schon während der alliierten Invasion von den Supreme Headquarters, Allied Expeditionary Forces (SHEAF) geschaffen worden waren.[22]

Die Gruppe der jüdischen DP's sollte bis Ende 1947 rund 200000 Personen umfassen. Bei Kriegsende verfügte die UdSSR die Repatriierung der nach Ostrußland evakuierten polnischen Juden.[23] Diese strömten zunächst nach Polen in ihre früheren Wohnorte. Hier mußten sie jedoch in aller Regel feststellen, daß ihr Besitz enteignet worden war und es ihnen kaum möglich sein würde, diesen zurückzuerhalten; denn ihre Bemühungen um die Rückerstattung ihres Eigentums stießen auf heftigen Widerstand der Bevölkerung, in dessen Gefolge es oft zu einem Wiederaufleben des in Polen schon ‹traditionellen› Antisemitismus, 1946 in Kielcze sogar zu einem Pogrom mit mehr als 40 jüdischen Opfern und 60 Verletzten kam.[24]

Zudem blieb die Suche nach Familienangehörigen meist erfolglos; es gab keinen Grund mehr, sich um einen Neuaufbau der Existenz am früheren Wohnort zu bemühen – das Ziel war Palästina.[25] Schon bald wurde klar, daß es in Osteuropa kaum gelingen würde, ein Einwanderungsvisum dorthin (oder allenfalls in ein anderes Land, z. B. die USA) zu erhalten. Sehr viele beschlossen deshalb, die Reise nach Westen quasi schrittweise anzutreten. Erste Station war in den meisten Fällen Deutschland, aber auch in Österreich und Italien nahm der Strom der DP's bis 1946 ständig zu.

Die Besatzungsmächte begrüßten die Flüchtlinge jedoch keineswegs mit offenen Armen. Die britischen Behörden betrachteten «den eintreffenden Zustrom der Juden als ein riesiges Komplott, um die Einwanderungsbeschränkungen für Palästina zu umgehen und ad absurdum zu führen.»[26] Die Flucht der ostjüdischen Überlebenden wurde bis zu einem gewissen Grad tatsächlich von zionistischen Organisationen gelenkt, da die Briten mit ihrer nach 1945 geführten Mandatspolitik in Palästina keinerlei Verständnis für die Situation der Juden zeigten und nun mit der Masse der Flüchtlinge unter Druck gesetzt werden sollten, diese Politik zu revidieren.[27] Die Briten reagierten jedoch damit, daß sie allen DP's, die nach dem 30. Juni 1946 in ihrer Zone eintrafen, die Aufnahme in die Vertriebenenlager verweigerten[28], worauf diese ihre Wanderung in die amerikanische Zone fortsetzten. Da aber die Auswanderung nach Palästina blockiert war, kam es gerade in der Britischen Zone zur Ausbildung gemeindeartiger Strukturen: Belsen wurde zu einem ersten Zentrum.

Für das Gros der nichtjüdischen DP's galt für die Besatzungsmächte, diese so schnell und in so großer Zahl wie möglich zu repatriieren. Harmsen gibt an, daß dies für knapp sechs Mio. der bei Kriegsende in Deutschland befindlichen 9,62 Mio. Flüchtlinge bis zum 1. Oktober 1946 gelang.[29] Für die jüdischen DP's kam dies jedoch nicht in Frage. Die Erteilung von Visa für die Einwanderungsländer ging, da die Quoten für jüdische Flüchtlinge nicht erhöht wurden, sehr schleppend vonstatten. Hinzu kam, daß es vielen aus gesundheitlichen Gründen nicht möglich war, überhaupt je ein Visum zu erhalten. Dies galt insbesondere für Tuberkulosepatienten (auch wenn die Krankheit verheilt war) sowie für Invalide, Geisteskranke und gebrechliche alte Menschen. Diese nicht ansiedelbaren Personen bildeten den sogenannten «hard core».

Da nicht abzusehen war, wann es den Juden ermöglicht werden würde, nach Palästina, in die USA oder ein anderes Land auszuwandern, kam es zu zwei voneinander unabhängigen Entwicklungen: Zum einen begannen viele, sich aus der Obhut der UNRRA[30] abzulösen und, trotz ihrer heftigen Abneigung gegen die deutsche Umwelt, außerhalb der Lager zu leben. Entsprechend einer Erhebung vom 29. Oktober 1946 hielten sich in den vier Besatzungszonen und Großberlin 112013 Juden in DP-Lagern auf, 44692 außerhalb.[31] Es ist allerdings unklar, wie groß schon zu diesem Zeitpunkt die Dunkelziffer der nicht in den Lagern erfaßten jüdischen Bevölkerung war, da die Angabe der Religionszugehörigkeit bei den Meldeämtern (wie heute) auf freiwilliger Basis erfolgte.

Die zweite einsetzende Entwicklung betrifft die in den Lagern verbliebenen DP's. Diese begannen, sich zu organisieren, bildeten sogenannte Lagerkomitees, die sich für die innere Ordnung verantwortlich zeigten und die Interessen der jüdischen Mitinsassen (zum Teil durch die Vermittlung der internationalen jüdischen Organisationen) bei den Alliierten vertraten. Dies entsprang vor allem dem Bewußtsein, daß ihr Problem nicht mit den gleichen Mitteln zu lösen war wie das der übrigen DP's; ein weiteres Motiv war, so schnell wie möglich nach Palästina auszuwandern. Aus den Lagerkomitees bildeten sich zonenweise Zentralkomitees (die zweifellos, wenn dies auch nicht beabsichtigt war, die Grundlage für die späteren Wiedergründungen jüdischer Gemeinden in Deutschland darstellten). Es entstanden Lagerzeitungen, Theatergruppen und, wohl am wichtigsten, Schulen, deren gesamte Tätigkeit einzig auf das Ziel der *Alijah* gerichtet war. Ein weiteres, äußerst wichtiges Anliegen war alliierter- wie jüdischerseits die Arbeitsbeschaffung für die Dauer des (als unbedingt befristet angesehenen) Aufenthalts der DP's. Hier stieß man aber auf eine Schwierigkeit, und zwar bei den Deutschen wie bei den Juden: Viele deutsche Arbeitgeber wollten keine Jüdinnen oder Juden beschäftigen; zudem war der Arbeitsmarkt für die vielfach manuell ungebildeten Flüchtlinge äußerst schlecht.[32] Auf jüdischer Seite sah man die deutsche Umwelt als hauptverantwortlich für die eigene Lage an und wollte deshalb nicht beim Wiederaufbau des zerstörten Deutschlands mithelfen.[33]

Es gab allerdings einen ‹jüdischen Wirtschaftszweig›, der nicht unerwähnt bleiben darf, weil er den Ansatz zu vielen Clichés in sich birgt: den Schwarzmarkt. Die jüdischen Flüchtlinge erhielten neben den für alle DP's geltenden Zuweisungen an Nahrungsmitteln und Kleidung zusätzlich von den internationalen jüdischen Hilfsorganisationen[34] Pakete, wodurch bei ihnen ein gewisser ‹Überschuß› an Waren entstand, die auf dem normalen deutschen Markt nicht erhältlich waren. Zweifellos gab es Menschen, die diesen Zustand ausnutzten; sie hatten den Deutschen gegenüber dabei kaum Skrupel.[35] Einige von ihnen konnten, als direkte oder indirekte Folge davon, in der deutschen Wirtschaft Fuß fassen und begannen mit dem Aufbau einer neuen Existenz.

Wie erwähnt, war es im Falle der jüdischen DP's nicht möglich, sie zu repatriieren. Sie galten in der Regel als Staatenlose und blieben in der Mehrzahl bis zum Ende des UNRRA/IRO-Mandats in deren Camps. Zwei Ereignisse veränderten die Lage 1948. Das erste und sicher wichtigere war die Beendigung des britischen Mandates in Palästina am 14. Mai 1948. Das zweite Ereignis betraf die USA: Mit dem «Displaced Persons Act» vom Juni 1948 öffneten die USA die Tore für die DP's «aller religiösen Bekenntnisse, politischen Überzeugungen und Nationalitäten», wobei die Prioritäten bei der Erteilung eines Visums bei Landarbeitern sowie bei Bekleidungs- und Textilarbeitern lagen.[36] Selbstverständlich mußten alle US-Immigranten gesund sein.

Waren es vom Ende des Krieges bis zum Juni 1947 nur gerade 15 000 gewesen, die legal nach Palästina einwandern konnten[37], so zeigen die IRO-Statistiken für die Zeit vom Juli 1947 bis Ende 1951 130 000 Personen. Diese Zahl liegt zu tief: Nicht mitgezählt wurden die illegalen Einwanderer. Insgesamt wuchs die israelische Bevölkerung bis Ende 1948 um knapp 687 000 Personen, wovon knapp 327 000 aus Europa stammten.[38] Die Zahl der illegal Eingewanderten ist nicht bekannt.

Der in Westdeutschland verbleibende «hard core» (d. h. die Gruppe derjenigen, die – meist aus gesundheitlichen Gründen – nicht nach Israel auswandern konnten und von keinem anderen Staat ein Einreisevisum erhielten) umfaßte 1952, bei Beendigung der IRO-Tätigkeiten, noch ca. 12 000 Personen, von denen etwa 2000 sich weigerten, das

Lager Föhrenwald zu verlassen.[39] Solange die Lager bestanden, durften sie die Hoffnung hegen, doch noch auswandern zu können. Das Lager wurde der Verantwortlichkeit der BRD unterstellt; erst 1956, elf Jahre nach Kriegsende, konnte es aufgelöst werden.[40] Die Mehrzahl der in der BRD verbliebenen DP's wurden in die wieder entstehenden Gemeinden integriert.

3. Remigranten

Neben der deutsch-jüdischen Restgruppe und den ostjüdischen DP's bilden die Remigranten eine weitere wichtige Komponente der wiederaufgebauten Gemeinschaft. Ein wesentlicher, für das politische Klima in Westdeutschland symptomatischer Aspekt ist wohl die Tatsache, daß selbst die prominentesten Emigranten ihre Rückkehr aus eigenem Antrieb unternahmen – und nicht etwa, weil man sie offiziell darum gebeten hätte.[41] Eine Ausnahme bildet die Stadt Frankfurt, die 1948/49 die beiden Professoren Max Horkheimer und Theodor W. Adorno zurückrief, welche gemeinsam das Institut für Sozialforschung wieder aufbauten und leiteten.

Für die große Mehrheit der Remigranten traten an Stelle des ‹Rufs› der alten Heimat andere Motive: Zunächst gab es viele Menschen, die nach Deutschland zurückkehrten, um nach Familienangehörigen zu suchen; einige davon blieben, selbst wenn dies in aller Regel nicht ihre Absicht gewesen war. Weitere Gründe mochten eine starke, wenn auch sehr irrationale Sehnsucht nach der ‹Heimat› oder politische, sprachlich-kulturelle und wirtschaftliche Motive sein. Einige jüdische Antifaschisten sahen es unmittelbar nach Kriegsende als ihre Pflicht an, nach Deutschland zurückzukehren und beim Aufbau der Demokratie zu helfen. Es waren Politiker, Sozialdemokraten und Kommunisten, aber auch politische Publizisten.

«Wir sind zurückgekehrt, weil wir es für unsere Pflicht gehalten haben, uns denen unserer Glaubensgenossen zur Verfügung zu stellen, denen es nicht gelungen ist, in die Emigration zu gehen, die aber trotzdem das Glück hatten, ihren Verfolgern zu entkommen. Wir sind aber auch zurückgekehrt, weil wir geglaubt haben, daß wir von dem größeren Teil des deutschen Volkes gestützt werden (...).»[42]

Viele von ihnen gingen – zum Teil nur vorübergehend – in die Sowjetische Besatzungszone, darunter die Literaturhistoriker Alfred Kantorowicz (1946) und Hans Mayer (1945), der Karikaturist John Heartfield (1950), der Philosoph Ernst Bloch (1949), die Schriftsteller Stefan Heym (1945), Anna Seghers (1947) und Arnold Zweig (1948), der Brecht-Komponist Hanns Eisler (1948), sein Bruder Gerhard Eisler, der zusammen mit Albert Norden 1946 zurückkehrte (beide wurden später Mitglieder des Zentralkomitees der SED), sowie ebenfalls 1946 der spätere DDR-Kulturminister Alexander Abusch[43], dessen Bruder im Westen blieb, beim Wiederaufbau der jüdischen Gemeinde von München mithalf und lange in deren Führung tätig war.

Einige der prominenten Persönlichkeiten mit Bindungen an die Sozialdemokratie kehrten aber, nicht zuletzt auf Aufforderung von Kurt Schumacher, Ernst Reuter oder anderer Parteifreunde, in die Westzonen zurück. Zwar ist deren Anzahl wesentlich kleiner als im Osten, doch ist diese Gruppe für die jüdische Gemeinschaft Nachkriegsdeutschlands sehr viel wichtiger. Bei den nach Westdeutschland zurückkehrenden politischen Persönlichkeiten war die jüdische Identifikation meist noch sehr stark, und fast alle von ihnen wurden (z. T. sogar führende) Gemeindemitglieder.

Zu ihnen gehören Peter Blachstein und Jakob Altmeier[44], die zusammen mit der KZ-Überlebenden Jeanette Wolff SPD-Abgeordnete des ersten Bundestags waren[45], der spätere Bürgermeister von Hamburg, Herbert Weichmann, der nachmalige Justizminister von Nordrhein-Westfalen, Josef Neuberger, die Politologen Ernst Fraenkel und Richard Löwenthal, die beide an der neugegründeten Freien Universität Berlin wirkten, der Journalist Hans Hirschfeld, Berater des Bürgermeisters von Berlin, Ernst Reuter, und später Presseattaché von Willy Brandt sowie die Publizisten Hilde Walter, Erich Marcus und der Gründer und Herausgeber des wichtigsten Mitteilungsblattes, der «Allgemeinen Jüdischen Wochenzeitung»[46], Karl Marx.

Sprache und Kultur waren für viele ein schon fast existentieller Grund, um zurückzukehren. Viele namhafte Schriftsteller, Germanisten, Philosophen, Medienschaffende und Schauspieler mußten während ihrer Emigrationszeit feststellen, daß die deutsche Sprache einen so wesentlichen Teil ihrer Existenz darstellte, daß sie außerhalb des deutschen Sprachraums nicht mehr arbeitsfähig waren. Für viele

Schriftsteller, die – wie Kurt Tucholsky, Stefan Zweig, Walter Hasenclever, Ernst Toller, Egon Friedell, Walter Benjamin oder Karl Wolfskehl – Selbstmord begingen, war die sprachliche Heimatlosigkeit ein wesentliches Motiv für diesen Schritt. Für einige wenige war die Sprache nebst politischen Hoffnungen und Ansprüchen eine überaus wichtige Legitimation für die Rückkehr. Zu ihnen gehörten Horkheimer und Adorno ebenso wie die Schauspieler Fritz Kortner, Ernst Deutsch und Elisabeth Bergner, der Fernsehdirektor Peter Lilienthal, die Publizisten Wilhelm Unger und Ulrich Sonnemann, um nur einige Namen aus dieser verschwindend kleinen Gruppe zu nennen. Maor stellt fest:

«Das Fritz Kortner zugeschriebene Wort: ‹Als der Anlaß für das Exil in Fortfall kam, kehrte ich aus dem Exil zurück›, ist (...) nur von individualpsychologischem Wert (...).»[47]

Zwei wirtschaftliche Faktoren haben die Rückkehr der größten Gruppe in die westlichen Besatzungszonen bzw. in die BRD bestimmt. Zum einen war es die «Wiedergutmachung», zum anderen das deutsche «Wirtschaftswunder», das vor allem für die Emigranten eine Rolle spielte, die sich an Orten niedergelassen hatten, wo der Neuaufbau einer Existenz unvergleichbar schwieriger war, z. B. in Israel, wo Unkenntnis der Sprache (die zudem von völlig anderen Wurzeln ausgeht als die indogermanischen Sprachen) und ungewohnte klimatische Bedingungen für die psychisch und physisch versehrten Menschen unüberwindlich schienen.

Zwar bot der deutsche Arbeitsmarkt gerade für jene, die z. B. in Israel Anpassungsschwierigkeiten (nicht zuletzt bei der Umstellung auf körperliche, meist landwirtschaftliche Arbeit) gezeigt hatten, nicht unbedingt verlockende Möglichkeiten; doch die Einführung der Zahlung einer Soforthilfe von DM 6000 für Remigranten im Rahmen des Bundesentschädigungsgesetzes vom Juni 1956 eröffnete allenfalls eine Chance, ein kleines Geschäft zu eröffnen oder sich in ein bestehendes einzukaufen.

Maor nimmt an, daß das Fehlen wirtschaftlicher Motive eher die Ausnahme als die Regel gewesen sein muß[48], was die Größe dieser Gruppe von Remigranten, aber auch die unverhältnismäßig hohe Anzahl an Rechtsanwälten untermauern, deren Hauptbeschäftigung die Regelung von Rückerstattungen und Entschädigungen war.[49]

Die bereits erwähnte Abneigung der Gemeinden, Statistiken zu führen, die vor dem Hintergrund der von Statistiken geradezu dominierten NS-Zeit verständlich wird, macht es auch im Falle der Remigranten unmöglich, genauere Angaben über deren Zahl zu machen. Maor, der seine Erhebungen 1959 abschloß, spricht von «kaum mehr als 9000 (...) und daher noch unter 4 Prozent der 270000 emigrierten deutschen Juden», der «Spiegel» nennt rund 7000 Remigranten; Richarz erwähnt etwa fünf Prozent[50], was 11 500 Personen entsprechen würde.

Unklar ist bei allen Schätzungen, ob hierin die rund 2 500 deutschen Remigranten aus Shanghai, die sich zum Zweck der schnellstmöglichen Repatriierung sogar zu einem Verband zusammenschlossen, eingerechnet sind.[51] Die Bildung dieses Verbandes wurde notwendig, weil es ein Hindernis zu überwinden galt, das ganz allgemein auf die (ohnehin schon sehr geringen) Repatriierungsbestrebungen deutscher Juden einen äußerst hemmenden Einfluß hatte: Das von Robert Weltsch ausgesprochene Wort «Deutschland ist kein Boden für Juden» kam, wenn auch nicht aus jüdisch-rechtlicher, so doch aus emotionaler Sicht einem Bann nahe. Innerhalb der internationalen jüdischen Organisationen wurde zwar die offizielle Verhängung eines Banns heftig diskutiert, doch kam es nicht dazu. Dennoch war der Tenor der gesamten jüdischen Welt einstimmig: In Deutschland sollten nur so weit wieder jüdische Institutionen tätig werden, als dies für die Regelung der Emigration aller Jüdinnen und Juden notwendig sei.[52]

Es gibt kaum Anzeichen dafür, daß es von allem Anfang an von deutsch-jüdischer Seite Bestrebungen für den Wiederaufbau jüdischer Gemeinden in Deutschland gegeben hätte; daß sie dennoch entstanden, lag mehr an den historischen und soziologischen ‹Sachzwängen›. So gab es auch auf deutsch-jüdischer Seite keinerlei Förderung oder auch nur offizielle verbale Unterstützung der Remigration. Noch 1963 stellte van Dam, Mitgestalter der «Wiedergutmachungs»-Gesetzgebung und erster Generalsekretär des 1950 gegründeten «Zentralrats der Juden in Deutschland», in einem Interview mit dem «Spiegel» fest, daß Deutschland weder ein Einwanderungsland wie Amerika oder Australien noch ein Rückwanderungsland sein könne. «Man kann die Uhr der Geschichte nicht zurückstellen und da anfangen, wo man aufgehört hat.» In einem 1967 mit Leo Katcher geführten Gespräch bemerkte er außerdem:

«While we have only a small number of Jews in the professions, the universities and the laboratories, I do not believe there has been any relative decrease compared to before 1933. I would say the proportion is about the same.»[53]

4. Dunkelziffern

Die offiziellen Mitgliederzahlen der jüdischen Gemeinden in der BRD lagen während 20 Jahren (bis zur deutschen Vereinigung) konstant bei ca. 30000 Personen.[54] Eine in mancher Hinsicht für das jüdische Leben in Westdeutschland wichtige Gruppe ist dabei aber weitgehend nicht erfaßt: die Israelis. Dafür gibt es mehrere Gründe: Zum einen sind viele Israelis deutscher Abstammung mit der Überzeugung zurückgekehrt, dies sei nur ein vorübergehender Aufenthalt, auch wenn sie in einzelnen Fällen schon seit mehr als 20 Jahren wieder da leben. Die Mitgliedschaft in einer Gemeinde würde Permanenz dokumentieren, die sie nicht wollen und sich nicht eingestehen können. Ein weiterer Grund, nicht in die Gemeinden einzutreten, hat vor allem für die jüngere, in Israel geborene Generation, welche sich primär aus wirtschaftlichen Überlegungen in der BRD niedergelassen hat, Bedeutung: In Israel gibt es, mit Ausnahme der orthodox-religiösen Kreise, das Prinzip der Synagogen- oder Kultusgemeinde nicht, da die Staatswerdung Israels die religiöse, kulturelle, soziale und rechtliche Notwendigkeit dieser Institution hinfällig werden ließ.

Eine weitere Gruppe, die von den Mitgliederstatistiken nicht erfaßt ist, sind Juden, die zwar seit 1945 in Westdeutschland leben oder da geboren sind, sich aber aus verschiedenen Gründen keiner Gemeinde anschließen. Bei ihnen stehen vermutlich zwei Momente im Vordergrund: die Assimilation und Entfremdung vom Judentum (die noch weiter reicht als schon bei vielen Gemeindemitgliedern), d. h. das Fehlen eines Bekenntnisses, oder aber, wenn die jüdische Identität noch vorhanden ist, die Angst mancher in Deutschland lebender Juden, sich hier als solche zu erkennen zu geben. Die Schätzungen für die gesamte ‹Dunkelziffer› in der BRD schwanken zwischen 8000 und 20000 nicht erfaßte Personen.

2. Jüdisches Leben in der BRD

1. Demographische Daten

Es wurde bereits verschiedentlich auf die Schwierigkeiten hingewiesen, die jüdische Bevölkerung Westdeutschlands statistisch zu erfassen. Wenn hier trotzdem mit – zum Teil nur scheinbar genauen – absoluten Zahlen operiert wird, so deshalb, weil diese Daten Rückschlüsse auf Tendenzen zulassen, die den Strukturen ‹normaler› Bevölkerungssegmente zuwiderlaufen.

In der Gründungsphase 1945/46, also noch vor der Auflösung der DP-Lager, wurden rund 21 500 Mitglieder verzeichnet. Durch die Eintritte osteuropäischer Juden stieg diese Zahl auf über 26 000 an, um nach der israelischen Staatsgründung 1948 wieder drastisch abzusinken. Da die einsetzende Rückwanderung den Gemeinden zwar neue Mitglieder brachte, aber vor allem Angehörige dieser Gruppe nach Israel auswanderten[1], wurden viele Gemeinden durch den zunehmenden ostjüdischen Anteil in religiöser und sozialer Hinsicht geprägt. Dies änderte sich auch nicht durch die Rückwanderungswelle, die durch das «Wirtschaftswunder» und die Soforthilfe von 1956 ausgelöst wurde (*Tabelle 2* und *3*, Seite 356f.).

Auffällig ist allgemein, daß die Entwicklung der jüdischen Bevölkerung der BRD primär durch Zu- und Abwanderung bestimmt wurde (und wird), während bei einer ‹normalen› Bevölkerung Geburts- und Sterberaten sehr viel stärker ins Gewicht fallen. Dies ist um so erstaunlicher, als gerade die Betrachtung der Altersstruktur – hohe Überalterung mit daraus bedingter hoher Sterberate – ein ungewöhnliches Bild ergibt.

Bei einem stationären Altersaufbau, wo Geburten die Todesfälle kompensieren, sollten 63 Prozent Kinder, Jugendliche und fortpflanzungsfähige Erwachsene den über 40jährigen gegenüberstehen. 1959 gehörten jedoch nur 34 Prozent, 1970 knapp 36 Prozent und 1980 gerade 40 Prozent zu den jüngeren Generationen (*Tabelle 4* und *5*, Seite 358).

In diesem Zusammenhang sind zwei Hinweise anzubringen:

1. Die deutsch-jüdische Restgruppe hatte von Anfang an ein wesentlich höheres Durchschnittsalter als die DP's; erstere gehörten in ihrer Mehrheit der Großelterngeneration an, zweitere waren hauptsächlich im fortpflanzungsfähigen Alter.[2]

2. Nach 1945 gab es einen ‹Überschuß› von über 9000 Männern, die meisten von ihnen im fortpflanzungsfähigen Alter[3], was zweierlei Folgen zeigte: Viele von ihnen wanderten aus, um eine jüdische Partnerin zu finden, der überwiegende Teil der Dagebliebenen ging Mischehen ein. Im zweiten Fall waren mindestens deren Nachkommen in der Regel für das Judentum verloren, da nach mosaischem Gesetz die Religion von der Mutter auf das Kind übergeht. Das Problem der ‹überzähligen› Männer scheint sich aber abgeschwächt zu haben: In der Gruppe der 21- bis 40jährigen sank der ‹Männerüberschuß› zwischen 1959 und 1980 von 368 auf 175 ab.[4]

1961 schrieb Maor:

«Stand und Bewegung der jüdischen Bevölkerung in Deutschland haben (...) nur zu deutlich einen Punkt erreicht, der ihr Verschwinden als selbständige Gruppe innerhalb wenig mehr als einer Generation zur Gewißheit macht, auch wenn mit der generativ absteigenden Tendenz einer Gruppe natürlich keine soziale Lebensunfähigkeit einhergehen muß.»[5]

In Anbetracht der Entwicklung seither muß festgestellt werden, daß diese Prognose, was die Zahlen wie auch die soziale Situation anbelangt, sich nicht bewahrheitet hat.

Eine (wenn auch nicht die einzige) Erklärung dafür ist zweifellos darin zu finden, daß die jüdische Bevölkerung der BRD – ähnlich wie im übrigen Westeuropa – eine deutliche Urbanisierungstendenz zeigt. Vor 1933 gab es in Deutschland rund 1 600 jüdische Gemeinden. 1959 zählte Maor für Westdeutschland 74; der «Spiegel» erwähnte 1963 deren 73, während es heute nur noch 56 sind[6], bei insgesamt steigender Mitgliederzahl. Die Verstädterung hängt eng mit der Berufsstruktur, aber auch mit religiös bedingten Notwendigkeiten zusammen: Zur Abhaltung eines jüdischen Gottesdienstes sind zehn Männer (ab 13 Jahren) erforderlich, was in kleineren Ortschaften meistens nicht mehr gegeben ist.

Etwa 70 Prozent der erfaßten jüdischen Bevölkerung der BRD sind in den sieben Großgemeinden Berlin, Frankfurt, München, Hamburg, Köln, Düsseldorf und Stuttgart eingetragen, während sich die restlichen 30 Prozent auf die übrigen Gemeinden und deren Umgebung verteilen.[7] Wichtig ist auch die geographische Verteilung der verschiedenen Gruppen. Sie läßt sich zwar häufig nicht genau festhalten, da eine jüdische Binnenwanderung zu verzeichnen ist, doch sind auch hier klare Tendenzen erkennbar, die das religiöse und soziale Leben in den jeweils betroffenen Regionen seit 1945 deutlich prägten. So muß zunächst einmal die Dominanz der DP's in der vormaligen US-Zone betont werden: 1949 betrug ihr Anteil in Bayern 93,7 Prozent der Gemeindemitglieder, in Württemberg 81,6 Prozent, in Hessen 73,8 Prozent und in Baden 50 Prozent.[8] Den geringsten Anteil an DP's hatte zu dieser Zeit Rheinland-Pfalz mit 13 Prozent.

In jüngster Zeit haben derartige Konzentrationen von Untergruppen der jüdischen Bevölkerung vor allem drei Städte stark geprägt: In Hamburg war es, vor allem ab 1960, der Zuzug einer Gruppe von ca. 600 Iranern[9], die in aller Regel Gemeindemitglieder wurden. Ihr Einfluß muß um so stärker sein, als die Gesamtzahl der dortigen Mitglieder seither insgesamt gesunken ist. Frankfurt wurde (und wird) dadurch beeinflußt, daß der Anteil der hier lebenden Israelis (bei wohl überdurchschnittlich häufiger Gemeindemitgliedschaft) höher ist als in anderen westdeutschen Städten. In Berlin ist der Anteil der aus der Sowjetunion emigrierten Juden in den letzten zehn Jahren auf gegen 50 Prozent angestiegen.

Nicht nur die Zusammensetzung der kaum mehr existenten Gemeinschaft hat sich im Hinblick auf Herkunft und Altersstrukturen fundamental verändert; dies gilt ebenso für die wirtschaftlichen Verhältnisse. Konnte man bei der jüdischen Bevölkerung Deutschlands für die Zeit vor 1933 von einer wirtschaftlichen Blüte sprechen[10], so zeigen sich auch hier die Folgen des Vernichtungsprozesses in krasser Form: Jüdisches Vermögen war enteignet, die «Wiedergutmachung» und Rückerstattung kam nur langsam in Gang, und überaus viele Überlebende hatten durch psychische und physische Schäden ihre Arbeitsfähigkeit eingebüßt, waren zu Frührentnern geworden.

Für die Arbeitsfähigen und -willigen ergaben sich gleich nach Kriegsende zwei Betätigungsgebiete, in denen sie aktiv wurden: Sie fanden entweder im Verwaltungsbereich und im Gesundheitswesen der Alliierten, aber auch in den internationalen jüdischen Hilfsorganisationen Arbeit, oder sie faßten – zum Teil, wie erwähnt, über den Schwarzhandel – wieder im Handel Fuß. Ein drittes Arbeitsgebiet ergab sich ebenfalls als direkte Konsequenz des Kriegs und der Verfolgung: das Rechtswesen, das eine Vielzahl von Juristen anzog, die sich mit allen Aspekten der «Wiedergutmachung» und Entschädigung auseinanderzusetzen hatten. Ende der 60er Jahre gab es in der BRD etwa 150 Juristen, wovon mindestens die Hälfte ihre Tätigkeiten auf die erwähnten Gebiete beschränkte. Viele von ihnen verließen die BRD jedoch, sobald ihre Aufgaben erfüllt waren. Bezeichnend scheint, daß es, wie der «Spiegel» erwähnt, bis 1963 «nicht einen einzigen jüdischen Rechtsreferendar (gab); kein Jude will einen Beruf, der lediglich in Deutschland auszuüben ist.»[11]

Maor führte 1959 bei 43 jüdischen Gemeinden eine Erhebung über die Berufsstruktur durch.[12] Die Antworten der 5236 Mitglieder – was 22,6 Prozent der damaligen Gemeindebevölkerung entspricht – können als repräsentativ betrachtet werden. Zu diesem Zeitpunkt war nur etwa ein Drittel der Mitglieder überhaupt erwerbstätig, davon etwa 60 Prozent selbständig. Dieses Verhältnis hat sich aber in den vergangenen 25 Jahren deutlich zugunsten der Berufstätigen geändert; genaue Untersuchungen darüber liegen allerdings nicht vor.

1959 verteilten sich die von Maor genauer befragten selbständig Erwerbenden (die Mitglieder der «Arbeitsgemeinschaft jüdischer Gewerbetreibender, Industrieller und Freier Berufe»[13]) auf folgende Berufshauptgruppen: Knapp 19 Prozent der selbständig Erwerbenden waren in Industrie, Handwerk und Gewerbe, knapp zehn Prozent freiberuflich tätig. Wie schon vor 1933 dominierte der Handel mit 71,5 Prozent der Selbständigen als Betätigungsfeld der jüdischen Bevölkerung (was nicht nur für Deutschland, sondern vermutlich für die ganze Diaspora typisch ist). Dies hat eine wichtige Ursache im Unabhängigkeitsstreben der jüdischen Minderheit, das seit jeher durch Ängste (und deren historische Bestätigung) der nichtjüdischen Umwelt gegenüber motiviert ist. Die Textilbranche dominiert im Handel und in der Industrie, während es kaum mehr jüdische Banken[14], Verlage oder Speditionsfirmen – einst wichtige Branchen – gibt.

Insgesamt ist der Anteil der Erwerbstätigen gegenüber den Rentnern, aber auch gegenüber den ‹Angehörigen› (1959 knapp 40 Prozent) größer geworden, da es heute weitaus üblicher ist, daß beide Ehepartner arbeiten. So zeigt Oppenheimers Erhebung von 1967, daß 58 Prozent der Väter aller Befragten (gegenüber 34,7 Prozent 1959) überhaupt berufstätig sind. Bei den Müttern dieser als repräsentativ geltenden Gruppe sind rund 40 Prozent im Arbeitsleben integriert, allerdings mit Schwergewicht auf die Mitarbeit im Geschäft des Ehemanns. Dazu tritt das Gastgewerbe, wo vor allem Ein- und Rückwanderer aus Israel und ehemalige DP's tätig sind.[15] Akademiker sind nach wie vor stark untervertreten; neuerdings ist hier allerdings ein Aufschwung, vor allem in den Sozialwissenschaften, zu verzeichnen, während Juristen, Mediziner und auch Künstler im Vergleich mit der Zeit vor 1933 selten bleiben.[16]

2. Neugründung und Organisation der jüdischen Gemeinden

Gab es vor 1933 den Begriff des «deutschen Juden» und den Stolz, ein solcher zu sein, so konnte nach dem Holocaust von einem vergleichbaren Selbstverständnis nicht mehr die Rede sein. Bis auf einen verschwindend kleinen Rest (zu dem sich allerdings niemand bekennen wollte, zu dem aber sicher die ersten «Remigranten» zählten, die als Mitglieder der Besatzungsmächte zurückkehrten) wollten alle Überlebenden den «blutgetränkten Boden» so schnell wie möglich verlassen. Die Haltung, daß es in Deutschland weiterhin jüdisches Leben geben müsse, um zu verhindern, daß Hitlers Plan der «Endlösung» quasi postum noch von Erfolg gekrönt sei, entstand erst allmählich und hat inner- wie außerhalb Deutschlands oft einen rechtfertigenden Beiklang. Wenn der amerikanische General und spätere Hohe Kommissar McCloy nach Kriegsende befand, die Welt werde die Veränderungen in Deutschland am künftigen Umgang der Deutschen mit den Juden messen, so hat dies hinsichtlich ihrer Motivation zur Rückkehr keinen maßgeblichen Einfluß gehabt, auch wenn McCloy sie dazu implizit aufforderte.

Daß sich dennoch das jüdische Gemeindeleben in Deutschland fest etablierte, geschah eher aus Not. So schrieb Karl Marx im November 1946 im «Jüdischen Gemeindeblatt» (der späteren «Allgemeinen»):

«Man überließ die Juden nach der Befreiung ihrem Schicksal. Die Alliierten hielten es für ihre selbstverständliche Pflicht, ihre Landsleute auf dem schnellsten Weg aus den Konzentrationslagern zu nehmen und sie heimzuführen. Die deutschen Juden mußten ihren Weg nach Hause alleine antreten. Die einzige Hilfe, die ihnen geboten wurde, war die Hilfe, die diejenigen Juden brachten, die sich in den letzten Jahren des nationalsozialistischen Regimes versteckt halten konnten. (...)

Die erste Hilfe in Form von zusätzlichen Nahrungsmitteln und den notwendigen Bekleidungsstücken brachte der American Joint (...). Aber es bildete sich keine Gruppe in Deutschland, die sich mit der Frage beschäftigte, wovon diese Menschen, denen der Nationalsozialismus alles genommen hat, (...) sich ihr Heim einrichten oder sich wieder eine Existenz schaffen konnten.»[17]

Wer nach Kriegsende aus dem Untergrund aufgetaucht oder aus den Konzentrationslagern zurückgekehrt war, besaß nichts mehr – Vermögen und Wohnungen waren konfisziert, Verwandte und Freunde verschleppt oder tot. Demgegenüber hatten die durch Mischehen und Distanz zum Judentum geschützten «Nichtarier» (die «Nichtsternträger») den Vorteil, wenigstens die Geborgenheit ihrer Familien und Wohnungen behalten zu haben. Obschon bei weiten Kreisen der jüdischen Bevölkerung Deutschlands schon vor 1933 nicht mehr von einer religiös, sondern eher sozial und kulturell geprägten «jüdischen Identität» gesprochen werden konnte, waren es gerade die jüdischen Institutionen wie Gemeindehäuser und Synagogen, welche die Aufgetauchten und Rückkehrer zuerst wieder aufsuchten. Auch wenn die meisten Gebäude zerstört oder zweckentfremdet waren[18], boten sich diese Plätze als erste Anlaufstellen an. Von der Befreiung bis zur – wenn auch vorerst äußerst provisorischen – Neukonstituierung jüdischer Gemeinden dauerte es oft nur wenige Tage oder Wochen. Als (keineswegs außergewöhnliches) Beispiel sei Köln erwähnt: Am 6. März 1945 marschierten die amerikanischen Truppen ein, am 11. April erhielten die Juden von den Besatzern die Erlaubnis, Gottesdienste abzuhalten, und am 29. April fand die Gründungsversammlung der jüdischen Gemeinde im Luftschutzkeller der zerstörten liberalen Synagoge Roonstraße mit Vorstandswahlen statt.[19]

Ebenso wie die verschiedenen von den DP's gegründeten Lagerkomitees und zonalen Zentralkomitees der befreiten Jüdinnen und Juden verfolgten die in den Städten neugeschaffenen Gemeinden die Absicht, zwischen diesen kleinen Resten der Gemeinschaft, den Alliierten und den ausländischen jüdischen Hilfsorganisationen als Vermittler zu dienen und sämtliche Möglichkeiten zur Auswanderung auszuschöpfen. Sie wurden also zu Verteilern von Hilfsgütern, Unterkünften und Visen, zu ‹Adressen›, an die man sich auf der Suche nach Angehörigen wenden konnte. (Die UNRRA organisierte zwar gleich nach Kriegsende einen Suchdienst und bemühte sich um Sicherstellung der KZ-Akten, doch der unter Aufsicht des Roten Kreuzes stehende International Tracing Service wurde erst 1952 in Arolsen gegründet.) Von Anfang an drängte sich ein weiterer Aufgabenbereich auf: die Fürsorge für die Kranken und alten Menschen, die keine Kraft mehr fanden, auszuwandern und neu anzufangen.

Um ihren Verpflichtungen nachkommen zu können, fehlten den Gemeinden aber Räume und auch die finanziellen Mittel. Grossmann gibt an, daß 1947 über 90 Prozent der zu dieser Zeit in Deutschland befindlichen Juden ihren Lebensunterhalt nicht ohne Unterstützung bestreiten konnten.[20] Hier setzten die ersten Bestrebungen um Rückerstattung der geraubten privaten und gemeindeeigenen Vermögen und Besitztümer ein, wobei es nicht nur um Geld und Gebäude, sondern auch um Kultgegenstände (Synagogeneinrichtungen) und Friedhöfe ging; man wollte Gottesdienste würdig gestalten und die Toten entsprechend den jüdischen Vorschriften bestatten können.

Dies ist besonders auffällig, da doch bekanntlich die größte Gruppe der Überlebenden Mischehepartner oder getaufte Jüdinnen und Juden waren. Offensichtlich hatte aber die Erfahrung der Verfolgung ihre Distanz zur jüdischen Religion stark gemindert oder gar aufgehoben, denn gerade sie bemühten sich am stärksten um die Wiedereinrichtung jüdischer Institutionen. Dies brachte jedoch an verschiedenen Orten Probleme mit sich, einmal, weil diese Menschen vergleichsweise wenig unter dem Naziregime gelitten hatten, was ihnen zum Teil recht starke Ressentiments seitens der KZ-Überlebenden einbrachte, aber auch deshalb, weil gerade diesen Menschen die religiöse Kompetenz meist fehlte. So berichtet Ginzel, daß schon in den ersten Monaten des Bestehens der neuen Gemeinde Köln einige Mitglieder gegen den Vorstand opponierten und mit der folgenden Begründung Neuwahlen forderten:

«1. Der bisherige Vorstand genießt in keiner Weise das Vertrauen.
 2. Im Vorstand befindet sich: Keine Vertretung der Frauen.
 3. Kein Mitglied, das im Konzentrationslager war.
 4. Kein Mitglied, das jüdisch verheiratet ist.»[21]

Hinzu kam, daß es auch unter den Mitgliedern der Restgruppe, die sich nur zum Schutz ihres Lebens hatten taufen lassen, also im Judentum noch relativ stark verwurzelt waren, keine Religionslehrer oder Rabbiner gab, die willens waren, in Deutschland zu bleiben und die Kluft zwischen dieser «Schicksalsgemeinschaft» und ihrer Religion zu überbrücken.[22]

Das Fehlen von religiös kompetenten Menschen äußerte sich nicht nur in den Schwierigkeiten, Gottesdienste und Bestattungen den Gesetzen entsprechend auszuführen. Es zeigte sich auch bei den innerhalb vieler Gemeinden bald entbrennenden Diskussionen darüber, wer denn eigentlich jüdisch respektive wer berechtigt sei, Gemeindemitglied zu werden (und somit von der ausländischen Unterstützung zu profitieren). Denn nach rein religiösen Gesichtspunkten wäre das Problem ein geringes gewesen: Nur Nachkommen jüdischer Mütter, die das Judentum nicht verlassen hatten, sowie gesetzeskonform Übergetretene galten demnach ‹eindeutig› als jüdisch. Doch in vielen Fällen fehlten die für den Beweis notwendigen Dokumente. Schon bei der Frage, wieweit Getaufte, die häufig nur unter dem Druck der Nazis konvertiert hatten, anzuerkennen seien, kam es zu heftigen Auseinandersetzungen. Es ist seither auch verschiedentlich festgestellt worden, daß die in diesen Situationen von den Laien getroffenen Entscheidungen oft den rabbinischen Grundsätzen widersprachen. Das Problem des Mangels an ausgebildeten Rabbinern und Religionslehrern – und das der in religiösen Belangen unkundigen Gemeindemitglieder – ist bis heute nicht vollständig gelöst.

Die eigentliche Gründungsphase endete 1946, doch erfolgten vereinzelte Gründungen noch bis Mitte der 50er Jahre.[23] Bis zu diesem Zeitpunkt wurde auch immer der provisorische Charakter der Gemeinden beteuert. Erst nachdem die israelische Staatsgründung es allen Auswanderungswilligen, unabhängig von Alter, Ausbildung und Gesundheit, ermöglicht hatte, Deutschland zu verlassen, wurde offenkundig, daß es nach wie vor Jüdinnen und Juden gab, die trotz allem in

Deutschland bleiben wollten. Zum Teil beruhte dieser Wunsch auf der Hoffnung auf eine erfolgreiche Demokratisierung Deutschlands. Diese hatte ihren tieferen Ursprung mehr in emotionalen Bindungen als in politischen Ansprüchen: Diese Juden wollten auf den positiven Erfahrungen, die sie mit nichtjüdischen Deutschen (Ehepartnern, Beschützern) gemacht hatten, ihr weiteres Leben aufbauen. Immer stärker wurde hier die Haltung, nicht alle Deutschen für die nationalsozialistischen Verbrechen verantwortlich zu machen[24]; die «Kollektivschuld»-These wurde abgelehnt, allenfalls die «Kollektivscham»-These des ersten Bundespräsidenten Theodor Heuss bejaht.

Um die Existenz der in Deutschland verbleibenden jüdischen Bevölkerung und ihrer Institutionen zu sichern, wurden die Bemühungen um Rückerstattung und «Wiedergutmachung» intensiviert. Van Dam schreibt dazu:

«Die jüdischen Gemeinden und die Rechtsabteilungen jüdischer Hilfsorganisationen hatten sich wegen dieser Frage unablässig bemüht. Die Länder lehnten es aber grundsätzlich ab, Zahlungen an die Einwohner eines anderen Landes, und sei es auch innerhalb der Bundesrepublik, zu leisten. An einen Ausgleich der wirtschaftlichen Schäden war überhaupt nicht zu denken. Daher bestand die Notwendigkeit, zu einer engen Zusammenarbeit aller Gemeinden Deutschlands in Gemeinschaft mit anderen Verfolgtengruppen zu einer einheitlichen Gesetzgebung zu gelangen. Dieses Bedürfnis nach einer zentralen Vertretung machte sich mehr und mehr fühlbar, und zweifellos ist die Problematik der Wiedergutmachung für die Gründung des Zentralrates der Juden in Deutschland ausschlaggebend gewesen.»[25]

Die Gründung des *Zentralrats der Juden in Deutschland* erfolgte am 19. Juli 1950. Waren die ihm zugedachten Funktionen zunächst ‹nur› rechtspolitischer Natur, so führte seine Entstehung und Einrichtung als Dachorganisation und offizielle Vertretung alsbald zur Etablierung jüdischen Lebens in der BRD. Weitere Bereiche, in denen der Zentralrat tätig wurde, sind die Bekämpfung des Antisemitismus, die Unterstützung Israels und eine allgemeine politische Interessenvertretung der Jüdinnen und Juden in Deutschland.[26]

Die Gemeinden sind mit Ausnahme von Berlin, Bremen, Frankfurt und Köln in Landesverbänden zusammengeschlossen, die ursprünglich das erste ‹Dach› bildeten – und die Gemeindekompetenzen einschränkten. So heißt es z. B. in der Satzung des Landesverbands der Israelitischen Kultusgemeinden in Bayern:

«§3 c) Angehörige der jüdischen Religionsgemeinschaft, die keiner bestehenden Gemeinde angehören, bilden eine Diaspora-Gemeinde. Die Mitglieder einer Diaspora-Gemeinde sind dem Landesverband angeschlossen; ihre religiösen, religiös-sozialen und kulturellen Belange werden unmittelbar vom Landesverband wahrgenommen.»[27]

Zur Organisation erklärt Maor weiter:

«Die Geschäfte der Landesverbände werden von einem Präsidium geführt, das von den Delegierten eines Landesausschusses, der das oberste und gesetzliche Organ des Verbandes ist, gewählt wird. Jede Gemeinde hat das Recht, je nach ihrer Stärke 1–5 Delegierte in den Landesausschuß zu entsenden. Diese Delegierten sind fast ausschließlich die Vorsitzenden der Gemeinden selbst. Der Landesausschuß geht also nicht aus Urwahlen hervor, auch besteht das Kuriosum, daß das Präsidium zugleich die Exekutive ist, was allerdings für die Gemeinden selbst auch gilt.»

Landesverbände und Großgemeinden wählen insgesamt die sechs Direktoriumsmitglieder und vier Stellvertreter des Zentralrats. Drei Mitglieder, unter ihnen der Generalsekretär, bilden die Exekutive. Die sich hier konzentrierende Machtfülle wird unter anderem dadurch dokumentiert, daß der Zentralrat neben ‹seinem› offiziellen Organ, dem «Jüdischen Presse Dienst», seit 1971 auch die wichtigste jüdische Zeitung in der BRD, die «Allgemeine», herausgibt.

3. Religiöses Leben

Vor 1933 gab es in Deutschland ein überaus vielfältiges religiöses Leben, dessen Strömungen von starker Assimilation bis zur Ultraorthodoxie reichten. Die Auseinandersetzungen über die Formen religiösen Lebens waren intensiv und fruchtbar; es schien für jede Ausprägung religiösen Bewußtseins die ‹richtige› Gemeinde mit ihren Funktionären gegeben zu haben.

Auch in diesem Bereich war die Zerstörung durch das Naziregime total. Ein Teil der religiösen Anführer, unter ihnen der für das moderne deutsche Judentum so eminent wichtige Rabbiner Leo Baeck, hatte Deutschland rechtzeitig verlassen und sich im Ausland etabliert. Von den übrigen hatte kaum einer die Verfolgung überlebt. Die ersten Rabbiner, die nach Kriegsende nach Deutschland kamen, gehörten zu den Besatzungstruppen. Die meisten von ihnen waren Vertreter der Orthodoxie und somit für die in der Regel stark assimilierten Überlebenden ungeeignet, viele von ihnen beherrschten die deutsche Sprache nicht, und kaum einer war gewillt zu bleiben.

Leo Baeck bemühte sich, mit Hilfe der World Association for Progressive Judaism junge deutschsprachige liberale Rabbiner vor allem nach Berlin zu vermitteln. Diese Bemühungen waren allerdings nur von geringem Erfolg gekrönt und wurden nach einem heftigen Konflikt mit den Gemeindeführern wieder aufgegeben: Nathan P. Levinson, ein gebürtiger deutscher Jude, der nach Amerika ausgewandert war, kehrte auf Aufforderung Baecks 1950 zurück und begann, in Berlin als Rabbiner zu wirken. 1953, während des stalinistischen Terrors, berief er eine internationale Pressekonferenz ein, um auf die Gefahr für die Juden in der Sowjetzone aufmerksam zu machen. Der Gemeindevorsitzende Heinz Galinski kündigte ihm daraufhin fristlos.[28]

Dieser Zwischenfall zeigt ein für die BRD typisches Problem: Die Rabbiner waren und sind von den Gemeinden angestellte und bezahlte Funktionäre, die einen sehr kleinen Kompetenzbereich haben, was sie in einer befriedigenden Ausführung ihrer Aufgaben behindert. In Verwaltungsfragen, zu denen auch die Anstellung weiterer Kultusfunktionäre wie Religionslehrer, Kantoren, Vorbeter und *Schächter*[29] gehört, haben sie nur beratende Funktion. Die Konflikte zwischen religiösen Notwendigkeiten und dem Machtstreben der Gemeindeführungen (und des Zentralrats), die damit schon vorgezeichnet sind, mögen mit ein Grund sein, weshalb das religiöse Leben in der BRD weitgehend brachliegt. In der ganzen BRD sind heute gerade nur acht Rabbiner tätig[30], die verschiedene Gemeinden im Turnus besuchen und zudem oft die Aufgaben des Kantors übernehmen. Für die hohen Feiertage (Neujahr, Versöhnungstag) werden in der Regel zusätzliche Kräfte – meist aus Israel – eingeflogen.

Doch nicht nur die Gemeindepolitik ist für diese desolate Situation verantwortlich, wenn auch die Wahl der Rabbiner (Bevorzugung orthodoxer gegenüber den liberalen, reformwilligen) eine wichtige Rolle spielt. Einen entscheidenden Einfluß hat hier vielmehr die herkunftsmäßige Zusammensetzung der Gemeinden: Die religiöse Praxis der zahlenmäßig zwar dominierenden, in den Gemeindeführungen aber meist untervertretenen osteuropäischen Juden unterscheidet sich grundlegend von der deutschen, was schon vor 1933 innerhalb der Gemeinden zu Konflikten geführt hatte.

Die überaus starke Assimilation der deutsch-jüdischen Restgruppe war gekoppelt mit weitreichendem Unwissen in allen jüdischen Belangen, während die ostjüdischen DP's über eine reiche und tief in den Alltag eingreifende Tradition verfügten. Sie waren es denn auch, die Gottesdienste einrichteten – welche wiederum jenen deutschen Jüdinnen und Juden, die immerhin noch sporadisch die Synagoge besucht hatten, gänzlich fremd waren.

Es scheint, daß sich heute eine Kompromißform zwischen diesen beiden Auffassungen religiöser Praxis eingespielt hat, die zum Teil durch die national beeinflußten Traditionen der Israelis überlagert wird. Grundsätzlich ist aber festzuhalten, daß das religiöse Moment im Leben der Juden in der BRD eine sehr untergeordnete Bedeutung hat, was Maor 1961 und Oppenheimer 1967 mit ihren Untersuchungen über Häufigkeit des Synagogenbesuchs und Maß an religiöser Bildung nachweisen. Maor gibt an, daß nur gerade fünf Prozent der Mitglieder die Synagoge am Sabbat besuchen[31], während die von Oppenheimer erhobenen Daten ergeben, daß 26 Prozent der von der Untersuchung erfaßten Jugendlichen am Sabbat, 64 Prozent «mehrmals im Jahr», d. h. vermutlich an den hohen Feiertagen, und zehn Prozent seltener eine Synagoge besuchen, wobei mit zunehmendem Alter die Besuchsfrequenz abnimmt.[32]

Eine wichtige Rolle in diesem Zusammenhang spielt neben der – schon für die Elterngeneration wirksamen – geringen Attraktivität religiösen Lebens (sicher kein typisch jüdisches Phänomen) der Mangel an religiöser Bildung. Zehn Prozent der von Oppenheimer Befragten haben nie einen Religionsunterricht besucht; eine intensive jüdische Bildung – mit Unterricht mehrmals wöchentlich – erhielten nur gerade 30 Prozent. Der Erfolg dieser Schulung ist, wie der Autor nachweist, eher mäßig, was sicher auch darauf zurückzuführen ist, daß das vermittelte Wissen nicht durch einen im Elternhaus gelebten Alltag (Einhaltung der Speise- und Sabbatgesetze sowie der Feiertage) vertieft wird. Die Bindung zur religiösen Praxis wird allenfalls noch durch die

Mitgliedschaft bei jüdischen Jugendgruppen und zionistischen Organisationen verstärkt.

Auch die 1979 in Heidelberg gegründete Hochschule für Jüdische Studien vermochte den Mangel an Rabbinern und Religionslehrern nicht zu mindern; das jüdische Interesse ist offensichtlich zu gering, was wiederum nicht zuletzt auf die Zentralratspolitik zurückzuführen ist. Von rabbinischer Seite angeregt, wurde die Jüdisch-Theologische Schule als Einrichtung des Zentralrats 1978 geschaffen.[33] Sie sollte die staatlich anerkannte und finanzierte wissenschaftliche Parallele zu den christlichen theologischen Fakultäten und Hochschulen bilden. Daß dies nicht eintraf, erklärt Pnina Navé Levinson wie folgt[34]:

«(...) Während die Christen auf Kontinuität und Nachwuchs achten, ließen sich Mitglieder des Zentralrats ohne genügende Sachkenntnis zu einer schädlichen Namensänderung überreden.[35] So entstand die konfessionsneutrale Hochschule für Jüdische Studien.»

Erst 1985 wurde ein einziges Fach nur für jüdische Studenten eingerichtet – Praktische Theologie. Schon heute sind die nichtjüdischen Studenten an dieser Hochschule in der Majorität. Es ist vorläufig kaum damit zu rechnen, daß Rabbiner für die jüdische Gemeinschaft in der BRD aus ihr hervorgehen werden.[36]

4. Synagogen

Ein überaus großer Teil der Synagogen und Betsäle in Deutschland war bereits während der sogenannten «Reichskristallnacht» vom 9. November 1938 zerstört worden.[37] Es ist anzunehmen, daß weitere, zu religiösen Zwecken genutzte Gebäude bzw. Räumlichkeiten durch vereinzelte spätere Vandalenakte oder durch Bombardierungen unbrauchbar gemacht wurden.

Diese Liegenschaften galten – da die Gemeinden, die vormaligen Besitzer, aufgelöst und die meisten ihrer Mitglieder tot waren – als herrenloses Vermögen. Die Überlebenden waren jedoch nicht bereit, die Ansprüche daran verfallen zu lassen. Der Konsens unter den Juden in aller Welt war, dieses Vermögen dazu zu verwenden, die Überlebenden, auch die Emigranten, zu unterstützen. Zur Verwaltung dieser erbenlosen Werte wurden für die amerikanische, die britische und die französische Zone je eine autorisierte Nachfolgeorganisation – die JRSO (Jewish Restitution Successor Organization), die JTC (Jewish Trust Corporation) und die Branche Française – geschaffen. Das Vermögen in der Sowjetzone war konfisziert worden und blieb verloren. Zwischen diesen Organisationen und den wiederentstehenden Gemeinden wurden Vereinbarungen getroffen, wonach diesen eine Globalabfindung zustand, «wobei darauf geachtet wurde, daß die Gemeinden in der Lage sein sollten, ihren Pflichten in religiöser, erzieherischer und sozialer Hinsicht nachkommen zu können (...)»[38]. Inwieweit hier Restaurationen oder Neubauten von Synagogen einberechnet wurden, ist aus den vorliegenden Darstellungen nicht ersichtlich. So schreibt Kuschner:

«Eine kardinale Rolle in der Konsolidierung der jüdischen Gemeinden in der BRD spielten die öffentlichen Mittel, die auf Bundes-, Länder- und Lokalebene zugeleitet wurden. Es ist nicht denkbar, daß die Geschichte der jüdischen Minderheit im Nachkriegsdeutschland [so] verlaufen wäre und weiter sich fortschrittlich entwickeln wird ohne großzügige finanzielle Hilfe an die jüdischen Institutionen.»[39]

Bei der «großzügigen Hilfe» würde es sich also um absolut freiwillige Leistungen der deutschen Behörden handeln. Damit sind auch die Worte Max Willners anläßlich der Einweihung der Synagoge Offenbach 1956 in Einklang zu bringen. Maor schreibt:

«(Willner) berichtete, wie Magistrat und Stadtverwaltung Offenbach zweimal ein Angebot machten, eine neue Synagoge zu erbauen; und wie man zweimal abgelehnt hat, in der Annahme, daß es keine Gemeinde mehr geben würde. Als sich später die jüdische Gemeinde an die städtischen und staatlichen Behörden mit der Bitte wandte, nunmehr doch den Bau eines Gotteshauses zu ermöglichen, wurde dieser Bitte sofort entsprochen (...). Offenbach ist kein Einzelfall. Zweifelsohne besteht im Zuge der Wiedergutmachung des nationalsozialistischen Unrechts ein behördliches Interesse am Wiederaufbau von Synagogen.»[40]

Aus welchen Mitteln die Synagogen wiederaufgebaut wurden, kann nicht restlos geklärt werden.

Es gab aber Hunderte von Orten, an denen jüdische Gemeinden – und demzufolge auch Synagogen oder Betsäle – existiert hatten, an die keine Juden zurückkehrten.[41] Das Problem, was mit dem erbenlosen Gemeindevermögen geschehen sollte, war zunächst ein religiöses, das gemeinsam mit der Frage, wie und ob von den Nazis entweihte Gebetsräume wieder zu verwenden seien, 1947 von einem Rabbinischen Senat angegangen wurde. Entsprechend seiner Entscheidung wurde der Verkauf von Synagogen und anderen religiös genutzten Gebäuden untersagt, sofern sich an jenem Ort noch jüdische Einwohner befänden; hingegen wurde zum Wiederaufbau ausdrücklich ermutigt.[42]

Es muß jedoch festgestellt werden, daß nicht jede der heute existierenden Gemeinden über eine Synagoge verfügt. So bemerkt Kropat, daß es für die 1980 in Hessen noch bestehenden zehn Gemeinden (ohne Frankfurt) nur gerade vier Synagogen, in vier weiteren Gemeinden immerhin in die Gemeindezentren integrierte Betsäle gibt.[43] Andererseits wurden an verschiedenen Orten, wo heute keine Juden mehr leben, Synagogen restauriert, so das aus dem 11. Jahrhundert stammende Gotteshaus in Worms, das als älteste Synagoge Europas gilt, und, als neueres Beispiel, die Synagoge von Freudenthal (Landkreis Ludwigsburg), die im Sommer 1986 als Tagungszentrum eröffnet wurde.

5. Soziale und kulturelle Organisationen

Die Folgen des Holocaust, aber auch die auffallende Heterogenität der jüdischen Gemeinschaft in der BRD brachten zahlreiche und gravierende Probleme mit sich. In der ersten Zeit nach der Befreiung bemühten sich die internationalen jüdischen Organisationen um die Überwindung der daraus erwachsenden Schwierigkeiten. Die erste Organisation, die ihre Büros in Deutschland eröffnete, war das «American Joint Distribution Committee» (Joint), das von allen Institutionen dieser Art zweifellos auch die größten Leistungen erbrachte. Die «Jewish Agency» war unmittelbar nach Kriegsende fast ausschließlich mit der Organisation der Auswanderung nach Palästina/Israel betraut, ebenso wie die «Hebrew Sheltering and Immigrant Aid Society of America» (HIAS), die allerdings auch Auswanderungswillige in andere Bestimmungsländer unterstützte.

Mit der Etablierung jüdischer Gemeinden (die Anfang der 50er Jahre einsetzte) zeigte sich die Bereitschaft, soziale Aufgaben möglichst in eigener Kompetenz zu erfüllen. Dies nahm seinen Anfang in den einzelnen Gemeinden und kam schließlich in der Neugründung der Zentralwohlfahrtsstelle der Juden in Deutschland (ZWSt) 1951/52 zum Ausdruck, die als eigentliche ‹Nachfolgerin› der 1917 gegründeten Zentralwohlfahrtsstelle der deutschen Juden gelten kann. Sie ist zwar ein selbständiger Verein, doch ist sie – laut Maor – «eine Schöpfung des Zentralrats, was (...) in der weitgehenden Identität der Direktoriumsmitglieder mit dem Vorstand der Zentralwohlfahrtsstelle zum Ausdruck kommt»[44]. Ihre Aufgaben umfassen: Vertretung der Interessen der in ihr zusammengefaßten Organisationen[45] gegenüber Bund und Ländern, aber auch gegenüber den internationalen jüdischen Organisationen; Organisation der gesamten jüdischen Wohlfahrtspflege in der BRD und Rekrutierung ehrenamtlicher Mitarbeiter; Jugendpflege (Seminare, Tagungen, Einrichtung und Unterhalt von Ferienheimen).[46]

In Hamburg und in Berlin existieren jüdische Krankenhäuser. Die Eröffnung des Hamburger Spitals war jedoch nicht unumstritten. So schrieb Liepmann 1960, im Rückblick auf die Grundsteinlegung:

«In Hamburg gibt es heute noch 1380 Juden. Für sie wird nun ein riesiges jüdisches Krankenhaus gebaut. Es gibt weder genügend jüdische Ärzte noch jüdische Krankenschwestern – und es gibt ganz sicher nicht genügend jüdische Patienten. Warum also baut man dieses Krankenhaus?»[47]

Kuschner bemerkt, daß der behauptete Mangel an jüdischen Fachkräften nicht bestehe, fährt aber fort: «In der Tat findet jeder Besucher, daß das Krankenhaus in nichts außer seinem Namen jüdisch wirkt.»[48]

Es kann festgestellt werden, daß – über die Tätigkeit der ZWSt hinaus – die Jugendarbeit ein zentrales Anliegen der jüdischen Gemeinschaft darstellt. So verfügen fast alle Gemeinden über eigene Kindergärten, die allerdings (meist aus finanziellen Gründen, aber auch zu ‹aufklärerischen› Zwecken) auch nichtjüdischen Kindern offenstehen. Dasselbe gilt für die jüdischen Grundschulen z. B. in Frankfurt oder Berlin. Zur Diskussion steht die Errichtung weiterer solcher Schulen sowie eines jüdischen Gymnasiums, um die Lücke zur Hochschule für Jüdische Studien zu schließen. Damit möchten einige Gemeindeführer an die Tradition jüdischen Lernens in Deutschland anknüpfen – was allerdings, wie die Ausführungen zur Hochschule zeigen, als eher unrealistisches Ziel erscheint, zumal gegen eine derartige Abkapselung der jüdischen Jugend eine immer stärkere Opposition erwächst.

Von Bedeutung für die eigene Bildung und die aufklärerische Arbeit nach außen sind ferner selbständige Institutionen wie die B'nai B'rit-Logen an den Orten der größeren Gemeinden, die Bibliothek Germania Judaica in Köln sowie die von der Gemeinde seit rund 30 Jahren geführte Jüdische Volkshochschule in Berlin. Mit Vorträgen, Kursen, Studienreisen, Kulturveranstaltungen und Ausstellungen eröffnen sie auch interessierten Nichtjuden die Möglichkeit, sich kulturelle, religiöse, historische und sprachliche Kenntnisse anzueignen und mit Mitgliedern der Gemeinschaft zusammenzutreffen.

Ab etwa 1960 begannen sich die jüdischen Studenten verbandsmäßig zu organisieren. Der Bundesverband Jüdischer Studenten (BJSD), lange die einzige derartige Organisation, kann heute nicht mehr als alleiniger Vertreter der jüdischen Studenten angesehen werden, weil sich inzwischen größere Gruppen vom Verband trennten. Eine erste Gruppe trat aus, weil sie mit der Loyalität des BJSD zum Zentralrat trotz dessen offenkundiger Weigerung, die Macht und Verantwortung mit der jüngeren Generation zu teilen, nicht einverstanden war. Eine weitere Gruppe löste sich bei der Auseinandersetzung um die israelische Politik, die von den «offiziellen» Organen (Zentralrat, «Allgemeine», BJSD) fast kritiklos akzeptiert wird.

Ein weiterer wichtiger Bereich für die Jugend ist deren Freizeitgestaltung. Dafür wurden aus Gemeindemitteln Jugendzentren eingerichtet; die Zionistische Jugend Deutschlands hat in allen Städten mit größeren Gemeinden Gruppen aufgebaut, und an vielen Orten wurden jüdische Sportclubs eröffnet.

Seit Anfang der 50er Jahre begannen die jüdischen Frauen, sich in Frauenvereinen zu reorganisieren, die wohl in erster Linie den Zweck haben, die Isolation einzelner, vor allem in kleinen Gemeinden, zu mindern. Daneben spielen soziale Aufgaben (v. a. Betreuung alter Menschen), aber auch Kulturförderung und Erwachsenenbildung – diese meist in Zusammenarbeit mit der ZWSt – eine wichtige Rolle. Die Frauenorganisationen sind in einem Dachverband zusammengeschlossen, der wiederum mit ähnlichen Organisationen des Auslands wie der Women's International Zionist Organisation (WIZO) und der

World ORT Union (Organisation, Reconstruction, Training) zusammenarbeitet.

Zudem existieren an verschiedenen Orten kulturelle Organisationen, z. B. die Jüdische Kulturgesellschaft in München, deren Ziel es ist, den Austausch zwischen jüdischer und christlicher Kultur, aber auch mit derjenigen Israels und der restlichen Diaspora zu fördern. Primär ist Kulturarbeit allerdings ein Bereich der Gemeindearbeit.

6. Das Selbstverständnis der Juden in der BRD

Exkurs: Die «deutsch-jüdische Symbiose» – ein Mythos?

Wie bereits dargelegt, gab es nach 1945 zwingende Gründe, die in Deutschland verbleibenden Juden aufgrund sozialer Erwägungen wenigstens minimal zu organisieren. Daß sich aber gerade die zuvor so stark assimilierte deutsch-jüdische Restgruppe so intensiv um einen echten Wiederaufbau bemühte, hat seine Wurzeln in ihrer Geschichte vor 1933. Die Auseinandersetzung damit ist deshalb für eine Einsicht in das jüdische Selbstverständnis in der BRD unerläßlich.

Die Geschichte der Juden in Deutschland geht mindestens auf das 4. Jahrhundert zurück, wie ein Edikt Kaiser Konstantins aus dem Jahre 321 belegt.[49] Bis zum Spätmittelalter kann das Zusammenleben zwischen Christen und Juden, die sozial und auch kulturell weitgehend integriert waren, bis auf kleinere Ausnahmen als harmonisch bezeichnet werden. Mit zunehmender weltlicher Macht der Kirche und aufkommenden religiösen Fanatismus änderte sich dieser Zustand. Wie andere Minderheiten verfolgt, flohen viele deutsche Juden nach Osten. Ein ‹Andenken› an die alte Heimat, das sie mitnahmen, war die Sprache, das Mittelhochdeutsche, aus dem sich ihre erste ‹Nationalsprache›, Jiddisch, entwickeln sollte. Damit wurde eine Verbindung zur deutschen Kultur geschaffen; denn auch wenn die Sprache der Ostjuden von slawischen und hebräischen Ausdrücken angereichert wurde, blieb sie grundsätzlich und bis heute ein mittelhochdeutscher Dialekt. Mit der Sprache wurden weiterhin deutsche Denkkategorien und Wertsysteme tradiert.[50] Viele Ostjuden sollten später infolge von Pogromen in ihren Heimatländern nach Deutschland zurückfliehen.

Nicht alle Juden verließen indessen Deutschland. Die Verbleibenden wurden mit Ansiedlungs- und Berufsbeschränkungen belegt – es kam zur Bildung von Ghettos. Diese Isolation, die nur durch einen Übertritt ins Christentum zu durchbrechen war, führte zu einer Intensivierung der Auseinandersetzung mit der deutschen Kultur, zum Wunsch nach Integration. Die Grundbedingungen des Integrationsprozesses änderten sich allerdings mit der Aufklärung. Die Hinwendung zu einer rationaleren Betrachtung des Lebens führte einerseits zur bürgerlich inspirierten Ablehnung jeglicher Bevormundung, also zur politischen Emanzipation, die von der Gleichheit aller Menschen ausgeht, brachte andererseits ein verstärktes Streben nach Erkenntnis und Bildung mit sich, die als Mittel zur Überwindung der Ungleichheit zwischen den Menschen angesehen wurden. Daß aber einige Aufklärer (z. B. Voltaire) – trotz Propagierung des Prinzips der Gleichheit – antijüdische Vorurteile verstärkt haben[51], wurde meistens nicht zur Kenntnis genommen.

Das Judentum als primär diesseitiges Konzept fand in der Rationalität des Humanismus einen Berührungspunkt. Hier bot sich für die lange unterdrückten und ausgeschlossenen deutschen Juden die Möglichkeit, sich ebenfalls zu emanzipieren und zu vollwertigen Bürgern zu werden. Die nun geweckten Hoffnungen zeigten sich einerseits in ihrem unübersehbaren Bildungshunger, andererseits in ihrem – sowohl aus heutiger Sicht wie aus der damaligen Vorgeschichte nur begrenzt verständlichen – feurigen Patriotismus. Unterstützt wurden diese Emanzipationsbestrebungen durch einen deutschen «Freundschaftskult»[52] des 18. Jahrhunderts, der auf dem Glauben an die Möglichkeit der individuellen und gegenseitigen Bildung gleichwertiger Persönlichkeiten beruhte. Zur Galionsfigur der jüdischen Integrationsbewegung wurde Moses Mendelssohn, dessen Titel «deutscher Sokrates»[53] einen individuellen Erfolg dieser Bemühungen zum ersten Mal dokumentierte.

Während jedoch für das deutsche Bürgertum Bildung ein Mittel war, sich von der Aristokratie zu emanzipieren, d. h. eine Veränderung der Machtverhältnisse herbeizuführen, ging es für die jüdische Bevölkerung weniger um einen politischen als vielmehr um einen sozialen Durchbruch. Dies sollte weitreichende Konsequenzen haben. Für die deutsche Bourgeoisie galt Fichtes Konzept: Bildung ist ein Mittel, um die Realität durch Ideen – «im deutschen Charakter verwurzelte Ideen» – zu verändern.[54] Diese ‹Nationalisierung› der Bildung brachte eine neuerliche, wenn auch subtilere Ausgrenzung der jüdischen Bürger mit sich, die noch dadurch verstärkt wurde, daß das Ideal der Freundschaft über alle Schranken hinweg den politischen Notwendigkeiten zu weichen hatte. Preußen war von Frankreich besetzt, die Freiheit des Vaterlandes hatte allen anderen Zielen gegenüber Vorrang – um sie zu erreichen, war Konformität weit eher gefragt als individuelle Kultivierung. Diese Stimmung blieb bis zur Entstehungszeit der Weimarer Republik bestehen. Die Juden waren zwar weitgehend emanzipiert und in die Gesellschaft eingebettet, doch es gab noch immer – zum Teil ungeschriebene – Gesetze, die ihre ersehnte vollständige Integration verhinderten.

Die Weimarer Republik schien ihren Traum wahrzumachen. Der Großteil der jüdischen Bevölkerung gehörte der Mittelschicht an; jegliche gesetzliche Diskriminierung war aufgehoben. Der Anteil der Jüdinnen und Juden an der Kultur dieser Zeit – und, in der ersten Phase, auch an der Politik – war außerordentlich wichtig, vielleicht gerade deshalb, weil sie sich, anders als die christliche Bourgeoisie, weiterhin an das aufklärerische Bildungsideal klammerten. Sie hatten den Versuch nicht aufgegeben, ihr sozial definiertes Konzept an eine breite Masse vermitteln zu wollen. Doch die Mehrheit der Deutschen hatte sich in der Folge der historischen Ereignisse – insbesondere nach dem selbstverschuldeten verlorenen Ersten Weltkrieg – vom Glauben an das Potential menschlicher Vernunft ab- und sich einer mythischen, symbolgeladenen Welt, dem Nationalismus, zugewendet.

In der Weimarer Republik gab es also eine kulturelle Elite, zu der viele Jüdinnen und Juden gehörten; diese Elite hob sich von der breiten Masse sehr stark ab. Mit zunehmendem Aufschwung des Nationalismus wurden die Juden aber immer mehr zu Außenseitern; die christliche Elite paßte sich hingegen dem Trend der Zeit an.

Die Phase der weitestgehenden Integration war nur kurz, wenn auch in den Bereichen der Philosophie, der Künste, der Wissenschaften und der politischen Theorie äußerst fruchtbar – nicht nur für die deutschen Juden, sondern ebenso für Deutschland, und, als Folge des Holocaust, für viele der Länder, die zur Aufnahme der Emigranten bereit gewesen waren.

46

In der Auseinandersetzung mit der Geschichte des deutschen Judentums ist die These entstanden, zwischen der jüdischen Bevölkerung und dem Rest Deutschlands in der Zeit von der Aufklärung bis zum Zusammenbruch der Weimarer Republik habe es eine «deutsch-jüdische Symbiose» gegeben. Die Diskussion darüber, ob dies tatsächlich der Fall war, ist seit 1945 nicht abgebrochen. Über eine rückwärtsgewandte Analyse hinaus geht es dabei darum, ob die Existenz einer solchen Symbiose dazu berechtigen könnte, diese neu zu beleben, ihr Erbe fortzuführen.

Die Verfechter dieser These sehen den Beweis für das Vorhandensein einer gleichberechtigten Koexistenz zwischen Juden und Christen in Deutschland in der seit dem 18. Jahrhundert fortschreitenden und im 20. Jahrhundert vollständig erreichten juristischen, sozialen und wirtschaftlichen Emanzipation. Darüber hinaus wird immer wieder der außergewöhnliche Einfluß betont, den Jüdinnen und Juden in der deutschen Kultur hatten. Die Liste prominenter Persönlichkeiten von Karl Marx bis Walther Rathenau, von Moses Mendelssohn bis Theodor Adorno, von Heinrich Heine bis Kurt Tucholsky, um nur einige wenige zu nennen, ist lang.[55] Doch etwas fällt, wenn man diese Auflistungen betrachtet, deutlich auf: Der Glaube an die Bildung hatte für viele von ihnen das traditionell-religiöse Konzept abgelöst[56], auch wenn sie sich weiterhin als Juden verstanden. Der weitaus größte Teil dieser Persönlichkeiten hatte – mindestens offiziell – das Judentum verlassen und sich durch Taufe «das Entrée-Billet zur europäischen Gesellschaft» (Heine) gekauft.

An diesem Punkt setzt die Kritik der These einer Symbiose ein. Grundsätzlich gehen dabei Gegner wie Befürworter von der gleichen Definition des Begriffs aus:

«(...) an interaction on different intellectual levels, not necessarily equal (...) but always without giving up one's own identity – Germans as Germans, and Jews as German Jews.»[57]

Der prominenteste Gegner der These, daß es diese Interaktion, diesen Dialog je gegeben habe, ist Gerschom Sholem. Er schreibt:

«Nothing can be more misleading than to apply such a concept to the discussions between Germans and Jews during the last 200 years. This dialogue died at its very start and never took place.»[58]

Sholem vertritt die Auffassung, es habe sich immer nur um einen jüdischen Monolog gehandelt, der deutscherseits nie erwidert wurde, obschon er einräumt, «that there were relations and discussions between Jews and Germans»[59], daß also ein Dialog auf individueller Ebene, nicht aber als historisches Phänomen existierte. Die Bereitwilligkeit zur Assimilation, zur Auflösung konfessioneller Bindungen, wertet er als flehentliche Geste, voll in eine Gesellschaft aufgenommen zu werden, die ihrerseits kein Entgegenkommen oder aktives Interesse daran gezeigt habe. Für ihn gehört die meist auf jüdischer Seite vertretene Auffassung, es habe einen echten Dialog gegeben, in dieselbe Kategorie der Geschichtsklitterung wie die Behauptung mancher Deutscher, der Nationalsozialismus sei ein historischer ‹Betriebsunfall› gewesen, ohne den sich die Beziehungen zwischen Juden und Deutschen weiter verbessert hätten. Rabinbach stellt dieser Meinung jene Peter Gays gegenüber, der meint: «German history, especially in the 19th century, should not be read solely as ‹clues to a crime to come›.»[60]

Die Auseinandersetzung darüber, ob es je einen deutsch-jüdischen Dialog gegeben habe, wird also wesentlich durch zwei Faktoren bestimmt: Der erste ist die Frage, ob das nationalsozialistische Regime – mit und wegen seiner antisemitischen Komponente – tatsächlich von allen Schichten der Deutschen getragen wurde. Dies würde implizieren, daß es gerade in der Zeit, für die man eine Symbiose annimmt, eine solche nicht gegeben haben konnte, weil die Juden als Gruppe noch die einzigen waren, die sich an das Gedankengut der Aufklärung hielten. Der zweite Faktor ist die Frage, ob die Aufgabe der konfessionellen Zugehörigkeit wirklich so freiwillig erfolgte, wie dies viele individuelle Darstellungen zu bezeugen scheinen. Gaben so viele ihr Judentum auf, weil es für sie sinnentleert, bedeutungslos geworden war und weil Bildung als ‹neue Religion› das zu erfüllen versprach, wozu das Judentum nicht imstande war? Oder war es vielmehr so, daß sie sich – wider ihre Überzeugung – mit der Taufe die vollständige Assimilation zu erkaufen hofften? In letzterem Fall müßte man mit Sholem zur Auffassung gelangen, daß eine «deutsch-jüdische Symbiose» nie existiert hat, sondern lediglich Wunschtraum deutscher Jüdinnen und Juden war – und ist.

Alle durch diese Auseinandersetzung aufgeworfenen Fragen können nicht schlüssig beantwortet werden. Rabinbach schreibt dazu:

«A more balanced view suggests, that the German-Jewish symbiosis was neither a one-way street nor a smooth path obstructed only by the accidental arrival of Hitler and his Third Reich. Significantly, there continues to be a German-Jewish symbiosis, perhaps not at the level of a German-Jewish *presence* in contemporary Germany – though this too must be taken into account – but at the level of an intellectual and cultural tradition that resonates and thrives beyond the historic boundary of 1945.»[61]

Die weiterhin ungeklärte Kontroverse um die Frage, ob die «deutsch-jüdische Symbiose» nur ein Mythos sei, bildet (zumal auch die Frage nach den Möglichkeiten eines gegenwärtigen oder zukünftigen Dialogs daraus resultiert) den Hintergrund, vor dem die heutige Existenz einer jüdischen Gemeinschaft in der BRD beurteilt werden muß. – Anders jedoch in der DDR: Hier war die Diskussion um eine «deutsch-jüdische Symbiose» zu keiner Zeit nach 1945 von Bedeutung. Anknüpfungspunkte waren hier (fast) ausschließlich politische und individuelle, private Bindungen.

Identifikation nach dem Holocaust

Der Nationalsozialismus zerstörte den gesamten kulturellen und sozialen Zusammenhang jüdischen Lebens vor allem in Ost- und Mitteleuropa. Es gab keine Möglichkeiten für die Überlebenden, an die vormalige Identität anzuknüpfen. Diner bemerkt: «They are not survivors in the sense that they lost relatives – they are the leftovers.»[62]

Die daraus resultierende Leere konnte für viele (zum Teil nur scheinbar, wie die doch beträchtliche Zahl der Rückwanderer nahelegt) durch den Zionismus und die Identifikation mit der neuen Heimat Israel kompensiert werden. Inwieweit diese Ersatzidentität tatsächlich übernommen werden konnte, kann hier allerdings nicht näher erörtert werden.

Für viele der in Deutschland verbliebenen Jüdinnen und Juden gab es einen solchen Ersatz nicht. So zeigen die Untersuchungen von Oppenheimer und Kuschner, daß eine beträchtliche Zahl der DP's, die in der BRD blieben und dort einen wesentlichen Anteil der neu entstandenen Gemeinden ausmachen, nicht bereit waren, Deutsch zu lernen. Dies zerstörte jede Möglichkeit zu einer auch nur oberflächlichen Integration und zum Aufbau einer neuen Identität als in der BRD lebende

49

Juden, geschweige denn für eine Identität, wie sie vor 1933 gegolten hatte: «In erster Linie deutsch, in zweiter Linie erst jüdisch».[63]

Für jene, welche bleiben wollten oder bewußt zurückkehrten, waren die Voraussetzungen, eine neue Identität zu entwickeln, wesentlich günstiger. Sie waren von der Hoffnung getragen, ihren Beitrag zur «Re-education»[64] der Deutschen leisten zu können: Sie wollten als Zeugen der nationalsozialistischen Verbrechen, aber auch als Diskussionsanreger und -partner in der nunmehr demokratisierten BRD bleiben. Betrachtet man jedoch die Publikationen der offiziellen jüdischen Organe, aber auch die Tatsache, daß nach wie vor von Juden *in* Deutschland (statt von «deutschen Juden» oder «jüdischen Deutschen») die Rede ist und daß überaus viele von ihnen, auch wenn sie Bundesbürger sind, noch eine zweite (und zum Teil gar eine dritte) Staatsbürgerschaft besitzen, so wird offenkundig, wie stark das aus Auschwitz gewachsene Mißtrauen jeder umfassenden Identifikation mit dem «neuen Deutschland» entgegenwirkt. Dazu schrieb Ernest Landau 1959: «Wäre der Nationalsozialismus vorher und rechtzeitig von innen her überwunden worden, das Judentum dürfte uneingeschränktes Vertrauen in die deutsche Demokratie besitzen.»[65]

Wie tief dieses Mißtrauen sitzt, zeigt sich auch in der Mentalität des ‹Auf-gepackten-Koffern-Sitzens›, die aus der Untersuchung von Kuschner über Heimat- und Zugehörigkeitsgefühl, Vertrauen und Kontakt mit der nichtjüdischen Gesellschaft – teils latent, teils manifest – hervorgeht. Viele haben sich zwar nach außen hin weitgehend in den Alltag der BRD integriert, arbeiten, haben eine Wohnung oder ein eigenes Haus, haben einen nichtjüdischen Bekannten- und Freundeskreis – und doch: Es gibt zu viele Anzeichen dafür, daß es – trotz des Entsetzens über Auschwitz – auch heute für Randgruppen in der BRD keine absolute Sicherheit geben kann. Stellvertretend sei hier Gloria Kraft – Sullivan zitiert. Ihr Beitrag zum Sammelband «Fremd im eigenen Land» trägt den Titel «Ich habe mich daran gewöhnt, hier wie selbstverständlich zu leben». Sie schließt mit den Worten:

«Ob ich mich bedroht fühle? Nein. Das Leben ist trotz allem – Gott sei dank! – auch für eine Jüdin nicht nur von der Auseinandersetzung mit altem und neuem Antisemitismus geprägt. Nein, bedroht nicht. Nur manchmal etwas unbehaglich. Auf dem legendären gepackten Koffer sitze ich deswegen zwar nicht.

Doch er steht, für alle Fälle, im Keller in Reserve. Manchmal gehe ich hinunter und staube ihn ab. »[66]

Auch in anderer Hinsicht wirkt Auschwitz auf die Identifikation nach: Das Judentum in Deutschland hat sich von einer Religions- zu einer Schicksalsgemeinschaft gewandelt. Die Erfahrung oder ein historisches Bewußtsein der Verfolgung war seit jeher eine nicht unwesentliche Komponente jüdischer Identität. Da es hier aber gerade die am stärksten vom Judentum Entfremdeten waren, die überlebten, kann angenommen werden, daß sie vor 1933 ein solches Bewußtsein nicht hatten. Dies kommt in den in allen Darstellungen immer wieder auftauchenden Formulierungen wie «Hitler hat mich zum Juden gemacht» überaus deutlich zum Ausdruck.

Das bisher Gesagte gilt in erster Linie für die Generation, welche die Verfolgung direkt miterlebte. In abgeschwächtem Maß hat es aber für weite Kreise der ersten und zweiten Nachkriegsgeneration ebenfalls Gültigkeit. Hier kommt ein Moment hinzu, durch das sozusagen das persönliche Erleiden durch die Solidarisierung mit dem Leid der Eltern ersetzt und die eindeutige Identifikation erschwert wird: das Syndrom der Überlebensschuld. Micha Brumlik schreibt dazu:

«In diesem Schuldgefühl drückt sich mehreres aus:
1. Die Unfähigkeit, die vom moralischen Standpunkt her unbegreiflichen Greuel in den Vernichtungslagern als etwas von Menschen Getanes zu verstehen.
2. Die hieraus resultierende Unfähigkeit, die dort Umgekommenen tatsächlich zu betrauern, und das heißt, zu akzeptieren, daß die Toten wirklich tot sind. Die Folge davon ist
3. der Wunsch, das Geschehene ungeschehen zu machen. »[67]

Diese Überlebensschuld ist nicht nur darin begründet, daß man – als einzelner gegenüber dieser unbegreiflichen Masse von Menschen, aber auch anders als die meisten Verwandten und Freunde – überhaupt überlebte, sondern daß viele, um sich zu retten, aus ihrer subjektiven Sicht vielleicht wirklich in irgendeiner Form ‹schuldig› geworden waren.[68] Die sonst so klare Opfer/Täter-Definition wird hier verwischt und ihre Schutzfunktion (d. h., daß man als Opfer nicht schuldig werden kann) teilweise aufgehoben. Das Syndrom, das nicht nur in Deutschland, sondern allgemein bei den Überlebenden des Holocaust auftritt[69], wird hier dadurch verschärft, daß man «im Hause des Henkers» (Adorno) geblieben ist. Grünberg weist in seiner psychologischen Studie nach, daß sich die Entronnenen durch die Identifikation ihrer Kinder mit dem Judentum und mit Israel eine «Ent-Schuldigung» erhoffen.[70] Dieser Anspruch ist mit der Erwartung verbunden, daß die Kinder nach Israel auswandern – und bis dahin auf Kontakt mit der nicht jüdischen Umwelt möglichst verzichten.

> «Die Kinder sollen für die Eltern die Brücke zum Leben sein, (...) gleichsam in deren abgebrochene Biografen schlüpfen und dort zu leben anfangen, wo diese zu leben aufhören mußten, also im Grunde die Ermordung von Eltern, Geschwistern, Kindern, Verwandten, Freunden ungeschehen machen; sie sollten als Retter in die psychotische Welt des Konzentrationslagers zurückkehren und dafür sorgen, daß die Eltern nicht als beschädigte, gedemütigte Opfer daraus hervorgehen; sie sollen, den abgewehrten Haß der Eltern agierend, die an ihnen begangenen Verbrechen rächen oder, im eigenen ungelebten Leben wie versteinert, als Denkmal für diese Verbrechen zeugen.»[71]

Es scheint, daß sich die lähmende Resignation als Folge des (‹schuldigen›) Überlebens auf die Kinder überträgt und deren Identifikationsprozeß beeinträchtigt, zumal diese es, in Anbetracht des Leidens der Eltern, als fast unmöglich ansehen, sich von ihnen zu trennen, um dem Anspruch auf Auswanderung gerecht zu werden.

Für die Generation der Überlebenden stehen die Opfer-Identität (mit allen Verdrängungen, Verzerrungen und Projektionen) oder die fast schon zwanghaft wirkende Identifikation mit dem ‹neuen Deutschland› als Möglichkeiten offen – unter Beibehaltung des Judentums, in das man durch die Verfolgung zurückgeführt wurde.

Für die zweite und dritte, möglicherweise auch für spätere Generationen kommt Israel als zusätzliches Identifikationsobjekt hinzu – was wiederum konfliktbeladen ist, wie meine Ausführungen zu Zionismus/Israel, aber auch über die «jüdische Linke» zeigen sollen. Nur gerade in diesen ‹linken› Kreisen zeigen sich Ansätze eines Identifikationsprozesses mit der BRD, auch wenn sich dieser häufig in heftiger Kritik manifestiert.

Insgesamt muß festgestellt werden, daß eine eindeutige Identifikation – außer mit der Schicksalsgemeinschaft der Juden schlechthin – zumindest vorerst nicht möglich ist. Dies verhindern die Fixierung auf die Vergangenheit, auf den Wunschtraum der Symbiose und auf die Erfahrung mit den ‹Mitbürgern› früher, in der Verfolgung, und heute, mit der Verdrängung, schließlich auf Israel, das aber insofern Utopie bleibt, als man in der BRD lebt.

Zionismus/Israel

Im Vorkriegsdeutschland hatte es bereits eine nicht unbedeutende zionistische Bewegung gegeben. Neben den Hauptströmungen der Assimilation und der Orthodoxie war sie von der Zahl ihrer Anhänger her eher schwach, doch gingen von ihr wichtige Impulse auf den Zionismus aus.

Der Auswanderungswille der deutsch-jüdischen Restgruppe war weniger zionistisch motiviert als derjenige der DP's, aber für viele blieb als einziges Auswanderungsland Israel. Es war vor allem die Jewish Agency for Palestine (heute Jewish Agency for Israel), die die Emigrationsbereitschaft der jüdischen Bevölkerung in Deutschland förderte und die Auswanderung auch praktisch organisierte, da sie die weitere Existenz einer jüdischen Gemeinschaft auf deutschem Boden ablehnte. Maor schreibt:

«So heißt es in einem Aufruf der Jewish Agency, die Ende Dezember 1949 ihre Auswanderungsstellen in Deutschland schloß, daß ‹einige zehntausend Juden, die noch in Deutschland verbleiben, keine Berechtigung zum Hierbleiben haben, weder eine jüdische noch eine zionistische noch eine menschliche›.»[72]

Erst 1954 erfolgte – mit der Zustimmung der Jewish Agency und Israels – die Gründung der Zionistischen Organisation Deutschlands und 1959 die der Zionistischen Jugend Deutschlands (ZJD), die in allen größeren Gemeinden Ortsgruppen etablierten.[73] Ziel der ZJD ist bis heute, den Jugendlichen jüdisches Wissen zu vermitteln und sie auf die Auswanderung nach Israel vorzubereiten.

Doch von Anfang an war die Auseinandersetzung um den Zionismus spannungsgeladen. Wohl waren sich vermutlich alle Gemeindemitglieder darin einig, daß Israel unterstützt werden müsse, doch von welcher Position aus, war und blieb umstritten. So gab es viele Überlebende, die zwar die Auswanderung als Konsequenz der jüngsten Vergangenheit befürworteten, diese jedoch an ihre Kinder ‹delegierten›, weil sie selbst dazu außerstande waren. Andere wiederum waren aus Israel nach Deutschland gekommen und wehrten sich zum Teil gegen eine zionistisch geprägte Beeinflussung ihrer Kinder. Zudem stellte der Zionismus für die neugegründeten Gemeinden eine (wenn auch oft überschätzte) Bedrohung dar. Die Äußerungen des Generalsekretärs van Dam (1959) spiegeln den Versuch des Zentralrats, diesbezüglich eine neutrale Haltung einzunehmen:

«Die deutschen Juden von heute sind als Kollektiv zu klein und zu schwach, als daß sie sich Aufsplitterung in Zionisten und Nichtzionisten leisten können, die in diesem Meinungskampf dann vielleicht unversehens zu Antizionisten werden würden (...), und ich bin der Auffassung, daß Juden in Westdeutschland nach Israel gehen, wenn sie sich zur zionistischen Idee bekennen.»[74]

Zwischen den Ortsgruppen der ZJD und den gemeindeeigenen Jugendzentren bestanden ebenfalls seit ihrer Einrichtung Spannungen. Oppenheimer, der diese Situation untersuchte, berichtet:

«Die Jugendzentren beschuldigen die ZJD, ihre Mitglieder zur Verachtung der Gemeinden und zur Ablehnung des Diaspora-Judentums (...) zu erziehen, und sie weisen auf Fälle hin, daß sich Mitglieder der ZJD ihres Judeseins schämen bzw. nach ihrem Austritt aus dem Jugendbund auch jeglichen Kontakt mit der jüdischen Gemeinde vermeiden. Die ZJD verurteile gewissermaßen solche Jugendliche, die austreten und nicht nach Israel auswandern, zur Assimilation, was vermieden werden könnte, wenn sie mit den Jugendzentren zusammenarbeitete. Tatsächlich lehnt die ZJD die Gemeinden in Deutschland – zumindest als berechtigte Existenzmöglichkeit – ab, erklärt sich aber zur Zusammenarbeit mit den Jugendzentren bereit, wenn man von ihr keine ideologischen und pädagogischen Konzessionen verlange, was aber vielerorts geschehe.»[75]

Wie aus dem 1986 gezeigten Fernsehbericht «reportage» zum Thema «Bleiben oder gehen? Über junge Juden in Frankfurt» hervorgeht, sind diese Konflikte bis heute nicht beigelegt. Auf den Zionismus angesprochen, verteidigen einige – wenn auch zwiespältig – ihre Existenz in der BRD, wehren sich aber ausdrücklich gegen die Haltung der ZJD, alle Jüdinnen und Juden müßten nach Israel auswandern. Sehr erfolgreich sind die Bemühungen der ZJD, ihre Mitglieder zur Auswanderung nach Israel zu bewegen, nicht. Der größte Teil derjenigen, die gehen, sind Kinder israelischer Rückwanderer, die ohnehin Israelis sind. Außerdem kehren einige nach Deutschland zurück, wenn ihre *Alijah* scheitert. Dies ist besonders der Fall, wenn der (delegierte) Zionismus eine Möglichkeit zur gewünschten Loslösung von den verfolgten Eltern und eine klare Identifikation anbot.[76]

In einem Punkt waren sich die Jüdinnen und Juden in der BRD lange Zeit einig: in ihrer Haltung zu Israel. Die Existenz dieses Staates bot für sie eine Garantie, bei neuerlichen Verfolgungen nicht wieder vor ‹verschlossenen Türen› zu stehen. Daraus ergab sich – verstärkt dadurch, daß viele deutsche Jüdinnen und Juden jetzt in Israel lebten und den Kontakt zur BRD aufrechterhielten – die Aufgabe, dem jungen Staat jede mögliche Unterstützung zu gewähren. Dies kommt in den vielen Organisationen zum Ausdruck, die gegründet wurden, um Geld für Israel zu sammeln, ebenso wie in den Bemühungen der Gemeinden, zu diesem Zweck mit den internationalen jüdischen Institutionen zusammenzuarbeiten.

Gerade im Hinblick auf die Isolation von der übrigen jüdischen Welt, unter der die Juden in Deutschland litten, waren die Bestrebungen, eine Annäherung zwischen Israel und der BRD zu erreichen, ein existentielles Anliegen. Unter Berufung auf die jüngere und ältere jüdische Geschichte, aber auch auf die jüdische Ethik wurde wiederholt das Argument vorgebracht, daß Juden nicht an der Isolierung von Völkern nteressiert sein können.[77] Es scheint jedoch, daß nach Kriegsende Palästina / Israel und das besetzte Deutschland offiziell keine Kenntnis voneinander nehmen konnten und wollten. Die erste Stellungnahme zur BRD kam erst am 18. Mai 1950 vom Jüdischen Weltkongreß und war an die Alliierten gerichtet. Die Pressemeldung in der «Allgemeinen» lautete:

«An die Besatzungsmächte wird die Forderung gerichtet, gegenüber dem Wiederaufleben des Nationalsozialismus in Deutschland und einer deutschen Wiederaufrüstung wachsam zu sein. Wörtlich wird dann ausgeführt, der Weltkongreß drücke sein ‹tiefes Bedauern darüber aus, daß ein westdeutscher Staat errichtet wurde, ehe die Entnazifizierung Deutschlands vollzogen und ehe der echte demokratische Charakter des neuen Deutschland zweifelsfrei hergestellt ist. (...)›»[78]

Die ersten Kontakte mit dem ‹offiziellen› Deutschland, die indirekt den Grundstein zu einer Annäherung zwischen den Juden respektive Israel und der BRD legten, waren Interviews der «Allgemeinen». Das erste war ein Gespräch mit Kurt Schumacher am 17. Februar 1947, in dem der

SPD-Politiker seine Aufforderung zur Rückkehr der Emigranten wiederholte und den guten Willen des deutschen Volkes zu einer neuen, friedlichen Koexistenz mit den Juden betonte.[79] Unter dem Titel «Bekenntnis zur Verpflichtung»[80] erschien im November 1949 ein Interview mit Konrad Adenauer, das laut der «Allgemeinen» auf Wunsch des Kanzlers stattgefunden hatte. Danach habe er schon 1945 seinen Willen bekundet, die jüdischen Institutionen wieder aufzubauen, doch damals habe man ihm gesagt: «Wir brauchen das nicht mehr in Deutschland». Er betonte, daß die Wiedergutmachung – die ja an den Ermordeten nicht mehr möglich sei – viel zu stark vernachlässigt worden wäre und jetzt in weit größerem Maß in Angriff genommen werde. Als erste symbolische Geste sollten «dem Staat Israel Waren zum Wiederaufbau im Werte von 10 Millionen DM» zur Verfügung gestellt werden.

Diese Erklärung war deshalb von besonderer Bedeutung, weil damit Israel als Interessenvertreter der verfolgten Opfer und ihres Erbes anerkannt wurde, was für die späteren «Wiedergutmachungs»-Verhandlungen eine wesentliche Rolle spielte. Diese Stellungnahmen Adenauers waren auch der Inhalt einer offiziellen Regierungserklärung. In Israel wurden sie mit größter Skepsis aufgenommen. So berichtete Karl Marx von seiner ersten Israel-Reise:

«In diesem kleinen Land (...) ist man heute noch – und man wird es immer sein – erfüllt von großer Trauer darüber, was Deutschland dem jüdischen Volk angetan hat. Diese Trauer wird nie enden. Ob das Mißtrauen gegenüber dem deutschen Volk aufhören wird, hängt einzig und allein davon ab, ob und welche Beweise dafür erbracht werden, daß hinter Männern wie Heuss, Adenauer und Schumacher das gesamte deutsche Volk steht.»[81]

Während die Presse und die Führung der Juden in Deutschland harsche Kritik an der Untätigkeit der Bundesregierung übten, aber auch Verständnis für die Haltung Israels zeigten und forderten, gaben sie ihre Bemühungen um eine Annäherung nicht auf. In diesem Sinn ist auch zu verstehen, daß zur ersten Arbeitstagung der Arbeitsgemeinschaft jüdischer Juristen im Bundesgebiet und Berlin vom 15. / 16. Dezember 1951 einerseits Mitglieder der Bundes- und Länderregierungen, andererseits Vertreter der jüdischen Weltorganisationen eingeladen wurden. Der Vertreter des Zentralrats, Dreifuss, erklärte in seiner Begrüßungsansprache:

«Wenn die soeben begonnene Tagung die Grundlage für eine Zusammenarbeit zwischen den Juristen und dem Zentralrat, aber auch eine Einheitlichkeit der jüdischen Arbeit in Deutschland mit den jüdischen Weltorganisationen und dem Staat Israel schafft, sind damit alle Bestrebungen zum Scheitern verurteilt, die ein gemeinsames Vorgehen verhindern wollen.»[82]

Zu Israel führte van Dam, der maßgeblich an der Ausarbeitung der «Wiedergutmachungs»-Gesetzgebung beteiligt war, aus:

«Das Dritte Reich bekämpfte die Juden im Ganzen. Demgemäß ist nach der Gründung des israelischen Staats auch ein substantieller Reparationsanspruch des jüdischen Volkes in Israel entstanden (...). Diesem Kollektivanspruch gebührt (...) eine besondere Stellung unter allen Reparationsansprüchen.»

Diese Haltung wurde dadurch bekräftigt, daß der Zentralrat unmittelbar nach Aufnahme der «Wiedergutmachungs»-Verhandlungen zwischen Israel und der BRD beschloß, auf jeden Anteil an der zu erwartenden Entschädigungszahlung zu verzichten – dies unter der Voraussetzung, daß die Bundesregierung vertraglich verpflichtet würde, für die Deckung der Budgets der jüdischen Gemeinden in der BRD zu sorgen. Somit konnte Israel den allergrößten Teil der voraussichtlichen Entschädigungen für sich beanspruchen.[83] Die ‹Großzügigkeit› der Juden in Deutschland muß, ebenso wie alle Bemühungen um eine Normalisierung der eigenen, aber auch der offiziellen deutschen Beziehungen zu Israel, unter dem Aspekt gesehen werden, daß dies zugleich ein Kampf gegen die eigene Isolation war.

Ein wichtiges Anliegen, auf das die jüdische Bevölkerung in der BRD direkt allerdings nur geringen Einfluß hatte, das aber sicher auch als Folge des «Wiedergutmachungs»-Abkommens zustande kam, war die Aufnahme diplomatischer Beziehungen zwischen der BRD und Israel am 11. August 1965. Immerhin schrieb Karl Marx am 11. Dezember 1959 in der «Allgemeinen»:

«Wir haben in den letzten sechs Jahren immer wieder versucht, unseren Freunden in Israel verständlich zu machen, daß die Politik der Realität einer Politik der Ideologie vorzuziehen sei, und wir glauben, ein Kleines dazu beigetragen zu haben, daß sich die Stimmung in Israel zugunsten Deutschlands gewendet hat. (...) Die seit zweieinhalb Jahren bekannte Bereitschaft der israelischen Regierung, diplomatische Beziehungen mit der Bundesrepublik aufzunehmen, wird und wurde in Bonn immer wieder überhört.»[84]

Wichtig ist, daß sich die Jüdinnen und Juden in der BRD immer wieder bemühten, für die Interessen Israels einzustehen, wenn auch mit wechselndem, insgesamt eher geringem Erfolg. Bis Ende der 60er Jahre traten sie dabei als geschlossene Gruppe auf. Die Kritik, die seitens der «Jüdischen Gruppe», der jüdischen Linken in Deutschland, seit 1981 an der offiziellen Haltung des Zentralrats formuliert wird, setzte in schwächerer Form schon viel früher ein und führte zu einem Aufbrechen der zuvor einheitlichen Position. Die durch den Zentralrat vertretenen Gemeinden und die «Allgemeine» behielten ihren Standpunkt Israel gegenüber weitgehend bei. Sie verstehen sich nach wie vor als Vertreter und Vermittler Israels und der jüdischen Sache in der BRD.

Das Verhältnis zur restlichen Diaspora

Wie bereits dargelegt, waren die Juden in aller Welt – und mit ihnen die aus Deutschland Emigrierten – bei Kriegsende der Ansicht, die in Deutschland wiederentstehenden Gemeinden dürften nichts mehr als ‹Liquidationsgemeinden› sein. Auch die Jüdinnen und Juden in Deutschland selbst hatten keineswegs die Absicht, sich dort wieder ‹häuslich› einzurichten.[85] Die Einsicht in die Sachzwänge, aber auch das Bedürfnis einzelner, trotz allem freiwillig dazubleiben oder zurückzukehren, kam in Deutschland relativ schnell. Die jüdischen Weltorganisationen reagierten jedoch äußerst ablehnend auf jeden Versuch der Überlebenden, sich zu etablieren und selbständig über ihre Belange zu entscheiden.

Dies zeigt sich überaus deutlich in der Auseinandersetzung zwischen den Gemeinden und der JRSO, der JTC und der Branche Française. Dabei ging es um die Frage, inwieweit die wiederaufgebauten Gemeinden überhaupt einen Anspruch auf das sogenannt «erbenlose» Vermögen hatten.[86] Die einzelnen Gemeinden und auch der Zentralrat fühlten sich zu schwach, um gegen die finanzstarken, bei den Besatzungsmächten anerkannten Nachfolgeorganisationen anzugehen.

Auch die zionistischen Organisationen und jüdischen Hilfswerke distanzierten sich nach – aus ihrer Sicht getaner – Arbeit von der jüdischen Gemeinschaft in der BRD. So berichtete Karl Marx, er habe 1949 bei einer Reise nach Israel erfahren, «daß Beschlüsse gefaßt worden seien, die jede zionistische Tätigkeit, auch die der Sammelaktion in

Deutschland untersagten»[87]. Bis etwa 1950 bildete die American Jewish Conference, die allerdings nicht lange Bestand hatte, in dieser ‹Ablehnungsfront› die einzige Ausnahme. Sie übermittelte der ersten Jahresversammlung der Interessengemeinschaft jüdischer Gemeinden und Kultusvereinigungen (der Vorgängerin des Zentralrats) 1947 folgende Botschaft:

«Mit Bewunderung haben wir Ihre unermüdlichen Bemühungen um die Erneuerung der jüdischen Gemeinschaft Deutschlands und die Errichtung einer autorisierten, für sie sprechenden Vertretung verfolgt. Wir sind voll des Dankes für den Geist der Zusammenarbeit, den Sie seit der Gründung Ihrer Organisation gezeigt haben, und wir wollen Ihnen versichern, daß die American Jewish Conference auch in Zukunft Ihre hervorragende Arbeit unterstützen wird.»[88]

Als kleineres Anzeichen einer Verbesserung der Beziehungen wurde die Tatsache gewertet, daß «große Organisationen, wenn ihre Arbeit getan scheint, nicht sofort das Feld räumen, sondern sich auf neue Tätigkeiten werfen». Laut Maor führte dies, zusammen mit den wenig später realisierten Hoffnungen auf «Wiedergutmachungs»-Verhandlungen, zu einer neuen Beurteilung der jüdischen Gemeinden beim Jüdischen Weltkongreß und beim «Joint». Daß es aber vorerst nicht zu einer formellen Anerkennung des Zentralrats und somit der jüdischen Gemeinschaft in der BRD kam, lag an der negativen Haltung des Zionistischen Weltkongresses.

Im November 1954 wurde der Zentralrat endlich in den Jüdischen Weltkongreß aufgenommen. Im März 1956 fand in Köln die erste Landestagung der wiedergegründeten Zionistischen Organisation statt, auf der beschlossen wurde, eine neunköpfige Delegation zum 24. Zionistenkongreß im April in Jerusalem zu entsenden. Offensichtlich wurde deren Teilnahme vom Kongreß nicht gutgeheißen, denn laut Ganther wurden der Delegation vom eigens deswegen angerufenen Kongreßgericht nur zwei Mandate zugebilligt.[89] Immerhin waren die Vertreter der Juden in Deutschland nicht auf Einladung zu dem Kongreß gereist, so daß die Zuerkennung von immerhin zwei Mandaten einem Durchbruch gleichkam.

Doch mit dieser mindestens partiellen Anerkennung der Juden in der BRD als gleichberechtigte Mitglieder der jüdischen Weltgemeinschaft waren längst nicht alle Schwierigkeiten überwunden, denn auch nach der offiziellen Aufnahme war kein Ende diskriminierender Äußerungen und Handlungen in der Diaspora und in Israel abzusehen. Juden, die aus Deutschland nach Israel reisten, berichteten verschiedentlich, daß sie auf heftige Ablehnung stießen, isoliert würden, primär als Deutsche und erst dann als Juden angesehen würden.[90] Auch die ZJD wurde bis Ende der 60er Jahre zu internationalen Treffen zionistischer Jugendorganisationen nicht eingeladen.[91] In der «Allgemeinen» erschienen wiederholt Artikel, in denen die negative Haltung der Diaspora scharf kritisiert wurde, so von Marx unter dem Titel «Selbstbehauptung gerechtfertigt»:

«Juden in Deutschland würden es nicht wagen, sich in die Belange ausländischer jüdischer Institutionen einzumischen und sie verbitten es sich, daß man sich in ihre internen Angelegenheiten mischt. Bedauerlich ist nur, daß es zu derartigen polemischen Auseinandersetzungen kommen mußte.

Die Juden in Deutschland haben nach dem Jahr 1945 ihre Pflicht getan, sowohl sich selbst, als auch den anderen gegenüber. Sie haben in keinem Augenblick vergessen, den Kampf für alle Geschädigten des Naziregimes zu führen, wo sie heute auch immer sein mögen. Und trotz aller Bekämpfung, Diskriminierung und Verächtlichmachung werden sie auch weiterhin ihre Solidarität gegenüber der Judenheit der Welt und dem Staat Israel bezeugen.»[92]

Und noch 1972 sah Hans Lamm sich veranlaßt, in der «Allgemeinen» zu bemerken:

«Unsere Gemeinde ist nicht besser aber auch nicht schlechter als andere Gemeinden. Wir sind sicherlich besser als unsere Reputation in Israel und sonstwo.»[93]

Die jüdische Gemeinschaft in Deutschland verteidigte ihre Existenz mit verschiedenen Argumenten: Man habe aus der Not der Sachzwänge eine Tugend gemacht; man wolle dem nationalsozialistischen Ziel, Deutschland «judenrein» zu machen, nicht nachträglich zum Erfolg verhelfen; man bleibe als «lebendes Mahnmal»; man müsse den Deutschen eine Chance geben zu zeigen, daß sie aus ihren Fehlern gelernt hätten – und zu diesem Zweck mit dem «anderen Deutschland» zusammenarbeiten. Zudem wurde der restlichen Diaspora der Vorwurf gemacht, daß Kritik und Ablehnung vor allem von Leuten kämen, die selbst von der Verfolgung mit betroffen gewesen seien.

Die Geschichte des westlichen Deutschland seit 1945 bot sicherlich Anlaß für jüdische Kritik und Besorgnis, doch reicht dies für eine so weitgehende und ausdauernde Ablehnung der wiederaufgebauten Gemeinschaft durch die Diaspora nicht aus. N. P. Levinson befaßte sich mit deren latenten Motiven und äußerte seine Ansicht darüber in einem Vortrag auf der Internationalen christlich-jüdischen Jugendtagung 1965 in Berlin:

«Oft (...) habe ich mich gefragt: was ist der Grund für diese vollkommene Ablehnung Deutschlands durch die Juden in aller Welt, und warum macht diese Ablehnung selbst vor den Juden in Deutschland nicht Halt? Ich glaube, es handelt sich um ein psychologisches Problem, und um ein äußerst gefährliches. Entgegen aller modernen wissenschaftlichen Einsicht beruht es auf der These, daß es gute und böse Nationen gibt, daß wir nicht fähig wären, zu tun, was die Nazis getan haben. Wir haben die Freudsche Einsicht verdrängt, daß wir alle zum Morden fähig sind. (...) Natürlich ist das eine sehr bequeme Philosophie. Sie regt uns nicht auf, sie entbindet uns von der Notwendigkeit, uns selbst zu prüfen (...). Darüber hinaus macht sie uns blind für das Böse und die Ungerechtigkeiten, die uns überall umgeben. Und da der Mensch denjenigen nicht leiden mag, dem er nicht genug geholfen hat, und da die Juden in der Welt nicht genug getan haben, um jüdisches Leben zu retten und unbewußt alle ein schlechtes Gewissen haben, so projizieren sie die Schuld auf die Deutschen. (...) Die Juden des Auslands, so formulierte es (...) einer meiner Freunde (...), die vor der Alternative standen, jüdisches Leben zu retten oder einen wohlverdienten Urlaub anzutreten, nahmen den Urlaub, und um ihr Gewissen zu beschwichtigen, schickten sie einige Pfund an den Relief-Fund. Und an alledem tragen sie noch heute; sie wissen es nur nicht. Und ein gut Teil der Energie, die sie darauf verwenden, das Problem ‹vernünftig› zu diskutieren, wird von solchen unterschwelligen Motiven gespeist.»[94]

Damit ist sicher nicht die einzig schlüssige Antwort auf die Frage nach der Ursache der Spannungen zwischen Diaspora und jüdischer Gemeinschaft in Deutschland gegeben. Es scheint, daß sich hier ein Bereich zeigt, in dem auch auf jüdischer Seite, inner- wie außerhalb der BRD, eine Art ‹Vergangenheitsbewältigung› die Haltungen beider Gruppen revidieren könnte.

7. Das Verhältnis der Juden zur nichtjüdischen Umwelt

Die «Wiedergutmachung»

Die Rückerstattung

Obschon der Begriff der «Wiedergutmachung», der auch von jüdischer Seite[95] verwendet wird, einer Entstellung des Sachverhalts gleichkommt, ist er in der Literatur weit verbreitet. Die vom bundesdeutschen Gesetzgeber gewählten Termini «Rückerstattung» und «Entschädigung» finden in der Regel nur dann Verwendung, wenn es um die diesen Bereich betreffenden Gesetze geht.

Schon lange vor Kriegsende befaßte man sich jüdischerseits auch mit den materiellen Schäden, die dem Judentum durch die Endlösungspolitik des nationalsozialistischen Deutschland erwachsen waren. 1941 stellte Nahum Goldmann fest, daß die Juden, wenn Reparationen gezahlt werden sollten, die ersten seien, die ein Recht darauf hätten. Auf der War Emergency Conference des Jüdischen Weltkongresses 1944 in Atlantic City wurden in einer Resolution die folgenden Forderungen aufgestellt:

«Wiedergutmachung und Entschädigung für die noch existierenden jüdischen Gemeinden und für einzelne Opfer der nationalsozialistischen Verbrechen; Anerkennung des Prinzips, daß das jüdische Volk Anspruch hat auf eine kollektive Wiedergutmachung für die materiellen und moralischen Verluste, erlitten von der jüdischen Nation, ihren Institutionen oder einzelnen Juden, die oder deren Erben individuelle Ansprüche nicht mehr anmelden können.»[96]

In jüdischen Kreisen herrschte jedoch keine Einigkeit darüber, ob man Entschädigungen in irgendeiner Form von Deutschland annehmen wolle. Dies hing mit der Ablehnung jeder Beziehung zu diesem Staat zusammen. Es gab eine beträchtliche Anzahl von Personen, die später auf die ihnen gesetzlich zustehenden Beträge verzichteten. Die jüdischen Organisationen verfolgten jedoch das Ziel, diese Forderungen erfüllt zu sehen. Die wichtigsten Verfechter dieses Anliegens waren der Jüdische Weltkongreß und die Conference on Jewish Material Claims Against Germany («Claims Conference»), später auch die Nachfolgeorganisationen.

In Deutschland wurde das Thema anläßlich des 2. Kongresses der befreiten Juden in der britischen Zone im Juli 1947 erstmals in einer Resolution offiziell aufgegriffen. Unter Punkt 7 heißt es:

«Der Zweite Kongreß der befreiten Juden in der britischen Zone Deutschlands verlangt von den am Friedensvertrag mit Deutschland beteiligten Mächten: Deutschland als verantwortlich für die Verbrechen haftbar zu machen [sic!], die dem gesamten jüdischen Volk durch den Nationalsozialismus angetan worden sind.

(...)

Der Kongreß verlangt als Teil der moralischen Wiedergutmachung die materielle Wiedergutmachung zur Sicherung des wirtschaftlichen Lebensstandards der in Deutschland lebenden jüdischen Menschen und mit besonderem Nachdruck für den Wiederaufbau von Existenzen nach Erez Israel strebender Auswanderer.»[97]

Diese Resolution wurde zwei Jahre nach Kriegsende erlassen, nachdem die führenden Politiker Deutschlands das Problem zwar erkannt und darüber beraten hatten, aber zu keiner Einigung gelangten und deshalb auch keinerlei Initiative zu einer politischen Lösung ergriffen.[98] Schwarz zeichnet (ohne apologetisch zu wirken) den Hintergrund, d. h. die soziale und ökonomische Lage in Deutschland auf, die – trotz der Bemühungen und Beteuerungen deutscher Persönlichkeiten – teilweise verständlich macht, daß es offenbar unmöglich schien, irgendeine Gesetzgebung zur «Wiedergutmachung» zu erreichen.[99]

Dennoch gab es zwischen dem Länderrat der US-Zone und den amerikanischen Besatzungsbehörden eine rege Zusammenarbeit: Deutsche Entwürfe (insgesamt acht) wurden bis März 1947 an die USMilitärregierung eingereicht, in denen die grundsätzliche Notwendigkeit einer Rückerstattung bejaht und eine einheitliche Regelung für alle vier Besatzungszonen gefordert wurde. Die Sowjetunion unterdrückte alle Bestrebungen nach Rückerstattung; die Franzosen lehnten ein Einheitsgesetz ab, vermutlich, weil es gegen ihr Konzept eines «radikalen Föderalismus» ging; britischerseits waren vermutlich zu erwartende wirtschaftliche Lasten das Hindernis. Da eine Vereinbarung nicht realisierbar war, wurde am 10. 11. 1947 das US-Militärgesetz No. 59 verkündet, das die Rückerstattung regelte. Das britische Rückerstattungsgesetz, das sich an das amerikanische anlehnte, es aber vereinfache und verbesserte, wurde am 12. 5. 1949 erlassen, dasjenige für Berlin am 26. 7. 1949. Eine einheitliche Regelung für die Rückerstattung von Vermögenswerten in der ganzen BRD trat erst mit der Verkündung des Bundesrückerstattungsgesetzes (BRUEG) am 18. Juli 1957 in Kraft.[100] Der Zentralrat schrieb dazu:

«Dieses Ergebnis war die Folge einer Kooperation im Rahmen der Conference on Jewish Material Claims Against Germany; der Zentralrat nimmt aber für sich in Anspruch, die maßgebende Initiative zugunsten der verspäteten Anmelder, wenn eine Interessenkollision mit den Nachfolgeorganisationen bestand, zugunsten der Einzelnen erfolgreich ausgeübt zu haben, insbesondere die von amerikanischer Seite zunächst sehr negativ behandelte Wiedereröffnung der Fristen durch das Bundesrückerstattungsgesetz durchgesetzt zu haben.»[101]

Das Problem mit den Anmeldeterminen ergab sich zum Teil daraus, daß den Berechtigten, wenn sie sich erkundigten, gesagt wurde, die Anmeldung sei noch nicht eröffnet. Wenn sie sich später wieder meldeten, war die Anmeldefrist aber oft schon verstrichen.

Bei der US-Regelung wie auch beim BRUEG ging es nur um «identifizierbares» Eigentum, vor allem um Grundeigentum, Gebäude und Geschäftsunternehmen. Die Erwerber des – in aller Regel unter Zwang und weit unter dem realen Wert veräußerten – Objekts hatten dieses bei den Besatzungsmächten anzumelden, und der ursprüngliche Besitzer hatte seinen Anspruch geltend zu machen. Wo Besitzer und Erben tot (oder in Unkenntnis der Rechtsverhältnisse) waren, vertraten die Nachfolgeorganisationen diese Interessen. Viele Ansprüche wurden später an die rechtmäßigen Eigentümer oder ihre Erben abgetreten.

Bei der Abwicklung der Rückerstattung ergaben sich praktische Probleme. Der Gesetzgeber hatte vorgesehen, daß diese, wenn immer möglich, auf der Basis eines Vergleichs erfolgen sollte. Dies wurde oft durch die mißliche finanzielle Lage beider Parteien verhindert: Meist hatten weder die rechtmäßigen Eigentümer genug Mittel, um den ursprünglichen Preis zurückzuerstatten, noch hatten die jetzigen Besitzer genug Geld, um die Differenz zwischen dem Verkaufspreis und dem effektiven Wert (plus Zinsen) des Objekts auszugleichen. Doch selbst wenn der Rückerstattungspflichtige über genügend liquide Mittel verfügte, um die Differenz zu begleichen, stellte sich für die jetzt in der Regel im Ausland lebenden Anspruchsberechtigten ein neues Problem: Die Währungsreform vom Juni 1948 legte eine Umstellung der Verbindlichkeiten in Reichsmark auf DM im Verhältnis 10 zu 1 fest, die Ansprüche bestanden aber alle in Reichsmark. Dieser Kürzung unterlagen auch die Gewinne aus dem Rückerstattungsobjekt, was es erschwerte, dieses neuerlich zu verkaufen. Nur wenige rechtmäßige Eigentümer wollten ihren Besitz behalten; sie waren, da sie ja meist im Ausland lebten, an Bargeld interessiert. Hatten sie ihr Eigentum endlich veräußert, so trat eine neue Schwierigkeit auf: das Transferproblem. Dieses ließ ihnen nur zwei Möglichkeiten, nämlich Verluste beim Verkauf der sogenannten Sperrkonten hinzunehmen oder aber in Deutschland zu bleiben. Erst die Aufhebung der Differenz zwischen DM und Sperrmark Ende 1954 beseitigte dieses Problem.[102]

Es scheint jedoch, daß aufgrund dieser Schwierigkeiten bei der Abwicklung der Rückerstattung einige Personen, die nur deshalb nach Deutschland gekommen waren, zu Remigranten wurden. d. h. sich wieder in der BRD etablierten. Andere wiederum überließen nicht zuletzt dieser Hindernisse wegen die Abwicklung den Nachfolgeorganisationen, bei denen sie dann Anspruch auf den ihnen zuerkannten Betrag (abzüglich Verfahrens- und Verwaltungskosten) geltend machen konnten.[103]

Die Nachfolgeorganisationen übernahmen zudem, wie erwähnt, die Geltendmachung von Ansprüchen an «erbenlosem» Vermögen. Zu diesem zählte auch das Eigentum der früheren jüdischen Gemeinden, da die neugegründeten Gemeinden «nur sehr relativ als Nachfolger der nach 1938 von den Nazis aufgelösten oder zur Selbstauflösung gezwungenen Gemeinden zu betrachten waren»[104]. Zwischen JRSO respektive JTC und den neuen Gemeinden kam es dabei allerdings zu einigen Streitfällen, wobei den Nachfolgeinstitutionen durch den United States Court of Restitution Appeals das Recht, Rückerstattungsansprüche für die ehemaligen Gemeinden geltend zu machen, zuerkannt wurde.[105]

Die Gemeinden erhielten bis Ende 1965 von den 249 Millionen DM, die die JRSO entgegennahm, 44 Millionen, also rund 17,5 Prozent. Von den Einnahmen der JTC, die per Ende 1965 rund 136,4 Millionen DM betrugen, erhielten die Gemeinden und ihre Organisationen (vermutlich vor allem die ZWSt) 28,3 Millionen DM; von den rund 13,1 Millionen DM der Branche Française wurden elf Millionen an die verschiedenen jüdischen Wohlfahrtsorganisationen gezahlt, wobei unklar ist, welcher Anteil davon in der BRD verblieb.

Entschädigung an Israel und die Claims Conference

Ein weiterer Schritt zur Kompensation der Schäden, die der jüdischen Gemeinschaft aus dem Naziregime erwachsen waren, wurde mit der Gründung der Claims Conference 1951 und deren Zusammenarbeit mit der israelischen Regierung bei den Verhandlungen mit der Bundesregierung 1952 eingeleitet. Ihre Anliegen waren die folgenden:

«– To obtain funds for the relief, rehabilitation and resettlement of Jewish victims of Nazi persecution, and to aid in rebuilding Jewish communities and institutions which Nazi persecution had devastated.

– To gain indemnification for injuries inflicted upon individual victims of Nazi persecution and restitution for properties confiscated by the Nazis.»[106]

Am 12. März 1951 sandte die israelische Regierung den vier Besatzungsmächten eine gleichlautende Note[107], in der diese ersucht wurden, Israel bei der Sicherung von Reparationsleistungen aus den beiden deutschen Staaten zu helfen.[108] In dieser Note wurde die Höhe der Forderung, 1,5 Milliarden Dollar, genannt, die auf den Kosten für die Eingliederung von 500000 Opfern des NS-Regimes in Israel beruhten. Die drei Westmächte bejahten zwar die moralische Berechtigung der Forderung, beantworteten das Ersuchen aber abschlägig; es war ihnen aufgrund des Pariser Abkommens nicht möglich, die deutschen Staaten für weitere Reparationen zu belangen. Zudem war ihr Interesse an der Wiederaufrüstung größer als an «Wiedergutmachung» – für beides konnte jedoch die BRD ihrer Ansicht nach nicht aufkommen.[109] Die Sowjetunion reagierte überhaupt nicht auf die Note.

Dieses Schreiben muß, entgegen der Selbstdarstellung der «Allgemeinen» und des Zentralrats, als Ausgangspunkt der direkten deutsch-jüdischen Verhandlungen angesehen werden, wenn auch anzunehmen ist, daß jüdische Institutionen und Persönlichkeiten in der BRD den Boden dafür vorbereitet hatten. Der erste Schritt von deutscher Seite war die Regierungserklärung Adenauers vom 27. September 1951, in der die Bereitschaft der BRD deklariert wurde, mit Israel und den Vertretern des Judentums «eine Lösung des materiellen Wiedergutmachungsproblems herbeizuführen»[110]. Zudem richtete der Bundeskanzler am 6. 12. 1951 einen Brief an Nahum Goldmann, den Vorsitzenden der Claims Conference, in dem er anführte, daß nun nach Meinung der Bundesregierung der Zeitpunkt für direkte Verhandlungen gekommen sei. Deren Grundlage sollten die von Israel gestellten Forderungen bilden.[111] Hinzu kam eine Globalforderung der Claims Conference von 500 Millionen Dollar.

Die Verhandlungen zwischen den Delegationen der BRD, Israels und der Claims Conference, die am 21. März 1952 im holländischen Wassenaar begannen, drohten bereits Anfang April wegen der gleichzeitig stattfindenden «Londoner Schuldenkonferenz über die Regelung der deutschen Vorkriegsschulden» zu scheitern. Der Grund lag darin, daß die Bundesregierung die beiden Verhandlungen in einem Zusammenhang sah. Laut Shinnar stellte der Leiter der deutschen Delegation in London, Hermann Abs, die Auffassung wie folgt dar: «(...) in London versuche die Bundesrepublik, das Vertrauen in ihren wirtschaftlichen Kredit wiederherzustellen, während im Haag [Wassenaar; Anm. der Verf.] ihre moralische Glaubwürdigkeit unter Beweis gestellt werde.»

In der Praxis sah es aber so aus, daß die BRD, vor allem auf Betreiben von Bundesfinanzminister Schäffer, in London auf Zahlungsunfähigkeit plädierte. Den jüdisch-israelischen Verhandlungspartnern wollte man eine grundsätzliche Zusage geben, ohne jedoch die Höhe der deutschen Leistungen festzulegen. Die Vorkriegsschulden und die Entschädigungsleistungen wurden also als zwei Teile desselben Schuldenpakets angesehen, das nach «anteiligen Quoten» beglichen werden sollte.

Am 19. Mai bot die deutsche Delegation Israel 100 Millionen DM jährlich auf zwölf Jahre an[112], in der Hoffnung, die ökonomisch desolate Lage werde Israel zwingen, darauf einzugehen. Goldmann erklärte am selben Tag in einem Brief an Adenauer, die jüdische Öffentlichkeit könne im Hinblick auf die vorangegangenen Erklärungen darin nichts anderes als eine Beleidigung sehen.[113] Das Angebot, das als eine «Staatshilfe» angesehen wurde, wurde abgelehnt, die Verhandlungen unterbrochen.

Gleichentags traten der deutsche Delegationsleiter Prof. Böhm und sein Stellvertreter Dr. Küster aus Protest gegen die moralisch untragbare Haltung der Bundesregierung von ihren Posten zurück. Die

Publizierung dieser Resignation und das Festhalten Adenauers an seinen ursprünglichen Zusagen übten starken Druck auf die wirtschaftlich orientierten Gegner der «Wiedergutmachung» aus. Am 19. Juni 1952 wurden die Verhandlungen wieder aufgenommen; es kam zu einer provisorischen Vereinbarung, wonach Israel drei Milliarden DM sowie 107 Millionen Dollar zuhanden der Claims Conference erhalten sollte.

Der Vorschlag wurde vom deutschen Kabinett gutgeheißen – sicher nicht zuletzt deshalb, weil die Leistungen primär in Form von Waren erbracht werden sollten, was für die deutsche Wirtschaft von größtem Interesse war. Nach etlichen weiteren Detailverhandlungen konnte das Abkommen zwischen der BRD und Israel sowie der BRD und der Claims Conference am 10. September 1952 in Luxemburg unterzeichnet werden.[114] Was die Claims Conference anbelangte, wurde einerseits ein «Protokoll Nr. 1» aufgesetzt, das die künftige Entschädigungs- und Rückerstattungsgesetzgebung betraf. Zudem wurde in einem «Protokoll Nr. 2» festgehalten, daß von den für die Claims Conference bestimmten 500 Millionen DM zehn Prozent für nichtjüdische Opfer des NS-Regimes abgezweigt werden sollten.[115]

Bis zur Ratifizierung des Vertrags mußten allerdings noch etliche Schwierigkeiten überwunden werden. In der BRD war dies vor allem der arabische Protest gegen das Abkommen, der durch eine Boykottdrohung gegen Importe aus der BRD unterstützt wurde. Die parlamentarische Auseinandersetzung darüber und über das Abkommen im allgemeinen führte zu einer Verzögerung; doch am 18. März 1953 wurde es vom deutschen Bundestag ratifiziert, zwei Tage später erfolgte die Ratifizierung in Israel.[116]

Die Claims Conference, deren Mitglied der Zentralrat der Juden in Deutschland seit 1952 war[117], erhielt in der Zeit von 1954 bis zur Erfüllung des Vertrags 1969 insgesamt rund 115,3 Millionen Dollar. Davon gingen an die Juden in der BRD rund 6,66 Millionen Dollar.[118] Diese Summe kam vor allem folgenden Bereichen zugute: der Zentralwohlfahrtsstelle (für individuelle Unterstützung von NS-Opfern, aber auch zur Errichtung von Altersheimen und Jugendzentren), dem Zentralrat (vor allem für den kulturellen Wiederaufbau) und den jüdischen Darlehenskassen.[119]

Diese Beiträge spielten – nebst den Rückerstattungsbeträgen – eine fundamentale Rolle für den Wiederaufbau und die Unabhängigkeit der jüdischen Gemeinschaft in der BRD, die zuvor, als Kollektiv wie auch individuell, weitgehend von den internationalen Organisationen finanziert worden waren. Eine zusätzliche Erleichterung für ihre finanzielle Position waren Abkommen betreffend «Wiedergutmachungsleistungen» zwischen den einzelnen Bundesländern auf der einen, dem Zentralrat sowie den betroffenen Gemeinden auf der anderen Seite.[120]

Die individuelle Entschädigung

Da die Mehrheit der jüdischen Bevölkerung in der BRD als Konsequenz der Verfolgung physisch und psychisch geschädigt war, wurde die individuelle «Wiedergutmachung» – auch für die Existenzfähigkeit der Gemeinschaft – zu einem erstrangigen Anliegen.

Auch in diesem Bereich waren es zuerst die westlichen Besatzungsmächte, die in ihren Zonen je verschiedene Gesetze zur Entschädigung erließen, vor allem für Freiheitsberaubung, Gesundheitsschäden und Behinderungen beim beruflichen Fortkommen. Die in der US-Zone im August 1949 wirksam gewordenen Regelungen waren äußerst umfassend. Zu den anderen Zonen bestanden zum Teil gravierende Unterschiede: Die Amerikaner stuften verschiedene Kategorien von Personenschäden als entschädigungsberechtigt ein und anerkannten auch den Anspruch von DP's, die bis zum 1.1.1947 in ihrem Verwaltungsbereich eingetroffen waren. In der französischen Zone war ein ebenso umfassendes Gesetz vorgesehen, das aber nie in Kraft trat; in der britischen Zone wurden nur Haftschäden (zu einem Ansatz von fünf DM pro Tag Freiheitsverlust) bei ehemaligen Einwohnern der Zone anerkannt.[121] Es war geplant, die Entschädigungsleistungen aus einem Fonds zu finanzieren, der aus den gesamten Vermögen der führenden Nazis, aus Beiträgen «weniger Belasteter» (d. h. «einfacher» Parteimitglieder) und aus «anderen Mitteln» gespeist werden sollte.[122] Die Regelung der Ansprüche war und blieb Sache der Länder.

Im Zehnjahresbericht des Zentralrats wird dazu für 1950 festgestellt:

«Im ganzen war aber die Stimmung schlecht und die Zahlungswilligkeit gering. Die Länder beriefen sich darauf, daß der Bund aus Mitteln des Lastenausgleichs Entschädigungsmittel bereitstellen müßte, und der Bund wollte eine Kompetenz auf dem Gebiet der Wiedergutmachung nicht annehmen.»[123]

Aufgrund der Schwierigkeiten, die bei der Durchsetzung der von führenden Persönlichkeiten der BRD immer wieder als berechtigt und notwendig anerkannten individuellen Entschädigung entstanden, und aufgrund der erheblichen Differenzen zwischen den einzelnen Ländern wurde der Ruf nach einem einheitlichen Gesetz immer stärker – nicht nur auf seiten der ehemals Verfolgten, sondern auch in der deutschen Öffentlichkeit. Daß ein solches Bundesgesetz noch einige Zeit auf sich warten ließ, geht daraus hervor, daß sich die Bundesregierung 1952 im «Protokoll Nr. 1» der Luxemburger Verträge der Claims Conference gegenüber verpflichtete, ein solches zu erlassen. Es ist anzunehmen, daß dieses Versprechen, das eine Beschleunigung des Prozesses mit sich brachte, nicht nur auf jüdischen Druck hin abgegeben wurde. Vielmehr ist wahrscheinlich, daß es auch einen Bestandteil des Bonner Vertragswerks mit den Westmächten vom 26. Mai 1952 bildete, auch wenn dieses erst 1957 ratifiziert wurde.[124] So hatte Adenauer verschiedentlich erklärt, ein solches Bundesgesetz solle noch in der ersten Legislaturperiode, also bis zum Juli 1953, verabschiedet werden.

Unter Zeitdruck kam es am 29. Juli zur Annahme des «Bundesergänzungsgesetzes zur Entschädigung der Opfer der nationalsozialistischen Verfolgung» (BEG) durch den Bundestag[125], das am 1. Oktober 1953 in Kraft trat. Obschon man sich in weiten Kreisen über dessen Unzulänglichkeiten im klaren war, hatte man es vorgezogen, das Gesetz – auch als Demonstration des guten Willens – zu verabschieden, statt es dem zweiten Bundestag zur vollständig neuen Beratung offenzulassen. Die allseitig schon zu diesem Zeitpunkt geforderte Novellierung des BEG wurde von einem Arbeitskreis im Sommer 1954 in Angriff genommen, während parlamentarische und jüdische Kritik immer stärker wurden. Dabei ging es vor allem darum, daß das Gesetz – auch in dieser unvollständigen Form – praktiziert werden sollte. Dazu fehlten allerdings (zum Teil bis zum April 1955) die Durchführungsverordnungen.[126] Außerdem berichtet Grossmann:

«Die eingereichten Anträge werden zu lange bearbeitet, was zur Folge hat, daß täglich überalterte Entschädigungsberechtigte wegsterben, ehe sie auch nur einen Pfennig von ihrer Entschädigung gesehen haben.»[127]

Der zweite Bundestag setzte einen Wiedergutmachungsausschuß ein, der den Entwurf zur Novelle beriet und einige Ergänzungen und Änderungen beschloß. Zudem wurden die interessierten Organisationen, vor allem die Claims Conference, der Council of Jews from Germany (Interessenvertretung der aus Deutschland geflüchteten Juden) und der Zentralrat, in die Beratungen einbezogen. Das so bereinigte Bundesgesetz BEG wurde schließlich am 29. Juni 1956 verabschiedet. Der Zentralrat berichtet dazu:

«Es würde zu weit führen, die einzelnen Verbesserungen und Gesetzesbestimmungen für ganze Gruppen, die entweder auf Initiative des Zentralrats oder wesentlich auf Grund seiner Initiative zustandegekommen sind, hier aufzuführen. Als wesentliche Beispiele seien folgende angegeben:
– Die Forderung, die in unselbständiger Tätigkeit Verfolgten angemessen zu entschädigen, insbesondere ihnen eine Rente zu gewähren.
(...)
– Die für Inländer besonders wesentliche Steuerfreiheit für Wiedergutmachungsleistungen durch Änderung des Einnahmesteuergesetzes.
(...)
– Verbesserung der Entschädigung für Ausbildungsschaden. – Die Gewährung von Soforthilfe von 6000 DM für Personen, die nach 1945 in das Bundesgebiet zurückgekehrt sind.»[128]

Doch auch das BEG enthielt noch Mängel und Ungerechtigkeiten. «Für manche Tatbestände gewährte das Gesetz keine, für andere nur unzureichende Entschädigung.»[129] Geblieben war zudem die Kritik an der Dauer der Bearbeitung (die bis heute nicht vollständig abgeschlossen ist) und an der Beweislast, die den Antragstellern aufgebürdet wurde. In einem Vortrag vor der United Restitution Organization am 12. 11. 1958 bemerkte der Mitherausgeber der Zeitschrift «Rechtsprechung zur Wiedergutmachung», Walter Schwarz, zur Praxis des BEG:

«[Man] wird sich mitunter des Eindrucks nicht erwehren können, als ob die finanzpolitischen Befürchtungen über das Ausmaß der Wiedergutmachungslasten unausgesprochen und unbewußt manche Entscheidung maßgebend beeinflußt hat.»[130]

Mit dem BEG-Schlußgesetz vom 8. September 1965 (sowie mit einer Novellierung des Bundesrückerstattungsgesetzes vom Mai 1964) wurde versucht, die letzten größeren Unzulänglichkeiten des Gesetzeswerks zu bereinigen. Daß es dennoch in Einzelfällen zu Härten und Ungerechtigkeiten kam, war vermutlich nicht zu vermeiden, brachte aber eine Flut von Prozessen mit sich. Gerade bei diesen gerichtlichen Auseinandersetzungen tat sich der Zentralrat hervor, indem er die Prozeßführung für finanziell und politisch schwache Anspruchsberechtigte übernahm.

Über die Lasten der «Wiedergutmachung», die der öffentlichen Hand durch BRUEG und BEG erwuchsen, deren Höhe die meisten Gegner als für die deutsche Wirtschaft untragbar bezeichneten, schreibt Goldmann:

«Insgesamt 59 Milliarden DM wurden bis Ende 1978 aufgrund verschiedener Ansprüche ausgezahlt, und es wird geschätzt, daß bis Ende der Durchführung weitere 24 Milliarden DM für Entschädigungen und 371 Millionen DM für die Rückerstattung notwendig sein werden.»[131]

Grossmann gibt an, daß die Aufwendungen für die «Wiedergutmachung» in den Jahren 1964 bis 1966 jeweils 1,5 bis 1,9 Prozent der Gesamtausgaben der öffentlichen Haushalte betrug.[132] Hier sind allerdings die monatlich auszuzahlenden Renten nicht inbegriffen.

Mit der Novellierung des BEG 1965 war (wie die Bezeichnung «Schlußgesetz» impliziert) beabsichtigt, eine definitive Regelung bezüglich Anspruchsberechtigung, aber auch hinsichtlich der Durchführung zu erreichen. Selbst wenn sich tatsächlich einige materielle Verbesserungen für die gemäß BEG Anspruchsberechtigten ergaben, wurden die gravierendsten Mängel mit dieser Neufassung und weiteren Revisionen von 1980 und 1981 nicht ausgeräumt. Diese betrafen einerseits die vom Gesetz erfaßten Personen: So wurden vor der Verfolgung vermögende Berechtigte mit größeren Beträgen entschädigt als die zuvor schon Mittellosen; zudem scheiterten viele an «oft entwürdigenden Kriterien, die mit der Tatsache der erlittenen Verfolgung nichts zu tun hatten: Wohnsitzvoraussetzungen, Stichtagsregelungen, Schadensnachweise, Sprachprüfungen etc.»[133] – Hürden, welche von den (neuerlich) besser Situierten leichter zu überwinden waren. Das BEG schrieb also die sozialen Klassifizierungen im Kreis der Anspruchsberechtigten fort. Andererseits konstituierte das BEG insgesamt schwerwiegende Ungerechtigkeit, indem ganze Gruppen von Opfern der Verfolgung von der Entschädigung ausgeschlossen wurden: Homosexuelle, sogenannte Asoziale und «Berufsverbrecher» wurden ausgegrenzt, ebenso die Zwangssterilisierten, weil ihre Verfolgung vom BEG nicht als bedingend angesehenes «typisches nationalsozialistisches Unrecht» angesehen wurde; auch die Anhänger und Mitglieder der KPD blieben unberücksichtigt. Sinti und Roma waren zwar nicht explizit ausgeschlossen, wurden aber in der Praxis deutlich benachteiligt – das BEG «selektierte (...) unter der Winkel‹hierarchie› der KZs»[134].

Die Empörung über diese Formen der Diskriminierung in einem Gesetz, das nazistisches Unrecht soweit wie möglich hätte korrigieren sollen (statt es fortzuschreiben), zwang den Bundestag immer wieder, neue Regelungen zu verabschieden, die aber diese grundsätzlichen Mängel nicht zu beheben vermochten. Im Winter 1984/85 begannen die Grünen, die dem BEG einen «grundsätzlich falschen Ansatz» attestierten, mit der Formulierung einer Gesetzesinitiative zu einer umfassenden Neukonzeption.

Motiviert war dieser Versuch durch den bevorstehenden 40. Jahrestag des Kriegsendes in einem politischen Klima, in dem der Ruf nach einem ‹Schlußstrich› unter die grauenvolle Vergangenheit selbst aus den Reihen der Regierungsparteien immer öfter (und deutlicher) erklang. In der Hauptsache zielte die Initiative darauf ab, die verschiedenen Ausschlußregelungen aufzuheben, die Beweispflicht weitgehend dem Staat zu übertragen und Renten- und Entschädigungsbeträge unabhängig vom sozialen Status und anderen Einkünften festzusetzen; zudem sollte das Territorialitätsprinzip, das Betroffene mit Wohnsitz außerhalb der BRD diskriminierte, aufgehoben werden. Konkret sollte den Behörden die Beweispflicht auferlegt werden, wenn sie Ansprüche bestritten, die von Antragstellern mit glaubhaften Angaben vorgebracht wurden. Die Umkehrung der Beweispflicht sollte den (vorher implizierten) Verdacht ausräumen, die Verfolgten könnten Profiteure staatlicher Leistungen sein. Der durch die Grünen vorgelegte Entwurf war geeignet, durch eine Straffung der «Wiedergutmachungsbürokratie» dafür zu sorgen, daß wenigstens für einen Teil der nun meist schon betagten Verfolgten bisheriges Unrecht noch korrigiert werden könne. Dies hätte allerdings eine zügige Beratung und Verabschiedung durch den Bundestag vorausgesetzt.

Wie bei den früheren Novellierungen des BEG muß jedoch auch hier eine (absichtliche) Verschleppung der Entscheidung konstatiert werden. Im Oktober 1985 brachten die Grünen ihre Gesetzesinitiative ein, die Mitte Januar 1986 im Bundestag erörtert wurde, wobei die Regierungsparteien die darin enthaltene grundsätzliche Kritik rundweg ablehnten, lediglich «Handlungsbedarf» konzedierten und den Antrag an die Ausschüsse überwiesen. Zudem wurde die Forderung der SPD nach einem Bericht über den bisherigen Stand der Wiedergutmachungsleistungen gutgeheißen, was eine Verzögerung bedeutete, weil weitere Schritte von diesem Bericht abhängig gemacht wurden. Vier Monate später lag ein Papier vor, das sich zu den «haushaltrechtlichen Auswirkungen» der Anträge äußerte [135], nicht aber Auskünfte zu erbrachten Leistungen oder Folgen der Ausschlußregelungen enthielt.

Auf einhellige Forderung der Parteien wurde, allerdings erst im November 1986, ein neuer Bericht vorgelegt; damit waren die Hoffnungen, noch in dieser Legislaturperiode ein Gesetz zu verabschieden, weitgehend geschwunden. Auch inhaltlich war dieser zweite Bericht für die Befürworter der Gesetzesinitiative der Grünen unzulänglich: Er enthielt keine kritische Analyse der Ausschlußkriterien, die ja gerade überprüft und revidiert werden sollten. Zudem wurden lediglich die Leistungen nach BEG, aufgeschlüsselt nach Kategorien, in Prozent der eingegangenen Aufträge aufgeführt; die zur Erörterung der Gesetzesvorlage wichtigen Begründungen für Ablehnungen waren nicht enthalten. Allerdings entschied der Bundestag, daß eine Anhörung von Betroffenen und Sachverständigen für eine abschließende Beratung erforderlich sei. Dabei ging es kaum nur darum, die Verfolgtengruppen erstmals vor dem Parlament zu Wort kommen zu lassen, sondern – wie bei der großzügigen Bemessung der Frist für den zweiten Regierungsbericht über die Wiedergutmachungsleistungen – für viele der Abgeordneten um eine mögliche Verzögerung, da offenkundig war, daß sich dieses Hearing vor Auflösung des 10. Bundestags Ende 1986 nicht mehr organisieren lassen würde.

Vor den Wahlen hatte man die Betroffenengruppen, die sich nun immer vehementer zu Wort meldeten und mit ihrer Kritik an den Ungerechtigkeiten auch von Heinz Galinski unterstützt wurden, [136] damit abspeisen können, daß eine Revision im Parlament beraten werde – womit das Thema auch aus dem Wahlkampf vom Herbst 1986 ausgeklammert bleiben konnte. Nach den Wahlen konnte das Spiel auf Zeit weitergeführt werden, weil die Gesetzesvorschläge dem 11. Bundestag erneut vorgelegt werden mußten.

Die Anhörung von Vertretern der Opfer vom 26. Juni 1987 geriet zum wichtigsten Ereignis dieser «Wiedergutmachungs»-Debatte der späten 80er Jahre. Von besonderer Bedeutung war dabei die Haltung des damaligen Vorsitzenden des Zentralrats, Werner Nachmann. Die Abgeordnete der Grünen, Antje Vollmer, verlangte von Verfolgten und Sachverständigen eine klare Auskunft darüber, ob der Kampf um die Entschädigungsleistungen eine «zweite Phase der Verfolgung» gewesen sei. Die Regierungsparteien riefen darauf ihre Gutachter, aber auch Kirchenvertreter und insbesondere Nachmann zu politischen Stellungnahmen auf, die diesen Vorwurf entkräften sollten. Wie im Jahr zuvor Galinski in Berlin solidarisierte sich der Zentralratsvorsitzende mit allen anderen Opfergruppen und stellte fest, gerade die Bereitschaft der vom BEG Begünstigten, «Wiedergutmachungs»-Leistungen anzunehmen, habe der BRD die Reintegration in die Völkergemeinschaft und den wirtschaftlichen Aufstieg erleichtert. Dies könne aber nicht darüber hinwegtäuschen, daß das BEG selbst neues Unrecht geschaffen habe, indem es (moralisch) Anspruchsberechtigte kategorisch von seinen Leistungen ausschloß. Hartung kommentiert:

«Diese Stellungnahme Nachmanns war umso bedeutender, weil sein Credo in all den Jahren nach dem Krieg immer Versöhnung, die bewältigte Vergangenheit, die deutsch-jüdische Normalität war. Er widerrief geradezu wenige Monate vor seinem Tod seine Schlüsselrolle im bundesdeutschen Nachkriegskonsens.»[137]

Wenn auch dieses Hearing insofern bedeutsam war, als es den Status der Opfer veränderte – sie aus der Anonymität der stummen Zeugen des NS-Vernichtungsapparats heraushob und ihnen die Möglichkeit bot, als Individuen wie auch als politische Subjekte an die Öffentlichkeit zu treten –, änderte es kaum etwas an den konkreten Resultaten der Debatte um eine tiefgreifende Revision der Entschädigungsgesetzgebung. Im Dezember 1987 legte die Regierungskoalition in der Plenumsdebatte eine «Kompromißlösung» vor, wonach (ähnlich wie anläßlich der Novellierung von 1981) ein «endgültiger» Härtefonds mit 300 Millionen DM Kapital zur Regelung aller Ansprüche bereitgestellt werden sollte – mit dem nun plötzlich auch von dieser Seite aufgegriffenen Argument, in Anbetracht des hohen Alters der meisten Betroffenen müsse schnell und unbürokratisch gehandelt werden. Ein von der

SPD im November vorgelegtes Modell für eine Stiftung, deren Beirat aus Vertretern von Regierung, Bundesrat, Bundestag, Opfern und Sachverständigen Richtlinien über «Art und Umfang der Leistungen» hätte ausarbeiten sollen, wurde damit ebenso aus der Debatte gekippt wie der Gesetzentwurf der Grünen. Übrig blieb eine neue Härteregelung ohne Rechtsanspruch: Sofern Antragsteller nachweisen können, daß sie die ursprünglichen Eingabefristen schuldlos verpaßt haben und gesundheitliche Schäden vorliegen, kann ihnen eine einmalige Zahlung von «bis zu 5000,– DM» zugesprochen werden; nur ausnahmsweise werden Renten festgesetzt. Diese Regelungen gelten insbesondere für Sinti und Roma, aber auch z. B. für Zwangssterilisierte.[138] Eine nachträgliche Aufnahme ins BEG blieb ihnen jedoch verwehrt, ebenso wie Kommunisten und ausländische Verfolgte «endgültig» ausgeschlossen wurden. Einzig bei der Entschädigung der 83 Überlebenden von Dr. Mengeles berüchtigten Zwillingsexperimenten von Auschwitz zeigte sich die Bundesregierung etwas großzügiger: Sie sprach ihnen eine einmalige Abfindung von je 24000 DM zu.[139]

Der Regierungsbericht vom November 1986 hatte im historischen Überblick über die Wiedergutmachungsgesetzgebung festgestellt: «Trotz (der) Schwierigkeiten ist ein Gesetzeswerk gelungen, das nahezu alle durch das NS-Unrecht verursachten Schäden erfaßt.»[140]

In diesem «nahezu» waren – und blieben – mit der neuerlich «endgültigen» Härteregelung alle jene verborgen, die der Gesetzgeber als der Entschädigung «unwürdig» eingestuft hatte.

Entschädigung für Zwangsarbeit

Ein wichtiger Bereich, in dem der Zentralrat aktiv wurde und der weder vom BRUEG noch vom BEG berücksichtigt wurde, war die Entschädigung für Zwangsarbeit. Der erste Fall, in dem dies angestrebt wurde, war 1949 die Klage Norbert Wollheims gegen die I. G. Farben-Werke. Das spätere Mitglied des ersten Direktoriums des Zentralrats hatte während drei Jahren im Bunawerk in Auschwitz unter schwersten Bedingungen gearbeitet. Die Industriellen hatten schon im Rahmen der Nürnberger Prozesse die Auffassung vertreten, sie seien – was sich als unwahr erwies – «gezwungen» gewesen, die Zwangsarbeiter zu beschäftigen, und schließlich seien die Arbeitsbedingungen so gewesen, daß immerhin ein Teil von ihnen überlebte.[141]

Wollheim und sein Anwalt Henry Ormond waren in erster Instanz erfolgreich, doch die I. G. Farben appellierte an das Oberlandgericht. Aufgrund von Wollheims erstem Erfolg meldeten sich Tausende von ehemaligen Zwangsarbeitern bei Ormond, der seinerseits Unterstützung durch den Zentralrat und, vor allem finanziell, durch die Claims Conference erhielt.[142] Die Industriellen versuchten zu erreichen, daß die Ansprüche der Zwangsarbeiter im Rahmen der Novellierung des BEG erfaßt werden sollten. Damit würden alle direkten Klagen gegen die Konzerne hinfällig.[143] Dies wurde, vor allem auf politischen Druck von «Wiedergutmachungs»-Befürwortern, verhindert. Nach langwierigen Verhandlungen zwischen der Claims Conference und I. G. Farben wurde 1957 ein Vergleich erzielt: Der Konzern zahlte 30 Millionen DM, davon 27 Millionen an die Claims Conference zuhanden von überlebenden jüdischen Zwangsarbeitern; drei Millionen standen nichtjüdischen Berechtigten zur Verfügung.[144]

Inzwischen waren andere Verfahren gegen Industriekonzerne initiiert worden. Diese wurden zum Teil im Laufe der 60er Jahre mit ähnlichen Vergleichen abgeschlossen, so mit Krupp, AEG, Siemens und Rheinmetall.[145] Gezahlt wurden insgesamt knapp 52 Millionen DM für rund 15000 ehemalige Zwangsarbeiter.[146] Der Großindustrielle Flick, in dessen Firmen ebenfalls Sklavenarbeit geleistet worden war, verweigerte einen solchen Vergleich. Erst nach der Übernahme des Flick-Imperiums durch die Deutsche Bank überwies die Feldmühle Nobel AG (eine Tochterfirma) der Claims Conference aus «humanitären Gründen» fünf Millionen DM – für ca. 1 300 (von ca. 50000) jüdischen Sklaven der Flick-Betriebe, die heute noch leben.[147]

Von jüdischer Seite gab und gibt es vielfältige Kritik an der «Wiedergutmachung», auch wenn sie in weiten Kreisen grundsätzlich begrüßt wurde. So wird die Auffassung vertreten, die materielle Wiedergutmachung, die nach dem Willen ihrer Befürworter Teil oder Ausdruck der moralischen Wiedergutmachung hätte sein sollen, sei vollständig an deren Stelle getreten und habe die Funktion der Exkulpation der NS-Verbrechen übernommen. So schreibt Sichrovsky:

«Die Wiedergutmachung war eine Wieder-JUD-Machung. Die Überlebenden wurden gezwungen, sich bittend und bettelnd anzustellen, um den Mördern zu einer guten Tat zu verhelfen. Nicht die Tat wurde damit wiedergutgemacht, sondern die Täter!»[148]

Wenn diese Formulierung auch überspitzt erscheinen mag, so wird sie doch auf dem Hintergrund verständlicher, daß es eben auch für manche Täter eine «Wiedergutmachung» gab. Diese stand im Zusammenhang mit dem im Mai 1951 neugefaßten Artikel 131 des Grundgesetzes, der bewirkte, daß Beamte, die bis 1945 im öffentlichen Dienst gestanden hatten und entlassen worden waren, wieder in ihr Amt eingesetzt werden konnten. Im Rahmen dieses Gesetzes kamen auch viele Nazi-Juristen wieder auf ihre früheren Positionen – und sprachen auch in «Wiedergutmachungs»-Klagen Recht. Zudem wurden die sogenannten «131er» für Pensionen, Heimkehrerhilfen und Entschädigungen anspruchsberechtigt. Ephraim publizierte eine Liste von Namen solcher Personen, unter ihnen Großadmiral Karl Dönitz, NS-Regierungspräsident Kurt Matthaei oder Ernst Lautz, der Oberreichsanwalt am berüchtigten Volksgerichtshof war und, nebst einer Pension, eine Nachzahlung von 125 000 DM erhielt.[149] Peter Steinbach schreibt dazu:

«Sicherlich waren mit dieser Integration zahlreiche Probleme und auch Ungerechtigkeiten verbunden, die in der öffentlichen Einschätzung vor allem daraus resultierten, daß die Verfolgten (...) in der Regel wesentlich schlechter gestellt waren und blieben als die ‹131er›, die zum Teil großzügige Pensionsregelungen genossen und auch sozial nicht geächtet waren.»[150]

Neonazismus, Antisemitismus

«Vergangenheitsbewältigung»

Es gab 1945 kaum Anlaß zur Erwartung, daß mit dem Ende des Krieges und der Niederlage des nationalsozialistischen Staates die rassistische Indoktrinierung der Bevölkerung ihre Wirkung sofort verlieren würde. Die berechtigte Skepsis gründete vor allem darauf, daß das Regime nicht von innen her gestürzt, sondern durch die Alliierten besiegt worden war. Dennoch hofften die Überlebenden der Verfolgung und die (aus dem Exil zurückkehrenden) Vertreter des «anderen Deutschland», daß eine öffentliche Auseinandersetzung mit der unmittelbaren Vergangenheit in einer Form erfolgen würde, die jedem Deutschen klarmachen müßte, daß die Ideologie, die zwölf Jahre geherrscht hatte, als unmoralisch und inhuman abzulehnen ist.

Das Ausmaß der nationalsozialistischen Verbrechen wurde (wenn auch nicht in Details) schnell bekannt. Bereits im November 1945 fand der erste Nürnberger «Prozeß gegen die Kriegsverbrecher»[151] statt. Im Zusammenhang damit und mit den zwölf sogenannten Nachfolgeprozessen kam es zu einer weitreichenden Aufklärung der Bevölkerung durch die Presse.

Viele der Hauptschuldigen wurden von den alliierten Gerichten zum Tode, zu lebenslänglichen oder langjährigen Haftstrafen verurteilt.[152] In manchen Fällen wurden die verhängten Urteile jedoch bald reduziert oder aufgehoben. Ausgangspunkt dafür war eine im Sommer 1950 einstimmig beschlossene Petition des deutschen Bundestags an den amerikanischen Hochkommissar McCloy, die Todesstrafen in Freiheitsstrafen umzuwandeln.[153] Begründet wurde dies vor allem damit, daß das 1949 in Kraft getretene Grundgesetz die Todesstrafe abgeschafft habe. Ein weiteres gewichtiges Argument war die im Zusammenhang mit dem kalten Krieg unumgänglich scheinende deutsche Wiederbewaffnung:

«Eine geschichtliche Tatsache ist es, daß außerordentlicher Druck auf amerikanischer Seite ausgeübt worden ist. Dabei hat ein Lobbytum aus bestimmten interessierten Kreisen eine große Rolle gespielt, das mit der Argumentation – ‹Wenn man bestimmte Soldaten nicht entläßt, so würde kein Landser für die deutsche Armee eintreten› – viele sonst politisch absolut normal denkende Menschen beeindruckt hat. Innerhalb dieser Gnaden-Lobby haben sich dann bestimmte Kreise zusammengetan und gesagt: Ja, wenn schon diese (etwa verurteilte Militärs), dann müßt ihr auch für jene (etwa NS-Einsatzkommandos) eintreten. Und dadurch ist es gekommen, daß einige – (...) mehrere Dutzend notorische Mörder – damals begnadigt worden sind.»[154]

Parallel zu diesem «Gnadenfieber» (Kempner) lief die sogenannte «Entnazifizierung». Es handelte sich dabei um von den Alliierten vorgeschriebene Verfahren, die von den deutschen Behörden – welche auf lokaler Ebene schon bald wieder eingerichtet wurden – durchzuführen waren. Betroffen davon waren automatisch alle, die sich nicht als Hauptschuldige vor dem Internationalen Militärgericht zu verantworten hatten: rangniedrigere Funktionäre der NS-Organisationen (SS, SA, Gestapo, Polizei etc.), Beamte des öffentlichen Dienstes, die ihre Ämter bei Kriegsende verloren hatten [155], und einige wenige Industrielle. Die überwiegende Mehrheit der Industriellen, die sich zum Teil massiv an Krieg und Massenvernichtung bereichert hatten, wurde nie belangt, ebensowenig wie viele führende Beamte der Reichsbahn, ohne deren unbedingte Kooperation die Massenvernichtung unmöglich gewesen wäre.

Infolge der riesigen Anzahl der anstehenden Verfahren – erfaßt wurden laut Hilberg knapp 13,2 Millionen Personen – wurden zuerst die vergleichsweise harmlosen Fälle behandelt. Dies war notwendig, weil sich herausgestellt hatte, daß es kaum Menschen gab, die politisch unbelastet waren, aber dieselben fachlichen Qualifikationen aufwiesen wie die zuvor Entlassenen. «Unbelastet» meint hier nicht nur: nicht nationalsozialistisch, sondern – im Hinblick auf die westdeutsche Position im Kalten Krieg – sehr bald (und vor allem) auch: nicht kommunistisch. Den Vorgang der Entnazifizierung beschreibt Niethammer:

«Die Betroffenen brachten Entlastungszeugen bei (meist durch die als ‹Persilscheine› berüchtigt gewordenen Affidavits), die nur sehr selten von Klerikern, Vertretern politischer Parteien oder von Juden stammten; meist stammten sie vielmehr von Bekannten, Verwandten, Berufskollegen (auch wenn diese bei der Gestapo gearbeitet hatten) und bestätigten dem Betroffenen, daß er völlig unpolitisch sei und niemandem etwas zuleide getan habe.» [156]

Die «Entnazifizierung» geriet dadurch, daß fast beliebige Entlastungszeugen zulässig waren und die meisten Verfahren mit (oft geringen) Geldstrafen endeten, zu einer Formsache. Niethammer bezeichnet die Spruchkammern als «Mitläuferfabriken»: Schon 1949 befanden sich nur gerade noch 300 der von diesen Verfahren Betroffenen zur Verbüßung einer Strafe in Arbeitslagern [157], während eine doch beträchtliche Anzahl von ihnen auf Länder- und Bundesebene in verschiedenen Ministerien tätig waren. Prominenteste (wenn auch kaum die gravierendsten) Beispiele sind Hans Globke und Theodor Oberländer. Globke, im Dritten Reich Kommentator der Nürnberger Gesetze, war unter Adenauer Staatssekretär im Kanzleramt. Oberländer, der als Führer einer Spezialeinheit an Judenmassakern in Polen beteiligt gewesen war, amtierte im 3. Kabinett (ebenfalls unter Adenauer) vom Oktober 1957 bis Mai 1960 als Bundesminister für Vertriebene. Er trat unter dem Druck der Öffentlichkeit zurück, als seine Vergangenheit bekannt wurde. Den jüdischen Standpunkt dazu gibt Liepmann wieder:

«Alle diese früheren aktiven Nazis behaupten, und ihre hohen Protektoren bestätigen es, daß sie sich geändert hätten, daß sie ihre Lektion gelernt haben. Das ist durchaus möglich. Aber wir fragen uns manchmal besorgt, ob diese wandelbaren Herren sich nicht eines Tages wieder wandeln werden.»[158]

Die Rehabilitierung und Reintegration der solchermaßen Entlasteten[159] wurde 1951 durch die Einführung des erwähnten 131er-Gesetzes vervollständigt, da dieses ihnen ermöglichte, ihre früheren Positionen wieder zu bekleiden. 1958 forderte die I. G. Metall eine Änderung der Gesetze, um Justiz, Polizei, Gesundheits- und Erziehungswesen von ehemaligen Nazis reinigen zu können, allerdings ohne Erfolg.[160]

Die ehemalige Anhängerschaft zum Nationalsozialismus wurde, sofern dem einzelnen nicht (Mit-)Täterschaft nachgewiesen werden konnte[161], zum Kavaliersdelikt. Selbst bei Mord konnte es zu Straffreiheit kommen: Lichtenstein erwähnt, daß z. B. sieben Aufseher des KZ Belzec, in dem mindestens 600000 Jüdinnen und Juden umgebracht worden waren, im gegen sie geführten Prozeß mit der Begründung freigesprochen wurden, sie hätten unter «Befehlsnotstand» gehandelt. Daher – und angesichts dessen, daß Deutschland zerstört war, die Bevölkerung hungerte und Massen von Flüchtlingen die eigene Not noch verschärften – kann es kaum erstaunen, daß mindestens in den ersten fünf Jahren nach Kriegsende eine echte Selbstbesinnung und kritische Auseinandersetzung mit Nationalsozialismus und Antisemitismus nicht stattfinden konnte. Man muß sogar vermuten, daß die Form, in der die «Entnazifizierung» gehandhabt wurde, und das tief verletzte nationale Selbstwertgefühl gemeinsam einen Nährboden für neuen Antisemitismus bildeten.

«Denn: hätte es die Juden nicht gegeben, wären die Deutschen nicht gezwungen gewesen, die Endlösung der Judenfrage in Angriff zu nehmen, oder, kurz und knapp: Ohne Juden kein Holocaust.»[162]

Der Versuch mancher Deutschen, das Entsetzen oder die Scham über die Vernichtung der europäischen Jüdinnen und Juden zu «bewältigen», indem man den Opfern hinter vorgehaltener Hand implizit eine

Mitschuld (durch Handlungen oder auch nur durch die als Provokation empfundene schiere Existenz) an Verfolgung und Vernichtung anlastete, zeigte bereits früh Auswirkungen.[163]

Jüdischer Protest – ausgelöst vor allem durch die im Umfeld der DP-Lager vorgekommenen antisemitischen Zwischenfälle – findet sich bereits 1947 in der Resolution des «Zweiten Kongresses der befreiten Juden in der britischen Zone»:

«Wir legen noch einmal feierlich Verwahrung ein gegen die verbrecherischen Aktionen seitens antisemitischer und reaktionärer Banden, die erneut versuchen, das Gift des Nationalsozialismus und des Rassenhasses in Deutschland gegen uns zu verbreiten.»[164]

Neonazismus

Viele der «Unbelehrbaren» sammelten sich – nach einer kurzen Stillhaltephase, in der öffentliches Auftreten nicht opportun schien – erneut in einer Partei, der Sozialistischen Reichspartei. 1952 wurde diese allerdings, als erste Partei in der BRD[165], verboten. Ihre Anhänger fanden sich dann vor allem in der Deutschen Reichspartei (DRP), aber auch in den zahlreichen rechtsextremen Jugendgruppen.[166] Bei den Bundestagswahlen von 1953 verlor die DRP zwar ihre fünf Mandate[167], doch blieben die rechtsradikalen Kräfte vor allem auf Vereinsebene[168] und im publizistischen Bereich überaus aktiv, wie z. B. zwei größere Artikel in der «Allgemeinen» 1955 dokumentieren.[169] Die Duldung dieser propagandistischen Tätigkeiten durch die Behörden wurde scharf kritisiert:

«Noch kein Gericht der Bundesrepublik hat eines jener zweifelhaften literarischen Machwerke für moralisch untragbar erklärt, in denen ehemalige Nazigrößen unverblümt nationalsozialistische Propaganda betreiben. Hunderte von Veröffentlichungen pronazistischer Art sind in den letzten Jahren in deutschen Verlagen erschienen. Nicht eines dieser Machwerke ist verboten worden.»[170]

Nicht nur zahllose Bücher, Pamphlete und Flugschriften erschienen – und fanden Absatz; es kam eine ganze Serie von Zeitschriften und Zeitungen hinzu, deren bedeutendste zweifellos die seit 1950 (zuerst als «National- und Soldatenzeitung») erscheinende «Deutsche National-Zeitung» ist, die allein eine wöchentliche Auflage von 100 000 Exemplaren erreicht.[171] Die Inhalte dieser Publikationen gleichen sich: Themen sind die Rehabilitierung Hitlers, die Leugnung oder Verharmlosung der Vernichtung der Juden, antisemitische, fremdenfeindliche und antidemokratische Propaganda, Ablehnung der Teilung Deutschlands und Aufruf zum Kampf für die Retablierung des Faschismus in einem «geeinten Reich».

Der Zentralrat kritisierte nicht nur, daß diese Schriften weder als unmoralisch noch als verfassungsfeindlich eingestuft wurden, sondern verwahrte sich auch dagegen, daß Beleidigungen und Verleumdungen (v. a. Neuauflagen der Ritualmord-Legende[172]) gegen die jüdische Gemeinschaft nur geahndet würden, wenn jüdischerseits Klage erhoben wird:

«Der Zentralrat hat seit Jahren darauf aufmerksam gemacht, daß es nicht Aufgabe einer privaten Instanz sei, die Arbeit des Staatsanwalts zu tun, und insoweit auf die Unzulänglichkeit des aus dem letzten Jahrhundert stammenden Strafgesetzbuches hingewiesen.»[173]

Die judenfeindliche Propaganda blieb nicht ohne Wirkung. Diese zeigte sich vor allem bei der Schändung jüdischer Friedhöfe, wobei Grabsteine umgestürzt oder beschädigt und mit Hakenkreuzen, SS-Runen oder antisemitischen Parolen verschmiert und Gräber verwüstet wurden. In der Zeit vom Januar 1948 bis zum Mai 1957 kam es zu 176 solchen Vandalenakten.[174] Zudem wurden Juden wiederholt persönlich «aufgefordert», Deutschland zu verlassen. Die jüdische Gemeinschaft, aber auch antifaschistische Kräfte (v. a. Gewerkschaften) reagierten mit heftigem Protest, in einigen Fällen auch mit Klagen gegen die Täter. Dies führte vereinzelt zu Verurteilungen und Verboten neonazistischer Organisationen, konnte aber kaum einen Anhänger zum Umdenken bewegen.

Obschon Rechtsradikale wiederholt betonten, nicht antisemitisch eingestellt zu sein[175], zeigte sich spätestens 1959, daß es sich hierbei höchstens um ein ‹Lippenbekenntnis› handelt: In der Nacht zum 25. Dezember verübten zwei Mitglieder der DRP einen Anschlag auf die erst im September eingeweihte Kölner Synagoge; sie malten Hakenkreuze und antisemitische Parolen auf Wände und Türen. Dies war der Auslöser für eine Serie vergleichbarer Angriffe auf jüdische Geschäfte, Gebets- und Wohnhäuser in der ganzen BRD und Westberlin.

Bis zum 18. Februar 1960 stellte der Bundesminister des Innern 617 solcher Vorfälle fest.[176] Die Reaktionen in der Öffentlichkeit waren heftig. Politiker, Presse, Gewerkschaften und andere Organisationen verurteilten die Taten in offiziellen Stellungnahmen. «Das mußte wohl so sein», kommentierte Liepmann, stellte aber fest, daß es daneben private, überraschende Reaktionen gab:

«Wir, die Juden, die wir in Deutschland leben, gewannen – nach dem ersten Schock – einen ganz anderen Eindruck [als das Ausland, das ein großflächiges Neuaufleben des Nazismus befürchtete; Anm. der Verf.]. Nie wurde uns – selbst von ganz Fremden – spontan derart oft gesagt, wie sehr man die Schmierereien der dummen Jungen und dümmeren Älteren verurteile. Man überbot sich in ganz privaten, persönlichen Demonstrationen von Anteilnahme und Freundlichkeit.»[177]

Die Bundesregierung verfaßte über diese Vorfälle ein Weißbuch, das die 234 erfaßten Täter demographisch gliederte und ihre Motive analysierte. Viele kamen aus dem Umfeld der DRP, vereinzelte waren Linke. Im Abschnitt «Einflüsse verfassungsfeindlicher Kräfte» wurde diesem Umstand allerdings kaum Rechnung getragen: 26 Zeilen galten der rechtsradikalen, 262 Zeilen der kommunistischen Seite; die ersten beiden Sätze verdeutlichen die Interpretationstendenz der Regierung:

«Die bisher angefallenen Unterlagen lassen nicht den Schluß zu, daß eine der antisemitischen oder nazistischen Taten durch rechtsradikale Organisationen oder Hintermänner gesteuert worden ist. Keiner der gefaßten Täter hat dies ausgesagt, noch konnte es einem der Täter nachgewiesen werden.»[178]

Die Analyse kam aber doch zum Schluß, daß das in der DRP vertretene Gedankengut die Taten wahrscheinlich mitbestimmt habe. Auf der anderen Seite wurde die Vermutung nahegelegt, kommunistische Kräfte benutzten die antisemitische Welle, um die BRD zu diskreditieren.

Die Welle ebbte schon 1960 wieder ab und wiederholte sich auch nicht, als die 1964 aus einer Fusion der DRP mit rechtsradikalen Splittergruppen entstandene Nationaldemokratische Partei NPD nach den Landtagswahlen von 1966 bis 1968 in sieben Landtagen einzog; bei den Bundestagswahlen 1965 erhielt sie nur zwei Prozent der Stimmen[179] und somit kein Mandat.

Sowohl die Mitgliederzahlen der NPD als auch die anderer neonazistischer Organisationen sanken nach Ende der 60er Jahre (mit dem konjunkturellen Aufschwung) kontinuierlich ab: Hatten sie 1969 noch insgesamt 36 300 Mitglieder, so waren es 1979 nur noch 17 300. Auf der anderen Seite stieg, vor allem in den Jahren 1973 bis 1976, die Zahl der Organisationen von ca. 65 auf über 90, um danach ebenfalls wieder auf den früheren Stand abzusinken.[180]

Eine Konsequenz dieser – und späterer, auch von linksgerichteten antizionistischen Kreisen verübten – Anschläge auf jüdische Institutionen war, daß die Gemeinden begannen, diese mit Überwachungskameras, Eingangskontrollen und (besonders während der hohen Feiertage) mit Hilfe der Polizei zu sichern.[181]

1961 noch hatte der Zentralrat, im Rückblick auf die Ereignisse des Winters 1959/60, die Taten der Neonazis dem Umstand zugeschrieben, daß sich die BRD noch in einer «Übergangszeit», also noch im Demokratisierungsprozeß befinde. Im Rückblick wurde festgehalten:

«Der Zentralrat war und ist nicht gewillt, sich von einem Antisemitismus in einem Land ohne Juden, da die Zahl von 30 000 gegen 54 Millionen darauf hinauskommt, einschüchtern zu lassen.

Ein Rückfall in Neonazismus kann auch für das deutsche Volk nur Aufgabe aller erreichten Fortschritte bedeuten, ein Versinken in Chaos oder ein Überschlucken [sic!] durch die eine oder andere Weltmacht.»

Außerdem wurde betont:

«Es war klar, daß die Lösung des Problems, das kein jüdisches, sondern ein deutsches ist, keine neue Judenfrage, sondern die alte Deutschenfrage in der Weltöffentlichkeit aufwarf, die nur von den Deutschen selbst bewältigt werden konnte.»[182]

Diese Position wurde, was den Neonazismus angeht, seither kaum verändert. Es ist schwierig abzuschätzen, ob sie einem Konsens mit der nichtjüdischen Umwelt entspringt, die allfällige Gefahren für die Gemeinschaft (resp. den Staat) ausschließlich in der linken Ecke entdeckt, oder ob es sich um die Haltung handelt, nach der man «die schlafenden Hunde nicht wecken» solle.

Wie wenig sich die (veröffentlichte) Haltung der jüdischen Gemeinschaft zu diesem Problem veränderte, zeigten die Reaktionen auf die Ereignisse der jüngsten Zeit, insbesondere auf die überraschenden Erfolge der rechtsradikalen «Republikaner» unter Franz Schönhuber bei verschiedenen Wahlgängen seit 1986.[183] Die Partei wurde 1983 in Bayern gegründet – aus Protest gegen den von Franz Josef Strauß durchgesetzten Milliardenkredit für die DDR, den einige CSU-Mitglieder inakzeptabel fanden, weil für sie die Finanzhilfe einer (impliziten) staatlichen Anerkennung der DDR (und damit der Teilung Deutschlands) gleichkam und weil sie, wie das nachmalige Parteiprogramm zeigt, sich selbst als «Radikale (...) in der Abwehr des Extremismus von links und rechts» verstanden[184], die eine Unterstützung des SED-Regimes keinesfalls gutheißen wollten. Die «Republikaner», die sich selbst als verfassungstreu und demokratisch bezeichnen, versuchten als Partei diejenigen Wähler zu erreichen, denen die CSU zu links, die NPD zu rechts (oder zu einflußlos) war. Bei den bayerischen Landtagswahlen von 1986 zeigte sich ein erster relativer Erfolg: Während die CSU auf ihre Kosten Verluste hinnehmen mußte (die allerdings deren uneingeschränkte Dominanz im Freistaat kaum minderten) und die NPD nur gerade 0,5 Prozent erreichte, wählten drei Prozent der bayerischen Stimmbürger die «Republikaner» – zuwenig allerdings, um im Parlament vertreten zu sein.

Bei späteren Wahlen in Bremen, Baden-Württemberg und Schleswig-Holstein hingegen wurden die «Republikaner» von den gemeinsam angetretenen NPD und DVU zwar überflügelt, doch erreichte auch dieses Bündnis einzig in Bremen ein Mandat. Das könnte erklären, weshalb selbst die «Allgemeine» dem erst 1987 gegründeten Berliner Landesverband der «Republikaner» für die Wahlen zum Berliner Abgeordnetenhaus vom Januar 1989 «kaum eine realistische Chance» einräumte.[185] Dennoch widmete die Zeitung dieser Partei (sowie anderen rechtsextremen Splitterparteien, die zur Wahl antraten), ihrem Programm, dem populistischen Wahlkampf und den einzelnen Kandidaten einige Aufmerksamkeit, zumal offenkundig war, daß etliche Wähler das Vertrauen in die etablierten Parteien verloren hatten und die «Republikaner» selbst zudem einen enormen Mitgliederzuwachs meldeten.

Obschon die «Allgemeine» eine Woche später das Resultat der «Republikaner» von 7,5 Prozent oder elf Mandaten als «erschreckenden Wahlerfolg» bezeichnete, zeigte sich der Verfasser des Artikels, Heinz Galinski, nicht überrascht:

«Ich gehöre zu denjenigen, denen es seit längerer Zeit bewußt war, daß die Appelle auf gewisse Instinkte nicht ohne Erfolg bleiben, daß die Ergebnisse einer bestimmten Wahlkampfdemagogie nicht unterschätzt werden dürfen. Des öfteren habe ich darauf hingewiesen, und des öfteren wurde mir erwidert, daß ich übertreibe, daß ich dramatisiere, daß es so schlimm nicht kommen werde.»[186]

In den Analysen der folgenden Wochen wurde in der «Allgemeinen» immer wieder festgestellt, daß es sich bei den «Republikanern» nicht primär um «Ewiggestrige» handle, sondern im Gegenteil eher um Menschen, denen die «Lehren der Vergangenheit durchaus bewußt» – aber für sie bedeutungslos seien.[187] Zudem wurde betont, deren hoher Stimmenanteil sei dem Autoritätsverlust der etablierten Parteien zuzuschreiben, da diese keine plausiblen politischen Konzepte anzubieten hätten oder – insbesondere auf seiten der CDU und CSU – «Anpassungsopportunismus»[188] betrieben, d. h., daß einzelne ihrer Vertreter wie Alfred Dregger oder Lothar Späth beispielsweise in der Ausländer- und Asyldebatte «der rechten Klientel (...) sehr häßlich nach dem Mund» redeten. Damit seien aber Wähler am rechten Rand der Union nicht zu halten, da «rassistische Parolen noch immer am ‹glaubhaftesten› aus dem Munde der Rechtsradikalen wirken» – nur die Fremdenfeindlichkeit werde damit wieder gesellschaftsfähig. Gefordert wurden klare Absagen an die rechtsradikalen Programme und Verbote bestimmter Gruppierungen wie der nazistischen «Freiheitlichen Deutschen Arbeiterpartei» (FAP) und die umfassende Ablehnung jeden Dialogs mit allen Parteien und Organisationen rechts der Union: «Jede Form von braunem Gedankengut hat im Laufe der Geschichte nun wirklich alle Diskussionswürdigkeit verloren. Das müssen auch die Republikaner und ihre Mitläufer merken.»[189]

Die etablierten Parteien, insbesondere die Union, fanden jedoch kein Rezept gegen den Zulauf zu rechtsradikalen Parteien. Bei den Kommunalwahlen in Hessen am 12. März 1989 erzielten die «Republikaner» in den beiden Landkreisen, in denen sie angetreten waren, je zweistellige Ergebnisse; die in zwei Kreisen kandidierende NPD vermochte die Fünf-Prozent-Hürde – wenn auch knapper – ebenfalls zu überwinden.[190] Den bislang größten Erfolg erzielten die «Republikaner» jedoch bei den Wahlen zum Europaparlament im Juni 1989: Mehr als zwei Millionen Bundesbürger, d. h. 7,1 Prozent der Wähler, gaben dieser Partei, die nunmehr mit sechs Abgeordneten in Straßburg vertreten ist, ihre Stimme – mehrheitlich dort, wo die Union ohne Koalitionspartner regierungsfähig war.[191]

Die Nähe der CDU/CSU zu den «Protestwählern» bei den «Republikanern» zeigte sich nicht nur in der konkreten Wahlanalyse, sondern auch in der vom ehemaligen Berliner Innensenator Heinrich Lummer zur Diskussion gestellten Frage nach einer möglichen Koalition mit dieser Partei. Wenn auch der Bonner CDU-Sprecher Merschmeier behauptete, Lummer stehe damit allein, widerlegte dies eine Umfrage – mindestens für die Wählerbasis: 32 Prozent der CDU- und gar 53 Prozent der CSU-Wähler hielten die «Republikaner» für koalitionsfähig; andererseits erklärten 41 Prozent der «Republikaner»-Wähler, sie würden der CSU ihre Stimme geben, sollte diese bundesweit kandidieren.[192] Die «Allgemeine» stellte zudem fest:

«Wer vor Jahren die geistige Wende proklamierte, darf sich heute nicht wundern, wenn sie zum Ausgangspunkt einer manifesten Verdrossenheit wird. Wer die Waffen-SS in die Reihe mit angeblich ehrenwerten Soldaten stellt, ohne zu sagen, daß der Zweite Weltkrieg ein Rassen- und Weltanschauungskrieg war, der auch die ‹Endlösung der Judenfrage› ermöglichen sollte, muß sich nicht wundern, wenn Jugendliche plötzlich Orden bewundern, Leute verherrlichen, die vorgeben, sich selbst treu geblieben und nicht umerzogen worden zu sein.

(…)

So betrachtet, sind die Republikaner die Rechnung für eine verfehlte Politik, die eine Wende versprach und sie vielleicht auf diese Weise bringt.»[193]

Damit wurde auf die allgemeine Haltung der Union ebenso angespielt wie auf die Auseinandersetzungen um den Bitburg-Besuch von Kanzler Kohl und US-Präsident Reagan, auf die im «Historikerstreit» debattierten Versuche, die deutsche Geschichte zu revidieren, oder auf das rechtsradikale Geschichtsverständnis, wie es die Waffen-SS-Memoiren des «Republikaner»-Führers Franz Schönhuber manifestieren.

Auffällig ist jedoch bei allen Analysen, Kommentaren und Appellen in der «Allgemeinen» zu diesen Wahlen, daß zwar weder die historische Analogie zur späten Weimarer Republik (als konservative Politiker wie Hugenberg oder von Papen glaubten, Hitler und die NSDAP durch Einbindung in die Regierungsverantwortung neutralisieren zu können) [194] noch die wiederholte Warnung vor den verheerenden Konsequenzen fehlen, die sich auch jetzt durch eine Unterschätzung der rechtsradikalen Kräfte ergeben könnten. Was jedoch fehlt, ist jeglicher direkte Bezug zur eigenen Existenz; vielmehr wird die schon früher vertretene Auffassung unterstrichen, bei den sich hier abzeichnenden politischen Entwicklungen handle es sich um eine Schwäche der bundesdeutschen Demokratie – die Bedrohung betreffe also primär den Staat, nicht die ‹unsichtbare› jüdische Minderheit.

Aus zahlreichen Artikeln der «Allgemeinen» im ersten Halbjahr 1986 wird ein Dilemma der jüdischen Gemeinschaft in der BRD spürbar: Die (wohl berechtigte) Auffassung, die rechtsradikalen Kräfte könnten durch allzu große Publizität eine unerwünschte Aufwertung erfahren, beinhaltete zugleich die Gefahr, deren teilweise unmißverständlich deutlich rassistische oder antisemitische Äußerungen, Programmpunkte und Aktionen in einem Maß zu verharmlosen, das vielen deutschen Juden schon einmal zum Verhängnis geworden war. Gleichzeitig verhinderte aber die Tatsache, daß die jüdische Gemeinschaft in der BRD ihre Existenzlegitimation gegenüber Israel und der übrigen Diaspora aus dem Nachkriegskonsens mit den etablierten Parteien bezog, eine klare (politische) Reaktion. Die – zweifellos richtige – Feststellung, erst die «Wende» seit dem Amtsantritt Kohls mit den immer öfter und vehementer hörbaren Forderungen nach einem «Schlußstrich» habe diese politische Entwicklung ermöglicht, hätte konsequenterweise zur radikalen Hinterfragung der eigenen Rolle in diesem deutsch-jüdischen Nachkriegskonsens – und wohl auch zu einer dezidierten Abkehr von dieser Position – führen müssen. Dies jedoch unterblieb.

Der traditionelle Antisemitismus

Neben den zwei in der Geschichte des Antisemitismus neuen Formen – dem teilweise als Antizionismus getarnten, «ehrbar gewordenen» (Améry) und dem als Kontinuum nationalsozialistischer Ideologie verharmlosten – existieren in der BRD nach wie vor traditionelle Spielarten des judenfeindlichen Vorurteils. Dazu gehört auch der Philosemitismus, was nur auf den ersten Blick paradox scheint. Denn beide «Ismen [sind] untrennbar miteinander verwandt» [195]: Sie basieren auf Stereotypisierungen, sind zudem oftmals von schlechtem Gewissen

oder der Angst vor dem Unbekannten motiviert[196], zumal der Philosemitismus der Nachkriegsgeneration häufig als unreflektierter Bruch
mit dem tradierten Antisemitismus der Eltern verstanden werden
muß.[197] Hier wurzelt auch ein beträchtlicher Teil des Unbehagens, das
Jüdinnen und Juden in der BRD angesichts der Überschwenglichkeit,
mit der man ihnen plötzlich begegnete, verspüren mußten.

Was die negativen Vorurteile betrifft, hoffte die jüdische Gemeinschaft, diese durch Aufklärung einerseits über die Verfolgung, andererseits über das Wesen des Judentums und der jüdischen Kultur abzubauen. Schon früh mußte man aber feststellen, daß diese Wirkung
ausblieb:

«Die letzten Jahre haben uns davon überzeugt, daß es hoffnungslos ist, die von
einer solchen Massenpsychose [dem Antisemitismus; die Verf.] Befallenen dadurch von der Notwendigkeit einer Heilung überzeugen zu wollen, daß man
ihnen zeigt, welche Verirrungen ihre Krankheit anrichtet.»[198]

Wie weit verbreitet antisemitisches Gedankengut in der BRD war und
ist, erhob erstmals eine Studie unmittelbar nach den Vorfällen des
Winters 1959/60 in Frankfurt. Angeregt von Max Horkheimer, führte
Peter Schönbach eine repräsentative Umfrage durch, nach der die
Interviewten in vier Gruppen kategorisiert wurden. Davon lehnte nur
eine (19 Prozent) den Antisemitismus radikal ab, die zweite (41 Prozent) distanzierte sich davon, allerdings ohne Nachdruck, die dritte
(24 Prozent) zeigte sich indifferent, und die vierte (16 Prozent) sympa-
thisierte deutlich mit dem Antisemitismus.[199] Dabei geht aus den frei,
d. h. ohne Vorgaben formulierten Antworten bei den Gruppen II und
III nicht schlüssig hervor, wieweit Distanz respektive Indifferenz von
einem gewissen Opportunismus motiviert waren: In vielen Antworten wurde wenigstens ansatzweise deutlich, daß es bei den Vorbehalten
weniger um die Auswirkungen auf die betroffene jüdische Gemeinschaft als um den Ruf der BRD im Ausland ging, der durch die Vorfälle
zweifellos Schaden erleiden könnte.

Etwa zwölf Jahre später begann der Soziologe Alphons Silbermann
mit einer sehr viel breiter angelegten Studie. In einer ersten Phase sollte
dabei latenter, in einer zweiten Phase manifester Antisemitismus un-
tersucht werden. 1977 veröffentlichte H. Sallen, der Projektleiter der
ersten Phase, die Resultate zur Latenz:

«Insgesamt (...) halten wir die Aussage für belegt, daß neben einer toleranten Gruppe von etwa 30 Prozent und einer stark antisemitischen von etwa 20 Prozent die Hälfte der Bevölkerung zumindest Reste antisemitischer Einstellung aufweist.»[200]

Wie Silbermann selbst berichtet, reagierte die jüdische Gemeinschaft, vor allem der Zentralrat und die Herausgeber der «Allgemeinen», überaus heftig auf die Veröffentlichung dieser Ergebnisse:

«Deren Haltung [der Repräsentanten der Gemeinschaft; die Verf.], soweit sie laizistisch in Gemeinden, Zentral- oder Landesräten, Rundfunkräten[201] etc. tätig sind, ist offensichtlich in erster Linie von einer *appeasement-Tendenz* geleitet, deren Rechtfertigung sie daraus ableiten, daß sie jederzeit von Vertretern des Staats zuvorkommend empfangen werden, Ministern die Hand schütteln können und mit denjenigen Posten versehen werden, die ihnen aufgrund der Existenz einer ethnischen Minderheit von ca. 30000 Juden sowie der Vernichtung von Millionen zukommen.»[202]

1977 wurde die zweite Phase der Befragung durchgeführt.[203] Hier ging es vor allem darum, von jüdischen Interviewten Aussagen zum manifesten Antisemitismus zu erhalten. Silbermann stellte fest, daß etwa ein Drittel der Testpersonen den Antisemitismus als bedenklich, die Hälfte als unproblematisch einstufte. Nur 14 Prozent fühlten sich von judenfeindlichen Vorkommnissen «direkt», der Rest nur «indirekt» betroffen. Schon bei der Bitte um Teilnahme an der Erhebung war Silbermann auf erheblichen Widerstand gestoßen: Einige der Angefragten verweigerten ihre Mitarbeit – weil sie sich mit dem Thema nicht befassen wollten. Auch bei denen, die sich dem Interview stellten, kam er zum Schluß:

«Es herrscht betont die Ansicht vor, daß das Thema nicht hochgespielt werden solle; daß mit persönlichen Erlebnissen und den sich daraus ergebenden emotionalen Folgen der einzelne Jude selbst fertig werden müsse.»

Die von Arno Plack an dieser Untersuchung geäußerte Kritik[204] verdeutlicht das Dilemma, in dem sich einerseits der jüdische (und daher selbst betroffene) Soziologe, andererseits die zu einem Untersuchungsgegenstand[205] gemachte jüdische Gemeinschaft befinden: Der schwelende und vereinzelt ausbrechende Antisemitismus zwingt sie immer wieder in die Minoritätenposition. Dies gilt auch für diejenigen, die sich als voll integriert ansehen möchten. Wenn sie zur antisemitischen, im Grunde auch schlechthin fremdenfeindlichen Situation schweigen, begeben sie sich in die Gefahr, diesbezüglich ebenso naiv zu sein wie die Mehrheit der jüdischen Bevölkerung Deutschlands vor 1933. Sprechen und schreiben sie jedoch darüber, protestieren sie, wenn Anschläge verübt werden oder Politiker sich antisemitisch äußern, so müssen sie aus der restlichen Diaspora und Israel die Stimmen befürchten, die sich schon immer dagegen ausgesprochen hatten, daß Juden nach 1945 in der BRD blieben. Zudem verschärft diese analytische Auseinandersetzung mit dem Antisemitismus ihre Außenseiterposition. Plack geht sogar so weit, darin eine der Ursachen für die «Nichtbewältigung» der Vergangenheit zu sehen:

«Um andere Menschen trauern kann nur, wer sich ihnen verbunden fühlt und fühlen darf, nicht aber, wer immer wieder zu ihnen in Gegensatz gebracht wird. Da kann nur noch darauf abgezielt werden, Beschämung zu erwecken. Aber diese kippt nur zu leicht hinüber in selbstgerechten Trotz. Dann bekommen wieder diejenigen recht, die an den Deutschen einen besonderen Hang zum Judenhaß diagnostiziert haben.»

Das Dilemma wird auch dadurch nicht gemindert, daß die in der BRD lebenden Jüdinnen und Juden auf die «demokratischen Kräfte» (d. h. in der Regel Bundes-, Länder- und Kommunalregierungen) vertrauen zu können glauben und überzeugt sind, daß gerade in Deutschland ein zweiter Holocaust nicht möglich wäre. Denn immer wieder wird jenes Vertrauen gerade durch Personen erschüttert, die dessen besonders würdig erschienen. Selbst Konrad Adenauer, dem gegenüber meines Wissens nie jemand den Vorwurf erhob, er sei judenfeindlich eingestellt, war nicht gänzlich frei von antisemitischen Stereotypen. Dies zeigt sich in seinen Erinnerungen, z. B. wenn er von der Krise bei den «Wiedergutmachungs»-Verhandlungen spricht:

«Es war mir klar, daß dann, wenn die Verhandlungen mit den Juden scheiterten, auch die Verhandlungen auf der Londoner Schuldenkonferenz einen negativen Verlauf nehmen würden, da die *jüdischen Bankkreise* einen nicht zu unterschätzenden Einfluß auf den Verlauf der Schuldenkonferenz nehmen würden.»[206]

Weit gravierender ist eine Äußerung, die Franz Josef Strauß 1969 – zu einer Zeit, als die Linke ihre Abkehr vom Philosemitismus bereits weitgehend vollzogen hatte – gemacht haben soll, die einen «Wendepunkt» auch bei der CDU/CSU markierte:

«Ein Volk, das diese wirtschaftlichen Leistungen vollbracht hat, hat ein Recht darauf, von Auschwitz nichts mehr hören zu wollen.»[207]

Hier zeigte sich erstmals deutlich, daß es bei der Auseinandersetzung mit der Vergangenheit auch auf höchster politischer Ebene nicht primär (oder ausschließlich) um die Frage von Schuld, sondern um ein angeschlagenes nationales Selbstwertgefühl geht, das sich vor allem durch ausländische und jüdische Kritik beeinträchtigt sieht. Daß sich dies nicht zwangsläufig in explizit antisemitischen Kategorien äußern muß, zeigt die wiederholte Feststellung, wie groß der Verlust sei, den Deutschland erlitten habe, weil der «jüdische Geist», der in der Weimarer Republik vor allem in Wissenschaft, Wirtschaft und Kunst so Hervorragendes geleistet habe, heute fehle.[208]

Der in Deutschland weitverbreitete Wunsch, einen «Schlußstrich» unter die Vergangenheit zu ziehen – der durch eine weitgehende Tabuisierung der Themen Nationalsozialismus und Holocaust in vielen Schulen und Elternhäusern unterstützt wurde –, traf sich auf groteske Weise mit dem jüdischen Wunsch nach «Normalisierung der Beziehungen zwischen Juden und Nichtjuden», der als «Leitsatz der gesamten Tätigkeit des Zentralrats»[209] formuliert wurde. Claussen schreibt:

«Die Feder sträubt sich, wenn von Normalität zwischen Deutschen und Juden die Rede ist; denn die deutsche Normalität gegenüber den Juden ist antisemitisch.

(...)

Die Forderung nach einem Bruch mit der Tradition, die Auschwitz hervorbrachte, wird von der offiziellen Politik nicht formuliert. Bundeskanzler Kohl sagte vor den Nachfolgern der deutschen Wehrmacht im Dezember 1982: ‹Jeder von uns weiß, daß wir nach dem Zweiten Weltkrieg in der Bundesrepublik angetreten sind, aus der Geschichte zu lernen. Aber das Lernen aus der Geschichte darf nicht bedeuten, daß wir aus der Geschichte aussteigen. Zur Geschichte gehört selbstverständlich das Bekenntnis zur Kontinuität der Geschichte.› Vor, während und nach Auschwitz.»[210]

In jüngster Zeit kam es wiederholt zu Handlungen und Äußerungen von Politikern, die deutlich machen, daß im Bereich des Antisemitismus tatsächlich an der unreflektierten Kontinuität der Geschichte festgehalten wird. Dazu gehören Statements wie das des CSU-Abgeordneten Fellner im Zusammenhang mit der Schadenersatzzahlung der

Deutschen Bank an die überlebenden Zwangsarbeiter des Flick-Konzerns, «daß die Juden sich schnell zu Wort melden, wenn irgendwo in deutschen Kassen Geld klimpert»[211], oder das des Bürgermeisters von Korschenbroich, Graf von Spee, der angesichts der desolaten Finanzlage dieser Stadt meinte: «Zum Ausgleich unseres Haushalts müßte man ein paar reiche Juden erschlagen.»[212] Nur scheinbar naiv, aber nicht weniger antisemitisch ist die Frage, die das Mitglied der Rostokker Bürgerschaft Karlheinz Schmidt an Ignatz Bubis richtete, als dieser dort Solidarität mit den lebensbedrohend angegriffenen Asylbewerbern demonstrierte: «Sie sind deutscher Staatsbürger jüdischen Glaubens. Ihre Heimat ist doch Israel. Ist das richtig so?»[213] Daß selbst dann, wenn die Sorge wächst, die rassistischen Tendenzen könnten den Ruf Deutschlands im Ausland beschädigen, antisemitischen (Verbal-)Attacken kaum Grenzen gesetzt sind, zeigte auch der Bürgermeister von Sennheim, der an Bubis schrieb, er sei froh, «daß ich als Bürgermeister einer kleinen 700-Einwohner-Gemeinde keinen jüdischen Mitbürger habe, der den täglichen Dorffrieden mit seinem Reizstachel stört».[214]

Ebenfalls in diesen Bereich gehört die von Broder zitierte Feststellung des Intendanten des Frankfurter Schauspiels, Günther Rühle, anläßlich der Fassbinder-Diskussion, «das Ende der Schonzeit sei erreicht und man müsse zur ‹Normalität› im deutsch-jüdischen Verhältnis zurückkehren»[215]. Im Klartext meint dies, das Stück solle ungeachtet aller möglicherweise daraus entstehenden Implikationen aufgeführt werden.

Daß «Normalisierung», vor allem aus der Sicht breiter jüdischer Kreise, noch keineswegs erreicht ist, unterstreicht Krochmalnik:

«In Deutschland vergeht kein Monat ohne empörte Appelle und einsame Mahnrufe offizieller jüdischer Stellen an die Adresse der Parteien, sie möchten dem Antisemitismus Einhalt gebieten. Je kürzer das Gedächtnis der Deutschen, desto erbitterter die Reaktionen der Juden.

(...)

Wir sind in tagtäglicher Berührung mit Dingen, die die Juden in aller Welt mit dem Schrecken schlechthin assoziieren. Und für die kollektive Unschuld der Deutschen sind wir das leibhaftige schlechte Gewissen. In dieser Situation ist eine Normalisierung der Lage der Juden in Deutschland fast undenkbar.»[216]

Der Begriff der «Normalisierung» bleibt hier – wie überall, wo er im Zusammenhang mit dem deutsch-jüdischen Verhältnis zur Anwendung gelangt – allerdings verschwommen. Es ist unklar, ob die diesbezüglichen Vorstellungen der Juden beinhalten, daß es *keinen* Antisemitismus gebe. Oder anders: Gibt es einen ‹normalen› Antisemitismus?

Assimilation, Integration, Isolation

«Until 1933 it appeared that European, and especially German, Jews could choose the alternatives of assimilation, socialism and Zionism as the paths to modernity open to them.»[217]

Wie bereits im Kapitel über das Selbstverständnis der Juden in der BRD deutlich wurde, hat Auschwitz auch diese Perspektiven verändert. Der Zionismus fand – nicht zuletzt als Folge des Holocaust – in der Gründung des Staates Israel 1948 seine Erfüllung. Die sozialistische These, mit dem Sieg der Revolution würden national geprägte Spannungen – und somit auch der Antisemitismus – hinfällig, wurde durch die judenfeindliche Haltung kommunistischer Staaten und nicht zuletzt für die in der BRD lebenden Jüdinnen und Juden durch die Position der deutschen Linken massiv in Frage gestellt.

Die in der Bundesrepublik bleibende Gemeinschaft mußte nicht nur ihr Selbstverständnis, sondern auch ihre Beziehungen zur nichtjüdischen Umwelt neu definieren. Eine erste diesbezügliche Entscheidung trafen viele der führenden Gemeindemitglieder, als sie beschlossen, sich für den Wiederaufbau jüdischer Institutionen zu engagieren – oft mit der Motivation, daß es immer ein «anderes Deutschland» gegeben habe, mit dem gemeinsam man auch die Demokratisierung der Deutschen erreichen könne.

Die Hoffnung auf die Möglichkeit, mit Nichtjuden eine von Toleranz geprägte gemeinsame Basis zu finden, war aber stets von einem tiefgreifenden Mißtrauen gegen jeden Deutschen bedroht. Stellvertretend für viele ähnliche Zeugnisse sei dazu Liepmann zitiert:

«Täglich kommt der deutsche Jude mit Durchschnitts-Deutschen in Berührung. Und da muß ich das gespenstische Gefühl erwähnen – neurotisch vielleicht und doch berechtigt –, das Gefühl, das jeden, aber auch jeden Juden erfaßt, der nach Deutschland zurückkehrt – ein Gefühl, das nur nach Jahren langsam abebbt und schwindet: wer ist der Mann, der neben mir in der Straßenbahn sitzt oder im Kino, der neben mir im Laden steht oder mich am Postschalter bedient? Hat er vielleicht Menschen in Gaskammern gestopft oder hat er hysterisch Heil geschrien, als Hitler die ‹Endlösung der Judenfrage› versprach? Wie soll man wissen, was seine Hände getan, seine Augen gesehen haben.»[218]

Seine für die deutschen Juden gemachte Beobachtung gilt in verschärftem Maß für die ehemaligen DP's:

«Nur ein Teil von uns hat Deutschland in guten Tagen gekannt. Die anderen lernten dieses Land erst in seiner tiefsten Verirrung und Entartung kennen.»[219]

Zwei Unterschiede waren jedoch für die Beziehungen der DP's respektive der deutsch-jüdischen Restgruppe zur nichtjüdischen Umwelt wesentlich: Erstere waren in der BRD gestrandet, während letztere sich eher freiwillig zu bleiben oder zurückzukehren entschieden hatten – was insofern naheliegend war, als es für sie keine Sprachbarrieren gab und sie häufig an die vertraute Umgebung des früheren Wohnorts und der den Krieg überdauernden Beziehungen (die ihnen vielleicht das Leben gerettet hatten) anknüpfen konnten.

Verschärfend wirkte sich für die ostjüdischen DP's aus, daß sie aus der Kultur des «Schtetl» kamen. Bodenheimer charakterisiert diese:

«Schtetl, das ist (…) der Name für die kleine, enge Gemeinschaft Gleichgesinnter und Gleichgefährdeter und ist auch der Name für den engen Ort, an dem die Gleichen beieinander etwas wie Sicherheit finden. (…) Schtetl, das ist: Nach innen zu bleibt alles offen, gegen außen (…) schließt es sich dicht ab durch entweder sichtbare oder nur zu spürende, jedoch nicht minder isolierende Wände.»[220]

Das bedeutet eine weitgehende wirtschaftliche, soziale und vor allem kulturelle Abgrenzung gegen außen. (Diese Mentalität – einer der wenigen Punkte, wo man von einer solchen überhaupt sprechen kann – ist auch heute an einigen Orten der Diaspora spürbar, auch wenn sie sich nicht immer durch geographische Konzentration so auffällig manifestiert wie im New Yorker Quartier Williamsburgh/Brooklyn.) Die Tradierung dieser Gewohnheit, für sich selber und nur auf sich selber bezogen zu leben, erfuhr durch die unfreiwillige Verpflanzung nach Deutschland eine Verschärfung: Aus der (passiven) Ignoranz der außerjüdischen Welt wurde eine aktive Ablehnung, die, wie erwähnt, bis zur Weigerung ging, die deutsche Sprache zu lernen oder für Deutsche zu arbeiten.

Die Gemeindeführungen und der Zentralrat, die sich fast ausnahmslos aus der deutsch-jüdischen Restgruppe rekrutierten, verfolgten hingegen eine Politik der ‹Normalisierung›, der Integration. Die jüdische Gemeinschaft sollte ihre Eigenart und Eigenständigkeit bewahren, ihre Mitglieder sollten sich aber als loyale Staatsbürger der BRD verstehen und Bereitschaft zur Überwindung des Mißtrauens, zur aktiven Teilnahme am öffentlichen Leben und an einem kulturellen Austausch entwickeln. Dies führte zu einer zusätzlichen Isolation der Ostjuden und behinderte eine Verschmelzung der in der BRD lebenden Juden zu einer homogenen Gemeinschaft.

Auch bei den nachfolgenden Generationen schlug sich die Haltung der beiden Gruppierungen nieder. Für die Kinder der DP's mußte ein tiefer Zwiespalt entstehen: Die Eltern lehnten meist jeglichen Kontakt mit der nichtjüdischen Umwelt ab, die Kinder gingen jedoch in deutsche Schulen – und wuchsen oft (außer in den sieben Städten mit großen Gemeinden) an Orten auf, wo die Möglichkeiten für Beziehungen mit jüdischen Gleichaltrigen gering waren. Die Untersuchungen von Oppenheimer (ca. 1962) und Kuschner (ca. 1972) machen dies deutlich. Kuschner stellte fest, daß von den befragten Jugendlichen (16–30 Jahre) fast 97 Prozent kein Heimatgefühl für Deutschland, ebenso viele kein Zugehörigkeitsgefühl und immerhin 38 Prozent keinen Kontakt zur nichtjüdischen Umwelt hatten, während nur gerade 17 Prozent ausdrücklich Vertrauen zu dieser Umwelt bekundeten.[221] Dies entspricht den Resultaten bei Oppenheimer. Er fragte nach, wo die Jugendlichen (9–18 Jahre) in Zukunft leben wollten. Bei 31 Prozent rangierte dabei die BRD nach den Ostblockländern an zweitletzter Stelle – während nur acht Prozent am liebsten in Deutschland bleiben wollten.[222]

Es scheint aber, daß sich hier der Zwiespalt der Nachkriegsgenerationen prägnant zeigt: Die eigene, d. h. jüdisch-familiäre Geschichte verpflichtet sie subjektiv dazu auszuwandern, während außerfamiliäre Beziehungen und der kulturellpolitische Hintergrund sie an die BRD binden. Zahlreiche Jugendliche verließen zwar (vor allem in den 60er Jahren) Deutschland meist in Richtung Israel – doch ein beträchtlicher Teil kam zurück.

Bei den Kindern der aus Deutschland stammenden Familien lag das Problem etwas anders. Sie wuchsen in einem Milieu auf, das Integration in die deutsche Gesellschaft propagierte, tatsächlich aber religiös wie kulturell sehr stark assimiliert war. Nur in wenigen Fällen scheint dies eine Umkehr, d. h. eine konsequente Rückbesinnung auf kulturelle und religiöse Werte des Judentums bewirkt zu haben. Die Regel war eher eine ähnliche oder gar verstärkte Assimilation der folgenden Generationen. In Anbetracht dessen, daß einige Juden der Nachkriegsgenerationen die Gemeinden zwar verließen, aber nach wie vor ein ausgeprägt jüdisches Bewußtsein haben[223], scheint der Begriff der «Spagat-Existenz»[224] angebracht.

Auch da, wo der Wille zu einer echten Integration besteht, wird dieser durch das Mißtrauen, das durch antisemitische Vorfälle immer wieder neu geschürt wird, untergraben. Silbermann beschreibt die Situation wie folgt:

«Rational gesehen (...) hebt sich die (...) jüdische Minderheit in der Bundesrepublik nicht oder nur teilweise von der bundesrepublikanischen Gesellschaft ab. Emotional, ideell, ideologisch, kurzum geistig gesehen durchzieht sie eine aus Unsicherheit geborene Skepsis, die auch durch mitbürgerliche Beteuerungen von privater und offizieller Seite nicht aus dem Weg zu schaffen ist und zu mit Vorurteil geladenem Verhalten führt. Dieses Dilemma, theoretisch und praktisch zuammengeführt, vom Inneren der Minderheit aus oder von außen durch die Majorität gesehen, ergibt bei den Juden in Deutschland heute nicht etwa die Situation einer je nach den Umständen genehmen Teils-Teils-Integration, sondern dasjenige, was sich nur als eine *freischwebende Integration* bezeichnen läßt, die notabene von Vorurteilen getragen ist.»[225]

Trotzdem mehrten sich gerade in den letzten Jahren die Anzeichen dafür, daß die Gemeinschaft kleine Fortschritte auf dem Weg zu einer weitergehenden – wenn auch sicher noch lange nicht vollständigen – Integration verzeichnen kann. Ein erstes wirklich deutliches Signal dafür scheint mir das entschlossene, selbstbewußte Auftreten der Juden anläßlich der Fassbinder-Kontroverse, bei dem sogar die internen Gegensätze dieser nach wie vor äußerst heterogenen Gemeinschaft in den Hintergrund traten.

Die hier ersichtlich werdende Abkehr vom bisherigen «low-profile»-Verhalten (das als deutliches Indiz für fehlende Integration angesehen werden muß) manifestiert sich aber auch anderswo: In Frankfurt wurde im Sommer 1986 ein jüdisches Gemeindezentrum eröffnet. Das Gebäude, das aus heutiger Sicht völlig überdimensioniert erscheint, dokumentiert die Überzeugung, daß jüdisches Leben in der BRD eine Zukunft hat.

Exkurs: Die Mischehenproblematik

Die Mischehenproblematik ist weder neu, noch stellt sie eine Besonderheit der jüdischen Gemeinschaft in der BRD dar. Sie tritt vielmehr überall dort in der Diaspora auf, wo einerseits die jüdische Religion zunehmend ihre Funktion als Lebensrahmen verliert, wo andererseits eine starke kulturelle Assimilation stattfindet, wo also das «Schtetl» als Idee aufgegeben wurde.

Gerade im Deutschland des 19. und frühen 20. Jahrhunderts, wo Emanzipation und Assimilation von einem beträchtlichen Teil der jüdischen Bevölkerung überaus aktiv angestrebt wurden, mußte das Problem schon bald sichtbar werden; es wurde etwa ab der Jahrhundertwende statistisch erfaßt. So heirateten in der Zeit von 1901 bis 1930 im Deutschen Reich 19,6 Prozent der Männer und 12,2 Prozent der Frauen einen nichtjüdischen Partner.[226] Dies war immerhin genug, um vom «Untergang des deutschen Judentums»[227] innerhalb weniger Generationen zu sprechen. Im Saarland betrug demgegenüber im Zeitraum von 1925 bis 1934 der Mischehenanteil nur knapp 0,4 Prozent.[228]

Obschon die Erfahrung des Holocaust die Identifikation mit dem Judentum (vor allem als Schicksalsgemeinschaft) verstärkte, führte dies in der BRD keineswegs zu einem Rückgang des Mischehenanteils. Es ist anzunehmen, daß verschiedene Faktoren hierzu beitrugen.

Eine erste prägnante Rolle spielte zweifellos die Zusammensetzung der Gründungsmitglieder der Gemeinden – mit wenigen Ausnahmen die Angehörigen der deutsch-jüdischen Restgruppe. Diese hatten wiederum zu einem überwiegenden Teil ja gerade deshalb überlebt, weil sie mit ‹Ariern› verheiratet oder Nachkommen solcher Mischehen waren. Auf verschiedenen Ebenen führte dies zu Konflikten, mangelte es ihnen doch im Vergleich mit den osteuropäischen Juden weitgehend an inhaltlicher Kompetenz, jüdisches Leben zu retablieren. Hinzu kam, daß sie, trotz ihrer neuerlichen Hinwendung zum Judentum, ihre Partner nicht aus der neu entstehenden Gemeinschaft ausschließen wollten. Diese wurden zwar nicht Gemeindemitglieder (außer wenn sie zum Judentum übertraten), genossen aber z. B. bei der ZWSt die gleichen Rechte wie ihre Partner und wurden verschiedentlich neben diesen auf jüdischen Friedhöfen beigesetzt, was den Religionsgesetzen eindeutig widerspricht.

Eine weitere Ursache war, vor allem in den ersten 20 Jahren nach Kriegsende, der erwähnte Männer-‹Überschuß› in den heiratsfähigen Altersgruppen, der noch dadurch verschärft wurde, daß viele Eltern gerade bei ihren Töchtern größten Wert auf eine jüdische Heirat legten – und sie deshalb oft schon zur Ausbildung ins Ausland schickten. (Diese ‹Sicherheitsmaßnahme› erstaunt, denn die Religionszugehörigkeit wird ohnehin von der Mutter auf die Kinder übertragen.) Die von Maor zitierten statistischen Daten unterstützen dies: Von den Kindern aus Mischehen, die 1951 bis 1958 zur Welt kamen, hatten 825 einen jüdischen Vater, 270 eine jüdische Mutter.[229]

Als zusätzlicher Faktor für die Höhe der Mischehenrate ist zweifellos auch die extreme geographische Streuung anzusehen: 30 Prozent der jüdischen Bevölkerung verteilen sich auf 56 kleine und kleinste Gemeinden.

Maor erhob für die Jahre 1951 bis 1958 die Anzahl der Jüdinnen und Juden, die in der BRD heirateten – 2478 Männer und 889 Frauen, von denen 72 Prozent der Männer und 23,6 Prozent der Frauen (insgesamt also 59,1 Prozent) nichtjüdische Partner wählten.[230] Die vergleichbaren Zahlen für die Schweiz[231] für die Periode 1950 bis 1960 machen deutlich, daß in der BRD das Problem überaus kraß auftritt: In der Schweiz heirateten 405 Männer, davon 189 (46,7 Prozent) und 292 Frauen, davon 76 (26 Prozent), insgesamt also rund 38 Prozent in Mischehen.[232] Der Mischehenanteil liegt in der BRD in jüngster Zeit konstant zwischen 60 und 75 Prozent.[233]

Diese Tatsache scheint Symptom und Ursache zugleich für ein zentrales Problem der jüdischen Gemeinschaft in Deutschland zu sein. Sie ist Symptom dafür, daß das Anliegen der selbst so stark assimilierten Gemeindeführung, eben diese Assimilation zu bremsen oder zu verhindern, bisher fehlgeschlagen ist. Die Führung hat gerade in der BRD keinen Vorbildcharakter (anders als z. B. in der Schweiz, wo es kaum vorstellbar wäre, daß in Mischehe lebende Juden Gemeindefunktionäre werden). Erst Ende 1984 wurde beschlossen, daß künftig Personen, die in Mischehe leben, nicht mehr ins Direktorium des Zentralrats entsandt werden dürfen. Der Beschluß löste eine heftige Kontroverse aus, konkrete Auswirkungen sind jedoch noch nicht abzusehen.[234] Die von den jüdischen Repräsentanten propagierte Integration würde eindeutige Identifikation mit der Religion (also auch die Wahrung der Tradition und kulturelle Identifikation) und der Gemeinschaft voraussetzen. Die Religion kann aber, abgesehen von ihrem in der westlichen Welt allgemein fortschreitenden Bedeutungsverlust, für die meisten nicht mehr Identifikationspunkt sein, weil sie weder in der Familie tradiert noch durch die Gemeinschaft adäquat vermittelt wird. Die Gemeinschaft selbst ist zudem nach wie vor überaus heterogen. Dies manifestiert sich einerseits in gegenseitigen Vorurteilen, andererseits in den unterschiedlichen Problemen und Bewältigungskonzepten[235], so daß sie nur für einen verhältnismäßig geringen Teil der Jüdinnen und Juden Identifikationsobjekt respektive umfassender Bezugsrahmen ist.

Die Höhe der Mischehenrate ist auch Ursache für einen beträchtlichen Substanzverlust, denn in der Regel treten die nichtjüdischen Ehepartner nicht zum Judentum über. Selbst wenn die jüdischen Partner Gemeindemitglieder bleiben, so werden ihre Kinder kaum noch den Gemeinden zugeführt. Dies läßt sich allerdings auch bei Kindern aus jüdischen Ehen feststellen: Laut bundesdeutscher Statistik kamen 1951 bis 1958 1 166 jüdische Kinder zur Welt[236], die Statistiken der Zentralwohlfahrtsstelle verzeichnen aber für diese Zeit nur gerade 222 Geburten.[237]

Es ist anzunehmen, daß die Wahrscheinlichkeit einer späteren Mischehe dadurch noch zusätzlich steigt, daß viele jüdische Kinder außerhalb der Gemeinden – oft auch lange ohne Wissen um ihre jüdische Herkunft – aufwachsen.

Die Mischehenproblematik der Nachkriegsgemeinschaft in der BRD ist möglicherweise von einer Komponente geprägt, die sie von derjenigen anderer Diasporagemeinden unterscheidet: Unbewußter Hintergrund für die hohe Mischehenrate könnte sein, daß die tiefgreifend widersprüchliche (und traumatische) Existenz in der BRD nur durch eine weitestgehende Verschmelzung mit der deutschen Gesellschaft erträglich gemacht werden kann.

Christlich-jüdischer Dialog

«Die Erinnerung an die erlittenen Verfolgungen – für jüdisches Bewußtsein sind sie Gegenwart – macht es vielen Juden noch heute schwer, an die Aufrichtigkeit der Gesprächsbereitschaft der Christen zu glauben.»[238]

Die hier angesprochenen Verfolgungen beziehen sich nicht nur auf das NS-Regime, sondern ebenso auf die Haltung der christlichen Kirchen, die mit ihren Dogmen während Jahrhunderten einen religiös fundierten Antisemitismus nährten.[239] Erst das 2. Vatikanische Konzil (1962–1965) brachte eine Änderung der christlichen Lehre im Hinblick auf das Judentum. Die wichtigsten Punkte des damals erlassenen Dekrets waren[240]:

– Jesus und seine Jünger stammen aus dem jüdischen Volk; das Christentum ist aus dem Judentum gewachsen und geht auf dieselben Wurzeln zurück.
– Nicht «die Juden», sondern die damaligen jüdischen Obrigkeiten drangen auf die Hinrichtung Jesu, dessen Tod nicht allen Juden zur Last gelegt werden darf.
– Die Kirche verurteilt Haßausbrüche und antisemitische Gewalttaten; sie lehnt Zwangsbekehrungen ab.

Somit war der kirchenrechtliche Hintergrund für einen Prozeß gegeben, der – nicht nur in der BRD – lange zuvor begonnen hatte, auch wenn sich dies bei der Mehrzahl der Gläubigen noch nicht auswirkte. Ausgehend von ähnlichen Bewegungen in den USA, Großbritannien und der Schweiz[241], kam es zu christlich-jüdischen Auseinandersetzungen auf verschiedenen Ebenen. Zum einen hat die theologische Diskussion, die in Ansätzen schon vor 1933 versucht wurde, einen starken Aufschwung genommen und scheint für die beteiligten Katholiken, Protestanten und Juden fruchtbar zu sein. Sie hat aber – über die Religionsvermittlung an die Angehörigen vor allem der christlichen Konfessionen[242] – allenfalls einen indirekten Einfluß auf das alltägliche Zusammenleben.

Von weitaus größerer Bedeutung ist die direkte (praktische) Öffentlichkeitsarbeit, die besonders seitens der Gesellschaften für Christlich-Jüdische Zusammenarbeit geleistet wird. Dabei nimmt die dem amerikanischen Modell entsprechende, seit 1950 alljährlich im März stattfindende «Woche der Brüderlichkeit» eine zentrale Stellung ein. Wichtig scheint dabei, abgesehen von den konkreten Aktivitäten der jeweiligen Anlässe, daß diese «Wochen» von Landesregierungen und Behörden mitgetragen werden und unter der Schirmherrschaft des Bundespräsidenten stehen, der den Anlaß jeweils mit einer von allen Sendern übertragenen Ansprache eröffnet.

Neben diesen Aktionen organisieren die Gesellschaften Vorträge, Diskussionsabende und kulturelle Veranstaltungen. Für die jüdische Gemeinschaft liegt die Bedeutung der christlich-jüdischen Zusammenarbeit, wie ihre Resonanz in der «Allgemeinen» dokumentiert[243], sicher in der Förderung des Bewußtseins, daß die Aufgabe, die gegenseitigen Vorurteile abzubauen, von christlicher Seite (die in der BRD ein nicht unbedeutendes politisches Gewicht hat) mitgetragen wird – auch wenn die Resultate dieser Arbeit dem gesteckten Ziel bisher nicht zu entsprechen vermögen. Dies hat – zusammen mit der Tatsache, daß von offizieller Seite sonst nur wenig zum Abbau von Vorurteilen und Fremdenfeindlichkeit getan wird – dazu geführt, daß die «Wochen» oft (vor allem von den Betroffenen) als bloße ‹Alibiübung› betrachtet werden. Die mindestens formelle Unterstützung durch zahlreiche Politiker ist zweifellos ein wichtiger Grund, weshalb die einzelnen jüdischen Mitglieder in den Gesellschaften ein Forum sehen, das ihnen eine sichere (weil mit ethischen Grundsätzen konzipierte) Basis für eine wenn auch nur zögernde Öffnung nach außen und somit für eine allmähliche Integration bietet.

Maor erhob 1959, daß etwa zehn Prozent der damaligen Mitglieder dieser Gesellschaften Jüdinnen und Juden (hauptsächlich deutscher Herkunft) waren.[244] Genau ließ sich die Zahl allerdings nicht feststellen, weil einige der Gesellschaften die Konfession ihrer Mitglieder bewußt nicht ermitteln; ebensowenig liegen mir neuere Zahlen vor. Einzig bei den Vorstandswahlen spielt die Konfession eine Rolle: Gemäß den Satzungen besteht das Gremium aus je einem Katholiken, Protestanten und Juden.

Bei ihren Untersuchungen stellte Kuschner fest, daß mit zunehmender Gemeindegröße Kontakte zur nichtjüdischen Umwelt, die über das im Alltag Notwendige hinausgehen, stark abnehmen[245], wovon der Bereich der christlich-jüdischen Zusammenarbeit – wenn auch möglicherweise schwächer – ebenfalls betroffen sein dürfte. Es könnte aber auch sein, daß die jüdische Beteiligung nicht als Folge der Urbanisierung und somit der Abkapselung in den Gemeinden zurückgegangen ist. Ein Grund mag darin liegen, daß der anfängliche jüdische Zustrom von der noch wenig getrübten Hoffnung auf eine wirkungsvolle Arbeit motiviert war.

«Die Arbeit der 40 Gesellschaften für christlich-jüdische Zusammenarbeit in der Bundesrepublik litt und leidet an einem Mangel an Durchblick und Entschlossenheit; sie sind sozusagen halbstaatliche Einrichtungen: sie repräsentieren den offiziellen guten Willen. Dagegen ist nichts zu sagen; aber es ist als Grundlage eines Dialogs zwischen Juden und Christen zuwenig; es ist zuwenig für die Aufgabe, die jeweils aktuellen Praktiken der Minoritätenunterdrückung in der Gesellschaft kritisch aufzudecken und zu bekämpfen.»[246]

Fremde im eigenen Land? –
Die Auseinandersetzung der jüdischen Linken mit der BRD und der deutschen Linken

Ein wichtiges Moment für die weitgehend fehlende Integration der Überlebenden und zum Teil auch der ersten Nachkriegsgeneration war – neben den traumatischen Erfahrungen der Nazi-Ära – zweifellos das politische Klima in der neugegründeten BRD. Dieses manifestierte sich darin, daß man weitaus häufiger von ‹Niederlage› als von ‹Befreiung› sprach, allenfalls noch das verwischende Bild der ‹Stunde Null› verwendete, daß ‹Wiedergutmachung› eine juristische und materielle Kategorie, aber nur in seltenen Fällen einen moralischen Imperativ darstellte, daß die Rehabilitierung vieler Altnazis einherging mit einem propagierten und praktizierten Philosemitismus, der jüdischerseits vielfach Mißtrauen weckte, weil er verkrampft und aufgesetzt wirkte. So schreibt Liepmann:

«Selbst bei jungen Deutschen spüren wir schmerzlich diesen Mangel an Unbefangenheit. Ihre Augen beginnen zu glänzen, sie werden ganz aufgeregt: ‹Ach, Sie sind Jude. Wie interessant. Ich weiß natürlich alles, was damals passiert ist, und auch, wie man heute denkt. Ich möchte mir so gerne mein eigenes Urteil bilden...› Und dann beginnen die endlosen Fragen, die Dissektion.»[247]

Die Widersprüche des eigenen Lebens in der BRD werden durch diese ambivalente Haltung der nichtjüdischen Gesellschaft verschärft und verhinderten bisher in den meisten Fällen den Aufbau einer politischen Identität. Ernst Loewy dazu:

«Politisch neigten sie [die Juden; die Verf.] zu einem lähmenden Geist der Ausgewogenheit, der weder an jüdische (bzw. israelische) noch an deutsche Tabus zu rühren wagte. Die vermeintliche Abstinenz erwies sich praktisch als ein Bündnis mit den restaurativen Kräften der BRD.»[248]

Die 60er Jahre brachten eine deutliche Veränderung der politischen Landschaft in der BRD. Im Umfeld der Studentenbewegung wurde vehementer Protest gegen das Schweigen der Elterngeneration zur eigenen Vergangenheit laut. Der Angriff der Neuen Linken richtete sich gegen die «Stunde-Null-Ideologie», gegen die Einstellung der Entnazifizierung, gegen die Fortexistenz der NS-Justiz in der BRD-Justiz als direkte Konsequenz des «131er-Gesetzes», das die Wiedereinsetzung entlassener Beamter des NS-Staates ermöglicht hatte. Die Anerkennung der Resultate des Zweiten Weltkriegs, insbesondere der deutschen Teilung, wurde gefordert, die Aufarbeitung der Vergangenheit zum Programm erklärt.

Auf dem Hintergrund des Eichmann-Prozesses 1961 in Jerusalem und der Publikation von Werken wie Rolf Hochhuths «Stellvertreter» (1963), Peter Weiss' «Ermittlung» und Heinar Kipphardts «Joel Brand» (beide 1965) ging mit dieser Haltung der deutschen Linken eine Identifikation mit den Opfern einher, die konsequenterweise in eine Solidarisierung mit Israel mündete. In der Folge wurde Israel ein beliebtes Reiseziel für deutsche Linke; vor allem die *Kibbutzim* als Modellbeispiele für gelebten Sozialismus übten eine große Anziehungskraft aus.[249] Doch auch in der politischen Praxis hatte die Solidarität mit Israel ihre Auswirkungen: Ernst Vogt weist nach, daß es vor allem die studentische Linke war, die in Deutschland auf die Aufnahme diplomatischer Beziehungen zwischen der BRD und Israel drängte[250], das seinerseits schon 1957 mit einer Parlamentsabstimmung seine Bereitschaft dazu signalisiert hatte.

Daß diese Bewegung auf die in ihrem Identifikationsprozeß behinderte jüdische Nachkriegsgeneration anziehend wirkte, wurde durch zwei Faktoren noch verstärkt: Zum einen brachte der Kalte Krieg eine zunehmende Dämonisierung sozialistischen Gedankenguts; die jüdischen Außenseiter konnten sich mit den linken Außenseitern solidarisieren. Zum anderen apostrophierte sich diese Linke als radikal antifaschistisch, was in ihrem Selbstverständnis konsequenterweise die Möglichkeit von Antisemitismus explizit ausschloß. Die Folge davon war:

«Die Juden stellten nicht nur vielfach das ‹Management› der Linken, sondern auch einen Teil des Fußvolkes (…). Noch der konservativste Jude brachte, wenn er mit sich ehrlich war, keinen richtigen antilinken Affekt auf, da ja die linken Gruppierungen und Organisationen die einzigen waren, die den prinzipiellen Antisemitismus ausschlossen. Es kannten die Linken nur den *Menschen*, nicht den Deutschen, Franzosen, Engländer etc. Im Maße, wie sich die Juden als Menschen anerkannt fühlten, waren sie gewiß, nunmehr auch Deutsche, Franzosen, Engländer etc. sein zu können.»[251]

Hier war also für die in der BRD lebenden Jüdinnen und Juden ein Ansatz für eine weitreichende Integration gegeben, den zahlreiche von ihnen aufgriffen. Zwar liegen keine Daten über jüdisches Engagement in der Linken vor; doch legt die Fülle der Publikationen, die sich retrospektiv mit dieser Thematik befassen, diesen Schluß nahe. Die im Hinblick auf Integration und somit Normalität so wichtige Harmonie zwischen Linken und Juden war jedoch nur von kurzer Dauer.

Der Sechs-Tage-Krieg 1967 brachte einen radikalen Umschwung. Die deutsche Öffentlichkeit demonstrierte in ihrer überwiegenden Mehrheit – sicher unfreiwillig –, wie wenig die eigene Vergangenheit bewältigt worden war. Der israelische Sieg im als «Blitzkrieg» bezeichneten Konflikt wurde bejubelt, Moshe Dajan vor allem in der Springer-Presse zum «Rommel Israels» stilisiert.

«Im Philosemitismus als herrschender Ideologie drückte sich ein begrenzter Antisemitismus aus – nach dem Motto: ‹Die sind ja prima, die Juden – wenn sie in Israel sind.›»[252]

Die Israelis (die «Preußen des Nahen Ostens») waren von den Opfern zu siegreichen Tätern geworden; auf diesem Hintergrund mußte sich subjektiv die deutsche Schuld verringern – zumal der Sieg nicht zuletzt durch die eigenen «Wiedergutmachungs»-Leistungen möglich geworden war. Weit mehr als diese Kontinuität im historisch-politischen Bewußtsein des westdeutschen Establishments mußte die Haltung der außerparlamentarischen Linken die jüdischen Linken erschüttern: Auch in diesen Kreisen wurden die Opfer zu Tätern uminterpretiert, die Solidarität mit Israel endete zugunsten der Identifikation mit dem palästinensischen Befreiungskampf. Israel wurde zum Aggressor, zum «Brückenkopf des US-Imperialismus»:

«Der Kampf der ‹Dritten Welt› ist antiimperialistisch, die Araber gehören zur ‹Dritten Welt›, also muß Israel, gegen das sie kämpfen, imperialistisch sein.»[253]

Die jüdischen Linken, die im Hinblick auf Israel eine linkszionistische Position[254] vertreten hatten, waren durch die Besetzung der eroberten Gebiete, die eine Massenflucht der palästinensischen Bevölkerung auslöste, zutiefst verunsichert. Das idealisierte Israelbild, das sie sich, der Not der persönlichen Situation gehorchend, aufgebaut hatten, brach ein.

«Der besondere Anspruch an Moral und Menschlichkeit, den junge Juden aus der historischen Unrechtserfahrung des Nationalsozialismus nachdrücklich vertraten und in Israel verwirklicht gesehen hatten, war nach 1967 in einer unerträglichen Weise aus der israelischen Politik verschwunden. Unerträglich für linke Juden, weil nicht·bloß eine Staatspolitik und -ideologie auf dem Spiel stand, sondern darüber hinaus Israel als Lebensziel und Lebensentwurf jüdischer Identität schlechthin.»[255]

Da innerhalb der jüdischen Gemeinschaft, deren uneingeschränkte Loyalität zu Israel sich gerade beim Sechs-Tage-Krieg deutlich zeigte, eine Auseinandersetzung über diese Verunsicherung oder gar eine Kritik an Israel schlechterdings undenkbar war, mußte die unkritische Kehrtwende der deutschen Linken die einsetzende Isolierung der jüdischen Linken um so schmerzhafter bewußtmachen. So formulierte Berthold Simonson, ein jüdischer Vertreter der Alten Linken:

«Es war ein traumatisches Erlebnis der letzten Wochen, daß die Möglichkeit eines Völkermords von vielen, die sich Friedensfreunde und Internationalisten nennen, zumindest in Kauf genommen wurde.»[256]

Die vollständige Abkehr von einer proisraelischen Position und Hinwendung zur Linie der PLO rüttelte nicht nur an der Existenz des jüdischen Staates. Dieser Gedanke wurde von der deutschen Linken nie bis zu seiner letzten Konsequenz – dem möglichen Todesurteil für alle Juden – ausformuliert. Diese Positionsveränderung bedeutete auch eine radikale und definitive Absage an einen Programmpunkt, den die Neue Linke für sich bis 1967 als zentral angesehen hatte: die Aufarbeitung der Vergangenheit aus einer antifaschistischen Position. Dem

«Verlangen nach historischer Unschuld»[257] wurde durch die Verurteilung des zuvor solidaritätswürdigen, als Opfer begriffenen Staates Israel nachgegeben.

Diese Haltung der deutschen Linken mußte für die jüdischen Linken (und einige wenige andere) zumindest befremdend wirken: Das Selbstbestimmungsrecht, für das die deutsche Linke bei jedem Volk, seien es die Basken, die Kurden oder die Saharaui-Nomaden, eintrat, sollte gerade bei den Juden keine Legitimation mehr haben. Die moralischen Forderungen, die an Israel gestellt wurden, gingen zudem weit über das hinaus, was anderenorts postuliert wurde.

«Es gibt eine Reihe von Ländern, die sich nicht wie Israel fast drei Jahrzehnte lang in einer Situation akuter Bedrohung befinden und dennoch einen enormen Nachholbedarf an sozialer Gerechtigkeit und an Achtung vor der Würde des Menschen haben. Für Mißstände in solchen Ländern zeigen zumindest beträchtliche Teile der Linken ein hohes Maß an Verständnis.»[258]

Auffällig war darüber hinaus, mit welchen Emotionen (die auch durch scheinbar fundierte Sachkenntnis nicht überdeckt werden konnten) gerade hier argumentiert wurde. Dies zeigt sich auch in der Unfähigkeit oder Unwilligkeit, zwischen den Begriffen «jüdisch», «zionistisch» und «israelisch» zu differenzieren. Améry beschreibt diese Erfahrung:

«Es ist also, wie man sieht, dahin gekommen, daß das Wort eines Juden – hieß es nicht einstens auch: eines Judengenossen? – von den Linken als bevorurteilt nicht mehr akzeptiert wird, wenn es um das Problem Israel geht.»[259]

Der implizite Vorwurf Amérys richtet sich nicht primär dagegen, daß eine jüdische Position als notwendigerweise und ausnahmslos bevorurteilt eingestuft wird; seine Kritik geht vielmehr dahin, daß er bei einer sich als antifaschistisch verstehenden Linken nicht hinnehmen kann, daß sie ihrerseits für dieses sich aus den historischen Zusammenhängen zwingend ergebende «Vorurteil» kein Verständnis aufzubringen vermag. Er kommt schon 1968 zum Schluß: Der antiimperialistisch verbrämte «Antisemitismus, enthalten im (...) Antizionismus (...), ist wiederum ehrbar»[260].

Daß eine breitangelegte Auseinandersetzung der jüdischen Linken mit der Frage des antisemitischen Gehalts neulinker Ideologie erst Mitte der 70er Jahre einsetzte, muß als Verdrängungsversuch angesehen werden. Dies äußert sich, wenn z. B. Henryk Broder schreibt, er habe 1976 einen Aufsatz verfaßt, der in der ersten Fassung den Titel «Antizionismus – Antisemitismus von links?» trug:

«Den dringenden Verdacht, daß der neue Antisemitismus im Kostüm des Antizionismus auftritt, mochte ich nur in der Frageform aussprechen, um mir die Chance eines Irrtums zu lassen.»[261]

In einer erweiterten Fassung Ende 1979 hatte der Titel allerdings das hoffnungsvolle Fragezeichen verloren. Dazwischen lagen – nebst einer noch latenten, aber deutlicher werdenden Zunahme unverbrämt antisemitischer Tendenzen in der Linken – zwei Ereignisse, die ein weiteres Ausweichen verhinderten. Das erste war die Entführung einer Air-France-Maschine nach Entebbe, bei der junge, linke Deutsche (die an der Guerilla-Ausbildung von Palästinensern teilgenommen hatten) jüdische Passagiere für die Geiselnahme selektionierten. Claussen kommentierte:

«Es bedeutet keine Verteidigung von Zionismus, wenn wir diesen geschichtslosen Antisemitismus kritisieren, der jede Gewaltanwendung deutscher gegen jüdische Zivilpersonen in die Kontinuität des deutschen Antisemitismus rückt. Palästinenserorganisationen, die nicht jeden Deutschen von bewaffneten Aktionen gegen Israel ausschließen, fügen dem antirassistischen Charakter der Revolution schweren Schaden zu.»[262]

Broder schreibt zu Entebbe, daß das Verhalten der deutschen Linken bei diesem Ereignis für ihn zum «Aha-Erlebnis» wurde, ähnlich wie für einige der anderen jüdischen Linken:

«Entsetzt und fassungslos verfolgte ich damals die Reaktionen der diversen linken Gruppen, die sich nicht über die Entführung und die Selektion aufregten, sondern über die israelische Befreiung der Geiseln (...), die mit den ‹Blitzkriegen der Hitlerfaschisten› verglichen und von so gut wie allen Fraktionen der damaligen alten und neuen Linken zum Anlaß genommen wurde, ‹seiner Exzellenz Idi Amin unsere uneingeschränkte Solidarität zu versichern›.

(...)

Der gemeinsame Nenner, auf dem diese Solidaritätsübung exerziert werden konnte, war das allen gemeinsame antijüdische Ressentiment, das als amalgamierende Masse gewirkt hatte.»[263]

Das zweite Ereignis war das Erscheinen von R. W. Fassbinders «Der Müll, die Stadt und der Tod». Eine der Hauptfiguren des Werks ist «der reiche Jude», der als Spekulant mitverantwortlich für die Zerstörung Frankfurts sein soll. Tatsächlich waren am massiven Verlust günstigen Wohnraums im Westend zugunsten expansionsbedürftiger Banken und der «Ideenindustrie» überproportional viele jüdische Immobilienhändler beteiligt gewesen. Fassbinder verzichtete aber – ebenso wie in den frühen 70er Jahren die Häuserbesetzer und später die Aufführungsbefürworter – auf eine Analyse der Ursachen dafür, daß gerade Juden sich als Wegbereiter für die Durchsetzung dieser Stadtteilzerstörung hergaben. Als antisemitisch angesehen wurde Fassbinders Stück von vielen Juden aber nicht, weil es sich auf die Spekulation bezieht, «sondern weil er sich bei der Zeichnung einer seiner Hauptfiguren antisemitischer Stereotypen bedient».[264]

Der Antisemitismus-Vorwurf wurde erstmals in der «Frankfurter Rundschau» öffentlich erhoben, nachdem das Stück bei den Stadtbehörden und beim Ensemble des «Theaters am Turm» bereits auf einigen Widerstand gestoßen war. Zu einer Diskussion auf breiter Ebene kam es allerdings erst, als Joachim Fest (selbst Autor eines überaus umstrittenen Hitlerfilms[265]) in der «Frankfurter Allgemeinen Zeitung» das Urteil fällte, es handle sich beim Stück um «Linksfaschismus»[266]. Der Suhrkamp-Verlag verfügte einen Auslieferungsstopp; Fassbinder wurde veranlaßt, eine Stellungnahme abzugeben – die dann allerdings vom Verlag redigiert wurde. Aus dem Original wurde vor allem die folgende Passage gestrichen, die seine Position verdeutlicht hätte:

«Er (der reiche Jude) führt aber letztlich doch nur Dinge aus, die von anderen zwar konzipiert wurden, aber deren Verwirklichung man konsequent einem überläßt, der durch Tabuisierung unangreifbar scheint. (...) Die Stadt läßt die vermeintlich notwendige Dreckarbeit von einem, und das ist besonders infam, tabuisierten Juden tun, und die Juden sind seit 1945 tabuisiert, was am Ende zurückschlagen muß, denn Tabus, darüber sind sich doch wohl alle einig, führen dazu, daß das Tabuisierte, Dunkle, Geheimnisvolle Angst macht und endlich Gegner findet.»[267]

Fassbinder lehnt sich hier an Adorno an, der schrieb:

«Ein besonders hintersinniges Argument ist: ‹Man darf ja gegen Juden heute nichts sagen.› Es wird sozusagen gerade aus dem öffentlichen Tabu über den

Antisemitismus ein Argument für den Antisemitismus gemacht: Wenn man gegen die Juden nichts sagen darf, dann – so läuft die assoziative Logik weiter – sei an dem, was man gegen sie sagen könnte, auch schon etwas dran. Wirksam ist hier ein Projektionsmechanismus: daß die, welche die Verfolger waren und es potentiell heute noch sind, sich aufspielen, als wären sie die Verfolgten.»

Die Diskussion fixierte sich aber in der Folge nicht auf die Frage, ob Fassbinders Figur antisemitisch ist, den Antisemitismus (unabsichtlich) fördert oder ihm entgegenzuwirken versucht; das Tabu als Problem wurde von Befürwortern und Gegnern des Stücks nicht weiter erörtert. Vielmehr nahm Gerhard Zwerenz, an dessen Roman «Die Erde ist unbewohnbar wie der Mond» die Figur anlehnte, den Vorwurf des «Linksfaschismus» zum Anlaß festzustellen: «Linke Antisemiten gibt es nicht!»[268] – «Das klang wie ein logisches Axiom, und so war es wohl auch gemeint.»[269] Der Vorwurf wurde durch Zwerenz allerdings keineswegs entkräftet und blieb – über diese erste Fassbinder-Kontroverse hinaus – bestehen.

Der «Unvereinbarkeitsbeschluß» (Broder) von «links» und «antisemitisch» wurde allerdings 1982, anläßlich der Invasion israelischer Truppen in den Libanon, diskussionslos aufgehoben. Die Gleichsetzung Begins mit Hitler, die Bezeichnung der Palästinenser als «Juden der Juden» und der Massaker in den Flüchtlingslagern Sabra und Schatila als «Holocaust» – während der massive israelische Widerstand gegen diesen Krieg[270] ebenso ignoriert wurde wie der jüdische Protest aus der Diaspora, während vor Synagogen in der BRD mit «Juden raus!», «Juden – Mörder!»[271] dagegen protestiert wurde – machte die Berufung auf einen lauteren Antiimperialismus oder antisemitismusfreien Antizionismus unmöglich.

1967 hatte noch keineswegs die gesamte Linke Israel als Aggressor verurteilt. Es gab einige Persönlichkeiten, die sich von dieser Abkehr deutlich distanziert hatten. Ein wichtiges Dokument dazu ist die «Gemeinsame Erklärung von 20 Vertretern der deutschen Linken zum Nahostkonflikt»[272], in der die Verknüpfung der eigenen Geschichte mit diesem Konflikt gezeigt, die sich daraus ergebende Mitverantwortung akzeptiert und das unbedingte Existenzrecht Israels unterstrichen wurde. 1982 und danach meldeten sich solche Stimmen kaum noch. So stellt Heenen fest:

«Während des jüngsten Krieges im Libanon war es für linke Juden in der Bundesrepublik oftmals leichter, mit den Palästinensern in einen Dialog über die Zukunft der beiden Völker zu treten. Entsprechende Versuche mit deutschen Linken litten meist unter den geschichtlichen Vermischungen.»[273]

Daß es trotz der «geschichtlichen Vermischungen» weiterhin zu Dialogversuchen kam, verdeutlicht, in welchem Dilemma sich die jüdischen Linken befinden: Sie verstehen sich als Jüdinnen und Juden, fühlen sich jedoch von den Repräsentanten der Gemeinschaft nicht vertreten – und können (oder wollen) umgekehrt ihre politische Identität nicht auf diesem auf das Jüdische beschränkten Hintergrund ausagieren. Auf der anderen Seite verstehen sie sich eindeutig als Linke, für die Kritik an der israelischen Politik legitim und notwendig ist – nicht aber in der undifferenzierten, selbstkritiklosen Form dieser Neuen Linken, für deren Zwecke sie allzuleicht mißbraucht werden könnten.[274] Dieser eigene, doppelte Anspruch wird beispielsweise im Editorial von Heft 3 der Zeitschrift «Babylon» so formuliert:

«Für uns Juden (...) gilt es über die Ereignisse in Israel / Palästina zu reden, als ob wir von der Last der Vergangenheit frei seien, und es gilt über Auschwitz zu sprechen, als ob das Palästinaproblem uns nicht bedränge.»

Abgestoßen aber von einer Linken, die ihren Daseinszweck, das «Nie-wieder-Auschwitz»-Postulat[275], so leichtfertig aufgegeben hat, und auf dem Hintergrund einer Gesellschaft, die unter die Vergangenheit einen verdrängenden Schlußstrich zog, bleiben die jüdischen Linken, die von allen Mitgliedern der jüdischen Gemeinschaft die größte Integrationsbereitschaft zeigten, wohl weiterhin «fremd im eigenen Land».

Politische Haltung

Schon während der ersten Gemeindegründungen wurde vereinzelt die politische Absicht formuliert, einen aktiven Beitrag für den Demokratisierungsprozeß in Deutschland zu leisten. Zudem sollte die Erinnerung an die jüngste deutsche Vergangenheit durch die eigene Präsenz wachgehalten werden.

Betrachtet man die seit 1946 regelmäßig erscheinende «Allgemeine» als Spiegel jüdischer Politik, so ist jedoch festzustellen, daß sich deren Aufmerksamkeit bis gegen Ende der 50er Jahre fast ausschließlich auf die Themen «Wiedergutmachung», Verfolgung der Täter und dabei ersichtlich werdende Mängel, Antisemitismus, Juden in der übrigen Diaspora und Israel beschränkt. Die auch später anhaltende Dominanz dieser Themen und die gleichzeitig weitgehend fehlende innerjüdische Auseinandersetzung sollen möglicherweise dem Zweck dienen, die Heterogenität der Gemeinschaft zu überwinden oder mindestens zu überdecken, indem durch Behandlung von gemeinsamen Interessengebieten Gemeinsamkeit und Einheitlichkeit vorgetäuscht werden. Bemängelt wird von den (jüdischen) Kritikern an der «Allgemeinen», was sie auch den Gemeindefunktionären vorwerfen: das weitgehende Fehlen von ausführlichen und kontroversen Diskussionen über den Generationswechsel in den Führungsgremien, der bis jetzt durch die oft seit den Gemeindegründungen amtierenden Repräsentanten verhindert wurde; außerdem eine vertiefte Auseinandersetzung mit der Mischehenproblematik – auch im Hinblick auf die Überlebenden-Generation; Fragen der politischen Orientierung in der BRD und damit verbundene gemeindeinterne Probleme; Integrationsprobleme und -möglichkeiten für Juden aus der Sowjetunion, Israel und dem arabischen Raum (Iran). Auch von den Beziehungen zur deutschen Umwelt ist während längerer Zeit kaum die Rede.

In der Anfangsphase ist dies zweifellos verständlich. Zu groß waren die eigenen existentiellen Probleme, zu ungewiß die Zukunft der Gemeinschaft in der BRD – und sicher zu stark die Berührungsängste zum (ehemaligen) Feind. Diese vermochte vorerst einzig der Zentralrat als ein wichtiger Verfechter der «Wiedergutmachung» wenigstens teilweise zu überwinden.

Die Möglichkeit einer zwar zögernd und sehr vorsichtig vollzogenen Öffnung hin zur nichtjüdischen politischen Umwelt bot sich auf dem Hintergrund der Feststellung des Hohen Kommissars McCloy, das Verhältnis Deutschlands zu den Juden werde Gradmesser seiner Demokratisierung sein. Die Öffnung drängte sich aufgrund der eigenen Absicht zur Integration geradezu auf.

Der neue Staat war, innen- wie außenpolitisch, darauf angewiesen, von einer ehemals verfolgten Gruppe in seinem Anspruch bestätigt zu werden, daß er sich gänzlich vom Nationalsozialismus abgewandt habe. Kommunisten und Sozialisten waren für eine solche Botschafterrolle, die sich primär an den Westen richtete, ungeeignet, weil (spätestens mit dem Kalten Krieg) suspekt. Die Sinti und Roma als weitere vormals verfolgte Minorität waren dazu ebenfalls ungeeignet, vor allem deshalb, weil sie sich – im Gegensatz zur deutsch-jüdischen Restgruppe – nicht als Deutsche verstanden. Somit waren sie an dieser Rolle weder interessiert, noch wären sie darin besonders glaubwürdig gewesen.[276]

Für das deutsche Interesse daran, daß die in der BRD lebenden Juden das neue Deutschland propagieren sollten, mag die offenbar noch immer vorhandene Vorstellung vom «Weltjudentum» als einer einzukalkulierenden Macht nicht unwesentlich beigetragen haben.[277]

Daß sich die Angehörigen der jüdischen Gemeinschaft gegen eine solche Instrumentalisierung und gegen den sicherlich auch dadurch bedingten und damit einhergehenden Philosemitismus kaum wehrten, hat sicherlich verschiedene Ursachen. Zum einen war die erlittene Verfolgung äußerst traumatisch. Die Erfahrung der «Endlösung» stellte eine Konfrontation mit dem absolut unvorstellbaren, nicht beschreibbaren und nicht nachvollziehbaren Grauen dar. (Hier liegt ein zentrales Problem aller nicht-dokumentarischer Auseinandersetzungen mit dem Holocaust: Vermutlich verkommt jedes gestellte Bild, jede Beschreibung – auch der Betroffenen selbst – angesichts der erfahrenen Realität zum Cliché.) Um trotzdem eine – wenn auch nur oberflächliche – Legitimierung sich selbst gegenüber zu haben, daß man im «Hause des Henkers» blieb, war es wohl notwendig, diese Instrumentalisierung hinzunehmen. Nachdem die deutschen Juden vor 1933 bestenfalls geduldet, meist aber als lästig empfunden, im Dritten Reich als «Untermenschen» eingestuft und behandelt worden waren, erlebten sie jetzt endlich die ersehnte Situation, akzeptiert, erwünscht, gar notwendig für das Ansehen Deutschlands zu sein – und gleichzeitig den an sich selbst gestellten Anspruch erfüllen zu können, die Erinnerung an den nazistischen Massenmord wachzuhalten.

«Gewiß ist (...), daß ihre Gemeinschaft, ihre Organisationen und deren Repräsentanten, ob sie es wollen oder nicht, eine Wächterrolle der Demokratie spielen, daß sie ein Barometer politischer Stimmungen, Tendenzen und Entwicklungen sind, das Humanes ebenso anzeigt wie Unbelehrbarkeit und Ignoranz der Umwelt. Besser noch, man würde sagen: Die jüdische Gemeinschaft in der Bundesrepublik ist der Seismograph solcher Störungen.»[278]

Darüber hinaus diente die Übernahme der Botschafterrolle dazu, sich der restlichen Diaspora und Israel gegenüber zu rechtfertigen. Die positiven Veränderungen wurden immer wieder betont, die Unterstützung und Anerkennung, die man durch die deutsche Öffentlichkeit erfahre, gelobt und zudem unterstrichen, mit welcher Schärfe Politiker jeweilige antisemitische Zwischenfälle verurteilten. Zu offensichtlich nicht überwundenen Relikten der Nazizeit nahm (und nimmt) die jüdische Gemeinschaft jeweils zum Teil sehr deutlich Stellung. Unterschwellige Kontinuitäten, wie sie beispielsweise im «Radikalenerlaß» zum Ausdruck kamen, wurden jedoch ignoriert, verharmlost oder zur Mahnung an die eigenen Erfahrungen benutzt, ohne tiefergehende Analysen der Gesamtzusammenhänge vorzunehmen. Die anhaltende Fremdenfeindlichkeit – nicht mehr als Überbleibsel ewiggestriger Einstellung, sondern als verbreitetes Phänomen – wurde erst in jüngster Zeit zu einem Anlaß für öffentlich geäußerte jüdische Kritik, aber auch für engagierte Solidarität mit anderen Betroffenen.

Die eigene Position wurde in der Gemeinschaft bis vor kurzem kaum hinterfragt. Dies zeigte sich besonders deutlich, wenn ein Spitzenfunktionär eingeladen wurde, als Mitglied einer offiziellen Delegation an einem deutschen Staatsbesuch in Israel die Juden in der BRD zu vertreten. (Hier handelte es sich schon fast um eine ‹Tradition›, die allerdings während Jahren kaum kritisch reflektiert wurde.) Ein typisches Beispiel dafür war die Reise Bundeskanzler Kohls 1984, an der Werner Nachmann, der damalige Vorsitzende des Direktoriums des Zentralrats, teilnahm. Im Lauf dieses Besuchs kam es von seiten Kohls und verschiedener Delegationsmitglieder zu einigen Peinlichkeiten. So zeigte sich z. B. die Ungeduld des Kanzlers bei einer Führung durch die Holocaust-Gedenkstätte «Yad Vaschem»: «Sie können mir glauben, ich kenne die deutsche Geschichte.» Nachmann erwähnte diesen und andere «diplomatische Schnitzer»[279] in einem Interview, das er der «Allgemeinen» noch vor Abschluß des Besuchs gab, mit keinem Wort. Einzig im Hinblick auf die Frage, ob es in Israel gelungen sei, deutsche Waffenlieferungen nach Saudiarabien zu verhindern, zeigte er verhaltene Skepsis.

Neben diesen angedeuteten Fehltritten war der Besuch überschattet von der gleichzeitig in der BRD erfolgten Legitimierung der HIAG, der Hilfsorganisation ehemaliger SS-Angehöriger, die in Israel scharf kritisiert wurde. (Diese Organisation wurde, obschon unverhohlen nazistisch, vom Verfassungsschutz ausdrücklich nicht verboten.) Von Nachmann kam jedoch auch dazu keine kritische Äußerung. Eigenartig war vor allem, daß Nachmann in einer wenig später erschienenen Ausgbe der «Allgemeinen» – auf der Titelseite, abgedruckt nach einem Interview mit Helmut Kohl – unter dem Titel «Jüdische Wirklichkeit in Deutschland 1984» schrieb:

«Jüdische Wirklichkeit 1984 ist nicht dadurch bestimmt, daß Juden in Deutschland eine vergeßliche Umwelt an die menschenverachtende Tyrannei erinnern müssen, um eine Wiederholung von Verfolgung, Entwürdigung und Massenmord zu verhindern, sondern durch den immer mehr um sich greifenden Mißbrauch, der damit, und das bedeutet mit den Juden selbst getrieben wird. Man verwendet sie unter Mißachtung aller historisch eindeutigen Fakten willkürlich als Zeugen für eigene politische Aktivitäten in der irrigen Meinung und Absicht, dadurch glaubwürdiger zu werden. Diese Mißdeutungen müssen uns stutzig machen und erschrecken.»[280]

Dennoch fand auch hier eine konsequente Distanzierung vom Auftreten der deutschen Delegation in Israel nicht statt. Das mag damit zu tun haben, daß die «Allgemeine» auch von der deutschen Öffentlichkeit als Sprachrohr der jüdischen Gemeinschaft in der BRD verstanden und gelesen wird.[281]

Die jüdische Haltung ist nicht nur in der BRD, sondern in der ganzen Diaspora (Ausnahme sind die USA, wo die Juden weniger als anderswo eine quantité negligeable darstellen) als direkte Konsequenz der Verfolgungserfahrung vom Bemühen geprägt, nicht aufzufallen, nicht anzuecken, vor allem auch nicht so Kritik zu üben, daß dies von außen als Ende der Dialogbereitschaft aufgefaßt werden könnte. In diesem Zusammenhang ist auch die «Affäre Filbinger» von 1978 zu sehen. Der Schriftsteller Rolf Hochhuth hatte die Tätigkeiten des früheren Marinerichters unter den Nazis recherchiert und ihn (mit nachmaligem gerichtlichem Segen) einen «furchtbaren Juristen» genannt. Filbinger verteidigte sich mit der vielzitierten Feststellung: «Was gestern Recht war, kann heute kein Unrecht sein...» – und erhielt zu seiner Ehrenrettung von Werner Nachmann einen «makaberen Persilschein».[282] Wenn auch Filbinger, zu diesem Zeitpunkt Ministerpräsident von Baden-Württemberg, aufgrund der vorgebrachten Anschuldigungen zurücktreten mußte und wenn auch Nachmann von deutscher und jüdischer Seite angegriffen wurde – eine differenzierte Auseinandersetzung innerhalb der jüdischen Gemeinschaft oder in der «Allgemeinen» fand dazu nicht statt.

Das Bemühen, nicht aufzufallen, ist begleitet von einer Haltung der Nicht-Einmischung: Zu politischen Themen, die mit den Juden und ihren Beziehungen zur BRD, mit den bilateralen Beziehungen zu Israel oder mit dem Dritten Reich und seinen Folgen nichts zu tun haben, nimmt die «Allgemeine» kaum Stellung. Hier wird der Bruch zwischen ‹jüdisch› und ‹deutsch› – noch immer ein Aspekt jüdischen Selbstverständnisses in der BRD – unübersehbar: «Proteste gegen Atomkraftwerke, Ökologiebewegung oder Gewerkschaftsarbeit haben für sie keinen Stellenwert, da sie sich – zu Recht oder Unrecht – als ‹außenstehend› empfinden.»[283]

Auch die Positionslosigkeit bei Regierungswahlen, die nur durchbrochen wird, wenn rechts- (oder links-)extreme Kandidaten zur Wahl stehen oder Mandate erhalten, hat hier eine Ursache.

«[Es] (...) ist unerheblich, welche der beiden großen Parteien mit welchem Mehrheitenbeschaffer in diesem Jahr mehr Wähler versammelt, um zum Beginn des Jahres 1987 die nächste Bundesregierung zu bilden, welche Programme verkündet werden und wieviel Glaubwürdigkeit dahinter zu vermuten ist. Das mag jeder mit sich selbst ausmachen.»[284]

Ein Grund für dieses ‹wahllose› Einverständnis mit der jeweiligen Regierungspartei liegt sicher in der Erfahrung, daß es auf keiner politischen Seite irgendwelche Garantien für Antisemitismus-‹Resistenz› gibt. Wichtigstes Kriterium für oder gegen Politiker und Regierungen ist deren Haltung der jüdischen Bevölkerung, besonders Israel gegenüber. Daß dieser Zusammenhang auch den Politikern bewußt ist, zeigt sich vor allem, wenn sie auf einen antisemitischen ‹Störfall› in der BRD mit der Beteuerung reagieren, wie israelfreundlich sie (oder ihre Partei) eingestellt seien – um den ‹Hausfrieden› zu wahren.

Es zeigt sich, daß sich die jüdischen Führungsgremien zwar für die Propagierung deutscher Umkehr instrumentalisieren ließen, das Potential dieser Botschafterrolle jedoch auch für eine selbstgewählte Aufgabe nutzten: Sie wollten als Vermittler zwischen der BRD und Israel fungieren. Für die Jüdinnen und Juden in Deutschland lag es, vor allem bis zur Aufnahme diplomatischer Beziehungen zwischen den beiden Staaten 1965, nahe, daß sie diese Funktion erfüllen sollten. Israel, das unter großen wirtschaftlichen und politischen Schwierigkeiten litt, brauchte offensichtlich jede nur erhältliche Hilfe und Unterstützung, schien aber vorerst nicht in der Lage, die dazu notwendigen Beziehungen selbst herzustellen. Es ist kaum abzuschätzen, in welchem Maß die jüdischen Aktivitäten für deren Anknüpfung und Förderung von Bedeutung waren. Wichtig scheint mir jedoch, daß sie diese Vermittlerrolle auch nicht aufzugeben gedachten, als sie hinfällig geworden war, weil die bilateralen Beziehungen das vorläufig mögliche Maß an ‹Normalität› erreicht hatten.[285] Dies wurde auch in Israel nicht ohne Kritik vermerkt. So schreibt Yochanan Meroz, bis vor kurzem israelischer Botschafter in der BRD:

«Er [der Verwaltungsapparat der jüdischen Gemeinschaft; die Verf.] sieht sich als unverzichtbares Glied in der Kette deutsch-israelischer Beziehungen, als für beide Seiten wichtiger Partner des so gern und oft beschworenen ‹Brückenschlages›. Er bietet – und biedert – sich an als Beteiligter an der Dynamik bilateraler Entwicklungen (...).

(...)

Sie [die Juden; die Verf.] verkennen jedoch den Umstand, daß ihre Einschaltung der Bundesregierung ‹Ersatz› für den Gesprächspartner Israel bietet und es ihr ermöglicht, die Klärung umstrittener Themen mit uns zu umgehen oder zu verschieben.»[286]

In der Einstellung der Juden in der BRD zu Israel und in den daraus erwachsenden Aktivitäten zeigt sich deutlicher als bei anderen Diasporagemeinden der Loyalitätskonflikt. Bei den meisten Gemeinden[287] kann allgemein von einer doppelten Loyalität dem Staat, dem man angehört, und Israel gegenüber gesprochen werden. Es ist anzunehmen, daß diese Loyalitäten in der Regel gleich stark (oder schwach) sind und daß sie ‹natürlichen› Sozialisationsprozessen einerseits als integrierte Angehörige des jeweiligen Staates, andererseits als Mitglieder der jüdischen (Religions- oder Schicksals-)Gemeinschaft entspringen. In der BRD sind die Loyalitäten aber offenkundig weder gleich stark, noch haben sie sich aus solchermaßen unabhängigen Sozialisationsprozessen entwickelt. Die Loyalität der BRD gegenüber hängt weitgehend von deren Haltung zu Israel ab, ist geradezu durch sie bedingt;

umgekehrt wurde diejenige zu Israel bis vor kurzem als etwas Absolutes angesehen und kaum hinterfragt.

«Als Passepartout und Unterpfand des guten Verhältnisses zwischen Israel und der Bundesrepublik hatten die Juden in Westdeutschland beiden unbedingte Treue zu halten. Unbedingt und kritiklos. Denn jede Kritik an Israel hätte die Frage provoziert, wie ausgerechnet sie, die auf verfluchtem Boden lebten, sich eine solche Kritik herausnehmen könnten und sie somit an ihrer schwächsten Stelle gepackt.»[288]

Bisher gelang es den Jüdinnen und Juden in der BRD nur ganz selten, aus diesen vermeintlichen Zwängen auszubrechen, um legitime Kritik am jeweils betroffenen Staat zu üben: beim Libanon-Krieg 1982, bei Bitburg und (auf einer weniger staatspolitischen Ebene) beim Fassbinder-Streit 1985. Im Hinblick auf Israel überraschte nicht nur die Tatsache, daß das Gebot der rückhaltlosen Unterstützung aufgegeben wurde, sondern ebenso das Ausmaß der Mitverantwortung, die man Israel an den Massakern von Sabra und Schatila anlastete. Dies zeigt schon der Titel des ersten damit befaßten Artikels in der «Allgemeinen» vom 24. September 1982 – «Das Verbrechen und die Folgen»:

«Keiner der Demonstranten in Jerusalem oder Tel-Aviv, die Begin als ‹Mörder› beschimpften, den Rücktritt Scharons und den Truppenrückzug aus Beirut und aus dem Libanon forderten, zweifelt auch nur einen Augenblick an der Unschuld israelischer Soldaten, was die direkte Mitwirkung an dem Massaker betrifft. Israel hat sich dennoch an dem Massenmord mitschuldig gemacht, weil es trotz wiederholter Warnungen des In- und Auslandes (...) die Rolle eines Ordnungshüters übernahm (...) und seine militärische Intervention ausdrücklich mit der Notwendigkeit begründete, Blutvergießen zu verhüten und dem Ausbruch eines neuen Bürgerkriegs sowie mörderischen Racheaktionen vorzubeugen.»[289]

Auch aus der beigefügten Erklärung des Zentralrats geht hervor, daß das Versagen der israelischen Regierung als Schuld angesehen wird. Zudem wird betont, daß der dringend notwendige Friede im Nahen Osten «nur erreicht und gesichert werden kann, wenn die Achtung vor dem anderen gültiges Gebot ist». Hier zeigte sich eine neue, mutigere Tendenz der jüdischen Repräsentanten, die Politik Israels zu beurteilen.[290] Drei Jahre später wurde dieser moderate Haltungswandel gegenüber Deutschland in der Auseinandersetzung um den Besuch des

US-Präsidenten Reagan auf dem Soldatenfriedhof von Bitburg anläßlich des 40. Jahrestages des Kriegsendes bestätigt. Der Besuch dieses Friedhofs, auf dem auch Angehörige der Waffen-SS bestattet sind, war als Ausdruck der Versöhnung zwischen den USA und der BRD gedacht – und löste in beiden Staaten zum Teil heftigen Protest aus.

«Was Kohl spektakulär und auf der Weltbühne von Bitburg zu erreichen gedachte: Versöhnung mit sich selbst im nationalen Sinne und die damit notwendig einhergehende Ausblendung von Auschwitz, einem Ereignis, das keine kollektive Aussöhnung und erst recht keine Rückkehr zur Nation zuläßt. Da wurde nicht unerheblicher Druck auf die offiziellen Vertreter der Juden hier ausgeübt, diese Selbstversöhnung nicht zu stören.» [291]

Nicht zuletzt als Reaktion auf diese Entrüstung wurde ein Besuch Reagans in der KZ-Gedenkstätte von Bergen-Belsen für denselben Tag geplant. Der Zentralrat entschied, der Aufforderung zur Teilnahme an diesem Besuch nicht Folge zu leisten. Daß dieser Beschluß erst zwei Tage vor dem Anlaß, am 3. Mai 1985, gefaßt wurde, legt nahe, daß mindestens Teile des Zentralrats fast bis zum letzten Augenblick dahin tendierten, ihrerseits über alle Widerstände hinweg Konzilianz zu demonstrieren.

«Die Bitburg-Kontroverse hätte sich leicht vermeiden lassen, wenn jüdische Organisationen rechtzeitig und im erforderlichen Umfang in die Besuchsplanung eingeschaltet worden wären. Im Zentralrat (...) wurde geklagt, die Bundesregierung habe sich an den Zentralrat erst gewandt, nachdem der Bitburg-Besuch beschlossen worden war. Demnach sei der Zentralrat auch nur um Hilfe bei den Vorbereitungen einer ‹Ausgleichsveranstaltung› – zur Debatte standen ein Besuch in einem ehemaligen KZ oder in einer Synagoge – gebeten worden.» [292]

In der Weigerung der gesamten Gemeinschaft, durch ihre Teilnahme an einem der Anlässe zu diesem Jahrestag die Versöhnung als verwirklicht erscheinen zu lassen, war – vermutlich erstmals seit 1945 – ein Ansatz dafür zu erkennen, daß Juden zwar aufrichtig an einer Versöhnung interessiert sind; sie sind aber nicht bereit, dazu auch dann die Hand zu reichen, wenn für sie der Eindruck entsteht, die Vergangenheit werde verdrängt – ein Verhalten, das jüdische Gefühle verletzen muß. Während der offiziellen Veranstaltungen protestierten Juden aus dem In- und Ausland (gemeinsam mit anderen Gruppen), wurden allerdings von den Sicherheitskräften aus dem Blickfeld der Presse abgedrängt. Auch wenn die Publizität das aus jüdischer Sicht notwendige Maß nicht erreichte, stellt Bitburg für die politische Haltung einen gewissen Wendepunkt dar, der in der Fassbinder-Kontroverse bestätigt wurde.

Anders als die Demonstrationen gegen den in Bitburg propagierten ‹Schlußstrich› fand der Protest gegen die Aufführung des Fassbinder-Stücks vor versammelter Presse statt: Am 31. Oktober 1985 besetzten 25 Mitglieder der jüdischen Gemeinde Frankfurt, darunter der größte Teil des Gemeindevorstands, gemeinsam mit einigen Nichtjuden die Bühne, auf der die Uraufführung stattfinden sollte, und verhinderten sie damit.[293] Grund dafür war die zentrale Figur des «reichen Juden», eines Spekulanten, der sich für die Zerstörung des Frankfurter West-ends von den Behörden mißbrauchen läßt – über den im Stück selbst antisemitische Äußerungen gemacht werden.

Auffällig war, daß sich neben Ignatz Bubis, dem Gemeindevorsit-zenden – der sich als (tatsächlich beteiligter) Spekulant unschwer in der Figur des «reichen Juden» dargestellt finden konnte –, oder dem (eben-falls beteiligten) Kulturreferenten der Gemeinde, Michel Friedmann, unter den Bühnenbesetzern auch linke Juden fanden. Noch 1971 hatte Dan Diner sein Amt als Delegierter der Frankfurter Jüdischen Ge-meinde verloren, weil er kritisiert hatte, daß jüdische Immobilien-händler, die an der Zerstörung des Westends beteiligt waren, die gegen sie gerichteten Aktionen der Hausbesetzer als Antisemitismus geißel-ten und damit versucht hätten, «ihre profanen Kapitalinteressen mit den Lebensinteressen der Jüdischen Gemeinde zu identifizieren»[294]. Mit der Diskussion um das Fassbinder-Stück hatte sich die Situation jedoch grundlegend geändert. Vor allem linke Aufführungsbefürwor-ter argumentierten, dem Stück sei eine notwendige aufklärerische Wir-kung im Hinblick auf die Wohnraumzerstörung zu attestieren; durch die Verhinderung solle ein Tabu weiterhin gedeckt werden. Dem-gegenüber meinte Brumlik, es gehe den Befürwortern um ein anderes Tabu: um das Bedürfnis, «wieder einmal etwas gegen die Juden sagen zu dürfen, denken zu dürfen, daß sie an ihrem grauenhaften Schicksal im Nationalsozialismus nicht ganz unschuldig sind». Dies beruhe auf dem Wunsch, sich mit den Eltern, trotz deren Taten oder Tatenlosig-keit, auszusöhnen. Dies war für Brumlik ein Grund, sich «mit Ignatz Bubis zu solidarisieren, *obwohl* er ein Spekulant ist (...)».[295]

Die Diskussion, ob das Stück aufgeführt werden sollte, bestätigte zweierlei: Zum einen machten die zum Teil vorgebrachten Argumente deutlich, daß das Thema geeignet ist, tatsächlich Antisemitismus zu provozieren. So warfen beispielsweise die Grünen den Juden vor, sie betrieben mit der Verhinderung der Aufführung «Bücherverbrennung» [296]. Zum anderen wurde dadurch, daß sich in allen politischen Parteien Aufführungsbefürworter fanden, die mit Vorurteilen argumentierten, die alte Gewißheit erhärtet, daß keine der jeweiligen politischen Überzeugungen zwingende Schlüsse auf die individuelle Einstellung zu Juden zulasse.

Das gemeinsame Fazit dieser beiden für die Standortbestimmung der jüdischen Gemeinschaft wichtigen Anlässe war die Einsicht, daß weder Versöhnung noch ‹Normalität› auch nur annähernd erreicht sind. Bitburg und die Fassbinder-Kontroverse waren Anzeichen dafür, daß der Graben zwischen den Deutschen, die eine selbstkritische, ‹bewältigende› Auseinandersetzung forderten, und jenen, die nach einem ‹Schlußstrich› verlangten, keineswegs überbrückbarer geworden war. Im Gegenteil, in den 80er Jahren häuften sich Ereignisse, die auf eine neuerliche Vertiefung dieses Grabens hindeuteten und befürchten ließen, die Verfechter eines ‹Schlußstrichs› könnten sich durchsetzen.

Ein erstes Signal dafür hatte der Volksbund Deutsche Kriegsgräberfürsorge schon 1983 mit einem «Aide-mémoire» gesetzt, in dem die Errichtung eines zentralen «Ehrenmals» propagiert wurde – einer «nationalen Mahn- und Gedenkstätte für die Kriegstoten des deutschen Volkes», das «Opfer und Geopferte in einem versöhnenden Gedanken vereinen» sollte. [297] Gemeint waren ausschließlich deutsche Tote: Gefallene, Kriegsgefangene, Geflüchtete und Vertriebene, die «Opfer der Gewalt». Sofern mit diesen «Opfern der Gewalt» auch Juden, Sinti und Roma, Homosexuelle und Zeugen Jehovas gemeint waren, sollte aber offensichtlich nur jenen unter ihnen gedacht werden, die zufällig die deutsche Staatsbürgerschaft besessen hatten. Und: Sie sollten mittels dieser «Mahn- und Gedenkstätte» mit jenen, die durch ihren Einsatz an den Kriegsfronten die Aufrechterhaltung der Vernichtungslager ermöglicht hatten, aber auch mit den eigentlichen Tätern, ihren eigenen Peinigern und Mördern, «in einem versöhnenden Gedanken» vereint werden.

Dieser Plan des rechtskonservativen Volksbundes Deutscher

Kriegsgräberfürsorge konnte kaum überraschen; er stellte auch weder den ersten noch den letzten Versuch dar, die Täter, welche staatliche Gewalt ermöglicht oder exekutiert hatten, mit den Opfern eben dieser Gewalt gleichzusetzen und dadurch die begangenen Verbrechen zu verharmlosen oder doch so weit zu abstrahieren, daß eine Versöhnung mit den so zu Opfern umgedeuteten Tätern möglich wäre. Erschrekkend war vielmehr, daß Kanzler Helmut Kohl die Idee für ein solches Projekt in seiner Rede zum Volkstrauertag 1983 aufgriff und es als «gewichtiges Vorhaben, das jetzt endlich Gestalt annehmen muß», bezeichnete. Wenn auch die Bundesregierung Anfang 1985 aufgrund massiver Proteste von der Unterstützung einer solchen nationalen Gedenkstätte wieder abrückte[298], so hatte Kohl damit doch deutlich gemacht, daß die Tendenz, die jüngste deutsche Geschichte zu verdrängen oder zu bagatellisieren, nicht nur in rechtsradikalen Kreisen, sondern durchaus auch im politischen Establishment ihre Verfechter fand.

Verstärkt wurde dieser Eindruck bei der Debatte über das sogenannte «Auschwitz-Lüge-Gesetz» im Frühjahr 1985. Schon 1978 hatte der Zentralrat der Juden in Deutschland angeregt, das Strafrecht dahin gehend zu ändern, daß die Leugnung der von den Nazis begangenen Vernichtungsverbrechen zu einem Offizialdelikt zu erklären sei, um den Überlebenden oder den Nachkommen von Opfern die private Klageerhebung gegen Propagandisten solcher Thesen zu ersparen.[299] Erst 1982 griff der sozialdemokratische Justizminister Jürgen Schmude dieses Anliegen auf und unterbreitete einen umfassenden Gesetzentwurf, wonach «das öffentliche Billigen, Leugnen oder Verharmlosen des nationalsozialistischen Völkermordes» von Staates wegen zu ahnden sei. Infolge des Regierungswechsels vom Herbst 1982 fiel der Antrag zu dieser Änderung des Strafrechts vorerst aus den Traktanden und mußte durch die SPD im Januar 1984 erneut vorgelegt werden. Die Verzögerung der Beratung war symptomatisch für den Widerstand gegen ein solches Gesetz, der sich in der Union, insbesondere in der CSU zeigte. So wurde u. a. die Meinung vertreten, der «Staat dürfe nicht unter Strafandrohung Wahrheit durchsetzen».[300] Zudem bestehe die Gefahr, bei der Anwendung einer solchen Strafrechtsnorm könnten die Gerichte als Agitationsforen mißbraucht werden. Ganz allgemein erachteten die Gegner einen solchen Paragraphen als nicht anwendbar.[301] Mit Zustimmung von CDU/CSU und FDP legte

Bundesjustizminister Engelhard eine ‹Kompromißlösung› vor, die das Verharmlosen der nazistischen Verbrechen sowie deren mündliche Leugnung oder Billigung (außer im Rundfunk) von der Strafverfolgung ausnahm; gleichzeitig wurde aber mit demselben Gesetz die Leugnung oder Billigung von Gewalttaten, die gegen Deutsche begangen worden waren (die Vertreibungsverbrechen), für strafbar erklärt – obschon dies in der BRD «niemals ein öffentliches Problem»[302] dargestellt hatte. Der damalige stellvertretende Fraktionsvorsitzende der SPD, Alfred Emmerlich, lehnte diese Koppelung ab:

«Mit der neuen Vorschrift würde der in der Geschichte einmalige und ungeheuerliche Vorgang des nationalsozialistischen Völkermordes gleichgesetzt mit Gewalttaten, die im Verlauf und infolge des von Nazi-Deutschland angezettelten Zweiten Weltkrieges auch an Deutschen begangen wurden. (...) Diese Aufrechnung von historisch nicht vergleichbaren Vorgängen und die damit mögliche Entschuldigung des nationalsozialistischen Völkermordes ist nicht erträglich und kann nicht hingenommen werden.»[303]

Trotz der Opposition seitens der SPD, aber auch des Zentralrats, mit dem der Rechtsausschuß die Strafrechtsänderung «besprach»[304], verabschiedete der Bundestag im Juni 1985 das «Auschwitz-Lüge-Gesetz» in dieser verwässerten Form. Noch 1988 beklagte Heinz Galinski die Wirkungslosigkeit dieses Gesetzes, zumal das Verbot, Auschwitz «öffentlich» zu leugnen, noch nicht einmal umschreibe, durch wie viele Personen diese «Öffentlichkeit» konstituiert werde.[305] Giordano bemerkt, daß es der konservativ-liberalen Mehrheit des Bundestags nicht primär darum ging, die Opfer der Vernichtung, die Überlebenden und ihre Nachkommen vor Verleumdung zu schützen, sondern vielmehr darum, «ein Gleichgewicht herzustellen zwischen den von Deutschen *begangenen* und den von Deutschen *erlittenen* Verbrechen»[306].

Der Wunsch nach einer Versöhnung mit der eigenen Geschichte oder – bei den «von der späten Geburt Begnadeten» – mit den Taten der Eltern und Großeltern mag auch den Antrieb für jene Tendenzen zu einer Revision der Geschichte des Dritten Reichs geliefert haben, die 1986 den «Historikerstreit» auslösten. Mit einem am 11. Juli in der «Zeit» veröffentlichten Artikel wandte sich der Philosoph Jürgen Habermas gegen «apologetische Tendenzen in der deutschen Zeitgeschichtsschreibung» [307]. Seine hauptsächliche Kritik richtete sich gegen neuere Publikationen, insbesondere Texte von Ernst Nolte und Andreas Hillgruber. Unter dem Titel «Zweierlei Untergang – Die Zerschlagung des Deutschen Reiches und das Ende des europäischen Judentums» hatte Hillgruber 1986 eine Schrift veröffentlicht, deren Titel ihm schon einen deutlichen Hinweis auf die Position des Autors lieferte: «Die ‹Zerschlagung› verlangt einen aggressiven Gegner, ein ‹Ende› stellt sich gleichsam von selber ein.»

Habermas wies auf die Disproportion der beiden Texte hin: 59 Seiten sind dem Zusammenbruch der Ostfront gewidmet, wobei Hillgruber dezidiert die Position der von der nachmaligen Vertreibung betroffenen Bevölkerung einnimmt; gerade 22 Seiten umfaßt die in «bürokratisch gefrorener Sprache» gefaßte Darstellung der Judenvernichtung. Besonders anstößig war die von Hillgruber vertretene These, Hitlers Plan zur «Endlösung der Judenfrage», d. h. der vollständigen Vernichtung der europäischen Juden, hätte sich «von den Vorstellungen der Führungsclique einschließlich Görings, Himmlers und Heydrichs» abgehoben[308], Hitler trage also die alleinige Verantwortung für diesen Völkermord. Erklärungsansätze für die Bedingungen, unter welchen unzählige Menschen die «von Hitler» geplanten Verbrechen auszuführen bereit waren, verwies er dabei «ins Anthropologische, ins Sozialpsychologische und ins Individualpsychologische». Das Werben um Verständnis für die Bevölkerung an der Ostfront und die sie mit allen Mitteln gegen die vorrückende Rote Armee verteidigenden Truppen einerseits, die auf Hitler fixierte Schuldzuweisung für die Vernichtung der europäischen Juden andererseits ebnen den Weg für eine Aussöhnung der Deutschen mit ihrer Geschichte.

Dieses Ziel verfolgte offenbar auch Ernst Nolte, wie schon aus einem Vortrag von 1980 hervorgeht.[309] Hier postulierte er, das «Dritte Reich sollte aus seiner Isolierung herausgenommen werden», seiner «Instrumentalisierung» für eine Kritik an der BRD oder dem Kapitalismus schlechthin «sollte entgegengetreten werden», und schließlich könne die «Dämonisierung des Dritten Reiches (...) nicht akzeptiert werden». Was genau darunter zu verstehen sei, legte Nolte in einem Text unter dem Titel «Vergangenheit, die nicht vergehen will» in der «Frankfurter Allgemeinen Zeitung» vom 6. Juni 1986 dar, der als eigentlicher Auslöser des «Historikerstreits» angesehen werden kann.

Zusammengefaßt stellte er die Thesen auf, vermutlich hätten die Nationalsozialisten, hätte Hitler die (in Anlehnung an den türkischen Genozid an den Armeniern sogenannte) «asiatische» Tat des Völkermords nur deshalb begangen, weil sie sich aufgrund der sowjetischen Verfolgungsverbrechen seit der Russischen Revolution bei einer Ausbreitung des Bolschewismus als potentielle (oder reale) Opfer einer «asiatischen» Tat sahen.

«War nicht der ‹Archipel Gulag› ursprünglicher als Auschwitz? War nicht der ‹Klassenmord› der Bolschewiki das logische und faktische Prius des ‹Rassenmords› der Nationalsozialisten?»[310]

Zusätzlich zur in Frageform kaschierten Feststellung eines «kausalen Nexus» – Faschismus als zeitbedingte Antwort auf den Bolschewismus – hatte er schon 1980 die Behauptung rechtsradikaler Apologeten übernommen[311], aufgrund einer Erklärung von Chaim Weizmann vom September 1939, wonach die Juden in aller Welt an der Seite Englands gegen die Deutschen kämpfen würden, hätte Hitler «die deutschen Juden als Kriegsgefangene behandeln und internieren» dürfen. Bei seinen Ausführungen berief er sich wiederholt auch auf rechtsradikale Autoren, die dadurch zitierfähig wurden, beispielsweise auf den sattsam bekannten David Irving, dem er mit eben dieser «Kriegserklärungs»-These der Juden an Hitler beipflichtete.[312] Schoeps kommentierte:

«Wer die einschlägige Literatur kennt, weiß, daß schon seit Jahrzehnten systematisch versucht wird, Einfluß auf das bundesdeutsche Geschichtsbild zu nehmen, und zwar dadurch, daß durch Lügen und Falschbehauptungen die Ergebnisse der zeitgeschichtlichen Forschung in Frage gestellt werden. Ernst Nolte, das ist schon jetzt sicher, hat dazu einen Beitrag geleistet, der sich sehen lassen kann.»[313]

Der Faschismus wurde von Nolte interpretiert als Reaktion auf die kommunistische Bedrohung (die 1986, zumindest im konservativen Lager, noch als aktuell angesehen wurde, was Hitlers «Präventivkrieg» aus der gegenwärtigen Lage zusätzlich zu legitimieren geeignet war), der Archipel Gulag erschien ihm als Vorbild für die «Kopie» Auschwitz, der er einzig den «technischen Vorgang der Vergasung» als Neuerung gegenüber dem Original konzedierte, und die «Kriegserklärung» Weizmanns als Legitimation für die «sogenannte Judenvernichtung».[314] Daneben stellte er – gleichsam zur Untermauerung dieses Relativierungsversuchs – Vietnam, Kambodscha und Afghanistan als Vergleichsmaßstäbe für den Völkermord. Obschon er immer wieder vom singulären Charakter der nazistischen Vernichtung der Juden sprach, wurden die NS-Diktatur und Auschwitz durch seine Argumentationsketten mit anderen staatlichen Verbrechen letztlich gleichgestellt und verharmlost.

Trotz des von Nolte formulierten Vorwurfs, auch «die Interessen der Verfolgten und ihren Nachfahren an einem permanenten Status des Herausgehoben- und Privilegiertseins»[315] hätten dazu geführt, die von ihm (und anderen) aufgeworfenen Thesen nicht zur Diskussion zuzulassen, waren jüdische Stimmen in der von Habermas lancierten Auseinandersetzung kaum zu vernehmen. In der Dokumentation «Historikerstreit» äußerte sich einzig Micha Brumlik zu den erwähnten Schriften von Nolte und Hillgruber. Sein Hinweis, daß diese (und ähnliche) Revisionsversuche konservativer Zeithistoriker insbesondere durch den Antikommunismus gespeist seien, der in der «politischen Kultur der Verdrängung»[316] eine wesentliche Rolle spiele – zumal ein wesentliches Motiv für die Revisionsversuche deutscher Geschichte erklärtermaßen[317] die Suche nach einer (positiv zu besetzenden) «nationalen Identität» gewesen war –, mag auch erklären, weshalb die jüdische Resonanz auf diese keineswegs nur unter Historikern ausgetragene Debatte so gering war. In der «Allgemeinen» findet sich erstmals am 31. Oktober 1986 – also fast vier Monate nach Beginn der Kontroverse – ein Artikel, in dem die Auffassung vertreten wird, der Streit sei vor allem deshalb entbrannt, weil die Deutschen ihrer Geschichte zu lange ausgewichen seien; das dadurch entstandene Vakuum und die Versuche, es zu füllen, wurden als «explosiv politisch» gewertet.

«Wir leben in einem Klima, in dem die Deutschen es satt haben, ihre Geschichte (in diesem Jahrhundert) vorgeschrieben zu bekommen; sie wollen sie selber schreiben. Aber das Ergebnis wäre dann eben nicht nur die Sache derer, die so denken und handeln, sondern die Sache aller, gleichviel, ob sie aktiv oder passiv beteiligt sind.»[318]

Obschon Verwunderung über die Heftigkeit des Streits zum Ausdruck gebracht wird und der Artikel mit der Feststellung schließt, die Juden in Deutschland würden «sich dabei nicht nur als Zuschauer aufhalten», erschien nur noch ein weiterer Text zum «Historikerstreit».[319] Heinz Galinski veröffentlichte im Januar 1987 einen längeren Artikel – allerdings nicht in der «Allgemeinen», sondern in den «Blättern für deutsche und internationale Politik» –, in dem er die jüdische Zurückhaltung damit erklärt, der wissenschaftliche Anspruch habe es den Revisionisten erleichtert, ihre Gegner mit dem Vorwurf «methodischer Inkompetenz mundtot» zu machen.[320] Hier nahm er allerdings dezidiert Stellung gegen die Versuche, die Geschichte zu «entsorgen»:

«Ich kann kein Verständnis dafür aufbringen, wenn der Genozid zu einer Art Betriebsunfall in dem durchaus ehrenwerten und vom Standpunkt der Ost-West-Auseinandersetzung verständlichen Bemühen der Nazis um die ‹Rettung des Abendlandes› gemacht wird. Ich kann nicht davon absehen, daß sich hier innerhalb der deutschen Vergangenheitsbewältigung ein weiterer Schritt der Einengung im Schuldbewußtsein vollzieht. Die herkömmliche Version sah noch die ganze Nazi-Zeit insgesamt als ‹Betriebsunfall› an, und die ‹Endlösung› als eine Entgleisung innerhalb dieses Unfalls. Jetzt soll also die Nazi-Zeit – außenpolitisch zumindest – zur Epoche einer genialen Vorahnung hochstilisiert werden und das Dritte Reich als Vorreiter und Weichensteller einer künftigen NATO-Position gelten, während die Ermordungen den freigewordenen Platz des ‹Betriebsunfalls› einnehmen sollen. Entgleisungen gibt es keine mehr. Was würde der nächste Schritt dieser seltsamen ‹Gratwanderung› sein, wenn wir diesen zulassen?»

Galinski wurde von Nolte aufgrund dieses Artikels heftig angegriffen, nicht zuletzt, indem dieser das Publikationsorgan als «DDR-nahe» abqualifizierte; zudem bemerkte er: «Ich gestehe aber in aller Aufrichtigkeit, daß mir die innere Möglichkeit eines neuen Antisemitismus (...) nie so deutlich gewesen ist, wie nach der Lektüre dieses Artikels.»[321]

Die implizierte Behauptung, die Juden seien am Antisemitismus selbst schuld – «Auschwitz verzeihen uns die Deutschen nie»[322] –, blieb in der «Allgemeinen» unwidersprochen. Sie gehört zu eindeutig ins rechtsradikale Repertoire, das ernst zu nehmen und zu analysieren von den Zeitungsmachern als sinnlos erachtet wird. Insgesamt wurde der «Historikerstreit» als «mißglückter Uminterpretationsversuch»[323] bewertet; ein revisionistisches Geschichtsbild vermochte sich bisher nicht durchzusetzen.

Dennoch scheint der «Historikerstreit» die jüdische Gemeinschaft stärker betroffen, verletzt und in Angst versetzt zu haben, als aufgrund der unmittelbar sichtbaren Reaktionen zu vermuten wäre. Dies zeigte sich insbesondere bei den Auseinandersetzungen um eine Rede des damaligen Bundestagspräsidenten, Philipp Jenninger, aus Anlaß des 50. Jahrestags der «Kristallnacht» am 10. November 1988. Heinz Galinski hatte im Vorfeld die west- und ostdeutschen Volksvertretungen aufgefordert, zu diesem Datum eine besondere Gedenkstunde abzuhalten. Schon bei der Planung dieser Veranstaltung in Bonn kam es zu einem parlamentarischen Konflikt: Die Partei der Grünen – selbst dezidiert propalästinensisch, antiisraelisch mit gelegentlich antisemitischen Untertönen [324] – schlug vor, den Vorsitzenden des Zentralrats bei dieser Feier sprechen zu lassen. Jenninger drohte mit seinem Rücktritt, falls Galinski «einen Anspruch auf das Rederecht» erheben sollte, was dieser allerdings nicht beabsichtigte. [325] Der Bundestagspräsident hielt selbst die Gedenkrede, die zu einem Eklat und zu seinem umgehenden Rücktritt führte.

Jenninger, den auch rückblickend selbst seine Kritiker als integren Politiker bezeichneten, der seine Freundschaft zu Israel selbst in politisch nicht opportunen Situationen und seine Unterstützung für jüdische Anliegen mehrfach unter Beweis gestellt habe [326], geriet dabei zweierlei zum Verhängnis. Seine Rede konzentrierte sich auf die deutsche Sichtweise der damaligen Zeitgenossen, zeichnete die Entwicklungslinien der Weimarer Republik mit Weltwirtschaftskrise, inneren politischen Konflikten, massiver Verunsicherung der Bevölkerung bis hin zur Machtübernahme durch die Nazis. Er beschrieb, wie die herrschende Partei sich über geltende Rechtsnormen hinwegsetzte, wie Terror sich ausbreitete, wie die Diskriminierung der Juden immer brutalere Formen annahm, die in der «Kristallnacht» einen ersten grausigen Höhepunkt erreichte. Auch die darauf folgende Entwicklung bis hin zum Massenmord blieb nicht ausgespart. Jenninger sprach davon, daß viele der damaligen Deutschen Hitlers Politik als Erfolg ansahen, was nach der «Schmach von Versailles» (als Strafe für den vom Deutschen Reich mit zu verantwortenden Ausbruch des Ersten Weltkriegs) und der subjektiv wohl mehrheitlich als hoffnungslos zerrüttet empfundenen Weimarer Republik das (nationale) Selbstbewußtsein der Bevölkerung stärkte und dazu führen mochte, die eigenen Wertmaßstäbe denjenigen der Nazis unterzuordnen. Illustriert wurde die Darstellung der Epoche mit zahlreichen Zitaten von Augenzeugen.

Obschon Jenninger offensichtlich bemüht war, den Deutschen mit seiner Rede einen Spiegel ihrer damaligen Gleichgültigkeit und Korrumpierbarkeit vorzuhalten, ihr Versagen angesichts der sichtbaren Ausgrenzungen, Enteignungen, Zerstörungen jüdischen Eigentums und schließlich der öffentlich durchgeführten Deportationen in Erinnerung zu rufen, wurde er mißverstanden. Obschon er deutlich betonte, daß die spätere Behauptung, man habe von allem nichts gewußt, keinesfalls der Wahrheit entspreche, und obschon er sich deutlich gegen die Forderung nach einem «Schlußstrich» und gegen die im «Historikerstreit» notorisch gewordenen akademischen Revisionsversuche wandte, wurde ihm insbesondere zur Last gelegt, daß er die Jahre 1933 bis 1938 als «Faszinosum» bezeichnete «insofern, als es in der Geschichte kaum eine Parallele zu dem politischen Triumphzug Hitlers während jener ersten Jahre gibt».

Die Reaktionen waren heftig. Schon nach wenigen Sätzen wurde Jenninger durch Zurufe von Parlamentariern unterbrochen, einige Abgeordnete der SPD, der FDP und der Grünen verließen während der Ansprache den Saal. Vorgeworfen wurde Jenninger nach der Ansprache einerseits, er habe die Zustimmung der Deutschen zu Hitler stark überzeichnet, sich gleichzeitig aber zu sehr um Verständnis für die Haltung dieser Deutschen bemüht. Der zweite Vorwurf betraf wohl insbesondere seine rhetorische Unfähigkeit: Er hätte «mangelnde Distanz» und ungenügende «Betroffenheit» erkennbar werden lassen. Die Empörung machte selbst vor Teilen der eigenen Partei, der CDU, nicht halt. Jenninger erklärte am 11. November seinen Rücktritt. Die «Allgemeine» kommentierte:

«Philipp Jenninger ist zurückgetreten. Eine Rede wurde gehalten, die zu einem Eklat führen mußte. Es wurde darin Stellung bezogen, die auch fünfzig Jahre danach nicht die Stellung der Opfer war. Eine Stellung, die auch fünfzig Jahre danach nicht nur für die Opfer beleidigend war.

(...)

Der einzige positive Aspekt dieser Angelegenheit ist indessen, daß die diesbezüglich notwendige Stimmenthaltung der Betroffenen kein allgemeines Schweigen in der Gesellschaft zur Folge hat. Die öffentliche Auseinandersetzung nach dem, was am 10. November im Bundestag geschah, beweist, daß es in der Bundesrepublik fünfzig Jahre danach sehr wohl Kräfte gibt, für die das Schweigen in solchen Situationen unerträglich ist.» [327]

Daß dieser Rücktritt selbst im Zentralrat nicht einhellig als notwendige Konsequenz der Rede angesehen wurde, verschwieg die «Allgemeine» allerdings. Bereits am Abend nach der Gedenkveranstaltung hatte der damalige stellvertretende Vorsitzende des Zentralrats, Michael Fürst, gegenüber dem ZDF erklärt:

«Ich hatte keine Trauerrede erwartet – ich halte eine Trauerrede auch für falsch anläßlich einer Gedenkfeier zum 50. Jahrestag der Erinnerung an die ‹Reichskristallnacht›. Ich bin der Auffassung, daß man deutliche Worte sagen soll und auch selbstverständlich darf (...), daß auch der Bundestagspräsident eine Bestandsaufnahme in dieser Form machen sollte, dies auf die Zukunft gerichtet. Wir denken für die Zukunft. Es muß auch dargestellt werden dürfen, was in der Vergangenheit passiert ist, ohne daß einem das zum Vorwurf gemacht werden kann.» [328]

Obschon Fürst seinen Kommentar ausdrücklich als persönliche Meinungsäußerung bezeichnet hatte, kam es deswegen im Direktorium des Zentralrats zu einer heftigen Auseinandersetzung, die zu seinem Rücktritt als stellvertretendem Vorsitzenden führte. In einer persönlichen Erklärung teilte Heinz Galinski zwar mit, schon vor diesem «Alleingang» hätten zwischen Fürst und dem Direktorium erhebliche Spannungen und Meinungsverschiedenheiten bestanden, die eine «weitere Zusammenarbeit» erschwert hätten. Die Betonung der Kritik an Fürsts Äußerungen zu Jenninger, die – gemäß Galinski – von der «überwiegenden Mehrheit der Mitglieder der Gemeinden» geteilt wurde [329], während Erklärungen zu den tieferliegenden Spannungen vollständig fehlten und Fürst selbst in der «Allgemeinen» keine Gelegenheit zu einer Stellungnahme erhielt, machen deutlich, daß dieser Rücktritt erfolgte, weil ein Direktoriumsmitglied gewagt hatte, «eine innerjüdische Kontroverse nach draußen (...), in die nichtjüdische Öffentlichkeit» zu tragen. [330]

Dies taten auch andere, was die «Allgemeine» allerdings nicht erwähnt: Simon Wiesenthal und ein Kommentator der größten israelischen Zeitung, «Jediot Acharonot», meinten, daß Jenninger mißverstanden worden sei oder deshalb habe demissionieren müssen, weil er Wahrheiten ausgesprochen habe, welche die meisten Deutschen nicht

hören wollten.[331] Dies bestätigten ferner einige Zuschriften von Jüdinnen und Juden aus dem In- und Ausland an den abgetretenen Bundestagspräsidenten: Viele stellten fest, sie hätten zunächst nur Ausschnitte
seiner Rede gehört oder gelesen – gesendet und gedruckt wurde (allenfalls nebst anderen Abschnitten) immer wieder jene Passage, in der
Jenninger den Aufstieg der Nazis als «Faszinosum» bezeichnet hatte –
und seien schockiert gewesen; nach der Lektüre des ganzen Textes hätten sie aber ihre Meinung geändert und beglückwünschten Jenninger
zu seinem Vortrag.

Daß sich der Zentralrat – im Widerspruch zur wiederholten (formel-
haften) Betonung des Pluralismus, der Meinungsvielfalt als positivem
jüdischem Charakteristikum[332] – so nachhaltig um ein geschlossenes,
einheitliches Auftreten bemühte, mochte seine Ursache allerdings in
einer Affäre haben, welche die jüdische Gemeinschaft kurz zuvor massiv erschüttert hatte, die mit dem Eklat um Jenninger in keinem Zusammenhang stand: im sogenannten «Fall Nachmann». Werner
Nachmann, der dem Zentralrat während 22 Jahren als Vorsitzender
des Direktoriums vorgestanden hatte, war im Januar 1988 verstorben.
Drei Monate später erfuhr sein Nachfolger, Heinz Galinski, daß Nachmann in großem Stil Gelder unterschlagen hatte. Dabei handelte es sich
insbesondere um Zinserträge, welche aus Überweisungen des Bundes-
finanzamtes für den 1980 aufgelegten Härtefonds für Wiedergutma-
chungsansprüche erwirtschaftet worden waren. Diese Mittel waren
für Opfer bestimmt, die zuvor noch keine Entschädigung erhalten hatten; von den dem Härtefonds zugewiesenen 400 Millionen DM waren
allerdings zum Zeitpunkt von Nachmanns Tod rund 380 Millionen an
die Anspruchsberechtigten ausbezahlt. Geld fehlte zudem im Konto
des Oberrats der Israeliten in Baden, dessen Präsidium Nachmann
ebenso innegehabt hatte wie das Amt des Vorsitzenden der Gemeinde
Karlsruhe, wo ebenfalls Unregelmäßigkeiten festgestellt wurden. Die
gesamte Schadenssumme belief sich auf 29,4 Millionen DM, die Nachmann gemäß verschiedenen Berichten vor allem zur Sanierung seiner
diversen konkursreifen Firmen verwendet haben soll.[333]

Zum Skandal wurde der «Fall Nachmann» vor allem deshalb, weil
er deutlich machte, daß sämtliche Kontrollmechanismen – interne wie
externe – versagt hatten. Innerhalb des Zentralrats waren gemäß der
Statuten Direktoriumsvorsitzende und Generalsekretär gemeinsam

zeichnungsberechtigt. Da sich Nachmann und der damalige Generalsekretär Alexander Ginsburg gegenseitig Generalvollmachten ausgestellt hatten, konnten die Bankkonten unkontrolliert manipuliert werden, zumal sich die Hausbank Nachmanns, über die seine illegalen Machenschaften abgewickelt wurden, mit seiner alleinigen Unterschrift begnügte. Bei Bekanntwerden der Veruntreuungen kündigte der Zentralrat an, Regreßansprüche gegenüber dieser Bank würden geprüft. Ob ein Rechtsanspruch bestand, ob also die Bank bindende Bestimmungen mißachtet hatte und für den entstandenen Schaden haftbar gemacht werden konnte, wurde bislang nicht bekanntgegeben. Ginsburg, der laut Aussagen von Nachmanns Anwalt schon unmittelbar nach dessen Tod von den vermuteten Veruntreuungen erfahren hatte, es aber unterließ, den Zentralrat zu informieren, ließ sich nach Bekanntwerden der Affäre im Mai 1988 von seinem Amt beurlauben.

Im Zentralrat fehlte die Kontrolle zudem, weil Nachmann lediglich als Vermittler der Gelder zwischen Bundesregierung und der für die Ausschüttung zuständigen Stelle der Claims Conference fungierte und die Zahlungen den Zentralrat nur insoweit betrafen, als ihm für die Bearbeitung von Anträgen und für Verwaltungskosten ein Prozent der jeweiligen Überweisungen in den Härtefonds zuflossen.[334] Das für diesen Fonds eingerichtete separate Konto berührte also Buchhaltung und Bilanzen des Zentralrats nicht.

Während dem jüdischen Gremium die Möglichkeit zur Kontrolle offenbar fehlte, mußte auf staatlicher Seite ein Versagen der durchaus vorhandenen Prüfungsmechanismen konstatiert werden: Weder das Bundesfinanzministerium noch der Bundesrechnungshof hatten detaillierte Abrechnungen über die Verwendung des von 1980 bis 1985 in sieben Raten überwiesenen Härtefonds oder die erwirtschafteten Zinserträge gefordert. Ab 1983 legten Nachmann und der Generalsekretär der Claims Conference zwar Abwicklungsstatistiken vor; eine Rechnungslegung der Zinserträge wurde jedoch nur in Aussicht gestellt – und staatlicherseits erst ausdrücklich verlangt, als es um die im Dezember 1987 vom Bundestag beschlossene Aufstockung des Härtefonds um weitere 300 Millionen DM ging. Während der Sprecher des Bundesfinanzministeriums betonte, die zuständigen Beamten hätten sich korrekt verhalten, da man sich auf die Zusicherung einer Abrechnung hätte verlassen dürfen, schrieb die Münchner «Abendzeitung»:

«Nachmanns schäbige Betrügereien waren offensichtlich auf Dauer nur möglich, weil den Bonner Regierenden eine genaue Kontrolle, so wie sie in den Richtlinien zur Wiedergutmachung niedergelegt ist, peinlich und unangemessen erschien. Von der gegenüber dem Zentralrat der Juden bewiesenen Vertrauensseligkeit können andere Organisationen, vom normalen Steuerzahler gar nicht zu reden, nur träumen.»[335]

Die in diesem Kommentar enthaltene Spitze gegen den Sonderstatus der jüdischen Gemeinschaft in Deutschland blieb aber in den öffentlichen Reaktionen die Ausnahme – obschon allseits antisemitische Manifestationen befürchtet worden waren. Dies war insbesondere dem Verhalten des Zentralrats zuzuschreiben, der die Öffentlichkeit unmittelbar nach Entdecken der Veruntreuung informierte. Es wurde betont, daß «alle Exponenten des jüdischen Lebens in der Bundesrepublik und in höchstem Grade die Direktoriumsmitglieder des Zentralrats» moralisch für den Skandal verantwortlich seien, auch wenn ihnen «kein Verschulden (...) zugewiesen» werden könne. Es sei eine Situation entstanden, «aus der nur völlige Offenheit und kompromißlose Läuterung einen konstruktiven Ausweg» wiesen.

Eingelöst wurde dieses Versprechen allerdings nur teilweise. Zwar wurde Alexander Ginsburg vom Zentralrat entlassen[336], doch wurde die Frage nach seiner Mitverantwortung und Haftung nicht befriedigend geklärt. Ginsburg, der fast 15 Jahre als Generalsekretär gewirkt hatte, erhielt vom Zentralrat dennoch eine stattliche Pension zugesprochen.[337] Als Konsequenz aus der deklarierten moralischen Verantwortung wurde ein Rücktritt des gesamten Zentralratsdirektoriums zwar erwogen, jedoch verworfen, weil die Auffassung vertreten wurde, diese Mitverantwortung verpflichte dazu, den Schaden selbst soweit möglich zu beheben und nicht «Unschuldige» damit zu belasten.[338] Im Dezember 1988 traten allerdings neun der 19 Direktoriumsmitglieder von ihren Ämtern zurück, da die Finanzprüfungskommission, die einem Wirtschaftsprüfungsinstitut zur Klärung der Affäre Nachmann Buchungsunterlagen hatte überlassen müssen, sich außerstande sah, die Entlastung des Direktoriums von der Bilanz für das Jahr 1987 zu empfehlen.[339]

Angestrebt wurden zudem eine Satzungsänderung und die Schaffung wirksamer Kontrollen; die bisher auf den Direktoriumsvorsitzenden konzentrierte Machtfülle sollte künftig auf mehrere Personen verteilt werden. Ob und in welcher Form die Umgestaltung der Satzung erfolgte, wurde jedoch bisher nicht bekanntgegeben. Zum Abschluß der Untersuchungen im Fall Nachmann wurde lediglich eine gemeinsame Erklärung von Heinz Galinski und Bundesinnenminister Schäuble (wohl als Eingeständnis der staatlichen Mitverantwortung) veröffentlicht. Darin wird u. a. festgehalten:

«Durch intensive Arbeit der Gremien des Zentralrats und durch personelle Veränderungen in diesen Gremien sowie durch Schaffung weiterer Kontrollen und größerer Transparenz ist das Mögliche getan, verlorengegangenes Vertrauen neu zu schaffen und dafür Sorge zu tragen, daß sich Ähnliches nicht wiederholen kann.»[340]

Galinski delegierte zwar einige der Verantwortungsbereiche seines Amtsvorgängers, so die Vertretung in der europäischen Sektion des WJC, den Sitz im Kuratorium der Jüdischen Hochschule und denjenigen im Fernsehrat des ZDF.[341] Doch die von vielen Seiten geäußerte Kritik an den «verkrusteten Strukturen» des Zentralrats[342], an mangelnder Offenheit gegenüber vom Direktorium nicht geteilten Meinungen, Anliegen und Reformvorschlägen verstummte nicht. So formulierte z. B. 1989 ein jüngeres Gemeindemitglied:

«Obwohl die Struktur des Zentralrats nach derselben Lichtpause konzipiert zu sein scheint wie die Regierungen des Ostblocks, hinkt der Vergleich – wie wohl alle Vergleiche – sicherlich ein bißchen. Denn die meisten osteuropäischen Regierungen praktizieren mittlerweile Perestroika und Glasnost, während wir vermutlich gerade aus dem Breschnew-Zeitalter in die Andropow-Jahre gekommen sind.»[343]

Für den Zentralrat, der auch nach dem Skandal um Werner Nachmann selbst die Notwendigkeit einer Verjüngung, eines Generationenwechsels betonte, diesen aber – wenn auch mit moralischen (und deshalb nicht anfechtbaren) Argumenten – bisher unterband, besteht die Gefahr, daß sich zunehmend nicht mehr nur (Links-)Intellektuelle, sondern weitere Kreise der jüdischen Gemeinschaft durch dieses (als undurchsichtig oder undemokratisch empfundene) Gremium nicht mehr vertreten fühlen und es seine Legitimität – und somit seine Wirkung – als politisch ernstzunehmende Repräsentanz verliert.

Gegenüber der nichtjüdischen Umwelt müßte zudem die Tendenz

dahin gehen, die Rolle als ‹lebendes Mahnmal›, aber auch als Botschafter der Demokratisierung Deutschlands und als immer verfügbarer Dialogpartner zu überwinden. Gerade die Auseinandersetzungen der 8oer Jahre haben unübersehbar gezeigt, daß ein Dialog bisher nicht stattgefunden hat, daß lediglich Klagen und Gegenklagen – ‹fehlende Bewältigung› versus ‹Tabuisierung› – artikuliert wurden. Vermutlich eröffnet sich erst durch das Nachrücken einer neuen, weniger traumatisierten Generation in die Führungsgremien für Jüdinnen und Juden die Möglichkeit, eigenständige, kritische und selbstkritische Positionen zu entwickeln.

3. Jüdisches Leben in der DDR

1. Neuanfänge

Die Gemeinden

Wie schon im Hinblick auf die Neugründung von Gemeinden in der nachmaligen BRD ausgeführt wurde, war für alle Überlebenden der Vernichtung das Verhältnis zu Deutschland nach dem Zusammenbruch des Dritten Reiches im besten Fall zwiespältig, oft jedoch von radikaler Ablehnung geprägt: Viele wollten so schnell wie möglich emigrieren. Dennoch gab es zwischen Westzonen und Ostzone markante Unterschiede: Zum einen entstanden in der sowjetischen Besatzungszone (SBZ) keine Lager für Displaced Persons (DP's); die jüdische Nachkriegsbevölkerung bestand hier also zu einem überwiegenden Teil [1] aus deutschen Jüdinnen und Juden, die entweder aus den KZs befreit worden waren, in der Illegalität oder in Mischehen am Ort überlebt hatten oder aus der Emigration zurückkehrten. Zum anderen weckte die Besatzung durch die sozialistische Siegermacht UdSSR in vielen, die sich kommunistisch orientierten, die Hoffnung, unter sowjetischem Schutz ein neues, antifaschistisches und sozialistisches Deutschland aufbauen zu können.

Für manche von ihnen war und blieb die Tatsache, daß sie jüdisch waren, nicht mehr als ein biographisches Moment. Bei anderen jedoch war ihre Herkunft seit jeher identitätsstiftendes Element gewesen (oder gerade durch die Verfolgung geworden). Aus diesem Personenkreis setzten sich die Gründungsmitglieder der nach der Kapitulation Deutschlands in der SBZ neu entstehenden Gemeinden zusammen. Nicht alle waren politisch motiviert; oft gab auch der simple Wunsch, am angestammten Heimatort zu leben, den Ausschlag für Verbleiben oder Rückkehr.

Laut Angaben von Angelika Hergt[2] soll die Neugründung von Gemeinden durch die sowjetischen Besatzungsbehörden angeordnet worden sein; dafür fand sich bisher allerdings keine Bestätigung. Dennoch geht aus allen Darstellungen und persönlichen Äußerungen hervor, daß diesen Gemeindegründungen von sowjetischer Seite keinerlei Hindernisse in den Weg gestellt wurden. Schon bald nach Kriegsende trafen sich Juden an den früheren Sitzen der Gemeinden oder – wenn diese zerstört waren – in Privatwohnungen[3]; erste Gottesdienste wurden abgehalten und die Gründung neuer Gemeinden vorbereitet.

Die vermutlich erste Konstituierung erfolgte am 20. Dezember 1945[4] in Berlin, wobei der erste Vorsitzende, Hans Erich Fabian, nicht von der Gemeinde gewählt, sondern vom Berliner Referat für Jüdische Angelegenheiten eingesetzt wurde.[5] Laut Maor kann hier von anfänglich 5000 Mitgliedern ausgegangen werden. In der Ostzone selbst bildeten sich 1945/46 weitere Gemeinden[6]: in Dresden mit 176 Mitgliedern, in Erfurt mit deren 227, in Halle mit 87, in Karl-Marx-Stadt (Chemnitz) mit 57[7], in Leipzig mit 300, in Magdeburg mit 184 und in Schwerin mit 90 Mitgliedern. Maor nennt aber – im Gegensatz zu allen von der Autorin befragten Personen – noch weitere Gemeinden in der SBZ/DDR, die mindestens vorübergehend bestanden[8]: Eisenach, wo 1948 20 Mitglieder gezählt wurden, erscheint bereits 1952 nicht mehr in der Statistik; bei Gera, das ebenfalls nur für 1948 geführt wird, sind es neun, bei Jena, ebenfalls nur in diesem Jahr, deren 20 und in Mühlhausen/Thüringen 18; die Gemeinde in Plauen, die Maor bis 1959 führt[9], verzeichnete bei der Gründung 1945/46 zwölf Mitglieder.

In Schwerin wurde die Gemeinde als «Landesgemeinde Mecklenburg» konstituiert, in Erfurt der «Landesverband Thüringen der jüdischen Gemeinden, Sitz Erfurt» errichtet[10], womit diese Körperschaften die Alleinvertretung für sämtliche in ihren Ländern ansässigen Jüdinnen und Juden übernahmen. Ein erstes Dachorgan, der Landesverband Jüdischer Gemeinden in der Sowjetischen Besatzungszone[11], wurde geschaffen, hat aber in der Folge wohl keinerlei Bedeutung erlangt, ebensowenig wie die Mitgliedschaft bei der 1947 gegründeten Arbeitsgemeinschaft Jüdischer Gemeinden Deutschlands, der Vorläuferin des 1950 gegründeten Zentralrats der Juden in Deutschland. Dies mag damit zusammenhängen, daß diese Arbeitsgemeinschaft sieben Richtlinien formulierte, mittels deren die Mitgliedschaft in den Gemeinden definiert werden sollte.[12] Zentral war dabei die Absicht, Partnern aus Mischehen die Wahl in Gemeindeämter zu verwehren. Da die überwiegende Zahl der in der SBZ ansässigen jüdischen Bevölkerung gerade aus dieser Gruppe stammte, hätte eine Befolgung solcher Prinzipien hier das Ende der Gemeindeexistenz bedeutet.

Ähnlich wie in den westlichen Besatzungszonen sahen die Gründer, die sich als Führer von «Liquidationsgemeinden» betrachteten, ihre hauptsächliche Aufgabe darin, neben seelsorgerischer Betreuung und dem Abhalten von Gottesdiensten als Vermittler zwischen den aus den KZs Befreiten und den Rückkehrern aus der Emigration einerseits, den Behörden und jüdischen Hilfsorganisationen – vor allem JRSO und «Joint» – andererseits zu fungieren. Eschwege bemerkt, daß gerade die Unterstützung durch «Joint» mit Lebensmitteln, die nur Mitgliedern zustand, für viele ein Grund für den Gemeindebeitritt gewesen sei.[13]

In Anbetracht der Haltung, welche die örtlichen und die Besatzungsbehörden den Juden gegenüber gelegentlich demonstrierten, war dies oft die einzige Möglichkeit, wenigstens das Notwendigste zum Überleben zu erhalten.[14] Jüdinnen und Juden wurden – selbst wenn sie als Kommunisten aktiv am Widerstand beteiligt gewesen waren – meistens nicht als Antifaschisten anerkannt (was sie zu einigen Privilegien berechtigt hätte), sondern als passive «Opfer des Faschismus» eingestuft. Eschwege dokumentiert ein Beispiel für die sich daraus ergebenden Konsequenzen: 80 überlebende jüdische Leipziger, die ohne Kleidung aus den KZs zurückgekehrt waren, wandten sich im Oktober 1945 an den Oberbürgermeister mit der Bitte, er möge ihnen für den bevorstehenden Winter Pelze zukommen lassen. Das von ihm um Stellungnahme gebetene «Amt der Verfolgten Leipziger» übermittelte folgende Antwort:

«Den Juden wurden diese Pelze nicht aus politischen Gründen weggenommen, sondern weil sie Juden waren (...). Im Ganzen können die Juden nicht als ‹antifaschistisch› bezeichnet werden. Sie wurden passive Opfer der NS-Kampfführung. (...) Eine Wiedergutmachung in einzelnen Fällen halten wir nicht für zweckmäßig.»[15]

Eine individuelle «Wiedergutmachung» oder Rückerstattung wurde in der DDR zu keiner Zeit erwogen. Zwar wurde in Thüringen, das erst im Juli 1945 von amerikanischer in sowjetische Kontrolle überging, schon am 14. September 1945 ein Wiedergutmachungsgesetz – nur für materielle Werte – erlassen, das allerdings nur Enteignungen, nicht aber Zwangsverkäufe betraf und zudem nur die überlebenden Ehegatten, deren Kinder und Enkel als Rechtsnachfolger vorsah. Außerdem führte die fortschreitende Sowjetisierung der Gesellschaft dazu, daß diese Vermögensteile von im Ausland lebenden Verfolgten diesen nicht zur persönlichen Nutzung überlassen, sondern von staatlichen Treuhändern verwaltet wurden. Die Vermögensteile, für die es keine Anspruchsberechtigten gab, fielen an den Staat – ebenso wie die rückerstatteten Werte, die im Zuge der Überführung von Privat- in Volksvermögen neuerlich enteignet wurden[16], d. h., real erfolgte praktisch keine Rückerstattung.

Wohl kamen alle, die als «rassisch Verfolgte» anerkannt wurden, in den Genuß von Renten, die wesentlich höher lagen als das Durchschnittseinkommen der DDR-Bürger – allerdings tiefer als die Pensionen der «Kämpfer gegen den Faschismus». Sie sollten auch fünf Jahre früher als die restliche Bevölkerung pensioniert werden und Anspruch haben auf weitere Vergünstigungen wie die unentgeltliche Benutzung der öffentlichen Verkehrsmittel, zusätzliche Urlaubstage und Kuraufenthalte in staatlichen Erholungsheimen. Eine materielle Kompensation für psychische und physische Schäden, die aus der Verfolgung resultierten, wurde aber ebenso abgelehnt wie die Rückerstattung des geraubten privaten Vermögens.

Einzig den Gemeinden gegenüber wurde von dieser Haltung wenigstens teilweise abgewichen: Ein «Befehl der Sowjetischen Militäradministration», der SMAD-Befehl Nr. 82 vom 28. April 1948, bestimmte die «Rückgabe des durch den Nazistaat beschlagnahmten Eigentums an demokratische Organisationen». Unter Punkt 3 wurde ausgeführt:

«Bewegliches und unbewegliches Eigentum, das durch den Nazistaat beschlagnahmt oder auf eine andere Weise enteignet war, und früher wohltätigen, kirchlichen oder humanitären Zwecken diente oder für solche bestimmt war, wird an die in der sowjetischen Besatzungszone zugelassenen Organisationen zurückgegeben, in deren Besitz sich dieses Eigentum im Augenblick seiner Beschlagnahme tatsächlich befand.»[17]

Die Länder hatten Kommissionen zu bilden, die über die Rückerstattungen entschieden und den Vollzug kontrollierten. Die Formulierung des Befehls läßt allerdings vermuten, daß für viele im Gebiet der sowjetischen Besatzung befindlichen Werte ausgelöschter Gemeinden keine Rückerstattung erfolgte, da die neu entstandenen Körperschaften wohl nicht in allen Fällen als deren direkte Rechtsnachfolger angesehen werden mußten. So geht z. B. aus einer Urkunde hervor, daß der Landesgemeinde Mecklenburg mit Sitz in Schwerin «die in beiliegender Liste unter Nr. 1–54 aufgeführten beweglichen und unbeweglichen Vermögenswerte»[18] übertragen wurden. Da diese Liste heute nicht mehr aufzufinden ist[19], kann über diese Werte nur spekuliert werden: In Mecklenburg-Vorpommern gab es allein etwa 35 Friedhöfe, die den Löwenanteil der rückerstatteten Objekte ausgemacht haben müssen.

Es kann davon ausgegangen werden, daß das frühere Gemeindeeigentum wenigstens teilweise an die neuen Körperschaften übereignet wurde. Das zeigt sich z. B. auch daran, daß die heutigen Sitze der Gemeinden in Dresden, Leipzig, Erfurt, Halle und Magdeburg mit den Vorkriegsdomizilen identisch sind. Leipzig, das sich den überlebenden Juden gegenüber so diskriminierend verhalten hatte, zeigte sich im Hinblick auf das Gemeindevermögen konzilianter: Das ehemalige jüdische Krankenhaus wurde zurückerstattet, die Gemeinde «konnte es verkaufen und einen Teil der Einnahmen an die damals vorhandenen Mitglieder anteilig auszahlen»[20].

Berlin war in einer Ausnahmesituation: Wohl war die Gemeinde schon früher in der Oranienburger Straße 28 ansässig gewesen, doch galt für das noch ungeteilte Berlin nicht der SMAD-Befehl Nr. 82, sondern ein alliierter Kontrollratsbeschluß, wonach sämtliche enteigneten Werte der Verfügung und Kontrolle des Magistrats der Stadt unterstellt waren. Dabei handelte es sich vor allem um Vermögen, das sich bei Kriegsende im Besitz von «war criminals and active Nazis»[21] befand. Laut Klaus Gysi, dem ehemaligen DDR-Staatssekretär für Kirchenfragen, war beabsichtigt, daß so «das enteignete jüdische Vermögen zurückgegeben werden konnte, und nicht in letzter Minute verschleiert oder verdeckt» würde, wer die rechtmäßigen Eigentümer waren.[22] Allerdings wehrten sich die Behörden des sowjetischen Sektors gegen eine solche Rückerstattung[23] – mit der Wirkung, daß noch 1979, als Gysi sein Amt antrat, die jüdische Gemeinde in Ostberlin

noch nicht wieder in die Eigentumsrechte an den Grundstücken eingesetzt worden war, auf denen sich die Synagogen und das Gemeindehaus befinden[24]; gleiches galt wohl auch für die vier in diesem Teil der
Stadt gelegenen jüdischen Friedhöfe. Peter Kirchner, ab 1971 Vorsitzender dieser Gemeinde, bemerkte dazu 1989 in einem Interview:

«In Berlin verfügt die Gemeinde nur über die Objekte, die sie heute nutzt. Die
übrigen Gebäude aus dem einstigen Besitz der Gemeinde sind nach dem Krieg
nicht zurückgegeben worden, sie sind aus dem Eigentum des Deutschen Reiches in das Volkseigentum der DDR überführt worden, was wir noch nicht als
endgültige Lösung betrachten. Darauf haben wir auch in Verhandlungen mit
dem Staat hingewiesen; in unserem Teil der Stadt handelt es sich etwa um
11 Millionen Goldmark. Erhielte die Gemeinde jetzt diese Objekte (Eltern-
heime, Schulen etc.) zurück, so könnte sie diese weder nutzen noch erhalten,
aber auch nicht verkaufen, weil es ja nicht wie in einem westlichen Land potentielle private Käufer gibt.»[25]

Auch der Sitz der Gemeinde Karl-Marx-Stadt befindet sich nicht mehr
am angestammten Ort. Vor 1933 hatte hier eine prosperierende Gemeinde mit etwa 3 500 Mitgliedern bestanden, nach dem Krieg waren
nicht einmal 60 Menschen übriggeblieben. Die Synagoge war ein
Opfer der «Kristallnacht» geworden, das Gemeindehaus ausgebombt.
Die Stadtverwaltung signalisierte Bereitschaft, der Gemeinde einen
Ersatz für diese zerstörten Bauten zu bieten, war aber nicht bereit, das
an bevorzugter Lage im Stadtzentrum befindliche enteignete Gemein-
degrundstück dafür ‹herzugeben›. Die Gemeinde ließ sich mit einem
viel kleineren, weniger zentral gelegenen Neubau abfinden, der auf
staatliche Kosten errichtet wurde. Der heutige Vorsitzende, Siegmund
Rotstein, gab dazu folgende Begründung:

«Was sollte es, eine große Synagoge zu bauen, die als Museum dient, denn es
war noch nicht daran zu denken – so, wie sich das damals zeigte und entwik-
kelte –, daß sehr viele Juden wieder herkommen würden.»[26]

Das Gemeindehaus mit Betsaal wurde 1960 bezogen und im folgenden
Jahr eingeweiht.[27]

Die neuentstandenen Gemeinden wurden als Körperschaften des öffentlichen Rechts zugelassen, was ihnen prinzipiell volle Autonomie
gewähren und die Ausübung der von Anfang an in der SBZ und später
durch die DDR verfassungsmäßig garantierten Religionsfreiheit[28] si-

chern sollte. Die Autonomie wirkte vor allem nach innen: Es war jeder Gemeinde freigestellt, sich Statuten zu geben, mittels deren Rechte und Pflichten der Mitglieder, Form und Aufgaben der Verwaltung, Wahlmodi, Amtskompetenzen und -perioden festgelegt werden konnten.

Materiell waren die Gemeinden fast ausschließlich auf staatliche Unterstützung angewiesen. Wohl wurden Mitgliederbeiträge erhoben, doch war nicht daran zu denken, aus diesen die – im Verhältnis zur kleinen Gemeinschaft der Juden – überaus hohen Kosten für die Gemeindeverwaltungen, die Rekonstruktion und den Unterhalt von Synagogen, Gemeindehäusern und Friedhöfen oder Institutionen wie dem jüdischen Altersheim in Berlin auch nur annähernd zu decken. Im Gegenteil kann davon ausgegangen werden, daß die Mitgliederbeiträge bestenfalls eine kleine Reserve in den staatlich gebilligten und finanzierten Haushalten bildeten.

Dies galt auch für den Haushalt des 1952 entstandenen *Verbands der Jüdischen Gemeinden in der Deutschen Demokratischen Republik*, dessen Gründung selbst allerdings zu einer starken Beschneidung der theoretisch zugestandenen Gemeindeautonomie führte. Fortan waren die Gemeinden verpflichtet, dem Verband ihr Budget zu unterbreiten, das von diesem überprüft, allenfalls korrigiert und dann zur Genehmigung an das zuständige Staatssekretariat für Kirchenfragen weitergeleitet wurde; die Gelder gelangten wiederum zur Verteilung an den Verband. Von dieser Regelung war Berlin ausgenommen: Diese Gemeinde wurde ohne den Umweg über den Verband vom Ostberliner Magistrat[29] finanziert und war dem Dachorgan in Haushaltbelangen auch keinerlei Rechenschaft schuldig. Diese finanzielle Unabhängigkeit mag einer der Gründe dafür gewesen sein, daß Berlin erst 1960 dem Verband beitrat.[30]

Die Synagogen

Die meisten Synagogen waren in der «Reichskristallnacht» zerstört worden; nur vereinzelt blieben sie – wie in Leipzig und in der Berliner Rykestraße – von Brandstiftung verschont, weil sie unmittelbar an ‹arische› Wohnhäuser grenzten. Was an Gebäuden übriggeblieben war, wurde entweiht und zweckentfremdet. Nach Kriegsende bemühten sich die neugegründeten Gemeinden sogleich darum, die noch bestehenden Gotteshäuser zurückzuerhalten, zu restaurieren und erneut ihrem ursprünglichen Verwendungszweck zuzuführen. Wo dies nicht möglich war, wurden Neubauten angestrebt.

Im sowjetischen Sektor Berlins gab es zwei Synagogen, die «Neue Synagoge» in der Oranienburger Straße, die zwar die «Kristallnacht» weitgehend unbeschadet überstanden hatte, aber 1943 durch einen Bombenangriff zerstört worden war[31], und die Synagoge Rykestraße im Wohngebiet des Prenzlauer Bergs, die zwar entweiht und geplündert worden, deren Bausubstanz aber weitgehend intakt geblieben war. Hier wurde – auch im Hinblick auf die massiv dezimierte Berliner Gemeinde – entschieden, die wesentlich kleinere Synagoge in der Rykestraße zu restaurieren; die Ruine der «Neuen Synagoge» sollte als Mahnmal stehenbleiben. 1953 wurde das wie alle Synagogen auf DDR-Gebiet mit staatlichen Mitteln rekonstruierte Gotteshaus eingeweiht[32] – mit 1 200 Plätzen die größte Synagoge in der DDR. Auch in Leipzig wurde das weitgehend erhalten gebliebene Gotteshaus renoviert und der Gemeinde übergeben. Erfurt erhielt – als einzige Gemeinde in der DDR – einen kleinen Neubau mit angebautem Gemeindehaus auf dem Grundstück der früheren vollständig vernichteten Synagoge; die Einweihung erfolgte 1952.[33] In Magdeburg wurde vorerst das alte Bethaus wieder aufgebaut; da sich die Gemeinde im Laufe der Jahre aber stark dezimierte, wurde das Gemeindehaus so umgebaut, daß ein großer Saal als Synagoge genutzt werden konnte.[34] Ebenso wie in Karl-Marx-Stadt wurde in Schwerin nach 1945 auf die Rekonstruktion oder den Neubau eines Gotteshauses verzichtet, dafür aber im Gemeindehaus ein Betraum eingerichtet. In Dresden und Halle wurde das Bedürfnis nach einer Synagoge anders gelöst: In Dresden war nicht nur die von Gottfried Semper erbaute Synagoge der «Kristallnacht» zum Opfer gefallen, sondern auch die Abdankungshalle vollständig zerstört worden. Das Gelände der ehemaligen Leichenhalle wurde (aus religiösen Gründen) durch eine Mauer vom restlichen Friedhof abgetrennt und für einen Synagogenneubau verwendet. Der Davidstern, der eine Kuppel des zerstörten Semper-Baus geziert hatte und von Feuerwehrleuten gerettet und während der Nazizeit versteckt worden war, wurde auf dem Dach des Neubaus angebracht.[35] Auch in Halle wurde die frühere Abdankungshalle auf dem alten jüdischen Friedhof zu einer Synagoge umgebaut und bereits 1948 eingeweiht.[36]

Religiöses Leben

Drei Faktoren haben das religiöse Leben in der SBZ respektive der DDR nachhaltig geprägt: die insgesamt verschwindend kleine Zahl praktizierender Jüdinnen und Juden, deren Herkunft sowie das politische Umfeld. Bis zur «Wende» lebten in Ostdeutschland wohl nie mehr als ca. 4500 gläubige Juden, 1989 zählten die Gemeinden noch etwa 380 Mitglieder. Die Berliner Gemeinde umfaßte etwa die Hälfte aller registrierten Gläubigen; die übrigen verteilten sich auf die sieben weiteren Gemeinden, wobei die Mitglieder oft in großer Entfernung zum jeweiligen Sitz wohnten.[37] Hinzu kommt, daß viele hochbetagt oder bettlägrig sind, daß außerdem die – für westeuropäische Verhältnisse – schlechte Erschließung des Landes durch den öffentlichen Verkehr ein eigenes Auto für die Reise zur Gemeinde notwendig macht (was vor der Vereinigung etliche Probleme mit sich brachte). Die Wahl des Wohnorts mag auch als kleines Indiz für das Verhältnis zur Religion gelten: Viele haben sich nicht dort niedergelassen, wo eine Gemeinde, wo eine Synagoge in erreichbarer Nähe wäre. Dies hängt sicher auch mit ihrer Herkunft zusammen: Wie erwähnt, handelt es sich in der DDR meist um in Deutschland aufgewachsene Jüdinnen und Juden, die sehr oft aus schon vor der Verfolgung weitgehend assimilierten Familien stammen und ihr Judentum kaum praktizieren. Anders als in der BRD fand hier – da keine DP-Lager existierten – auch keine Zuwanderung von orthodoxen Juden aus Osteuropa statt, die das religiöse Leben hätten führen und gestalten können. Daß es auch sonst keinen nennenswerten Zuwachs durch Einwanderung praktizierender Jüdinnen und Juden gab (beispielsweise aus Israel oder aus arabischen Staaten), war zweifellos vor allem durch das politische Klima begründet, in dem die Gemeinden ihr Dasein fristeten: Ein repressives System mit – vorsichtig ausgedrückt – ambivalentem Verhältnis zu Religionen im allgemeinen und zum Judentum im besonderen konnte auf gläubige Juden kaum anziehend wirken. Dies fand seinen Niederschlag auch in den Schwierigkeiten, für die rabbinische Betreuung der Gemeinden zu sorgen.

An der Figur des ersten Rabbiners der DDR zeigt sich die skizzierte Problematik exemplarisch. Martin Riesenburger, der bis 1933 an der Hochschule der Wissenschaft des Judentums Religionsphilosophie studiert hatte und dann vorerst im Dienste der Berliner Jüdischen Gemeinde als Seelsorger im Altenheim in der Großen Hamburger Straße arbeitete[38], war durch seine Ehe mit einer Christin vor der Deportation geschützt gewesen.[39] Von den Nazis beauftragt, seine Amtstätigkeit weiterzuführen[40], war er bis Kriegsende vor allem mit den Bestattungen auf dem jüdischen Friedhof in Berlin-Weißensee betraut. In den letzten Kriegsjahren gelang es ihm und seinen Helfern, auf dem Friedhofsgelände 560 *Thora*-Rollen, zahlreiche andere Kultusgegenstände, wertvolle Bücher, selbst Harmonien und Orgeln aus den Synagogen zu verstecken und vor der Vernichtung zu retten. Bereits am 11. Mai 1945 führte er in Berlin den ersten Gottesdienst durch und beteiligte sich dann am Wiederaufbau jüdischen Gemeindelebens in der Ostzone. Als es 1953 zur Spaltung der Berliner Gemeinde kam, entschied er sich «für die gesellschaftliche Ordnung der DDR» und wurde in der Folge zum Gemeinderabbiner, 1961 zum Landesrabbiner der DDR ernannt.[41] Obschon er nie zum Rabbiner ordiniert worden war[42] und obschon er in Mischehe lebte, wurde er – in Anerkennung seiner Leistung während der Nazizeit, aber wohl auch in Ermangelung eines anderen, aus religiöser Sicht ‹korrekteren› Kandidaten – in diese Ämter eingesetzt, die er bis zu seinem Tod 1965 innehatte.

Seine Nachfolge trat nach einigen Monaten Dr. Ödön Singer aus Budapest als Oberrabbiner an, der allerdings dieses Amt nur bis 1969 ausübte; danach war die jüdische Gemeinschaft in der DDR während fast 20 Jahren ohne geistliches Oberhaupt.

Unterbrochen wurde diese Periode einzig durch ein nur acht Monate währendes ‹Gastspiel› des aus Polen stammenden amerikanischen Rabbiners Isaac Neuman, der sich bereit erklärt hatte, den vakanten Posten zu übernehmen, nachdem sich das American Jewish Committee vier Jahre darum bemüht hatte, einen geeigneten Kandidaten für die DDR zu finden.[43] Am Neujahrsfest im September 1987 trat er sein Amt in Ostberlin an. In seiner Begrüßungsansprache führte der Gemeindevorsitzende Peter Kirchner aus:

«Nach den vielen Jahren, da kein Rabbiner in der DDR amtierte, wird der Wunsch nach Kontakt aus christlichen Gemeinden besonders groß sein. Für uns aber muß im Mittelpunkt der Wunsch all derer stehen, die über die letzten zwei Jahrzehnte hinweg als Mitglieder unserer Gemeinde die Hoffnung nie aufgaben, eines Tages wieder einen Rebben begrüßen, fragen und um seinen

Rat bitten zu können. Ihre Hoffnung nicht zu enttäuschen, wird eine besonders große Verpflichtung für Rabbiner Neuman sein müssen. Und verkennen wir nicht, daß unsere jungen Mitglieder einen großen Nachholbedarf haben. Ihre Unterweisung in jüdischem Brauchtum, religiösem Selbstverständnis und den Fragen eines Praktizierens im Ablauf der Gottesdienste ist für die Bewahrung der Traditionen in unserer Gemeinde mindestens ebenso wichtig wie die Identitätssuche der Außenstehenden. Dafür werden hoffentlich alle Verständnis haben. Das Wirken nach innen, in die Gemeinde hinein, muß auch hier im Zentrum stehen.» [44]

Die langjährige Vakanz des Rabbinats, die als schmerzlich empfunden wurde, hatte zu großen Erwartungen an den neuen Seelsorger geführt. Auch von seiten des Rabbiners waren offenbar große Ambitionen mit seinem neuen Amt verknüpft. Mertens schreibt dazu:

«Seine Hauptaufgabe sah Neuman darin, die 2000–3000 DDR-Bürger jüdischer Herkunft, die abseits der Gemeinde stehen, wiederzugewinnen. So wünschte er sich für die Zukunft eine Religionsschule für die Kinder, wo sich auch jene zu Musik, Tanz und jüdischem Brauchtum einfinden könnten, die noch nicht bereit sind, sich am Gottesdienst zu beteiligen.» [45]

Doch bereits im Bericht zur Mitgliedervollversammlung der Ostberliner Gemeinde vom 10. April 1988 wurden im Hinblick auf die Erfüllung dieser Erwartungen kritische Töne geäußert:

«Zwar hat die Zahl der Gottesdienstbesucher in den Zeiten, da der Rabbiner anwesend ist, zugenommen, doch ist der Anteil der Gemeindemitglieder bei den Gottesdiensten leider nicht größer geworden. So wurde die Frage aufgeworfen, ob (...) nicht vielmehr alles zu unternehmen sei, die Mitglieder der Gemeinde stärker als bisher anzusprechen.
In der sich später anschließenden Diskussion ging der Rabbiner auf diese Frage ein und kündigte an, alternative Gottesdienste nach amerikanischem Vorbild zu versuchen, um vor allem jüngere Mitglieder und Personen aus dem Kreis der ‹Neuen› an die Synagoge zu binden.» [46]

Unmittelbar darauf muß es zu einem Eklat zwischen Gemeinde (oder Verband) und Rabbiner gekommen sein, denn im September fand sich im «Nachrichtenblatt» die Mitteilung:

«Rabbiner Isaac Neuman aus den USA, der (...) seit dem 11. September 1987 die seelsorgerischen Aufgaben für die Jüdischen Gemeinden in der DDR übernommen hatte, hat Ende Mai ds. Jahres in beiderseitigem Einvernehmen seine Tätigkeit als Rabbiner in der DDR beendet und ist in die USA zurückgekehrt.

Die Gründe dafür sind darin zu suchen, daß es schon frühzeitig zu Meinungsverschiedenheiten über die Wahrnehmung seiner Aufgaben als Rabbiner entsprechend unserer religiösen Tradition kam.»

Dieses schnelle Ende seiner seelsorgerischen Arbeit resultierte wohl vor allem aus ‹beiderseitigen› Mißverständnissen und Fehleinschätzungen. Der Rabbiner traf auf eine Gemeinschaft, in der sehr oft fehlendes Wissen mit gutem Willen oder mit dogmatischen Haltungen (z. B. in bezug auf die Definition, wer Jude sei) kompensiert worden war, auf eine Form des Judentums, in der für eine nichtreligiöse Identifikation kaum Raum zu sein schien. Seine Vorstellungen gingen offenbar dahin, diese ‹Fronten› zwischen gläubigen und ‹biographischen› Juden aufzubrechen. Allerdings wurde ihm von verschiedenen Seiten angekreidet, er habe in völliger Unkenntnis der Gepflogenheiten der Gemeinden[47], aber auch ohne jede Rücksicht auf das politische Umfeld gewirkt. Konkret wurde ihm vorgeworfen, er habe den Jüdinnen und Juden in der DDR, deren Praxis wohl seit der Zwischenkriegszeit keine wesentlichen religiösen Impulse mehr erhalten hatte, das amerikanische Reformjudentum (wo die Frauen religiös gleichberechtigt sind) aufzwingen wollen. Außerdem, berichtet Eschwege[48], wollte er den Vorsitz der Ostberliner Gemeinde – ein rein säkulares Amt – übernehmen. Ein letzter Vorwurf, im Spannungsfeld von Religionsgemeinschaft und Staat wohl der gewichtigste, richtete sich gegen eine «amerikanische Unsitte»: Neumans Neigung, so oft wie möglich Interviews zu geben und dabei vor allem immer wieder seine loyale Haltung zu Israel zu betonen. Dies kam ebenso einem offenen Angriff auf die politische Position des Staates (seines Arbeitgebers) gleich wie die wiederholt deklarierte Einschätzung des ehemaligen KZ-Häftlings Neuman, im Hinblick auf die Judenvernichtung gebe es zwischen den beiden deutschen Staaten keine Grenzen oder Unterschiede.[49]

Der Ausgestaltung jüdischen Lebens waren enge Grenzen gesetzt, zumal sich in den Reihen der Gemeindemitglieder nur vereinzelt Menschen fanden, die über das notwendige religiöse Grundwissen verfügten, um den Rabbinermangel zu kompensieren. Zudem fehlte der Nachwuchs, der das vorhandene Wissen hätte aufnehmen und durch religiöse Praxis vertiefen können; denn die Gemeinden bestanden zum großen Teil aus Mischehepartnern, deren Kinder den Eintritt in eine Gemeinde oder gar den Übertritt zum Judentum nur selten vollzogen.

So begnügten sich die meisten Gemeinden damit, an den hohen Feiertagen *Rosch Haschanah* und *Jom Kippur*, den drei Wallfahrtsfesten *Pessach*[50], *Schawuot* und *Sukkot* sowie an *Chanukka* und *Purim* Gottesdienste abzuhalten. In manchen Orten war dies jedoch selbst bei diesen Anlässen nicht möglich. Wiederholt wurde zur Begründung angeführt, das vorgeschriebene Quorum von zehn Männern (*Minjan*) sei nicht vorhanden. Dies steht allerdings im Widerspruch zu einer bereits im Mai 1963 getroffenen Regelung durch die Kultuskommission des Verbandes. In einem Schreiben an die Gemeinden heißt es dazu:

«Kann im Notstand Gottesdienst, das Ausheben der Thorarollen und das Sprechen des Kaddisch-Gebetes auch mit weniger als 10 Mann durchgeführt werden?

Hierzu wurde die Empfehlung gegeben, dort, wo ein Notstand vorhanden ist, den Gottesdienst mit weniger als 10 Mann abzuhalten. Natürlich ist dabei einiges zu beachten. Landesrabbiner Dr. Riesenburger wird freundlicherweise eine entsprechende Ausarbeitung darüber vornehmen. (...) Für Berlin ist diese Regelung nicht gültig.»[51]

Wie aus der Ansprache zu einer Sitzung der Kultuskommission hervorgeht[52], waren diese Regelungen noch vor dem Ableben des Landesrabbiners getroffen worden:

«In allen Synagogen der Gemeinden in der DDR kann voller Gottesdienst bei Anwesenheit von 3 männlich[en], erwachsenen Juden durchgeführt und das Kaddischgebet gesagt werden.»

Das Problem war wohl eher darin zu suchen, daß oft selbst Laienkantoren aus den eigenen Reihen oder Kantoren oder Rabbiner aus dem (meist sozialistischen) Ausland fehlten, welche die religiösen Zeremonien hätten leiten können. So waren Angehörige der Gemeinde Karl-Marx-Stadt regelmäßig in Dresden zu Gast, die interessierten Hallenser Juden reisten jeweils nach Leipzig.[53]

Hinzu kamen *Sabbat*-Gottesdienste vor den ein- oder zweimal jährlich stattfindenden Verbandstagungen an wechselnden Orten oder bei besonderen Anlässen wie Synagogenweihen nach Renovationen, Gedenkveranstaltungen oder – was äußerst selten vorkam – für eine

Bar Mitzwa. Die Gemeinden veranstalteten sehr oft bei solchen Gelegenheiten ein gemeinsames Essen, einen Unterhaltungsnachmittag für die wenigen Kinder oder musikalische Abende, um den Mitgliedern auch einen gesellschaftlichen Rahmen für vertiefte Beziehungen zu bieten. (Offensichtlich gab es darüber hinaus nur vereinzelt Kontakte zwischen den Angehörigen der verschiedenen Gemeinden; der Zusammenhalt sollte so gefestigt werden.)

Berlin war, wie in fast allen Belangen, auch in religiöser Hinsicht eine Ausnahme: Hier fanden regelmäßig *Sabbat*-Gottesdienste am Freitagabend und am Samstagmorgen statt (in der ‹rabbinerlosen› Zeit unter der Leitung des Laienkantors Oljean Ingster), selbst wenn man diese, wegen schwacher Beteiligung, im kleinen Gebetraum in der Rykestraße abhalten mußte, weil sich die wenigen Gläubigen im großen Synagogenraum verloren hätten und die Heizkosten für diesen wohl (gemeindeintern ebenso wie gegenüber dem Magistrat der Stadt) nicht zu rechtfertigen gewesen wären. An den Feiertagen war in der Regel ein Rabbiner anwesend, oft erhielt auch der Kantor auswärtige Unterstützung, und die Mitglieder erschienen wesentlich zahlreicher. Auffällig ist aber hier wie bei allen Gemeinden, daß sich in den Berichten über die Gottesdienste fast immer Hinweise auf eine sehr rege Beteiligung von Nichtjuden (Kirchenvertreter, Beamte oder Parteifunktionäre) finden – die Kritik an Rabbi Neuman betraf also eine durchaus übliche Situation, auch wenn z. B. Eschwege dies als «Neuerung» darstellt, wenn er sagt: «Heute, wenn Sie in eine Synagoge gehen, sind 40 Leute darin, davon sind 25 Nichtjuden.»[54]

Inwieweit deren Anwesenheit den religiösen Ritus beeinflußt haben mag, ist jedoch nicht zu erkennen. Wie schon vor dem Krieg waren diese Gemeinden auf das (deutsche) Reformjudentum ausgerichtet – mit hebräischen Gebeten und deutscher Predigt, mit Chor und Harmonium- oder Orgelbegleitung; keine der Gemeinden hing der Orthodoxie an.

Auch in anderen religiösen Belangen war Berlin wesentlich besser ausgestattet als die übrige DDR. Hier wurde schon bald nach dem Krieg wieder eine *koschere* Metzgerei eingerichtet, wobei ein Schächter aus Westberlin noch etwa bis Ende der 60er Jahre die rituellen Schlachtungen vornahm; später reiste ein Schächter alle zwei Wochen aus Budapest ein, um diese Aufgabe zu erfüllen.[55] Versorgt wurde mit diesem Fleisch das *koscher* geführte jüdische Altenheim in Berlin; zum übrigen Kundenkreis bemerkt Giradet:

«An den für die Gemeindemitglieder bestimmten Verkaufstagen erscheinen (...) regelmäßig die zehn Stammkunden. Mehr kommen nicht – entweder sind sie zu alt oder haben keine Tiefgefriermöglichkeit. Nur zu den hohen Feiertagen reisen auch entfernt lebende Juden zum Fleischeinkauf nach Ostberlin. So reicht das Fleischkontingent auch noch für die zahlreichen Adventisten, die in der DDR leben. Ganz offiziell dürfen außerdem muslimische Diplomaten am Mittwoch ab 13 Uhr dort einkaufen. Dann warten vor dem Laden Taxis, und die Mitglieder der diplomatischen Missionen kommen mit prall gefüllten Taschen heraus. Für sie sind Gefrierschränke kein Problem.»

Außerdem verfügt Berlin über eine *Mikwa*, die in der Regel nur von strenggläubigen Juden benutzt wird; für Menschen, die zum Judentum übertreten, ist diese Einrichtung jedoch unerläßlich. Dieses Ritual wurde aber, ebenso wie die Beschneidung (*B'rit Milah*) jüdischer Knaben[56], in der DDR nur selten durchgeführt.

Die Regelung von Übertritten zum Judentum stellte eines der großen religiösen Probleme für die DDR-Gemeinden dar, das zudem viele Kinder jüdischer, in Mischehe lebender Väter betraf, da diese Religion matrilinear ist. Sie steht außerdem jeglicher Form von Mission ablehnend gegenüber, stellt im Gegenteil sogar sehr hohe Anforderungen an Übertrittswillige wie die Kenntnis der Gebete, der hebräischen Schrift, jüdischer Gesetze, Traditionen und Geschichte. Männliche Proselyten müssen sich außerdem beschneiden lassen, und in der Regel wird auch bei erwachsenen Männern die *Bar Mitzwa* nachgeholt. Überwacht werden die Ausbildung und die eigentlichen Übertrittszeremonien üblicherweise von einem *Bet Din*, einem Gremium, das sich aus mindestens zwei Rabbinern und einem Beisitzer, der den betreffenden Menschen persönlich kennen sollte, zusammensetzt. Ein solches Bet Din war aber in der DDR nicht vorhanden, obwohl der liberale Rabbiner von Westberlin, Ernst Stein, der seit Anfang der 80er Jahre auch die DDR-Gemeinden betreute, schon bald nach seinem Amtsantritt anregte, sich zusammen mit anderen Rabbinern aus der BRD einmal im Jahr oder auch alle zwei Jahre dafür zur Verfügung zu stellen. Er fand aber keinen anderen Rabbiner, der dazu bereit gewesen wäre; den Hinweis seiner Amtskollegen auf Einreiseprobleme hält er für eine Ausrede, spricht von «Desinteresse».[57] Die Übertritte allein vorzunehmen, war für ihn indiskutabel; er beschränkte sich darauf, auf Anfrage Grundlagenwissen zur Übertrittspraxis zu vermitteln.[58] Trotz seiner Tätigkeit, in der ihn einzig der Westberliner Kantor Estrongo Nachama intensiv unterstützte, waren jedoch bei vielen Gemeindemitgliedern nur geringe Kenntnisse über die Anforderungen vorhanden: Wiederholt wurde die Ansicht vertreten, die Ablehnung von Übertrittsgesuchen durch die Gemeindevorsitzenden oder den Verband sei aus Willkür erfolgt.

Diese Kritik an den Funktionären wurde wohl auch dadurch genährt, daß in der DDR dennoch Übertritte stattfanden.[59] Zweifellos handelte es sich dabei nicht nur um die Neuaufnahmen von Kindern jüdischer Mütter, sondern auch um solche ‹echter› Proselyten. Problematisch ist heute die Situation aller Betroffenen, weil diese Übertritte von traditionell ausgerichteten rabbinischen Institutionen nicht anerkannt werden.[60] Andererseits meint Rabbiner Stein:

«Was sagen Sie von Juden, die vor 20 Jahren sich dem Judentum angeschlossen haben und seit 20 Jahren treue (...) Juden sind? Ob das Weihwasser – ich sage das ganz zynisch – die oder die Temperatur hatte oder nicht (...). Das ist eine große Schwierigkeit.»[61]

Die Gemeinden in der DDR gehorchten mit diesen Aufnahmen der Not – einer Not, die ihre Ursachen in schrumpfenden Gemeinden, mangelndem Wissen, einem unflexiblen – vielleicht auch diesbezüglich zu wenig aufgeklärten – Staat und gleichgültigen Rabbinern vor allem in der BRD hatte. Für eine Lösung der daraus entstandenen Probleme muß einem Aspekt besonders Rechnung getragen werden: Das zentrale Anliegen der in den Gemeinden organisierten Menschen war, ihr Judentum im bescheidenen Rahmen ihrer Möglichkeiten zu erhalten, die Gemeinschaft vor dem Aussterben zu bewahren; dies war aber offensichtlich nur mittels der dargelegten ‹Korrekturen› gesetzlicher Vorschriften möglich.

2. Demographische Daten

Betrachtet man die demographische Entwicklung der Gemeinden der DDR, so werden ‹Verzweiflungstaten› wie die geschilderten nicht gesetzeskonformen Übertritte verständlicher. Allerdings ist anzumerken, daß die hier angeführten Daten noch größeren Vorbehalten unterworfen sind als die Zahlen für die BRD. In der DDR wurden «Bürger jüdischer Herkunft» – so die offizielle Terminologie – in den publizierten Statistiken von Staates wegen nicht erfaßt. Von jüdischer Seite wurden nur die «Glaubensjuden» gezählt, d. h. nur die Personen, die sich durch Mitgliedschaft in einer Gemeinde zur Religion bekannten. [62] Zudem wurden die erhobenen Zahlen nur ausnahmsweise im «Nachrichtenblatt» veröffentlicht, wenn es darum ging, anderswo publizierte Angaben zu korrigieren. Sie wurden im Gegenteil grundsätzlich als geheim angesehen, selbst zwischen den Gemeinden. So wurde z. B. auf der Verbandstagung vom 9. Januar 1966 der Antrag der Gemeinde Leipzig diskutiert, Auskunft über die Mitgliederzahlen der anderen Städte zu erhalten. Dazu heißt es im Protokoll – ohne weitere Begründung:

«Der Antrag wurde von der Gemeinde gestellt, und dieser konnten naturgemäß die Zahlen, die dem Verband jeweils informatorisch mitgeteilt werden, nicht bekanntgegeben werden. Grundsätzlich sind die Beiräte über alles informiert und Anfragen der Beiräte, die auf der Tagung gestellt werden, werden auch immer beantwortet. Jeder Beirat ist aber auch verantwortlich dafür, daß hier erhaltene Informationen nicht nach außen dringen.» [63]

Dennoch veröffentlichte das American Jewish Yearbook fast jedes Jahr neue Mitgliederzahlen, wobei es sich meistens offensichtlich um Schätzwerte handelt und unklar ist, auf welche Quellen sich diese stützten. Zuverlässige Angaben über die Gemeindegrößen liegen aus den mir zugänglich gemachten Quellen und den Mitteilungen der Gemeindevorsitzenden nur für wenige Jahre vor (s. *Tabelle* 7, S. 359). Dennoch lassen sich aus diesen Daten, selbst unter Berücksichtigung aller Vorbehalte, deutliche Entwicklungstendenzen ablesen.

Die Gemeinden zeigten alle bis 1987 einen fortschreitenden Mitgliederverlust, der – mindestens für die Zeit nach dem Bau der Mauer 1961 – praktisch ausschließlich auf Todesfälle zurückzuführen ist. Einzig

Berlin, Magdeburg und Dresden konnten in den folgenden drei Jahren geringe Zunahmen verzeichnen. Zwischen 1955 und 1990 betrug der Mitgliederverlust durchschnittlich pro Gemeinde 78 Prozent, wobei Dresden mit 48 Prozent auf der einen, Leipzig und Schwerin mit 85 Prozent auf der anderen Seite die Extremwerte der Skala zeigen. Bis zur Vereinigung war die Gesamtzahl von 1 725 auf 372 Mitglieder, davon 203 in Berlin, zurückgegangen.

Wie schon im Hinblick auf die Lage in der BRD ausgeführt wurde, zeigten die jüdischen Gemeinden in Deutschland schon Ende der 20er Jahre eine leichte Überalterungstendenz, die sich nach der massiven Dezimierung durch die Vernichtung, aber auch durch die Emigration gerade der jüngeren Überlebenden nach 1945 wesentlich verschärfte. Obschon für die SBZ/DDR diesbezüglich keine Angaben vorliegen, kann angenommen werden, daß im Hinblick auf die Altersstrukturen der deutsch-jüdischen Bevölkerungsgruppen in den vier Besatzungszonen keine wesentlichen Unterschiede bestanden: Sie gehörten mehrheitlich der Großelterngeneration an. Während aber die BRD-Gemeinden durch Zuzug der meist jüngeren Displaced Persons aus Osteuropa oder anderen Immigranten ‹verjüngt› wurden, blieb eine solche Entwicklung in der DDR weitgehend aus.[64] Die Gemeinden waren von Anfang an stark überaltert, die Äußerung von Lesser – «of all religious activities within the Community, burials are by far the most numerous»[65] – charakterisiert die Situation mindestens für die ersten 30 Jahre treffend.

Zwei Faktoren bewirkten zusätzlich, daß auch längerfristig keine wesentliche Senkung des Durchschnittsalters zu erwarten war: Die stalinistischen antisemitischen Hetzkampagnen, die in den späten 40er Jahren einsetzten und 1952/53 ihren Höhepunkt erreichen sollten, und die ab 1953 eingeleitete «Wiedergutmachung» an die NS-Verfolgten in der BRD führten zu großen Mitgliederverlusten gerade unter den damals 30- bis 40jährigen, «wo wir biologisch gesehen noch hätten Nachwuchs haben können»[66]. Außerdem führte die zunehmend geforderte Anpassung an gesellschaftspolitische Normen zu einer weitreichenden Distanzierung von religiöser und kultureller Identifikation, was sich vor allem auf die erst nach 1945 geborenen Jüdinnen und Juden auswirkte: Selbst wenn ihre Eltern noch den Gemeinden beigetreten waren, vollzogen sie selbst diesen Schritt oft nicht mehr. Dies führte zu einer Geriatrierung, die Inge Deutschkron 1983 so beschrieb: «Im Jahre 1981 lebten noch 600 Juden in der DDR und Ostberlin, davon nur 30 unter 35 Jahren» [67].

Ein etwas genaueres Bild – wenn auch nur für die Zeit nach 1974 – läßt sich für Berlin zeichnen: Beim Modell eines stationären Altersaufbaus (s. *Tabelle 4*, S. 358) wären in der Gruppe der über 60jährigen zwölf Prozent der Mitglieder zu erwarten. 1974 waren es hier 70,5 Prozent, 1976: 68,4 Prozent, 1977: 67,2 Prozent und 1984: 60 Prozent; im Herbst 1989 wurde für diese Gemeinde ein Durchschnittsalter von 56 Jahren festgestellt. [68] Die sich hier manifestierende ‹Verjüngungs›-Tendenz geht mit dem – nicht signifikanten, aber doch auffälligen – Anwachsen der Mitgliederzahlen in Berlin einher. Ausgelöst wurde diese Entwicklung dadurch, daß sich die Gemeinde allmählich von der dogmatischen Definition des Glaubensjudentums abzulösen begann und, etwa seit Mitte der 80er Jahre, Konzepte entwickelte, um vor allem die Kinder und Enkel jener «Bürger jüdischer Herkunft», die eine Verbindung mit der Gemeinde abgelehnt (oder aufgelöst) hatten, erneut ans Judentum heranzuführen.

Über die Größe dieser Gruppe der «biographischen» Jüdinnen und Juden, die nach der Befreiung in der SBZ lebten oder aus den KZs oder dem Exil zurückkehrten, liegen ebenfalls kaum gesicherte Daten vor. Einen ersten Anhaltspunkt liefert allerdings die in ganz Deutschland am 29. Oktober 1946 durchgeführte Volkszählung, in der Personen, die sich zum Judentum bekannten, als «Israeliten» erfaßt wurden; für die Ostzone einschließlich des sowjetischen Sektors von Berlin waren dies 4629 Personen. [69] Allerdings stellte die «Allgemeine» schon 1949 fest, daß in den vier Sektoren Berlins insgesamt 311 Personen, die sich als Juden bezeichneten, der Gemeinde nicht beigetreten waren.

Von der Volkszählung wurde wohl erst ein sehr geringer Teil der schätzungsweise 3500 vor allem politisch motivierten Rückkehrer [70] aus dem Exil erfaßt, denn die Phase der Remigration setzte erst zu diesem Zeitpunkt ein und dauerte etwa bis 1950. Gleichzeitig hielt aber die Auswanderung an, die in den Jahren 1952/53 zu einer wahren Fluchtwelle anwuchs und erst durch den Bau der Mauer eingedämmt wurde. Selbst für diesen Massenexodus, ein nicht nur demographisch gravierendes Ereignis, liegen keine genauen Daten vor, ist nicht geklärt (oder offengelegt), wie viele Mitglieder in den Westen flohen und wie viele andere aus politischen Gründen den Austritt erklärten. Für 1949, bei Staatsgründung der DDR, schätzte Katcher die jüdische Bevölkerung auf ca. 8 000 Personen. [71] Ein Teil derjenigen, die keiner Gemeinde beitraten, wurde einzig durch die Anerkennung als «rassisch Verfolgte» (und somit als Rentenbezieher) erfaßt; über die Zahl ihrer Angehörigen und aller anderen, die keine solche Rente erhielten, können – vorläufig – nur Mutmaßungen angestellt werden: Übereinstimmend gehen die Befragten davon aus, daß sich die tatsächliche jüdische Bevölkerung der DDR jeweils auf ein Zehn- bis Fünfzehnfaches der offiziellen Mitgliederzahlen belief. [72]

Aufgrund der Tatsache, daß weder seitens der Gemeinden noch durch das Amt für die Verfolgten des Naziregimes (VDN) Mitgliederlisten publiziert wurden, kann auch über die Verteilung auf die Geschlechter keine verbindliche Aussage gemacht werden, ebensowenig wie über Berufs- und Erwerbsverhältnisse. Maor zitiert einen Korrespondenten aus Dresden:

«Über 3 000 Juden, Nichtmitglieder der Gemeinden, sind in führenden Funktionen des Staates und im Geistesleben beschäftigt. Viele der bedeutendsten Schriftsteller, Journalisten, Schauspieler, Künstler sind Juden. Im Gesundheitswesen und in der Justiz gibt es ebenfalls an führender Stelle Juden. Ebenso auf dem Gebiet der politischen Wissenschaften.» [73]

Dabei muß allerdings der Einstufung «in führenden Funktionen» mit einiger Skepsis begegnet werden; denn es gab zwar zweifellos einzelne Chefredakteure, prominente Schriftsteller und andere Künstler, hohe Ministerialbeamte und Angehörige der höchsten Parteigremien, die jüdischer Abstammung waren, die genannte Zahl scheint aber m. E. um ein Zehnfaches zu hoch angesetzt zu sein.

3. Innerer Aufbau

Sehr schnell wurde auch in der DDR klar, daß die als «Liquidationsgemeinden» gegründeten Körperschaften keineswegs nur für eine Übergangszeit – d. h. bis zur Auswanderung der in der SBZ lebenden jüdischen Bevölkerung – eine Funktion zu erfüllen haben sollten: Viele von ihnen wollten in Deutschland bleiben. Der Mitgliederbestand der

Gemeinden nahm in der Anfangsphase durch den Beitritt einzelner aus dem Exil zurückgekehrter Juden sogar leicht zu. Neben den ursprünglichen Aufgaben – der Vermittlung von Unterstützung durch jüdische Hilfsorganisationen, der Hilfe bei Problemen im Zusammenhang mit der angestrebten Emigration und der einstweiligen seelsorgerischen, religiösen Betreuung – mußten neue wahrgenommen werden: Aufbau einer auf Permanenz ausgerichteten Gemeindeverwaltung, Strukturierung und Festigung des Gemeindelebens, Zusammenarbeit mit den staatlichen Organen für die Renovation oder Rekonstruktion der Synagogen, Bemühungen um Rückerstattung des enteigneten Gemeindevermögens. Bald sollte eine weitere Aufgabe hinzukommen – die Bestrebung um Restauration und Instandhaltung der meistens verwüsteten Friedhöfe –, eine Aufgabe, die bis zur «Wende» einen wesentlichen Teil der Gemeindearbeit ausmachte.

Finanziert wurden die Gemeinden überwiegend durch die öffentliche Hand, wobei die Aufwendungen für die Administration und gemeindeinterne Aktivitäten nur einen kleinen Anteil an den Haushalten hatten; wesentlich größere Summen verschlang der Unterhalt der Liegenschaften, vor allem der etwa 140 Friedhöfe auf DDR-Gebiet. [74] Vereinzelt konnten aber auch zurückerstattete Grundstücke an den Staat veräußert werden; aus den Einnahmen erhielten die Gemeinden Haushaltszuschüsse, ein Rest blieb für ‹Unvorhergesehenes› in der Verbandskasse.

Die Gemeinden setzten die Statuten aus der vorfaschistischen Zeit wieder in Kraft oder erarbeiteten neue [75], mittels deren der Zweck der Gemeinden, ihre Rechte und Pflichten ebenso wie die der einzelnen Mitglieder festgehalten werden sollten. Zudem wurden wohl in allen Gemeinden unmittelbar nach der Neugründung Wahlen abgehalten. Zwei oder drei Personen bildeten in den kleineren Gemeinden einen Vorstand, aus dessen Mitte der Vorsitzende gewählt wurde. Außerdem bestimmten einzelne Gemeinden sog. Mitgliedervertreter, über deren Kompetenzen und Aufgaben allerdings keine Angaben vorliegen. Möglicherweise entstand die Gemeindehierarchie analog zu den Strukturen der SED, wobei die Mitgliedervertreter den Kandidaten des ZK entsprächen. In Berlin wurden sie ausdrücklich als «Nachfolgekandidaten» bezeichnet.

In der Regel war die Mitarbeit in der Gemeindeführung ehrenamtlich, einzig in Berlin soll Heinz Schenk, der von 1953 bis 1971 als Vorsitzender amtierte, diese Aufgabe als «a paid officer of the State» [76] wahrgenommen haben. Zu seiner Zeit hatte zwar ein «provisorischer Vorstand» existiert, für den auch Ergänzungswahlen stattfanden [77], doch kam es erst nach seinem Tod zu einer Demokratisierung der Gemeindeführung unter Peter Kirchner. Während in den kleineren Gemeinden eine Ressortbildung kaum notwendig war, bildeten sich in Berlin mehrere Abteilungen (Kultus, Finanzen, Bildungswesen und Soziales) [78]; außerdem wurden für die Mitglieder feste Sprechstunden eingerichtet. Seit 1976 wirkte ein Gemeindemitglied als Sozialarbeiterin für die älteren Menschen, wobei ihre Hauptaufgabe in der psychischen Unterstützung und der Organisation von Aktivitäten bestand.

Bei der Betrachtung der Berichte «Aus den Gemeinden» im «Nachrichtenblatt» werden die Diskrepanzen zwischen Berlin und der übrigen DDR schon früh – und zunehmend deutlich – sichtbar. Während in der ‹Provinz› religiöse und gesellschaftliche oder politische Anlässe (offizielle Gedenk- und Feiertage, Parteiveranstaltungen etc.) sowie Glückwünsche und Grußbotschaften (v. a. im Austausch mit Behörden, Parteikadern und Kirchenfunktionären) den Hauptanteil der Beiträge ausmachen, nahm in Berlin die Darstellung gemeindeinterner Aktivitäten seit dem Amtsantritt Kirchners immer breiteren Raum ein und dokumentierte gleichzeitig die Demokratisierung der Gemeindeführung. Schon 1972 wurden zweimal monatlich Veranstaltungen durchgeführt, die den engen Rahmen der «Religionsgemeinschaft» sprengten: Lesungen und Vorträge zu jüdischen Themen, Konzerte mit liturgischer, jiddischer Musik oder Werken jüdischer Komponisten wurden abgehalten, Hebräischkurse angeboten [79], eine Frauen- und eine Jugendgruppe gegründet [80], zum Jahresende ein Ball veranstaltet.

1974 setzten Bestrebungen ein, eine Bibliothek einzurichten, die 1977 eröffnet wurde. Obschon in den regelmäßigen Berichten über deren Arbeit das mangelnde Interesse der Gemeindemitglieder festgestellt wurde – diese stellten nur einen geringen Prozentsatz der Leserschaft dieser öffentlich zugänglichen Einrichtung –, publizierte das «Nachrichtenblatt» auch Rezensionen und Listen der Neuerwerbungen.

Das – für jüdische Verhältnisse in der DDR – luxuriöse Angebot an kulturellen Aktivitäten wurde von der gesamten Gemeindeführung organisiert und getragen; Kirchner, der hauptberuflich als Neurologe tätig war, wäre allein kaum in der Lage gewesen, die damit verbundene Arbeit zu bewältigen.

In den Berichten aus den übrigen Gemeinden zeigt sich hingegen, daß deren Vorsitzende in der Regel die Führungs- und Repräsentationsaufgaben, die hier zweifellos in geringerem Maß anfielen, allein wahrnahmen; kulturelle, d. h. nicht religiös oder politisch motivierte Aktivitäten fanden hier kaum statt. Die übrigen Vorstandsmitglieder traten öffentlich meist nur in Erscheinung, wenn die Vorsitzenden verhindert waren.

Dies zeigt sich auch bei der Zusammensetzung des 1952 gegründeten Verbandes: Jede Gemeinde entsandte einen Delegierten – den Vorsitzenden. Aus diesem Kreis wurde das dreiköpfige Verbandspräsidium gewählt; für die Präsidiumsmitglieder rückten die stellvertretenden Vorsitzenden der Gemeinden als Beiräte nach.[81] Nach dem Beitritt Berlins bestand die Verbandsleitung aus elf Personen. Tatsächliche Neuwahlen erfolgten hier wie in den Gemeinden üblicherweise nur, wenn einer der Amtsträger verstarb oder aus gesundheitlichen Gründen zurücktrat; desgleichen blieben die vom Verband gebildeten Ausschüsse (Wahl-, Kultus-, Schlichtungskommission und ein Redaktionskollegium für das «Nachrichtenblatt») meist über Jahre unverändert.

Die Hauptaufgabe des Verbandes war zweifellos, seine Mitglieder nach außen zu repräsentieren, jüdische Anliegen gegenüber staatlichen Organen, der SED und den Blockparteien, aber auch gegenüber der Presse zu vertreten. Obschon immer wieder die Gemeindeautonomie betont wurde[82], bestimmte der Verband das ‹jüdische› Erscheinungsbild, verwaltete die Finanzen (außer denjenigen Berlins) und kontrollierte die Tätigkeit der Gemeinden:

«Jede Gemeinde ist durch den gewählten Beirat verpflichtet, spätestens 8 Tage vor dem festgesetzten Termin der neuen Tagung einen Bericht über die Tätigkeit in der Gemeinde zu geben bzw. die Wünsche aufzugeben, die in der Tagesordnung berücksichtigt werden sollen.»[83]

Das Verbandspräsidium entschied über Form und Ausmaß der jüdischen Beteiligung an der «gesellschaftlichen Arbeit»: Mitarbeit in

Organisationen wie der «Nationalen Front des demokratischen Deutschland», in der Gesellschaft für deutsch-sowjetische Freundschaft, in der Liga für Völkerfreundschaft, im FDGB, der Einheits-Gewerkschaft etc., aber auch die ausdrückliche Unterstützung der «Wahllisten» und anderer staatstragender Propaganda. Mitglieder wurden in die entsprechenden Gremien delegiert oder zur Mitarbeit aufgefordert.[84] Konkret wurde dazu 1960 der Beschluß gefaßt:

«Die Tätigkeit des Verbandes und seines Vorstandes muß zukünftig wesentlich aktiver werden, insbesondere muß durch eine zentrale Steuerung und Anleitung auf die Gemeinden in der Deutschen Demokratischen Republik der gesellschaftlichen Arbeit mehr Beachtung geschenkt werden, um auch hier eine Aktivität gegen Krieg und Faschismus zu entfachen.»[85]

Das «Nachrichtenblatt», zu dessen Redaktionskollegium gemäß Statuten der Präsident des Verbandes gehörte, wurde als offizielles Sprachrohr der jüdischen Gemeinschaft verstanden:

«Die Herausgabe dieses Blattes ist eine unbedingte Notwendigkeit, um die insbesondere im Punkt 1 der Tagesordnung [siehe oben; die Verf.] durchzuführenden Aufgaben zu erfüllen.»

Im Antrag zu die Behörden auf Zulassung einer solchen Publikation wurde allerdings ein anderer Akzent gesetzt:

«Getragen von dem Gedanken, das jüdische geistige und kulturelle Erbe unserer Traditionen im pulsierenden Leben zu erhalten, ist es notwendig und erforderlich, ein Nachrichtenblatt herauszugeben.»[86]

Dem Anliegen, mittels dieser Publikation zu einer Auseinandersetzung mit religiösen, kulturellen und historischen Aspekten beizutragen, wurde im «Nachrichtenblatt» immer wieder Rechnung getragen; allerdings waren diese Artikel meist nicht von Mitgliedern des Redaktionskollegiums verfaßt und erschienen außerhalb der Rubrik «Der Verband teilt mit» oder den Berichten aus den Gemeinden.

In anderen Bereichen bemühte sich der Verband jedoch aktiv um die Bereicherung jüdischen Lebens und um Festigung der Beziehungen innerhalb und zwischen den Gemeinden. Seit 1960 wurde jeden Sommer für die Kinder der Gemeindemitglieder ein dreiwöchiges Ferienlager durchgeführt, in der Regel mit 15 bis 20 Teilnehmern. Wenn auch gelegentlich seitens der Gemeindevorsitzenden bemängelt wurde, daß den Kindern nur wenig jüdische Inhalte geboten werden konnten [87] – auch hier machte sich der Mangel an Menschen mit fundierten religiösen Kenntnissen bemerkbar –, wurde daran festgehalten, das Lager als jüdische Einrichtung zu belassen, um den Zusammenhalt zu fördern und der Assimilation (z. B. durch Teilnahme nichtjüdischer Kinder) entgegenzutreten. Erst mit fortschreitender Öffnung der DDR wurde das Ferienlager zu einer Gelegenheit, unter Beiziehung ausländischer Betreuer jüdisches Grundwissen an die Kinder zu vermitteln. [88]

Eine weitere vom Verband getragene Institution war der Leipziger Synagogalchor. Dieser wurde 1963 von Werner Sander, der außerdem seit 1950 als Kantor für die Gemeinden Leipzig und Dresden wirkte, gegründet. Mit diesem Chor, dessen übrige Mitglieder ausschließlich Christen sind, erarbeitete er ein großes Repertoire an liturgischen Gesängen wie auch aus dem Fundus jiddischer Folklore, gab in den Gemeinden Synagogenkonzerte und war jeweils an der Gestaltung besonderer Gottesdienste beteiligt. [89] Durch intensive Konzerttätigkeit wie auch durch Schallplattenaufnahmen und Mitwirkung an der alle zwei Wochen am *Sabbat*morgen vom Berliner Rundfunk ausgestrahlten Sendung mit jüdischer Musik sorgte er für eine Verbreitung über jüdische Kreise hinaus. Obwohl z. B. seitens der Berliner Gemeinde kritisiert wurde, «daß die Melodien, die Werner Sander bringt, verschandelt sind» [90] und daß somit die Gottesdienste für die älteren Gemeindemitglieder nicht traditionsgemäß waren, setzte sich der Verband – zweifellos auch deshalb, weil er von der Wichtigkeit dieser Form von Öffentlichkeitsarbeit überzeugt war – nach Sanders Tod für die Erhaltung des Chors ein, wurde sein «ideeller und finanzieller Träger». [91]

Ein weiterer Aspekt der Verbandsarbeit betraf die Kontakte zur restlichen Diaspora. Obschon durch die Zweistaatlichkeit getrennt, war der Verband anfänglich auch Mitglied des Zentralrats. Mindestens einmal nahm der damalige Präsident des Verbandes, Hermann Baden, auch an einer Tagung des Zentralrates teil; außerdem wurde der Beschluß gefaßt, die Vertreter der Juden in der BRD «einzuladen und ihnen Kenntnis zu geben vom jüdischen Leben in unseren Gemeinden» [92]. 1963 wurde aber in der Berliner Ausgabe der «Allgemeinen» mitgeteilt, der Verband sei «seinem Wunsch gemäß» nicht mehr Mitglied des Zentralrats. [93] Obwohl der Verband gegen diesen Ausschluß protestierte, wurde aus der BRD mitgeteilt:

«Rechtsgründe sprechen dafür, es bis auf weiteres bei dem jetzigen Zustand, d. h. Zusammenarbeit, die sich u. a. in Einladungen zu Ratssitzungen äußert, zu belassen.»[94]

Danach finden sich in den Akten aber immer wieder Vermerke wie z. B.:

«Vom Zentralrat der Juden in Deutschland ging uns eine Einladung zur Ratsversammlung (...) zu. Es wurde mitgeteilt, daß wir an der Versammlung leider nicht teilnehmen können, da die Einladung zu spät übersandt wurde.»[95]

Bis 1988 beschränkte sich der Kontakt auf Protestbriefe des Verbandes gegen unrichtige Verlautbarungen in der «Allgemeinen», informelle Besuche von Vertretern des Zentralrats, auf westliche Unterstützung bei der Ausarbeitung eines jüdischen Kalenders und (oft angemahnten) Übersendungen von Kultusgegenständen. Ein Grund dafür ist sicher in den (auch durch Zensur[96] bedingten) Kommunikationsproblemen zu suchen. Wichtiger scheint m. E. aber das politische Klima, das einer engeren Zusammenarbeit kaum förderlich war: In den ersten Jahren nach der Spaltung der Berliner Gemeinde 1953 waren im «Nachrichtenblatt» immer wieder Angriffe gegen die «faschistische» BRD, aber auch gegen die «Republikflüchtlinge» aus den eigenen Reihen zu lesen, so z. B.:

«Zu diesem Zeitpunkt hatte die westliche Presse allerdings eine ungeheure Propaganda in diesem Sinne entfaltet, weil eine kleine Zahl jüdischer Menschen, durch westliche Einflüsterungen zu kriminellen Vergehen verleitet, Bestrafungen fürchten mußte und deswegen die Deutsche Demokratische Republik verließ. Nicht anders wie auch andere Irregeleitete, die nicht dem jüdischen Glauben angehörten.»[97]

Diese Art der (durch die politische Situation in der DDR erzwungenen) innerjüdischen Kritik verschwand zwar allmählich, doch die generellen Attacken auf die BRD nahmen zu. 1967 publizierte der Verband eine Broschüre «Antisemitismus in Westdeutschland»[98], in der nicht nur auf aktuelle Anlässe wie Friedhofschändungen, Schmiereien oder die Wahlerfolge der NPD hingewiesen, sondern vor allem angeprangert wurde, daß ehemalige Nazis in der BRD in Politik, Wirtschaft und Justiz unverändert an der Macht seien, daß der Nazismus sich dort ungebrochen verbreiten könne, während in der DDR alles getan worden sei, um dem Nazismus für immer jegliche Grundlage zu entziehen. (1968 erschien in der BRD die von Simon Wiesenthal erarbeitete Dokumentation über ehemalige Nazis, welche nun in der DDR-Regierung oder -Presse propagandistisch tätig waren[99]; vom Verband erfolgte darauf keinerlei Reaktion – möglicherweise war diese Schrift aufgrund der Zensur in der DDR nicht zugänglich.)

Die Schwierigkeiten des Verbandes, mit jüdischen Organisationen der Diaspora in Verbindung zu treten oder gar in internationalen Gremien mitzuarbeiten, zeigen sich auch am Beispiel der Kontaktaufnahme zum Jüdischen Weltkongreß (WJC): Im Frühjahr 1966 erschien im schweizerischen «Israelitischen Wochenblatt», das der Verband regelmäßig bezog, zur Plenarversammlung des WJC, die für den 31. 7. bis 9. 8. 1966 in Brüssel einberufen war, eine Notiz, in der u. a. zu lesen war:

«Dr. Nahum Goldmann erklärte, daß jüdische Gemeinden und Organisationen aus allen Ländern der Welt Gelegenheit haben werden, sich an den Arbeiten der Konferenz zu beteiligen. (...) Es laufen besondere Anstrengungen, um Länder des Ostblocks vermehrt zur Teilnahme an der Konferenz zu bewegen.»[100]

Der Verband stellte allerdings fest, «daß bis jetzt von einer Verbindung nichts zu spüren ist»[101], wandte sich selbst an den WJC und bat um eine Einladung zur Tagung. Nach deren Erhalt wurde das Verbandspräsidium beim Staatssekretär für Kirchenfragen vorstellig, um dessen Genehmigung zur Teilnahme zu erhalten. Die Prüfung dieser Angelegenheit zog sich in die Länge[102], das Ministerium verlangte zusätzliche Unterlagen – und der Kongreß fand ohne Beteiligung der DDR-Juden statt. Allerdings war mindestens ein Mitglied des Verbandspräsidiums der Ansicht, der Verband hätte selber – auch bezüglich anderer Kontakte zum Ausland – aktiver werden müssen.[103] Erst 1976 nahm der Verband als Beobachter an einer Tagung der Europäischen Sektion des WJC teil und vermerkte dazu im Nachrichtenblatt:

«Nach einem Dankwort an die Gastgeber und die die Teilnahme befürwortenden offiziellen Institutionen der Regierung der DDR brachte er [Kirchner; die Verf.] zum Ausdruck, daß die Mitarbeit als Beobachter an der Sitzung des WJC nicht zuletzt im Zusammenhang mit der Konferenz von Helsinki gesehen werden müsse.»[104]

Obwohl die jüdischen Vertreter der DDR nach diesem Zeitpunkt immer wieder zu den Tagungen der verschiedenen Gremien des WJC eingeladen wurden, gelangte der Verband über den Beobachterstatus nicht hinaus. Deutlich war aber, daß diese Teilnahme einen Durchbruch bedeutete: Seit Mitte der 70er Jahre finden sich in fast jeder Ausgabe des Nachrichtenblatts Berichte über Tagungen jüdischer (oder ökumenischer) Organisationen auch des westlichen Auslands, an denen Mitglieder des Verbandes oder der Ostberliner Gemeinde teilnahmen.

4. Das Verhältnis des Kommunismus zu Religion, Judenfrage und Antisemitismus

Ideologische Grundlagen

Der enge Rahmen, innerhalb dessen sich jüdisches (aber auch kirchliches) Gemeindeleben in der DDR entwickelte, war nicht nur durch das allgemein repressive politische Klima dieses Staates bedingt. Er beruhte vielmehr auf einer ideologischen Grundüberzeugung, welche die Haltung kommunistischer Theoretiker zu den Religionen bestimmte. Marx entwickelte seine Religionskritik schon während der Auseinandersetzung mit Ludwig Feuerbachs «Das Wesen des Christentums» und Hegels Rechtsphilosophie; er gelangte zur Überzeugung:

«*Der Mensch macht die Religion*, die Religion macht nicht den Menschen. Und zwar ist die Religion das Selbstbewußtsein und das Selbstgefühl des Menschen, der sich entweder noch nicht erworben oder schon wieder verloren hat. (...) Der Mensch, das ist *die Welt des Menschen*, Staat, Sozietät. Dieser Staat, diese Sozietät produzieren die Religion, ein *verkehrtes Weltbewußtsein*, weil sie eine *verkehrte Welt* sind.»[105]

Religion wird also als Charakteristikum der «verkehrten», d. h. bürgerlich-kapitalistischen Gesellschaft angesehen, die es zu überwinden gilt. Da das kommunistische Ideal aber umfassende diesseitige Bedürfnisbefriedigung und irdisches Glück gewährleisten soll, müßte – nach dessen Erreichen – jegliche Verlagerung menschlichen Hoffens auf das

Jenseits hinfällig, das Bedürfnis nach (utopischer) Verheißung aufgehoben werden und sich eine atheistische Gesellschaft gleichsam automatisch einstellen.

«Der demokratische Staat, der wirkliche Staat, bedarf nicht der Religion zu seiner politischen Vervollständigung. Er kann vielmehr von der Religion abstrahieren, weil in ihm die menschliche Grundlage der Religion auf weltliche Weise ausgeführt ist.»[106]

Da Religion, «das Opium des Volks», durch Berauschung und Lähmung einer Entwicklung des individuellen Bewußtseins im Wege stehe, also der Machterhaltung der Ausbeuter diene, müsse sie zur Vervollkommnung des idealen (kommunistischen) Menschen aktiv bekämpft werden. Diese Auffassung wurde von den nachfolgenden Theoretikern übernommen und nur in (hier nicht relevanten) Details modifiziert.

Auch die führenden Kräfte der DDR stützten sich auf diese Theorie. Da sie aber die von ihnen geschaffene sozialistische Staatsform erst als Vorstufe des Kommunismus betrachteten – zweifellos auch geprägt durch die jüngste deutsche Geschichte der Verfolgung religiöser Minderheiten –, gelangten sie zur Überzeugung, daß ein Religionsverbot und somit die Abschaffung der Glaubensgemeinschaften (noch) nicht durchführbar sei. Die daraus entwickelte Kompromißhaltung fand in der Verfassung ihren Niederschlag. Zwar wurden Glaubens- und Gewissensfreiheit garantiert; aber bereits im zweiten Absatz des entsprechenden Artikels erfuhren diese eine Einschränkung, deren Ausmaß – da in der DDR keine Verfassungsgerichtsbarkeit existierte – von der jeweils politisch opportunen Interpretation abhängig war:

«Jeder Bürger genießt volle Glaubens- und Gewissensfreiheit. Die ungestörte Religionsausübung steht unter dem Schutz der Republik.

Einrichtungen von Religionsgemeinschaften, religiöse Handlungen und der Religionsunterricht dürfen nicht für verfassungswidrige oder parteipolitische Zwecke mißbraucht werden. Jedoch bleibt das Recht der Religionsgemeinschaften, zu den Lebensfragen des Volkes von ihrem Standpunkt aus Stellung zu nehmen, unbestritten.»[107]

Durch zusätzliche Reglementierung besonders des Religionsunterrichts wurde das Leben der Glaubensgemeinschaften einer strengen politischen Kontrolle unterworfen. Weiter erschwerend wirkte sich aus, daß der Staat atheistische Rituale mit ideologischen Bekenntnis-formeln – die Kindes-, Jugend-, Ehe- und Grabweihe – schuf, die in eigentliche Konkurrenz zu Taufe oder Beschneidung, Konfirmation, Kommunion oder *Bar Mitzwa*, kirchlicher Trauung oder Beerdigung traten. Der daraus resultierende soziale Druck wurde noch dadurch verstärkt, daß es z. B. bei Eheweihen üblich (oder gar vorgeschrieben) war, in den Betrieben der Brautleute für (teure) Geschenke Geld zu sammeln, was bei kirchlicher Vermählung untersagt war.[108] Als dis-kriminierendste und einschneidendste Maßnahme kann wohl angese-hen werden, daß nach einem Verzicht auf die Jugendweihe selbst bei besten schulischen Leistungen eine Zulassung zu bestimmten Studien-fächern oder Berufsausbildungen nicht zu erlangen war.[109]

Neben diesen alle Glaubensgemeinschaften betreffenden juristi-schen und sozialen Restriktionen stellte sich für die Juden ein weiteres Problem: die Haltung der Kommunisten speziell zur Judenfrage. 1843 verfaßte Marx als Kritik zweier Aufsätze von Bruno Bauer den Aufsatz «Zur Judenfrage», wo er sich damit auseinandersetzt, ob der jüdische Anspruch auf politische Emanzipation berechtigt ist, selbst wenn die Juden nicht bereit seien, ihren Glauben aufzugeben. Da er die Existenz der Religionen für ein gesamtgesellschaftliches Problem hält, das zu lösen nicht die Aufgabe der Juden alleine sei, hält er deren Forderung im Rahmen des bürgerlichen Staates für legitim.[110] Wesentlicher aber ist ein anderer Aspekt: Marx spricht ihnen ab, eine Nation zu sein, betrachtet diese Selbstwahrnehmung als Hirngespinst: «Die *chimäri-sche* Nationalität des Judentums ist die Nationalität des Kaufmanns, überhaupt des Geldmenschen.»[111]

Bedeutungs- und verhängnisvoll ist die Definition, die er, der als Sechsjähriger vom Judentum zum Protestantismus konvertiert wurde[112], liefert:

«Suchen wir das Geheimnis des Juden nicht in seiner Religion, sondern suchen wir das Geheimnis der Religion im wirklichen Juden.

Welches ist der weltliche Grund des Judentums? Das *praktische* Bedürfnis, der *Eigennutz*.

Welches ist der weltliche Kultus des Juden? Der *Schacher*. Welches ist sein weltlicher Gott? Das *Geld*. Nun wohl! Die Emanzipation vom *Schacher* und vom *Geld*, also vom praktischen, realen Judentum wäre die Selbstemanzipation unserer Zeit.»[113]

Diese Einschätzung wurde von den nachfolgenden Theoretikern übernommen – wenn auch gelegentlich in weniger radikal antisemitischer Ausprägung.[114] Noch bei Friedrich Engels zeigen sich kaum antisemitische Tendenzen; er näherte sich während seiner Zusammenarbeit mit Marx zwar dessen Position an, gab sie aber nach dessen Tod und aus Einsicht in die Schädlichkeit des Antisemitismus für die sozialistische Bewegung wieder auf. Rosa Luxemburg hingegen nahm eine ähnlich radikale Haltung wie Marx ein, wobei auch für sie persönliche Erfahrungen einer antisemitischen Gesellschaft prägend gewesen sein dürften. Lenin, der die jüdische Gemeinschaft in seinen Schriften nicht als Nation anzuerkennen bereit war, ihre Assimilation forderte und den Zionismus als reaktionäre Utopie ansah, behandelte die Juden nach der Oktoberrevolution dennoch wie andere nationale Minoritäten in der Sowjetunion. Trotzki, der sich wie Marx und Luxemburg von seiner jüdischen Herkunft distanzierte, wich als einziger der großen Ideologen von der Hauptlinie ab, indem er die Juden als eine Nation anerkannte, die er allerdings langfristig nicht für lebensfähig hielt; auch wenn die Judenfrage territorial gelöst werden könnte, wäre dies seiner Auffassung nach nicht durch den Zionismus, sondern lediglich in einem sozialistischen Weltsystem möglich. Die Definition Stalins, wonach zur Konstituierung einer Nation vier Faktoren – Gemeinsamkeit der Sprache, des Territoriums, der Wirtschaft und der Kultur – notwendig seien, war gerade im Hinblick auf die sowjetische (und damit sozialistische) Haltung zur Judenfrage während Jahrzehnten von außerordentlicher Bedeutung: Den Juden wurden allenfalls «gewisse Überreste eines Nationalcharakters» (Religion und gemeinsame Abstammung) zugesprochen.

Die zum Jahreswechsel 1918/19 gegründete KPD, aus der 1946 die SED hervorging, nahm in der Zwischenkriegszeit eine etwas differenziertere Position ein: Sie äußerte sich zwar nicht direkt zur Frage, ob die Juden eine Nation bildeten; ihre Auffassung, die Judenfrage könne durch vollständige Assimilation gelöst werden, legt aber nahe, daß sie sich auch hier an die stalinistische Definition anlehnte. Der (vulgäre) Antisemitismus wurde als reaktionär bezeichnet und würde mit dem Untergang des Kapitalismus von selbst verschwinden; «für die proletarische Emanzipationsbewegung (existierte) selbstverständlich keine besondere Judenfrage», was zweifellos als abgrenzende Propaganda gegen die faschistische Ideologie zu verstehen war. Dennoch war auch die KPD selbst nicht frei von antisemitischen Unterströmungen, die sich vor allem gegen die jüdisch-intellektuellen Funktionäre in den eigenen Reihen richteten, deren Konkurrenz in der Parteielite gefürchtet wurde. Zudem fanden sich hier – wie bei den Theoretikern – auch einige jüdische Exponenten, die radikal gegen das «Judenkapital» auftraten.

Im hier skizzierten theoretischen Überbau und in den persönlichen Erfahrungen eines zumindest latenten Antisemitismus in der eigenen Partei ist sicher eine wesentliche Ursache dafür zu finden, daß viele deutsch-jüdische Kommunisten der Zwischen- und Nachkriegszeit sich – vor die Wahl zwischen familiär-kulturelle oder politische Zugehörigkeit gestellt – von ihrer Herkunft so weit wie möglich entfernten.

Der sozialistische Antisemitismus der frühen 50er Jahre

Osteuropäische Entwicklungen

Das Paradox der Lage der jüdischen Bevölkerung im kommunistischen Einflußbereich zeigte sich mit zunehmender Deutlichkeit während des stalinistischen Regimes: einerseits eine grundsätzlich dezidiert antirassistische, antidiskriminierende Ideologie, andererseits eine ideologische Ungleichbehandlung von Rassismus und Judenfrage und ein seit Jahrhunderten in breiten Kreisen der Bevölkerung tief verwurzelter Antisemitismus. In seinen Schriften äußerte sich Stalin (v. a. vor dem Pakt mit Hitler von 1939) noch «mäßig projüdisch» [115], auch wenn er den Juden eine Nationalität nicht zugestehen mochte. Allerdings sind mündliche Bemerkungen belegt, die verdeutlichen, daß der Diktator bereits zu jener Zeit ‹privat› eine prononciert antisemitische Einstellung hatte, ohne sie vorerst politisch zu instrumentalisieren. Im Gegenteil bot die UdSSR nicht nur zahlreichen sowjetischen, sondern auch vielen ausländischen Jüdinnen und Juden Schutz vor der Verfolgung durch die Nazis. Auch hier war ihre Lage jedoch widersprüchlich: Sie waren von den stalinistischen «Säuberungen» der späten 30er Jahre massiv betroffen; zudem wurden viele, die sich im sowjetischen Exil aufhielten, in den folgenden Jahren an die Gestapo ausgeliefert, was den sicheren Tod bedeutete. [116]

Unter den Geretteten waren zahlreiche Kommunisten jüdischer Herkunft, die während ihres Exils in der Sowjetunion zusammen mit anderen Parteigenossen (und einigen vormaligen Nazis) politisch geschult wurden. Sie bildeten die Gruppe der sogenannten *Moskowiter*, die nach Kriegsende als neue politische Führungselite in ihre osteuropäischen Heimatländer zurückkehrten – als «Vorposten und Vertreter der Interessen einer fremden Macht im eigenen Vaterland» [117]. Lendvai kommentiert deren Situation:

«In diesen frühen Jahren überschlugen sich die *Moskowiter*, die von Stalin noch gebraucht wurden und denen er traute, um ihre revolutionäre Wachsamkeit, ihre Dienstbereitschaft gegenüber Moskau zu beweisen. Waren sie aber alleine, dann zitterten auch sie vor Angst. Und einige hatten mehr Angst als die anderen. Sie hatten ein besonderes Handicap: Sie waren Juden.»

Die *Moskowiter* bildeten allerdings nicht allein die neuen Regierungen: Auch aus dem westlichen Exil Zurückgekehrte und Widerstandskämpfer waren an der Macht beteiligt. Der Anteil der Jüdinnen und Juden aus all diesen Gruppen an Staats- und Parteispitzen war in den meisten Ostblockstaaten groß – vor allem im Verhältnis zur jüdischen Bevölkerung. Ihre besondere Nützlichkeit für die neuen kommunistischen Regimes charakterisiert Lendvai:

«Die Juden wurden mit Vorliebe in bestimmten Bereichen und Funktionen konzentriert: in der Sicherheitspolizei, weil sie die zuverlässigsten und fanatischsten Antifaschisten waren, in Außenpolitik und Außenhandel, weil sie fast die einzigen der Partei vertrauenswürdig Erscheinenden waren, die auch Fremdsprachen beherrschten; in Presse und Rundfunk wegen ihrer städtischen Tradition und oft auch wegen ihres höheren Bildungsniveaus.»

Aber auch andere Gruppierungen – Sozialdemokraten, Bauernparteien und Liberale – waren anfänglich an der Staatsmacht beteiligt. Allerdings handelte es sich bei diesen um Neugründungen der von den Nazis zerschlagenen Parteien der Vorkriegszeit, die deshalb den disziplinierten kommunistischen Kadern im Hinblick auf die für den Wiederaufbau notwendige politische Initiative von Anfang an unterlegen waren. Fejtö beschreibt eindrücklich, wie die Kommunisten dabei auch Reformprogramme anderer Parteien aufnahmen und durchsetzten, was einerseits ihre Profilierung verstärkte, andererseits zu einem breiteren Konsens führte und den 1945 verbreiteten Verdacht einer unmittelbar bevorstehenden Stalinisierung Osteuropas vorerst zu entkräften vermochte.[118] Zudem unterstützten sie den anwachsenden Nationalismus, grenzten sich also – in Übereinstimmung mit der Bevölkerung – verbal gegen die Sowjetunion ab.

Die Phase des Wiederaufbaus, in der die osteuropäischen Staaten demokratischer Prägung (bei latenter Dominanz der Kommunisten) ihre zerstörte Wirtschaft so weit sanierten, daß diese beinahe wieder Vorkriegsniveau erreichte, dauerte etwa bis 1948 (Fejtö). Wesentlich an dieser Leistung beteiligt war die massive Unterstützung nicht nur durch die sowjetische Besatzungsmacht, sondern vor allem auch durch die United Nations Relief and Rehabilitation Administration (UNRRA), welche die (vorläufige) Errichtung parlamentarischer Demokratien förderte. (Ungarn, Bulgarien und Rumänien, die mit den Nazis kollaboriert hatten, waren von dieser Hilfe ausgeschlossen.) Dennoch wurden schon unmittelbar nach Kriegsende rigorose Agrarreformen durchgesetzt, die einen neuen Kleinbauernstand schufen, wobei der jeweils zugeteilte Boden oft nicht einmal zur Ernährung einer Familie ausreichte. Zudem setzte die Verstaatlichung der Schlüsselindustrien ein; das ausländische (westliche) Kapital wurde zusehends verdrängt, wenn auch versucht werden sollte, eine «Verbesserung der Beziehungen mit dem Westen und folglich (...) Intensivierung des Handels und Erlangung von Krediten» zu erreichen, da selbst die Sowjetunion auf den Import von Maschinen, Anlagen und Rohstoffen angewiesen war.

Der Westen, besonders die USA, war zur Unterstützung bereit; doch der Marshallplan von 1947, der zur Sanierung der europäischen Wirtschaft (und damit aus amerikanischer Sicht zu politischer Stabilität und Friedenssicherung) verhelfen sollte, wurde von der UdSSR als Bedrohung ihres Einflußbereichs angesehen und deshalb auch für die anderen osteuropäischen Staaten abgelehnt. Diese waren nun also gezwungen, ihre Wirtschaft aus eigenen Kräften zu beleben und die Versorgung der Bevölkerung sicherzustellen; dies gelang allerdings nur mangelhaft. Zudem forderte die UdSSR von den kommunistischen Parteien, die Macht jetzt ganz zu übernehmen (nachdem Schlüsselpositionen in Polizei, Armee, Gewerkschaften, Presse etc. schon lange von eigenen Funktionären besetzt worden waren), was unter den gegebenen Umständen – Schwäche der anderen, noch jungen Parteien,

Engpässe in der Versorgung auch im Nahrungsmittelsektor und zunehmend einseitige Orientierung hin zur Sowjetunion – keine allzu großen Schwierigkeiten hervorrief. Wo dennoch Widerstand wach wurde, griffen die Kommunisten (unter Anleitung Moskaus) ab 1947 zum in der UdSSR wiederholt erprobten Mittel der «Säuberungen». Diesen fielen Bauernpolitiker ebenso zum Opfer wie jene Sozialisten – laut kommunistischer Terminologie «die Verkörperung des bourgeoisen Einflusses auf die Haltung der Arbeiter»[119] –, die weiterhin auf nationaler Unabhängigkeit und parlamentarischen Modellen beharrten und sich einem Zusammenschluß mit der KP widersetzten. An diesen «Säuberungen» maßgeblich beteiligt waren die *Moskowiter*, die überall nach demselben Muster vorgingen. Einzig Jugoslawien verweigerte dem Diktat des Kremls den Gehorsam und löste sich 1948, nach heftigen Auseinandersetzungen zwischen Moskau und Belgrad, vom Ostblock, was für diesen wirtschaftlich, strategisch und vor allem politisch einen großen Verlust bedeutete. Eine neue Welle der «Säuberungen» gegen «Nationalisten, Titoisten und westliche Agenten» setzte ein, deren prominenteste Opfer Gomulka in Polen und Rajk in Ungarn wurden.[120] Gegen sie – beide im Volk relativ beliebte altgediente «Nationalkommunisten»[121] – und ihre Anhänger wurden Schauprozesse geführt, an deren Ende jeweils nur die Todesstrafe stehen konnte.

Die Alleinherrschaft der kommunistischen Parteien – unter der Kontrolle Moskaus und mittels Terror herbeigeführt – vermochte jedoch die innenpolitischen Probleme, die durch die Kollektivierung der gesamten Wirtschaft mit Enteignungen und langwierigen Anpassungsprozessen, Lebensmittelknappheit, aber auch durch Abkapselung gegen den Westen, Angst vor dem Verlust der nationalen Souveränität und Haß gegen die Handlanger Stalins entstanden, nicht zu lösen, da die Machthaber in der Bevölkerung nur wenig Unterstützung fanden. Der Unmut der Menschen, denen man eine rasche Anhebung des Lebensstandards versprochen hatte, nahm zu; 1951 kam es in einigen Ländern zu Streiks und passivem Widerstand.[122] Neue Sündenböcke mußten gefunden werden, um dem Volkszorn ein Ventil zu bieten. Meyer bemerkt:

«This needs time. The rule is: No liquidation without ideological preparation. A group must be isolated morally, discredited, and denounced as the breeding ground of traitors and saboteurs before it can be sent to perish in concentration camps.»[123]

Schon im Herbst 1948 hatte die Vorbereitung zur Ausgrenzung der Juden begonnen. In der Moskauer «Prawda» erschien ein Artikel des jüdischen Kommunisten Ilja Ehrenburg, der den Zionismus, Israel und auch die Verbindungen der Juden anderer Länder zueinander heftig angriff. Obschon dieser Text in erster Linie in einem außenpolitischen Zusammenhang zu sehen ist – die Sowjetunion hatte Israel seine Unterstützung entzogen und sich dem arabischen Lager zugewandt –, enthält er deutlich antisemitische Untertöne. Gleichzeitig wurde das auf Initiative Stalins 1943 gegründete Jüdische Antifaschistische Komitee aufgelöst[124], die kommunistisch orientierte jiddische Zeitung «Einikeit» und andere jiddische Publikationen verboten, jüdische Theater und das Verlagshaus «Emes» geschlossen.[125] Damit begannen für die Sowjetjuden die sogenannten Schwarzen Jahre. Fielen den früheren «Säuberungen» auch Jüdinnen und Juden zum Opfer, so verschwieg dies die Propaganda bis zu diesem Zeitpunkt. (So ist z. B. die Erschießung zweier Führer des Allgemeinen Jüdischen Arbeiterbundes von 1948 wohl nicht als antisemitische Aktion, sondern vielmehr als politische «Säuberung» Stalins gegen Exponenten einer mißliebigen Partei zu werten.[126]) Jetzt aber wurde ein neues Feindbild aufgebaut, die Etiketten waren «Zionismus» oder «Kosmopolitismus» – gemeint waren aber die Juden schlechthin. Das wird auch daraus ersichtlich, daß nicht nur kulturelle Institutionen oder zionistische Organisationen verboten, sondern auch das religiöse Leben angegriffen wurde. Meyer bemerkt allerdings:

«In the Soviet Union itself there was nothing Jewish left to liquidate except the Jews. Judaism as a religion had been virtually harried out of existence with the help of Jewish Communists long ago. Jews had had to renounce all ties with Judaism or Jewishness; many were now Communists. But this didn't help them very much.»[127]

Zahlreiche Juden wurden verhaftet, die ‹übliche› Anklage lautete auf staatsfeindliche Tätigkeiten. Da Israel als Agent des US-Imperialismus gebrandmarkt worden war, konnten die Juden, die oft Verwandte in

Israel oder im westlichen Ausland hatten, ohne öffentlichen Protest als Zionisten und somit als Spione und Verräter verurteilt werden. Im August 1952 kam es in der UdSSR zu einem Geheimprozeß gegen mehr als zwei Dutzend «repräsentative Juden» [128], darunter Schriftsteller und Gewerkschaftsführer, die zum Tod verurteilt und hingerichtet wurden. Für Stalin, der bereits 1939 gegenüber dem deutschen Außenminister von Ribbentrop geäußert haben soll, er warte nur «auf den Augenblick des Heranreifens genügend eigener Intelligenz in der UdSSR (...), um mit dem heute noch von ihm benötigten Judentum als Führungsschicht Schluß zu machen» [129], war dieser Moment Ende der 40er Jahre offenbar gekommen. Die Satellitenstaaten beeilten sich, dem Vorbild nachzueifern. Die ausbrechende Panik erfaßte auch die jüdischen *Moskowiter* wie den ungarischen Premierminister Rakosi. Er führte in der Partei und im Staatsapparat umfangreiche «Säuberungen» durch, von denen zahlreiche Jüdinnen und Juden betroffen waren. [130] Hier und in Bulgarien kam es 1951 zu Massendeportationen. [131] Rakosi konnte seinen Kopf – trotz heftiger Kritik aus Moskau [132] – im Gegensatz zu anderen jüdischen Spitzenfunktionären damit retten.

Nach dem Sturz des rumänischen Führungstrios (Ana Pauker, gleichzeitig stellvertretende Ministerpräsidentin, Außenministerin und Sekretärin des ZK, Finanzminister Vasile Luca und Innenminister Teokari Georgescu, alle drei jüdische *Moskowiter*) [133] im Mai 1952, der allerdings ohne Prozeß oder offen antisemitische Attacken erfolgte, kam es im November 1952 zu einem Schauprozeß gegen 14 der führenden Kommunisten in der Tschechoslowakei. Elf der Angeklagten waren, wie seit ihrer Verhaftung ein Jahr zuvor immer wieder betont worden war, «jüdischer Herkunft». Der Hauptangeklagte war Rudolf Slansky, der noch bis Anfang September Generalsekretär der tschechischen KP gewesen war; außerdem standen führende Kräfte des Wirtschafts-, des Außen- und des Verteidigungsministeriums sowie der Herausgeber des Organs der KP, «Rude Pravo», vor Gericht. Sie waren angeklagt, als «trotzkistisch-titoistisch-zionistische, bürgerlich-nationalistische Verräter und Feinde des tschechoslowakischen Volkes» [134] für Jugoslawien, Israel und den Westen spioniert zu haben und an einer weltweiten jüdischen Verschwörung beteiligt zu sein.

Involviert in diese Verschwörung waren gemäß Anklageschrift auch US-Präsident Truman, dessen Staatssekretär Dean Acheson und

Henry Morgenthau, außerdem die israelischen Spitzenpolitiker David Ben Gurion und Moshe Sharett; als Operationsbasis wurde das American Joint Distribution Committee bezeichnet – ein angeblich als Hilfswerk getarnter Spionagering. (Gemäß sowjetischer Interpretation sah der Morgenthau-Plan vor, daß die USA Israel unterstützen sollten, um als Gegenleistung die Möglichkeit zu erhalten, zionistische Organisationen für Spionage- und Subversionstätigkeiten in den Volksrepubliken zu benutzen.[135]) Als weitere zentrale Figur wurde ein gewisser Noël Field genannt. Dieser war schon im ungarischen Prozeß gegen Rajk als amerikanischer Spion bezeichnet worden und samt seiner Familie um 1950 hinter dem Eisernen Vorhang verschwunden.[136] Der Einbezug dieser abwesenden Sündenböcke, die als Feinde a priori feststanden, sollte dazu dienen, den «Verrat» der Angeklagten glaubwürdiger zu machen, von denen Meyer schreibt:

> «All the defendants had been bitter opponents of the Jewish religion, Zionism and Jewish Nationalism throughout their adult lives. Indeed, most of them had been more strongly opposed to Jewish aspirations than their non-Jewish colleagues.»

Insbesondere Slansky hatte dies noch im Jahr vor seiner Verhaftung «unter Beweis gestellt», als er eine Reihe von Männern aus dem Umfeld von Staatspräsident Klement Gottwald unter Anschuldigung des «Nationalismus» oder «Titoismus» verhaften ließ – die meisten von ihnen Juden.[137] Meyer, der sich auf die Aufzeichnung der vom Prager Rundfunk ausgestrahlten Teile der Verhandlung stützt, beschreibt den Prozeß:

> «The defendants, all of whom had spent a long time (...) in detention and complete isolation, competed with each other in confessing the most heinous crimes according to the prosecutor's specifications. None of them denied anything, none tried to minimize his guilt or to plead mitigating circumstances. All of them described themselves as most abject criminals; in flat, unemotional voices they repeated their learned lessons.»[138]

Selbst Familienangehörige beteiligten sich an der Hetzkampagne, die während der Verhandlungen ausbrach: Die Gattin Artur Londons und der Sohn Ludvik Frejkas forderten für diese beiden Angeklagten die Todesstrafe.[139] Ende November wurde das Urteil im Slansky-Prozeß verkündet: Tod durch Erhängen für elf der Angeklagten (darunter acht

Juden), für die übrigen drei lebenslängliche Zuchthausstrafen. Alle verzichteten auf das Recht auf Berufung oder auf Begnadigungsgesuche bei Staatspräsident Gottwald.[140] Sieben weitere Schauprozesse gegen etwa 60 Spitzenpolitiker und -funktionäre folgten[141]; zahlreiche tschechoslowakische Juden begingen Selbstmord. Der im Westen aufkommende Protest gegen den während des Slansky-Prozesses und danach virulent werdenden Antisemitismus wurde von Gottwald in einer Rede abgewehrt:

«Antisemitism is a brand of barbarous racialism, such as today is being fostered by the American supermen or the Hitlerite *Übermenschen* toward the Negroes and the colonial nations. Anti-Zionism is a form of defense against American espionage and against an agency of diversionism and sabotage. Thus anti-Zionism and antisemitism are as different as Heaven and Hell...»[142]

Die Ereignisse in der Tschechoslowakei sollten jedoch nur die Vorbereitung für den Höhepunkt des stalinistischen Antisemitismus bilden: Am 13. Januar 1953 berichtete die Moskauer «Prawda», neun Kreml-Ärzte, sechs von ihnen Juden, seien verhaftet worden. Ihnen wurde zur Last gelegt, sie hätten bereits 1948 führende Militärs umgebracht und weitere Anschläge auf prominente Politiker unternommen oder geplant – alles im Auftrag westlicher Geheimdienste und des «Joint».[143] Abosch bemerkt dazu:

«Die antisemitische Aufmachung war offenkundig: Juden sollten verdächtigt werden, Zionisten und damit amerikanische Agenten zu sein. Man nimmt an, daß der von Stalin beabsichtigte Prozeß die Massendeportation der Juden einleiten sollte. Der Tod des Diktators beendete die Affäre frühzeitig.»[144]

Wenige Wochen später, am 4. April 1953, wurde die Anklage gegen die Kreml-Ärzte offiziell widerrufen, die Opfer der Kampagne rehabilitiert[145] und diejenigen, welche die Untersuchung geleitet hatten, verhaftet.[146] Während die «Ärzteverschwörung», begünstigt durch den Machtwechsel im Kreml, noch vor dem Prozeß als Fälschung entlarvt wurde, reagierte die Tschechoslowakei erst 1963, als der Oberste Gerichtshof bekanntgab, daß die im Slansky-Prozeß vorgebrachten Anschuldigungen «von den Organen des Innenministeriums fabriziert und die Geständnisse durch Anwendung physischer Gewalt und psychologischen Druck (...) erpreßt worden waren»[147]. Doch die Hetzkampagnen hatten ihr Ziel längst erreicht: Sie hatten die unzufriedenen Massen abgelenkt und als «Deckmantel für eine wichtige Umgruppierung der kommunistischen Hierarchie»[148] gedient: der Ablösung der *Moskowiter* durch eine neue, vom Volk akzeptierte Generation von linientreuen, nichtjüdischen Funktionären.

Die «Lehren aus dem Prozeß gegen das Verschwörungszentrum Slansky»

Die Staatsgründung war zwar im Oktober 1949 erfolgt, doch sollte die DDR erst mit dem im September 1955 abgeschlossenen «Vertrag über die Beziehungen zwischen der DDR und der UdSSR» die völlige Souveränität erlangen.[149] In Anbetracht dessen überrascht es kaum, daß gerade die SED sehr früh (und sehr heftig) auf die «Säuberungs»-Bestrebungen Moskaus reagierte und analoge Vorgänge einleitete. Einen ersten Hinweis darauf erhielten jüdische Kommunisten, die in Palästina im Exil gelebt hatten und sich in den ersten Nachkriegsjahren um Remigration in die SBZ/DDR bemühten. Danziger schildert die offizielle Haltung:

«Den meisten von ihnen wurde aber das Repatriierungs-Gesuch abgelehnt, sie wurden aufgefordert, bis zu einem bestimmten Termin das Land wieder zu verlassen. Ich war empört. Sie (...) waren wirkliche politische Menschen, einige von ihnen wußten mehr über die Arbeiterbewegung als ich. Warum wurden sie ausgewiesen? Weil sie Juden waren? Warum hatte man mich nicht ausgewiesen?»[150]

Auch Eschwege beschreibt, daß er mit einer Liste von 200 remigrationswilligen jüdischen Genossen aus dem palästinensischen Exil in die DDR zurückkehrte.[151] Über Monate hinweg wurde er vertröstet, die Liste sei noch in Bearbeitung, bis man ihm schließlich mitteilte, jede weitere Nachfrage sei zwecklos. Nur wenige der Betroffenen kamen zurück, «meistens illegal und oft Jahre später», einige von ihnen nur vorübergehend:

«Manche der Zurückgekommenen vertrugen die seltsame, von Mißtrauen geschwängerte Luft bei uns nicht und verließen freiwillig und auch unfreiwillig das sozialistische Deutschland. (...) Einige jüdische Genossen wurden sogar unter Begleitung an die Grenze befördert und hinübergejagt (...).»

Im August 1950 äußerte sich das ZK der SED (unter explizitem Hinweis auf die Prozesse gegen Rajk und andere) zu den Verbindungen ehemaliger deutscher KP-Emigranten zu Noël Field.[152] In dieser Erklärung wurde Field erneut als westlicher Spion «entlarvt»; führende SED-Funktionäre wurden beschuldigt, ihm und weiteren feindlichen Agenten die Unterwanderung der sozialistischen Bewegung durch «mangelnde Wachsamkeit» ermöglicht oder gar bewußt mit ihnen kollaboriert zu haben. Als Tätigkeitsbereiche der «Klassenfeinde» wurde der antifaschistische Widerstand in Frankreich, aber auch die Internationalen Brigaden, die im Spanischen Bürgerkrieg gegen das Franco-Regime gekämpft hatten, bezeichnet. Die Westemigranten hätten es nicht nur unterlassen, in Westeuropa eine zweite Front gegen die faschistischen deutschen Truppen aufzubauen, die der Sowjetunion an der Ostfront eine Entlastung gebracht hätte, sondern sich vielmehr der amerikanischen Nichteinmischungspolitik angepaßt und dadurch «mangelndes Vertrauen» zur UdSSR demonstriert. Die Beschuldigten, alle Angehörige der Emigrationsleitung der KPD, wurden ihrer Ämter enthoben und aus der Partei ausgeschlossen; die SED kündigte eine Fortsetzung der Untersuchung gegen feindliche Elemente an.

Schon im Oktober 1950, nach dem Dritten Parteitag, faßte das ZK der SED den Beschluß, «sämtliche Parteimitglieder und Kandidaten auf ihre politisch-ideologische Zuverlässigkeit prüfen zu lassen»[153] – eine Aktion, die rund 1,75 Millionen Personen betraf. Mit neuerlichen Hinweisen auf die «Agentengruppe Field», die Prozesse gegen Rajk und andere sowie die «Tätigkeit der faschistischen Tito-Clique in Deutschland» wurde festgehalten, daß die Partei von feindlichen Elementen von Grund auf befreit werden müsse.[154] Die konkreten Feindbilder wurden ausdrücklich benannt: «Sozialdemokratismus, Kosmopolitismus und Objektivismus müssen in ihrer ganzen feindlichen Rolle entlarvt werden.»[155]

Ein Anzeichen, daß die SED vor allem darum bemüht war, die sowjetischen Tendenzen zu kopieren, ergab sich daraus, daß ausgerechnet Arnold Zweig, der in Palästina im Exil gewesen war und aus seiner Nähe zum Judentum nie ein Hehl gemacht hatte, von der «Täglichen Rundschau», einem offiziellen Organ der DDR, beauftragt worden war, den «Leitartikel» zur antikosmopolitischen Attacke zu verfassen. Erst als der Chefredakteur erfuhr, daß Zweig selbst Jude war, wurde der Auftrag an Bodo Uhse, einen ehemaligen Nazi, vergeben. Seine Beschreibung der «staatenlosen, wurzellosen Kosmopoliten, der bärtigen und hakennasigen Feinde nationaler Unabhängigkeit, der internationalen Unterwanderer einer wahren Volkskultur»[156] machte, auch ohne die Juden zu erwähnen, unmißverständlich klar, wer die hauptsächlichen Adressaten dieses Angriffs waren. Aufgrund dieser Überprüfung wurden gemäß offiziellen Angaben 150000 Mitglieder und Kandidaten von der Partei ausgeschlossen, in der überwiegenden Mehrheit ehemalige Sozialdemokraten[157], von denen (im Verhältnis zum Bevölkerungsanteil) viele jüdischer Herkunft waren. Zur Bedeutung der Parteimitgliedschaft wurde in den Ausführungen der SED Stalin zitiert: «Für die einfachen Parteimitglieder ist das Verbleiben in der Partei oder der Ausschluß aus der Partei eine Frage von Leben und Tod.»[158]

Deutschkron bemerkt dazu, daß ein Ausschluß dem wirtschaftlichen Ruin gleichkam, «da keine Behörde, keine Institution oder Organisation einen Ausgeschlossenen beschäftigt»[159].

Obwohl die jüdische Gemeinschaft bei den ersten Aktionen kein offiziell deklariertes Ziel der «Säuberungen» war, stellte der Hinweis auf den «Kosmopolitismus» ein für sie beunruhigendes Indiz für möglicherweise bevorstehende direkte Angriffe dar: Als Kosmopoliten wurden Menschen bezeichnet, denen man vorwarf, gegenüber dem Staat, in dem sie leben, keine uneingeschränkte Loyalität und Solidarität aufzubringen. Gemäß kommunistischem Verständnis bildete der Kosmopolitismus das negative Gegenstück zum immer wieder verherrlichten Internationalismus. Die Verwendung dieses Begriffs zeigt, daß es aus der Situation der Juden im Ostblock keinen Ausweg gab: Einerseits wurden sie – politisch gezielt – permanent als ‹Fremde› ausgegrenzt (ohne daß man ihnen jedoch eine eigene Nationalität zugestanden hätte), andererseits wurde ihnen gerade diese ‹Fremdheit› zur Last gelegt. Allerdings war dies auch für die Gemeinden nicht das erste derartige Anzeichen; denn schon seit 1948 war zu beobachten, wie die Besatzungsmacht alle ihre jüdischen Offiziere, die als Verbindungsleute zu den jüdischen Organisationen gedient hatten, von diesen Posten abzog und auch deren (private) Gemeinde- und Synagogenbesuche unterband.[160] Thompson berichtet ferner, daß 1950 jüdische Kandidaten von den Einheitswahllisten gestrichen wurden und jüdische Funktionäre der Regionalleitungen und auch auf Regierungsebene Aufgabenbereiche verloren. Vorerst fehlte der Propaganda gegen diese Personen ein explizit antisemitisches Moment; es handelte sich vielmehr um eine umfassende Aktion gegen Westemigranten.[161]

Die Angst und die Isolierung bewirkten ein Zusammenrücken der Jüdinnen und Juden: Am 9. Juli 1952 wurde der «Verband der Jüdischen Gemeinden in der Deutschen Demokratischen Republik» gegründet [162] – nur wenige Monate nach der Verhaftung Rudolf Slanskys und anderer «Verschwörer jüdischer Herkunft». Die Berliner Gemeinde schloß sich vorerst diesem Verband nicht an. Nachdem jedoch offensichtlich wurde, daß es unmöglich war, im Spannungsfeld der Besatzungsmächte und damit der Systeme eine neutrale Position beizubehalten (und angesichts der Tatsache, daß die überwiegende Mehrheit der Mitglieder im westlichen Teil der Stadt ansässig war), zog ein wesentlicher Teil der Verwaltung unter dem Vorsitz von Heinz Galinski nach Westberlin. Werner berichtet über die zunehmend manifest werdende Bedrohung:

«In the summer of 1952 the dreaded East German security service was assigned to the surveillance of Jews prominent in the Socialist Unity party, in government offices, labor unions and Jewish organizations. Informers who were themselves Jews, were planted in the *kehilla* organizations. Those who spoke hebrew were assigned to attend synagogue services since rabbis and lay preachers were suspected of sandwiching anti-Soviet propaganda into the Hebrew prayers.» [163]

Offensichtlich sollte auch in der DDR Material gegen die jüdischen Bürger gesammelt werden. Wie die ostdeutsche Variante des als Antizionismus verbrämten Antisemitimus stalinistischer Prägung aussehen sollte, machte das ZK der SED knapp drei Wochen nach der Hinrichtung der «Verschwörer» in der ČSSR klar: Am 20. Dezember 1952 wurde ein Beschluß zu den «Lehren aus dem Prozeß gegen das Verschwörungszentrum Slansky» gefaßt, der für die nächste Zeit zu einem eigentlichen Schlüsseldokument für die Entwicklung des politischen Klimas in der DDR werden sollte – insbesondere im Hinblick auf die Juden. Die Partei hieß die dort verhängten Urteile ausdrücklich gut und betonte:

«Von besonderer Bedeutung im Prozeß gegen die Slansky-Bande waren die Enthüllungen über die verbrecherische Tätigkeit der zionistischen Organisationen.

Unter jüdisch-nationalistischer Flagge segelnd, getarnt als zionistische Organisation und als Diplomaten der amerikanischen Vasallenregierung Israels, verrichteten diese amerikanischen Agenten ihr Handwerk.

(...)

Die zionistische Bewegung hat nichts gemein mit Zielen der Humanität und wahrhafter Menschlichkeit. Sie wird beherrscht, gelenkt und befehligt vom USA-Imperialismus, dient ausschließlich seinen Interessen und den Interessen der jüdischen Kapitalisten.»[164]

Der unverhüllte Antisemitismus wurde sonst zwar vordergründig verworfen, hier aber tatsächlich legitimiert, wenn behauptet wurde, diese «Agenten» hätten die Tatsache ausgenutzt, daß die «Werktätigen (...) Antisemitismus nicht dulden und sich mit den vom Faschismus so stark verfolgten Juden solidarisch fühlten». Die Solidarität wurde nun also per Parteidekret aufgekündigt.

Die Konsequenzen für die Juden in der DDR waren gravierend: Da die SED (analog zu den anderen osteuropäischen Staaten) die Hilfsorganisation «Joint» als «amerikanische Agentenzentrale» denunzierte, gerieten sie praktisch alle in Verdacht, zionistische Spione zu sein, da sie von dieser Institution nach Kriegsende in der einen oder anderen Form unterstützt worden waren. Über die Bezieher solcher Hilfsleistungen existierten Listen[165], die den Staatssicherheitsorganen als Grundlage dafür dienten, bei Juden Haussuchungen, Beschlagnahmungen von Akten (aber auch von religiöser Literatur) und Verhaftungen vorzunehmen.[166] Auch die Gemeinden waren von diesen Maßnahmen betroffen. Außerdem wurden zahlreiche Enteignungen von vormals rückerstattetem Eigentum angeordnet.[167] Einzelne Juden wurden mit Todesdrohungen gegen sich oder ihre Angehörigen dazu erpreßt, gegen ihre Glaubensgenossen zu spionieren.[168]

Panik breitete sich in der jüdischen Bevölkerung aus. Sie erreichte ihren Höhepunkt, als am 13. Januar 1953 die Moskauer «Ärzteverschwörung» bekanntgegeben wurde. Schon unmittelbar davor waren die Gemeindeführer massiv unter Druck geraten, als von ihnen Loyalitätserklärungen gefordert wurden, in denen u. a. festgehalten werden sollte, daß Zionismus und Faschismus gleichzusetzen seien – sie weigerten sich jedoch alle, ein solches Statement zu unterzeichnen.[169] Jetzt wurde Julius Meyer, Volkskammerabgeordneter, Vorsitzender des Ostberliner Teils der (noch nicht definitiv gespaltenen) Gemeinde und Präsident des Verbandes, vor ein Parteitribunal gestellt und zu jüdischen Verbindungen mit dem westlichen Ausland (namentlich mit

Organisationen wie dem Jüdischen Weltkongreß) verhört. Werner berichtet:

«Meyer felt that whatever he would say would be used against him and that the next interrogation might end with his arrest. Ostensibly to draft a resolution, he got in touch with the leaders of the other Jewish communities to tip them off.»[170]

Meyer und die Vorsitzenden der Gemeinden Leipzig, Dresden und Erfurt flohen mit ihren Familien sofort nach Westberlin, was zu diesem Zeitpunkt noch relativ leicht möglich war, da die S-Bahn ohne Grenzkontrolle Westberliner Gebiet durchquerte. Allerdings mußten die Flüchtlinge, um nicht aufzufallen, ohne Gepäck fliehen, ihre gesamte Habe zurücklassen. Diese erste Flüchtlingsgruppe umfaßte 25 Personen. Am 14. Januar berief Rabbiner Levinson, der mit einem Teil der Gemeinde schon 1952 in den Westteil Berlins gezogen war[171], eine Pressekonferenz ein, um die Juden zum Verlassen der DDR aufzufordern – gegen den Willen von Heinz Galinski, der die Ansicht vertrat, dies würde jüdischen Interessen zuwiderlaufen, weil es der amerikanischen Position entsprach und die Ostdeutschen provozieren könnte. Am folgenden Tag allerdings, als die Fluchtwelle schon größere Ausmaße annahm, wiederholte der Vorsitzende den Aufruf.[172] In der Folge flohen die übrigen Gemeindevorsitzenden sowie zahlreiche andere Juden. Am 23. Januar 1953 meldete die Berliner Ausgabe der «Allgemeinen»:

«Staatssicherheitsdienst, Kriminalpolizei und Volkspolizei haben am vergangenen Wochenende die Büros und Wohnungen von Mitgliedern der jüdischen Gemeinden in allen Bezirken der Sowjetzone, besonders in Dresden, Leipzig, Erfurt und Halle durchsucht. (...) Die sowjetzonalen Sicherheitsorgane versiegelten die Räume und verhörten binnen 48 Stunden fast alle jüdischen Glaubensangehörigen. In mehreren Fällen wurden die Personalausweise eingezogen und den Inhabern bis auf weiteres das Verlassen ihres Wohnortes verboten.»

Viele von ihnen konnte selbst dies nicht mehr von der Flucht abhalten: Bis Ende März 1953 meldeten sich in der Westberliner Gemeinde 556 jüdische Flüchtlinge.[173] Darunter befanden sich zahlreiche Mitglieder der politischen Prominenz wie Leo Zuckermann (vormals Staatssekretär in der Präsidialkanzlei von Wilhelm Pieck) oder Hans Freund (Oberrichter des Bezirksgerichts von Ostberlin).[174]

Wie viele Jüdinnen und Juden insgesamt durch die antisemitische Verfolgung der frühen 50er Jahre veranlaßt wurden, die DDR zu verlassen, ist unklar. Deutschkron bemerkt, daß «fast jeder zweite Jude» in die BRD ging.[175] Es ist anzunehmen, daß diese Schätzung zu hoch liegt; denn auch wenn die Mitgliederzahlen in dieser Zeit drastisch sanken, war nicht jeder Abgang aus der Gemeinde mit Flucht gleichzusetzen. Viele SED-Mitglieder waren von den Landesparteikontrollkommissionen aufgefordert worden, aus den Gemeinden auszutreten und sich jeder weiteren (pro-)jüdischen Manifestation zu enthalten, da sonst Zweifel an ihrer wahrhaft kommunistischen Gesinnung aufkommen müßten.[176] Honigmann stellt fest:

«Nur einzelnen gelang es, eine Art doppelter Loyalität zur Gemeinde und zur Partei bis heute aufrechtzuerhalten. Die Mitgliedschaft in der Jüdischen Gemeinde, für viele nur ein Versuch, sich mit ihrer Herkunft und mit ihrem Schicksal zu identifizieren, wird in der DDR leicht als Bekenntnis zu Religion und Zionismus gedeutet und ist damit negativ belastet.»[177]

Allerdings genügte auch ein Gemeindeaustritt nicht, um die jüdischen Kommunisten in den Augen der Parteispitze als vertrauenswürdig erscheinen zu lassen. Im Auftrag der SED wurden die «Kaderunterlagen der jüdischen Genossen (...) überprüft». Der Sekretär der Berliner Bezirksleitung der SED (selbst Jude) zitiert die «ideologische Begründung für die zu erwartende ‹Sonderbehandlung› [sic!] der jüdischen Mitarbeiter»:

«Ist es nicht eine Tatsache – und das hat doch mit rassistischem Antisemitismus überhaupt nichts zu tun –, daß die Juden zumeist kleinbürgerlichen Schichten entstammen, sozial nicht mit der Arbeiterklasse verbunden sind und überall im Westen Verwandte und Bekannte haben? Daher bilden sie für den Klassengegner sehr geeignete Ansatzpunkte, stellen einen Unsicherheitsfaktor dar.»[178]

Aufgrund dieser Überprüfung verloren einige Kommunisten jüdischer Herkunft, die aber keinerlei Kontakte zu jüdischen Institutionen unterhielten, ihre Posten, so z. B. Gerhard Eisler (Chef des Nachrichtenbüros) oder Erich Jungmann (Chefredakteur der Geraer SED-Bezirkszeitung); andere wie Albert Norden oder Alexander Abusch galten als «extrem gefährdet», wurden aber nach Stalins Tod von diesen «Säuberungen» verschont.[179]

Daß Abusch keinen Repressalien ausgesetzt war, ist erstaunlich;

denn er war gemeinsam mit Erich Jungmann in die «Affäre Paul Merker» verwickelt, die ebenfalls im Beschluß des ZK der SED zum Slansky-Prozeß aufgerollt wurde und als Fortsetzung der Untersuchung vom August 1950 über die Verbindungen der *Westler* zu Noël Field anzusehen ist. [180] Merker, schon in der Weimarer Republik Mitglied der KPD, war 1933 nach Frankreich, nach kurzer Internierung 1942 nach Mexiko emigriert und hatte dort, ebenso wie Jungmann, bei der von Abusch herausgegebenen Zeitschrift «Freies Deutschland» mitgearbeitet. (Ebenfalls maßgeblich beteiligt war André Simone, einer der elf Hingerichteten des Slansky-Prozesses.) Neben Kontakten zu Noël Field wurde Merker 1952 vor allem vorgeworfen, er hätte in dieser Zeitschrift die «Interessen der zionistischen Monopolkapitalisten» verteidigt, weil er eine Kompensation für die den deutschen Juden zugefügten Schäden forderte, auch wenn diese Überlebenden es vorzogen, im Ausland zu leben. Der Beschluß kommentiert dies:

«Merker fälschte die aus deutschen und ausländischen Arbeitern herausgepreßten Maximalprofite der Monopolkapitalisten in angebliches Eigentum des jüdischen Volkes um. In Wirklichkeit sind bei der ‹Arisierung› dieses Kapitals nur die Profite ‹jüdischer› Monopolkapitalisten in die Hände ‹arischer› Monopolkapitalisten übergewechselt.» [181]

Weitere «Verbrechen» Merkers bestanden darin, daß er die Schaffung eines jüdischen Nationalstaates und die Anerkennung der Juden in Deutschland als nationale Minderheit forderte und außerdem nach seiner Rückkehr in die SBZ Jüdinnen und Juden aufrief, den Gemeinden beizutreten, um in den Genuß von Care-Paketen zu gelangen. Gemäß SED diente diese Unterstützung in Tat und Wahrheit der Anwerbung von Agenten. Jungmann forderte schon 1945, ebenso wie Merker, nicht nur die Rückerstattung des geraubten Vermögens, sondern eine materielle Wiedergutmachung, die «vom deutschen Volk und bevorzugt vor allen anderen Schäden» geleistet werden sollte. Die «bevorzugte» Wiedergutmachung wurde jedoch als Affront gegen die Sowjetunion angesehen, da die DDR an den «Bruderstaat» massive Reparationen zu entrichten hatte.

Hier lag der eigentliche Schlüssel zur «Affäre Merker»: Sie sollte in einer Zeit, da zwischen der BRD, Israel und der Claims Conference Abkommen über Entschädigungsleistungen abgeschlossen wurden und auch Ansprüche an die DDR gestellt worden waren, eine ideologische Begründung dafür liefern, daß von ostdeutscher Seite jegliche Form von materieller «Wiedergutmachung» rundweg abgelehnt wurde. Merker, ein altgedienter nichtjüdischer Kommunist, wurde als «zionistischer Agent» verhaftet, nachdem er schon 1950 aus dem Politbüro entfernt worden war.[182] Die Annahme, daß Paul Merker zum «Slansky der DDR» stilisiert werden sollte, wird dadurch gestützt, daß er aus der Gruppe der 1950 ausgestoßenen Funktionäre als einziger – und zudem behaftet mit dem Zionismus-Verdacht – erneut Zielscheibe von Parteiattacken wurde. Die Vermutung läßt sich allerdings nicht schlüssig beweisen, da mit Stalins Tod und dem Aufstand der Arbeiterschaft der DDR am 17. Juni 1953 eine Verschiebung der politischen Prioritäten eingeleitet wurde.

Die Hetzjagd gegen «Zionisten» zeigte über die Grenzen der SED hinaus Wirkung: Am 21. Januar 1953 veröffentlichte die Vereinigung der Verfolgten des Naziregimes (VVN) eine Erklärung, mit der die geflüchteten Jüdinnen und Juden «aus den Reihen der antifaschistischen Widerstandskämpfer» verstoßen wurden, da sie sich selbst demaskiert hätten:

«Meyer und seine Kumpane haben bei der zionistischen Agentenzentrale des amerikanischen Imperialismus [d. h. bei der jüdischen Gemeinde von Westberlin; die Verf.] Zuflucht gesucht, weil sie die Entlarvung und Enthüllung ihrer schon seit langem dorthin führenden verräterischen und verbrecherischen Verbindungen fürchteten.»[183]

Die VVN versetzte sich selbst damit allerdings den Todesstoß, denn die überwältigende Mehrheit ihrer Mitglieder war jüdisch; die Vereinigung wurde aufgelöst und durch das «Komitee der antifaschistischen Widerstandskämpfer» ersetzt, von dessen 20 leitenden Mitgliedern nur noch eines jüdisch war.[184]

Während die «Säuberungen» in der DDR – wenn auch abgeschwächt – auch noch nach Stalins Tod 1953 weiterliefen (die SED entließ zwar ab 1956 die meisten der politischen Gefangenen, ohne sie jedoch politisch zu rehabilitieren)[185], fanden sich die jüdischen Gemeinden in einer überaus paradoxen Situation: Einerseits erschien ihren Vorsitzenden und zahlreichen Mitgliedern aufgrund der Hetzkampagne und Repressionen die Flucht als einzige Rettung, was vorübergehend zum vollständigen Zusammenbruch aller Gemeinden geführt hatte; andererseits wurden gleichzeitig Synagogenrenovierungen und der Neubau des Gotteshauses in Erfurt mit staatlichen Mitteln vorangetrieben. Auch wenn der Tod des sowjetischen Diktators und die Entlarvung der «Ärzteverschwörung» als Fälschung in der DDR keine unmittelbare Wirkung hervorrief, ließ die Verfolgung der Juden im Laufe des Jahres 1953 nach, was möglicherweise auch auf die Reaktionen des Auslands und auf die Haltung der Zurückgebliebenen zurückzuführen ist. Diese manifestierte sich z. B. in den Äußerungen der neuen Ostberliner Gemeindeführung, die im Frühjahr 1953 vom Staat – oder zumindest mit staatlicher Billigung – eingesetzt wurde. So verurteilte sie im Mitteilungsblatt vom Herbst 1953 unter Hinweis auf den Slansky-Prozeß jene Juden, die sich durch «Bettelpakete oder Gutscheine (...) verlocken und blenden lassen (...), denen dann Aufträge zur Sabotage und Spionage folgten»[186]. Im Frühjahr 1954 erschien ein Artikel, der die Geflüchteten des Verrats bezichtigte:

«Am 16. Januar 1953 versuchten gewissenlose Menschen, durch Verlassen ihrer Posten und damit das Aufgeben der von ihnen übernommenen Pflichten die Jüdische Gemeinde im demokratischen Sektor von Berlin aufzulösen und das jüdische Gemeindeleben hier zu zerschlagen. Die notwendigen Vorbereitungen waren von ihnen bereits längere Zeit vorher im demokratischen Sektor von Berlin sowie in der Deutschen Demokratischen Republik geplant und getroffen worden.»[187]

Betont wurde auch, daß der Zusammenbruch dank der Hilfe der DDR-Regierung und des Berliner Magistrats verhindert worden war. Ob Überzeugung, Dankbarkeit[188] oder Angst die Rhetorik der neuen Führung bestimmte, ist kaum schlüssig zu beurteilen. Auffällig ist jedoch, daß sich der Stil der Verlautbarungen im «Mitteilungs-» und später im «Nachrichtenblatt» immer wieder jenem staatlicher Propaganda annäherte, so z. B. im Sommer 1956, als die DDR polemisch gegen Faschismus und Antisemitismus in der BRD protestierte:

«Es hat niemals nach der Zerschlagung des Hitlerregimes im Osten Deutschlands (...) ein Feldzug des Antisemitismus stattgefunden (s. Verfassung der DDR, Artikel 6, in der es heißt, daß Antisemitismus und Rassenhetze als kriminelles Delikt geahndet werden), auch nicht zu Beginn des Jahres 1953. Zu diesem Zeitpunkt hatte die westliche Presse allerdings eine ungeheure Propaganda in diesem Sinne entfaltet, weil eine kleine Zahl jüdischer Menschen, durch westliche Einflüsterungen zu kriminellen Vergehen verleitet, Bestrafungen fürchten mußte und deswegen die Deutsche Demokratische Republik verließ. Nicht anders wie auch andere Irregeleitete, die nicht dem jüdischen Glauben angehörten.»[189]

Die «Lehren aus dem Prozeß gegen das Verschwörungszentrum Slansky» hatten ihre politische Aufgabe erfüllt: Der SED-interne Machtkampf zwischen *Moskowitern* und *Westlern* war durch umfangreiche «Säuberungen» entschieden, die DDR hatte gegenüber der stalinistischen Politik bedingungslose Unterwerfung demonstriert. Dabei hatte sie die für Deutsche besonders belastete Judenfrage durch die ideologische Akrobatik – die Gleichsetzung von Faschismus und Zionismus und deren «natürlichen» Antagonismus zur DDR-Staatsdoktrin des Antifaschismus – «geregelt» und gleichzeitig das «geschlossene Grundstück»[190] definiert, innerhalb dessen sich jüdisches Leben zu bewegen hatte.

Die DDR, Israel und die Juden

Die antisemitischen Hetzkampagnen im Ostblock wurden, wie erwähnt, durch einen 1948 erschienenen Artikel Ilja Ehrenburgs eingeleitet. Dieser Text war nicht nur innenpolitisch bedeutsam (indem er den kommunistischen Regimes ein Instrument zur Exkulpation für interne Mißstände und zur Herrschaftssicherung in die Hände legte), sondern markierte gleichzeitig einen außenpolitischen Wendepunkt in den Beziehungen zu Israel. War die sowjetische Nahostpolitik der Zwischenkriegszeit noch antizionistisch respektive proarabisch gewesen, so wurde diese Position nach Kriegsende aufgegeben.[191] Diese erste Kurskorrektur entsprang keineswegs altruistischen Motiven oder einer plötzlichen Einsicht in die Legitimität zionistischer Bestrebungen – sie war vielmehr das Resultat eigener Ambitionen im Nahen Osten. Die ursprüngliche Unterstützung der Araber hatte das Ziel verfolgt, die britische Vormachtstellung in dieser Region zu untergraben und das dadurch entstehende Vakuum selbst ausfüllen zu können. Die Araber hatten aber nicht die gewünschte Kooperationsbereitschaft gezeigt. Als die palästinensischen Juden gegen die britischen Mandatsbehörden zu revoltieren begannen, setzte Moskau auf die zionistische Karte, allerdings ohne die jüdisch-nationale Ideologie explizit gutzuheißen. Die Unterstützung manifestierte sich vorerst vor allem durch Waffenlieferungen der UdSSR und der ČSSR an die Kämpfer für ein unabhängiges Israel.[192]

Als 1947 Großbritannien die Niederlegung des Völkerrechtsmandats für Palästina ankündigte, wurde von der UNO ein Teilungsplan für dieses Krisengebiet vorgelegt, den die Sowjetunion ausdrücklich begrüßte. In zwei Reden vor der UNO-Vollversammlung wies der damalige UNO-Botschafter und Vizeaußenminister Gromyko auf die faschistischen Verbrechen an den Juden hin und betonte die jüdische Verwurzelung in Palästina; mit diesen Argumenten wurde das «Recht des jüdischen Volkes» auf einen unabhängigen Staat begründet und sowjetische Unterstützung für den Teilungsplan angekündigt. Die Ausführungen Gromykos standen in krassem Gegensatz zur kommunistischen Auffassung, wonach die Juden keine Nation bildeten; das politische Interesse an der Nahost-Region legitimierte aber offenbar eine solche Mißachtung der eigenen Ideologie. Eine Billigung des als «bürgerlich-reaktionär» verschrieenen Zionismus blieb allerdings auch in diesen Reden aus – der Begriff wurde nicht erwähnt.

Nach Annahme des Teilungsplans durch die UNO-Generalversammlung am 29. November 1947, als arabische Guerillakämpfer jüdische Siedlungen angriffen, demonstrierte der Kreml nochmals seine Position: Die USA, die durch den nun unvermeidbar scheinenden Krieg sichtlich verunsichert waren und Palästina treuhänderisch verwalten lassen wollten, wurden von Gromyko wegen mangelnder Solidarität mit der israelischen Seite scharf kritisiert.[193]

Israel wurde nach Beendigung des britischen Mandats am 14. Mai 1948 proklamiert – und sofort von den Staaten der Arabischen Liga angegriffen. Die UdSSR, die den Judenstaat schon am 18. Mai diplomatisch anerkannte, verurteilte die Araber als Aggressoren, da diese nicht für eigene nationale Interessen, sondern gegen das israelische Recht auf Unabhängigkeit kämpften. Doch Israel, das diesen Krieg nicht zuletzt dank Waffenlieferungen aus dem Ostblock gewann (und dessen Führungskräfte mehrheitlich aus diesem Raum stammende Sozialisten waren), zeigte keinerlei Bereitschaft, sich der sowjetischen Politik anzupassen, sondern wandte sich dem Westen zu.

Diese außenpolitische Enttäuschung, aber auch die (scheinbare) Bedrohung durch das nach der israelischen Staatsgründung gestärkte Nationalgefühl der jüdischen Bevölkerung im eigenen Einflußbereich waren Anlaß für die neuerliche Kurskorrektur, die durch die Publikation von Ehrenburgs Artikel markiert wurde. Der Artikel erschien nur wenige Tage nach Eintreffen Gold Meïrs in Moskau. Die damalige israelische Botschafterin war mit «auffallenden Sympathiekundgebungen» von den sowjetischen Juden begrüßt worden. [194] Neben den nun einsetzenden «Antizionismus-Kampagnen» im Ostblock waren fortan dezidierte Unterstützung des arabischen Lagers und radikal antiisraelische Propaganda die Markenzeichen sowjetischer Nahostpolitik.

Auch in der SBZ/DDR wurde, wie so oft, der zweifache Kurswechsel Moskaus mitvollzogen. Zwar konnte die ostdeutsche Regierung zum Teilungsplan keine Stellung nehmen, doch zeigte sie sich in der Berichterstattung anfänglich «fast wertfrei» (Dittmar), bisweilen sogar deutlich proisraelisch. Für die Juden in der SBZ wurde diese Haltung, wie Eschwege schildert, nach der Staatsgründung manifest:

«Wenig später gab es in den Räumen der jüdischen Gemeinden Festsitzungen, an denen Vertreter der SED, der Landesregierungen und der Stadtverwaltungen den jüdischen Gemeinden zu diesem Anlaß gratulierten. Von den Fenstern ihrer Gemeindebüros wehten fortan mehrere Jahre zu allen festlichen Anlässen die jüdischen Fahnen [sic!]. Wohl ab 1952 wurden sie versteckt gehalten.» [195]

Offensichtlich übte Ostberlin, das sich im Laufe der Jahre zu einem Wortführer antiisraelischer Propaganda entwickeln sollte, anfänglich noch Zurückhaltung; denn in Moskau wäre wohl schon 1950 der Besitz einer solchen Fahne drakonisch bestraft worden.

Doch für die DDR bestimmte nicht nur die außenpolitische Linie des Kremls die Haltung zu Israel. Ein weiterer Aspekt war die bereits erwähnte «Wiedergutmachungs»-Frage. Ministerpräsident Otto Grotewohl signalisierte im April 1948 gegenüber dem israelischen Konsul in München, Yachil, die grundsätzliche Bereitschaft der DDR, «Wiedergutmachung» an Israel zu leisten, um die Integration der Überlebenden mitzufinanzieren und damit auch die Solidarität der SBZ/DDR mit dem jüdischen Kampf um einen unabhängigen Staat zu demonstrieren. [196] Diskutiert wurde die Bereitstellung einer (nicht präzisierten) Pauschalsumme, mit der z. B. eines oder mehrere Schiffe für den

Transport der Einwanderer gekauft werden sollten. Grotewohl führte dieses (einmalige) Gespräch aber offenbar ohne Vollmacht seiner Regierung (oder der UdSSR), denn es zeitigte keinerlei Folgen. Die einzige Konzession seitens der Regierung bestand darin, den jüdischen Gemeinden im Frühjahr 1948 Liegenschaftenverkäufe zu gestatten, deren Erlös der Finanzierung eines Schiffes diente.[197]

Das SED-Regime, das sich zu keiner Zeit als Nachfolgestaat des faschistischen Deutschland betrachtete, vertrat fortan entschieden den Standpunkt, es sei zu keinerlei Leistungen an Israel verpflichtet. Zum einen wurde als Begründung angeführt, bei den von der BRD im Luxemburger Abkommen zugesagten Zahlungen handle es sich um Reparationen; die DDR sei gemäß Potsdamer Abkommen nur zu Zahlungen an osteuropäische Staaten verpflichtet. Da Israel erst 1948 gegründet wurde und somit kein gegen Deutschland kriegführender Staat gewesen sei, wurde ein Reparationsanspruch grundsätzlich abgelehnt. Walter Ulbricht hatte schon im Juni 1945 das deutsche Volk als verantwortlich für die «Haßpropaganda gegen das französische, polnische, russische und englische Volk» bezeichnet und das Recht dieser Völker auf Entschädigung unterstrichen. Analog zur sowjetischen Doktrin galten die Juden nicht als Volk, weshalb sie unerwähnt blieben.[198] Individuelle Entschädigungen zu leisten habe die DDR «nicht nötig (...), da sie im Gegensatz zu Bonn den Faschismus in ihrem Herrschaftsbereich ausgerottet habe»[199]; somit könne den Juden in der SBZ/DDR eine sichere Existenz garantiert werden, was wichtiger sei als materielle Kompensation.

Die Bezeichnung von «Wiedergutmachungs»-Leistungen als Reparationen verfolgte einen doppelten Zweck: Zum einen konnte die DDR sich selbst damit jeglichen Ansprüchen entziehen, zum anderen konnte die Haltung der BRD propagandistisch ausgewertet werden. Dies zeigte sich z. B. in einer Regierungserklärung Grotewohls vom 3. April 1957, die im Zusammenhang damit zu sehen ist, daß die DDR während der Suezkrise 1956 erfolglos gefordert hatte, sämtliche Hilfsleistungen an den «Aggressor» Israel einzustellen[200]:

«Ungeachtet der aggressiven Handlungen Israels gegenüber den arabischen Völkern fährt die Regierung der Bundesrepublik fort, an Israel Reparationen zu zahlen, die zur Aufrüstung gegen die arabischen Völker verwendet werden.»[201]

Die verbalen Angriffe auf die «imperialistischen» Staaten BRD und Israel und die prononcierte (aber ebenso undifferenzierte) Parteinahme für die Araber sind auch als Reaktion auf die 1955 entwickelte bundesdeutsche Hallstein-Doktrin zu verstehen. Gemäß deren Grundsätzen wurde die Anerkennung der DDR durch Staaten, die mit der BRD diplomatische Beziehungen unterhielten, als «unfreundlicher Akt» bewertet, weil damit der Alleinvertretungsanspruch der BRD für alle Deutschen negiert und die Bestrebungen für eine deutsche Einheit untergraben würden. [202] Die arabischen (und andere blockfreie) Staaten wurden umworben, um die Isolation der DDR außerhalb des Ostblocks durchbrechen zu können. Zu diesem Zweck wurden 1955/56 mit Ägypten, Libanon, Syrien und Jemen Handelsabkommen vereinbart; die erhoffte diplomatische Anerkennung blieb jedoch vorerst aus. [203] Selbst der Austausch von Botschaftern zwischen der BRD und Israel im August 1965, den einige Staaten der Arabischen Liga mit dem Abbruch ihrer Beziehungen zur Bundesrepublik quittierten, brachte der DDR keine diplomatische Aufwertung. [204] Die ostdeutsche Nahostpolitik – aggressive, teilweise deutlich antisemitisch gefärbte Rhetorik gegen Israel und Solidaritätsbekundungen für die arabischen Staaten – blieb bis zum Sechs-Tage-Krieg 1967 praktisch konstant.

Die Juden in der DDR enthielten sich in dieser Zeit jeglicher Äußerung zum Nahost-Konflikt; sie hatten die ‹Lehren› aus dem Slansky-Prozeß begriffen. Möglicherweise bestand zwischen den Gemeinden und dem Regime ein ‹Stillhalte-Abkommen›; zweifellos gab es aber eine verbandsinterne Vereinbarung, wonach nur das Präsidium (auf Anfrage) Erklärungen abgeben sollte. Als im Frühjahr 1967 erneut massive antiisraelische Propaganda in der kommunistischen Presse lanciert wurde, in der man Israel bezichtigte, aktiv Kriegsvorbereitungen gegen Syrien zu treffen[205], während die Ostblockstaaten (allen voran die UdSSR und die DDR[206]) den arabischen Staaten ihre Solidarität bekundeten – selbst da erfolgten keine offiziellen Proteste der ostdeutschen Juden. Soweit aus den Akten ersichtlich ist, reagierte der Verband nur auf einen einzigen solchen Artikel vom Februar 1967[207], allerdings nicht öffentlich, sondern auf dem Korrespondenzweg:

«Wir sind über die Art des Artikels empört, besonders darüber, daß Ihr Mitarbeiter von einer ‹Sonderform des hebräischen Sozialfaschismus› spricht, ein Begriff, der fast nazistischer Prägung sein könnte. Leider ist es jedoch so, daß viele Menschen, auch bei uns, den Staat Israel mit ‹den Juden› identifizieren. Ist Ihrem Mitarbeiter nicht bekannt, daß Regierung und Bevölkerung Israels, zu der ja auch Christen, Moslems und Atheisten gehören, durchaus nicht einer Meinung sind, daß große Teile der Bevölkerung die Beziehungen zu Westdeutschland ablehnen, daß in Israel eine sehr aktive kommunistische Partei besteht, und daß die UdSSR als erster Staat Israel anerkannte?

(...)

Wir hätten es für ratsam gehalten, wenn Sie sich *vor* Veröffentlichung dieses Artikels mit uns oder mit dem Landesverband Thüringen (...) in Verbindung gesetzt hätten.

Wir erwarten, daß Sie sich von dem Artikel distanzieren.»[208]

Wohl kam es in der Folge zu einer «Aussprache» zwischen dem verantwortlichen Redakteur und der Erfurter Gemeindevorsitzenden; da diese jedoch «aus Zeitgründen» erst Anfang April stattfinden konnte, kam man überein, «von einer öffentlichen Distanzierung abzusehen»[209].

Die antiisraelische Propaganda in der DDR-Presse wich auch während des Krieges keiner moderateren Berichterstattung, sondern bewegte sich noch stärker in Richtung Fiktion, wenn z. B. behauptet wurde, Israel habe als Kriegsvorbereitung von der BRD 20000 Gasmasken erhalten und in Großbritannien große Mengen Giftgas gekauft, während die arabischen Länder über kein Giftgas verfügten.[210] Diese permanente Desinformation wurde vom «Guardian» so kommentiert:

«Die Berichte in der ostdeutschen Presse sind so verzerrt und so gekonnt manipuliert, daß sie einem Goebbels zur Ehre gereicht hätten und daß sogar einige der treuesten Anhänger des Ulbricht-Regimes angeblich bestürzt sind und befürchten, diese Kampagne könnte Anklagen eines zügellosen Antisemitismus auf deutschem Boden nach sich ziehen.»[211]

Der Antisemitismus-Vorwurf wurde oft mit dem Hinweis abgewehrt, daß viele Autoren antiisraelischer Hetzartikel selbst jüdischer Herkunft seien[212]; der Leiter der zuständigen Agitationskommission im Politbüro, Albert Norden, war zudem (bekanntermaßen) der Sohn eines Rabbiners. Doch das Regime begnügte sich nicht damit, sich linientreuer (und somit atheistischer und antizionistischer) «Alibijuden» zu bedienen, um diesen Vorwurf zu entkräften, sondern setzte offensichtlich auch die «Glaubensjuden» unter Druck, ihre ungeteilte Loyalität zur DDR unter Beweis zu stellen. Nur so ist ein Artikel zu erklären, der Mitte Juni in der «Schweriner Volkszeitung»[213] erschien; er war handschriftlich gezeichnet von Alfred Scheidemann – der Monate zuvor den Protestbrief an die Erfurter Zeitung «Das Volk» verfaßt hatte:

> «Auch ich verfolge mit Besorgnis die von der Staatsführung Israels ausgelösten kriegerischen Ereignisse. Was dort geschehen ist, widerspricht meiner Auffassung von der Verantwortlichkeit jüdischer Menschen für die Erhaltung eines dauerhaften Friedens in der Welt.
>
> (…)
>
> So denke ich als Jude in der Deutschen Demokratischen Republik, deren Bürger ich bin, geachtet und gleichberechtigt und nicht bedroht. Daher werde ich alle meine Kraft für die Ziele dieses Staates einsetzen (…).»

Mit dem (obligaten) Angriff auf die BRD und ihre als «Wiedergutmachung» getarnten Waffenlieferungen enthielt dieser Text alle Komponenten der offiziellen Rhetorik zu Israel und den Juden: Israel war (der Ostblock-«Sprachregelung» entsprechend) als Aggressor verurteilt[214], die unbedingte Treue der jüdischen Gemeinschaft zur DDR – wo «der Faschismus mit der Wurzel ausgerottet»[215] sei – unter Beweis gestellt und der Seitenhieb auf die «imperialistische, faschistische BRD» von «autorisierter» (nämlich: jüdischer) Seite abgegeben.

Daß Scheidemann mit seinem Artikel den Versuch des Verbandes torpedierte, zum Nahostkonflikt eine möglichst neutrale Position zu beziehen, geht aus einer Erklärung hervor, welche vom Verband im Vorfeld der Wahlen vom 2. Juli 1967 abgegeben wurde. Darin heißt es:

> «Wir haben mit großen Befürchtungen und Entsetzen den Krieg in Nah-Ost verfolgt und anerkennen die große, bedeutsame Friedenstat der Sowjet-Union zur Erreichung der Waffenruhe im Nahen Osten.
>
> (…)
>
> Wir verurteilen gemeinsam mit allen friedliebenden Menschen jede Aggression (…).
>
> (…)
>
> Wir (…) appellieren an die Großmächte, an die (…) Vereinten Nationen,

entsprechend den wahren Interessen aller Völker im Nahen Osten diese weise an den Verhandlungstisch zu führen, damit Wege gefunden werden, die Freiheit, Gerechtigkeit und Unabhängigkeit für die arabischen Staaten und Israel für alle Zeiten garantieren.»[216]

Diese Stellungnahme war als «Ersatz» für ein am 22. Juni 1967 von Verbandspräsident Aris und Oberrabbiner Singer abgegebenes Statement gedacht, das vom zuständigen Staatssekretariat abgelehnt worden war, weil es jeder konkreten Parteinahme entbehrte.[217] Die hier gewählten Formulierungen entsprachen einem Kompromiß zwischen einer verbandsinternen Entscheidung vom 9. Juni 1967, überhaupt keinen Kommentar zum Sechs-Tage-Krieg abzugeben, und den vor allem von seiten der SED, aber auch von anderen Organisationen und der Presse mit Nachdruck erhobenen Forderung nach einer eindeutigen Positionierung der Juden. Ein solcher Druckversuch war auch die «Einladung» des stellvertretenden Staatsratsvorsitzenden, Gerald Götting, zu einem Treffen in Wittenberg am 20. Juni 1967, die an verschiedene jüdische Funktionäre erging. Das Protokoll bemerkt dazu:

«Herbert Ringer (...) erwähnt, daß auch er eine Einladung nach Wittenberg erhalten hatte. Er hat jedoch Kreuz bewahrt und ist nicht gefahren. Er hat in jeder Form eine Erklärung gegen Israel abgelehnt, selbst auf die Gefahr hin, als jüdischer Faschist bezeichnet zu werden wie Heinz Schenk und Helmut Aris.»

Der Alleingang Scheidemanns, der als einziger – zwei Tage nach Publikation des von ihm gezeichneten Artikels – nach Wittenberg fuhr, führte auf der Verbandstagung vom 12. November 1967 zu einer überaus heftigen Auseinandersetzung, in deren Verlauf Scheidemann darlegte, er habe in einer Notsituation gehandelt[218]:

«Nach seiner Rückkehr kamen in Schwerin die Anstürmungen auf ihn, so daß er nachgeben mußte, ob er wollte oder nicht. Es war in der Bevölkerung schon so eine Meinung, daß die Juden in der DDR nicht sprechen können, weil sie Gelder von Dritten bekämen.»[219]

Scheidemann bot als Konsequenz aus diesem Fehltritt seine Demission aus dem Präsidium an. Da man ihm jedoch zugute hielt, daß der publizierte Artikel nicht dem von ihm gelieferten Manuskript entsprach, in Würdigung seiner sonstigen Arbeit für Gemeinde und Verband und unter mehrfachem Hinweis darauf, wie «knapp an Menschen» die jüdische Gemeinschaft in der DDR sei, wurde beschlossen, daß er seine Funktionen beibehalten und sich von den anderen Präsidiumsmitgliedern leiten und erziehen lassen sollte.[220]

Das Protokoll der Diskussion zeigt die Zwangslage der Verbandsmitglieder und die daraus resultierende Verzweiflung erschreckend deutlich: Die meisten von ihnen waren treue Genossen, konnten aber nicht darüber hinwegsehen, daß die aus der Spitze der eigenen Partei stammende antiisraelische Pressekampagne «in der DDR den Antisemitismus, der noch in den Menschen steckt, ihnen wieder ins Bewußtsein gerufen» hatte; sie mußten sich auch den Vorwurf gefallen lassen, daß sie «keine Marxisten wären, da [sie] noch Gefühle hätten», die es nicht zuließen, Israel (und die Juden) zu verurteilen. Offensichtlich ließ auch nach 1967 der öffentliche Druck auf die jüdische Gemeinschaft in der DDR nicht nach, denn der Verband faßte wiederholt Beschlüsse, wonach nur das Präsidium befugt war, Stellungnahmen abzugeben; die «Entgleisung» Scheidemanns sollte ein einmaliger Vorfall bleiben.[221]

Gegen Ende der 60er Jahre verschärfte sich die antiisraelische respektive proarabische Politik des SED-Regimes. 1969 wurde die DDR von Irak, Sudan, Syrien, Südjemen und Ägypten diplomatisch anerkannt, was einigen dieser Staaten ostdeutsche Militärhilfe einbrachte.[222] Zudem suchte die DDR nun Kontakte zur PLO, möglicherweise als Stellvertreter Moskaus, das sein Verhältnis zu den USA nicht durch Zusammenarbeit mit einer Guerilla-Organisation belasten wollte.[223] Auch die PLO erhielt ab 1972 Waffenlieferungen. Der Hinweis auf die Analogie zur bundesdeutschen Unterstützung Israels wurde mit der Erklärung abgelehnt, man könne «die Hilfe für das Opfer nicht mit der Hilfe für den Täter gleichsetzen». Wiederholt wurden Delegationen der PLO in die DDR eingeladen und am 3. August 1973 die Eröffnung eines PLO-Büros in Ostberlin bekanntgegeben.[224] Zudem wurden Vereinbarungen über regelmäßige Warenlieferungen und Stipendien für palästinensische Studenten getroffen. Wie vorbehaltlos die Unterstützung war, zeigte sich auch in der ostdeutschen Presse, welche palästinensische Terrorakte verschwieg oder als Selbstverteidigungshandlungen der (unschuldigen) Opfer darstellte und somit die Selbstdarstellung der PLO übernahm. Abosch bemerkt dazu:

«Daß die DDR im Unterschied zu manchen kommunistischen Staaten hemmungslos in die Trompeten des antiisraelitischen [sic!] Kreuzzugs stößt, läßt einmal mehr an der Authentizität ihres Antifaschismus zweifeln. Deren Führer bemühen sich zu verbergen, daß Israelis Juden sind und daß über Israel noch immer die Schatten von Auschwitz liegen.»[225]

Nur in einem Punkt fehlte die Übereinstimmung zwischen diesen beiden Partnern: Während die PLO gemäß ihren Satzungen die Zerstörung des Judenstaates zum Ziel hat, war die DDR nicht bereit, einer Vernichtung Israels zuzustimmen, sondern befürwortete als Lösung des Nahostkonflikts die Errichtung eines autonomen Palästinenserstaates in Westjordanien und im Gazastreifen.[226]

Die massive materielle und ideelle Unterstützung der Palästinenser und der arabischen Staaten stellte für die Jüdinnen und Juden in der DDR zweifellos eine große Belastung dar; dennoch finden sich weder im «Nachrichtenblatt» (oder den spärlichen Aufsätzen zur eigenen Lage)[227] noch in den nach der «Wende» geführten Interviews dazu kritische oder ablehnende Äußerungen. Seit 1967 praktizierten Gemeinden und Verband eine Politik, die einer Gratwanderung gleichkam: Sie schwiegen zur offiziellen proarabischen Haltung, beharrten aber gleichzeitig auf einer expliziten Anerkennung des Rechts Israels auf eine gesicherte Existenz[228] und gaben gelegentlich – wenn auch vorsichtig verhüllt – Loyalitätserklärungen für ihre dort lebenden «Brüder und Schwestern» ab. Honigmann kommentiert:

«(…) im allgemeinen beschränkt man sich darauf, im (…) ‹Nachrichtenblatt› (…) über Israel in einer vom sonst üblichen Partei-Jargon abweichenden Sprache zu sprechen. Es kommt deshalb noch nicht zu einer systematischen Berichterstattung über Israel oder gar zu Sympathiekundgebungen. Aber die festzustellende nüchterne Anerkennung der Existenz dieses Staates als eines wichtigen jüdischen Zentrums, dessen Entwicklung einem Juden auch in der DDR nicht gleichgültig sein kann, ist eine *autonome* Position.»[229]

Selbst die Verteidigung dieser autonomen Position konnte nicht verhindern, daß den Juden in der DDR ein elementares Identifikationsmoment fehlte, das den meisten anderen Diasporagemeinden gemeinsam ist: die von staatspolitischen Konstellationen unabhängige Auseinandersetzung mit Zionismus und Israel und das damit verbundene Bewußtsein, Teil einer Gemeinschaft zu sein.

Der «real existierende Antifaschismus»

Das Verhältnis der DDR zu in- und ausländischen Juden war nicht nur von außenpolitischen Faktoren bestimmt. Von großer (möglicherweise größerer) Bedeutung waren dafür der Umgang mit der eigenen (Vor-)Geschichte und das daraus erwachsende ostdeutsche Selbstverständnis. Die diesbezügliche Haltung manifestierte sich einerseits in der konkreten Ahndung der begangenen Verbrechen, andererseits in den Formen analytischer Aufarbeitung des Nazismus und den sich daraus ergebenden politischen Konsequenzen.

Die sogenannte Entnazifizierung, d. h. die gerichtliche Verfolgung jener an Kriegs- und humanitären Verbrechen Beteiligten, die nicht bereits in den von den Alliierten geführten NS-Prozessen angeklagt und verurteilt worden waren, sowie die Säuberung des öffentlichen Dienstes von allen NS-Funktionären und der Wirtschaft von Profiteuren des NS-Regimes erfolgte unter sowjetischer Aufsicht, wurde aber von den Landesbehörden der SBZ/DDR durchgeführt. Maßgebend waren dafür die «Richtlinien für die Bestrafung der Naziverbrecher», welche die damals zugelassenen Parteien KPD, SPD, CDU und LDP im Oktober 1945 veröffentlichten. [230] Unterschieden wurde zwischen «aktivistischen» Nazis und «nominellen» Parteimitgliedern, wobei letztere mit Nachsicht behandelt wurden, weil von ihnen ein Bruch mit der Vergangenheit und aktive Beteiligung am Aufbau erwartet werden konnte. In der SBZ/DDR hatte offensichtlich ein neues Parteibuch dieselbe Funktion wie der «Persilschein» in der BRD. Von diesen Verfahren, die bereits im Februar 1948 per SMAD-Befehl abgeschlossen wurden, waren insgesamt etwa eine halbe Million Menschen betroffen, die in der Regel ihre Arbeitsstellen und das Wahlrecht (vorläufig) verloren – und mehrheitlich in den Westen flüchteten. Gegen Naziaktivisten wurde allerdings auch nach 1948 noch ermittelt; bis 1965 wurden in der DDR 12 807 Personen wegen «Nazi- und Kriegsverbrechen» verurteilt, davon 118 zum Tode, 231 zu lebenslänglichen und 3 171 zu Zuchthausstrafen über zehn Jahren. [231] Bis 1985 kam es zu 67 weiteren Verfahren, über deren Ausgang keine genauen Daten vorliegen.

Verschiedene Aspekte der Handhabung (und nachmaligen Beurteilung) der «Entnazifizierung» legen nahe, daß der DDR nicht wirklich an einer tiefgreifenden ‹Selbstreinigung› gelegen war. Zum einen macht dies ein Blick auf die Statistik deutlich: Bei 75 Prozent der Verurteilten lag das verhängte Strafmaß unter zehn Jahren Zuchthaus; außerdem wurden zahlreiche Abwesenheitsverfahren, wie sie z. B. gegen Oberländer und Globke geführt wurden, mitgezählt. Diese Statistik wurde auch als Propagandamittel zum Beweis des eigenen Antifaschismus und als Hinweis auf die «Kontinuität» des Faschismus in der BRD benützt, da diese – auf dreimal größerem Territorium – nur etwa 5000 Hauptverhandlungen geführt habe. [232] Zudem wurde (zu Recht) darauf verwiesen, daß in der BRD kein NS-Richter verurteilt worden sei, während in der DDR gegen 149 Juristen Prozesse geführt wurden. [233] Konterkariert wurde diese Propaganda allerdings durch die Tatsache, daß auch die DDR wesentliche Anstrengungen unternahm, um ehemalige Nazis – auch «aktivistische» – in die Gesellschaft zu reintegrieren. Arbeitsverbote und Wahlrechtsbeschränkungen wurden oft schon nach kurzer Zeit aufgehoben[234], der Mitgliedschaft bei einer der Blockparteien und selbst einer Karriere in Politik, Wirtschaft und Kultur stand auch hier kaum etwas im Wege[235] – auch wenn die SED immer wieder glaubhaft zu machen versuchte, ehemalige Nazis könnten in ihrer Partei keine Aufnahme finden. Für diejenigen «Entnazifizierten», die sich keiner der bestehenden Parteien anschließen mochten, wurde 1948 die Nationaldemokratische Partei NDPD als Sammelbecken gegründet, nachdem die SED schon zwei Jahre zuvor die Haltung der österreichischen KP kritisiert hatte, die durch ihren «primitiven Anti-Nazismus die Masse der kleinen Nazis abgestoßen und sich damit von der Bevölkerung isoliert» [236] habe. Die Einsicht – und das Verständnis dafür –, daß wesentliche Teile der Bevölkerung Anhänger des Nazismus gewesen waren, wurde (für einmal) öffentlich eingestanden und schlug sich im Kommentar nieder, den das «Neue Deutschland» zur Zulassung der NDPD publizierte:

«Es muß zugegeben werden, daß die alten Parteien in ihrem Auftreten, in der Sprache ihrer Zeitungen (...) keine besondere Anziehungskraft für jene Schichten ausüben, die 12 Jahre politisch ganz anders dachten, in den jetzigen weltpolitischen Auseinandersetzungen sich nicht zurechtfinden und im neuen demokratischen Deutschland nicht warm werden können.» [237]

Dieses Eingeständnis wurde allerdings durch das Verhalten der Machthaber in anderen Bereichen deutlich kontrastiert. Wäre politisch wirksam geworden, daß auch das Gros der ostdeutschen Bevölkerung keinesfalls radikal antifaschistisch auf den Nazismus reagiert hatte, so wäre die Herrschaftslegitimation vorab der SED massiv untergraben worden. Der unmittelbar nach Kriegsende vor allem unter den Historikern vorherrschenden «Misere-Theorie» (wonach die deutsche Geschichte eine einzige Misere darstelle) mußte ein positives Geschichtsbild entgegengesetzt werden. Die SED reagierte gemäß der Stalinschen Proklamation des «Sturms auf die Festung Wissenschaft»[238] mit massiven Eingriffen nicht nur auf die akademischen Strukturen, sondern auch auf die Inhalte insbesondere der historischen Forschung. Diese sollte fortan auf dem Fundament des Marxismus-Leninismus ein identitätsstiftendes Geschichtsbild entwickeln, das sich deutlich von der bürgerlichen (westdeutschen) wissenschaftlichen Auffassung abzugrenzen hatte. Das zentrale Werk, das die Misere-Theoretiker zum Verstummen bringen sollte, war die achtbändige «Geschichte der deutschen Arbeiterbewegung», die bis 1966 unter der Leitung von Walter Ulbricht erschien. Heydemann kommentiert: «Die Lektüre des Werkes mußte den Schluß nahelegen, deutsche Geschichte sei mit der Geschichte der deutschen Arbeiterbewegung identisch.»[239]

Das zweite Hauptthema – das allerdings weniger der Identitätsbildung der Bevölkerung als der Herrschaftslegitimation der SED diente – war die Auseinandersetzung mit dem antifaschistischen Kampf der KPD, «dem wichtigsten Kontinuum in der zeitgeschichtlichen Forschung der DDR»[240]. Das politisch-ideologische Interesse an diesem Forschungsbereich ließ jedoch keine umfassende Analyse zu, denn dabei hätte das Versagen der KPD in der theoretischen Interpretation des Faschismus ebenso wie in der praktischen Politik bis 1945 allzu offenkundig werden müssen. Da die SED Faschismus als «die offene, terroristische Diktatur der am meisten reaktionären, chauvinistischen und imperialistischen Elemente des Finanzkapitals»[241] definierte, wurde einerseits der Fixierung des Feindbildes auf eine eng definierte Gruppe von (namentlich bekannten) Schuldigen[242] Vorschub geleistet, womit die unbequeme Frage nach der Massenbasis des Nazismus ausgespart bleiben konnte; andererseits wurde damit die vergleichende Faschismusforschung überflüssig, eine Analyse der Unterschiede oder

Übereinstimmungen zwischen den verschiedenen Ausdrucksformen faschistischer Herrschaft und die Einsicht in deren Entstehungsbedingungen konnte vermieden werden. [243]

Auch im Hinblick auf die Rolle der KPD im Kampf gegen den Nazismus hatte die Forschung ‹Geschichtskosmetik› zu betreiben. Die radikal antidemokratische Haltung der KPD der Weimarer Zeit blieb dabei ebenso unerwähnt (da nun der «antifaschistisch-demokratische Aufbau» betrieben wurde) wie die bis zum Schluß unversöhnliche Gegnerschaft zur SPD [244], aufgrund deren die kommunistische Führung schon im Spanischen Bürgerkrieg – und danach – «vor Vernichtung nicht zurückschreckte» [245]. Auch eine selbstkritische Auseinandersetzung mit dem Stalin-Hitler-Pakt unterblieb in der DDR selbst nach dem Tod des Diktators weitgehend. Ebenfalls unterschlagen oder verfälscht wurde – mindestens bis in die siebziger Jahre – der jüdische Anteil am antifaschistischen Widerstand. [246] Das Resultat war ein umsichtig geschöntes Bild: Die Niederlage der Nazis galt als Sieg des Antifaschismus (wenn auch von der «verbündeten» Sowjetunion erlangt), die deutschen Antifaschisten, d. h. die Regierenden der DDR, konnten sich als «Sieger der Geschichte» [247] verstehen – und mit ihnen die Bevölkerung:

«Ausdruck des Sieges der entschiedenen Antifaschisten und der Niederlage des deutschen Imperialismus ist die Existenz der Deutschen Demokratischen Republik, in der das Vermächtnis der Besten des deutschen Volkes, die im antifaschistischen Kampf ihr Leben einsetzten, verwirklicht wurde. Der Arbeiter- und Bauern-Staat ist das Erbe der deutschen antifaschistischen Widerstandsbewegung. Er vollendete das begonnene Werk des Zusammenschlusses verschiedener politischer und sozialer Kräfte zu gemeinsamem Handeln und machte die einst angestrebten realistischen Ziele zu einer unumstößlichen Tatsache.» [248]

Die vor dem Hintergrund der versuchten Vernichtung der europäischen Juden überaus zynisch anmutende ‹Feststellung› einer jüdischen Kommunistin, «daß *wir* hier die Sieger sind und *wir* hier die Macht haben» [249], wird in Anbetracht des solchermaßen staatlich dekretierten Geschichtsbildes – des «verordneten Antifaschismus» (Giordano) – mindestens ansatzweise nachvollziehbar: Die Untersuchung von Funktion und Konsequenzen des nazistischen Rassenwahns mit Auschwitz als grauenvollem Kulminationspunkt bot kaum Ansatzmöglichkeiten zur Identitätsbildung – und galt folglich als wenig relevanter Aspekt der NS-Zeit. [250] Dies schlug sich nicht nur in der Forschung nieder, die auf diesem Gebiet insgesamt nur sehr wenige (und kaum herausragende) Publikationen hervorbrachte [251], sondern auch in der schulischen Vermittlung dieser Epoche: Die NS-Periode bildete den Geschichts-Lehrstoff für das 9. Schuljahr, doch waren für das Schicksal der europäischen Juden gerade zwei oder drei Unterrichtsstunden vorgesehen (während die DDR-Medien antizionistische oder antiisraelische Propaganda verbreiteten, die das Bild Jugendlicher von Jüdinnen und Juden zweifellos mehr zu prägen vermochte). Obschon die jüdischen Gemeinden (mindestens in jüngster Zeit) monierten, dies könne keinesfalls genügen [252], wurde von den Behörden jeweils darauf verwiesen, daß dieser Aspekt der Geschichte ja auch im Deutschunterricht behandelt werde. [253] Das dabei am häufigsten genannte Werk, «Professor Mamlock», zeigt die Ausrichtung der Darstellung: Das 1935 entstandene Drama thematisiert die Unfähigkeit der Hauptfigur – einer «Gestalt typisch für die deutschen Juden» –, die Gefahren des Antisemitismus rechtzeitig zu erkennen und sich zu retten, und setzt als positives Gegenstück dessen Sohn, der als Kommunist gegen den Faschismus kämpft. Der Autor, Friedrich Wolf, war ein Kommunist «jüdischer Herkunft», der allerdings vollständig assimiliert und parteitreu lebte. Mit der Wahl eines Werks, das in der Frühphase der Naziherrschaft entstanden war – und somit weder die Rassengesetze noch die «Reichskristallnacht» oder gar die «Endlösung» thematisieren konnte –, wurden allein schon die pädagogischen Absichten deutlich. [254] Daß die Judenvernichtung damit ebenfalls zu einem Teil des «Heldenepos der Machthabenden» (Runge) umfunktioniert werden sollte, zeigt auch die Aussage einer Pädagogin zum Thema «Erziehung nach Auschwitz»:

«Auschwitz ist bewältigte, nicht aber vergessene Vergangenheit. Auschwitz erinnert uns und unsere Jugend an die Millionen Opfer und ihre faschistischen Mörder, aber auch an jene, die sich dem faschistischen Rassenwahn mutig entgegenstellten und denen wir verdanken, daß wir als Erben ihres antifaschistischen Kampfes der furchtbaren faschistischen Vergangenheit gegenübertreten können.» [255]

Diese offizielle Einstellung fand auch in der Ausgestaltung der Gedenkstätten der in der DDR befindlichen ehemaligen Konzentrationslager Buchenwald, Sachsenhausen und Ravensbrück, deren Besuch zur Vorbereitung auf die Jugendweihe gehörte, ihren Niederschlag: Die Darstellung legte hier (wie in den wissenschaftlichen Untersuchungen) nahe, die Kommunisten seien Hauptziel der nazistischen Verfolgungs- und Ausschaltungspolitik gewesen (tatsächlich wurden etwa 150000 Mitglieder der KPD von den Nazis zur Flucht ins Ausland gezwungen oder inhaftiert; etwa 20000 Kommunisten wurden ermordet)[256]; die Millionen vernichteter Jüdinnen und Juden waren «Opfer unter anderen» – oder wurden gar «vergessen».[257]

Die Geschichte der Judenvernichtung wurde in der Selbstdarstellung der DDR ausgeklammert, die Juden blieben mit ihren Erinnerungen allein. Doch der Staat verdrängte den Holocaust nicht nur aus dem öffentlichen Bewußtsein, sondern erschwerte es auch ihnen selbst, sich mit diesem Teil ihrer Vergangenheit zu befassen. So wurde z.B. das «Gesamtarchiv der deutschen Juden» zusammen mit weiteren Dokumentensammlungen zum Leben der deutschen Juden der Vorkriegszeit im Rahmen der «Säuberungen» nach dem Slansky-Prozeß beschlagnahmt und ins staatliche Zentralarchiv nach Potsdam überführt, wo es der Einsicht der Überlebenden, aber auch der Wissenschaft entzogen blieb.[258] Selbst 1981 noch wurde ein weiteres Archiv, die 1939 auf Befehl der Nazis von den jüdischen Gemeinden angelegte sogenannte «Sippenkartei», vom Staatsarchiv annektiert.[259]

Tabuisiert wurde auch die grundsätzliche Auseinandersetzung mit dem Antisemitismus der Vergangenheit ebenso wie der DDR-Gegenwart. Denn obschon jegliche Manifestation antijüdischer Ressentiments durch die Verfassung verboten war, kam es im ostdeutschen Alltag immer wieder zu Ereignissen, die eindeutig antisemitischen Charakter hatten. Dies galt nicht nur für den stalinistischen Antizionismus und Antiisraelismus, den der Staat durch massive materielle Unterstützung der jüdischen Gemeinden zu kompensieren suchte, um sich dem Verdacht verfassungswidrigen Verhaltens zu entziehen. Deutlicher wurde die Verleugnung des Problems dann, wenn es zu Vandalismus auf jüdischen Friedhöfen, judenfeindlichen Schmiereien oder (anonymen) persönlichen Belästigungen von Juden kam. Da solche Vorfälle dem staatlichen Selbstverständnis zuwiderliefen, wurden sie verschwiegen. Die Presse – und damit die breite Öffentlichkeit – erfuhr, zumindest bis Mitte der 80er Jahre, nichts davon.[260] Die Ermittlungen nach diesen Vorfällen hatten (auch dies im Sinne des «verordneten Antifaschismus») mit äußerster «Diskretion» zu erfolgen – und verliefen fast immer ergebnislos. Die Schäden wurden mit staatlichen Mitteln behoben, weitere Konsequenzen wurden nicht gezogen, sondern weiterhin allseitig die Formel beschworen, daß die Grundlagen für jeglichen Antisemitismus in der DDR «mit der Wurzel ausgerottet» seien.

Selbst als etwa ab 1983 vermehrt rechtsradikale Gruppierungen auftraten, die u.a. antisemitisches Gedankengut verbreiteten und somit die offizielle Auffassung widerlegten, Auschwitz sei «bewältigte» Vergangenheit, führte dies zu keiner Haltungsänderung. Faschistische und (neo-)nazistische Tendenzen galten als aus der BRD «importiert», womit jede Erörterung eigenen Versagens überflüssig wurde.[261]

Die auch von jüdischer Seite vertretene Auffassung, daß es in der DDR keinen Antisemitismus, wohl aber Antisemiten gebe, zeigt das Ausmaß der Verdrängung: Das staatliche Verbot antisemitischer Äußerungen wurde als Überwindung des Problems selbst interpretiert. Gezielte Kritik an der staatlichen Politik, die in der Umwertung der Vergangenheit und der Ausklammerung der Judenvernichtung ebenso wie im massiven Antiisraelismus mehr oder weniger deutlich antisemitische Züge trug, war weder für die jüdischen Gemeinden noch für die einzelnen Juden möglich: Jeglicher Protest, aber auch jede Forderung nach vermehrter Aufklärung war mit der Gefahr verbunden, als staatsfeindlich zu gelten, und mußte im Interesse einer gesicherten (physischen, wenn auch nicht psychischen) Existenz unterbleiben.

5. Jüdische Identität in der DDR

Für diejenigen Jüdinnen und Juden, die in der SBZ/DDR in den Gemeinden zusammenfanden, war die Basis für die Entwicklung eines neuen Selbstverständnisses nach 1945 vergleichbar mit jener der deutsch-jüdischen Restgruppe in der BRD: Sie empfanden sich als Deutsche, glaubten an das «andere Deutschland» und wollten sich – gemeinsam mit ihren nichtjüdischen (politischen) Gesinnungsgenossen – an dessen Neuaufbau beteiligen. Auch hatte sich für die meisten von ihnen ihre jüdische Abstammung erst durch die Stigmatisierung und versuchte Vernichtung in den Vordergrund des Bewußtseins geschoben. Da aber aus der vornazistischen Zeit kaum religiöse oder kulturelle Bindungen ans Judentum bestanden und diesbezüglich zumeist keine oder nur marginale Bildung vorhanden war, beschränkte sich diese fremdbestimmte Identität (vorerst) auf die Solidarität mit der Gemeinschaft der Opfer.

«That was all we had left. That we were Jews. It gave us identity. It was all that we had that gave us value. Not that we had shared so much, but that we were alike now.»[262]

Zweifellos war es auch ein Anliegen der neuen Gemeindeführer, hier einen Raum zur Entwicklung und Aneignung weiterer, positiver Inhalte zu schaffen. Dieser Raum wurde aber durch gesellschaftliche und (außen-)politische Umstände zusehends eingeengt.

Die anfängliche Freude über die Gründung des Staates Israel – auch für viele Nicht- oder Antizionisten gleichsam eine Überlebensgarantie –, die Anteilnahme an dessen Schicksal und die Bereitschaft, sich auch von der DDR aus für die Zukunft dieses Landes zu engagieren, durften sich nur eine kurze Zeit lang ausdrücken, wurden schon bald von Staats wegen tabuisiert. Selbst wenn bei manchen Juden insgeheim ein starkes Interesse an Israel bestand, welches sogar in den (unerfüllbaren) Wunsch münden mochte, dieses Land einmal mit eigenen Augen zu sehen[263], war wohl jede Auseinandersetzung mit Israel – und sei sie nur innerlich – mit doppelten Schuldgefühlen verbunden: der DDR gegenüber, weil eine auch nur emotionale Bindung an Israel Opposition gegen die antizionistische Politik der SED bedeutete (deren Ziele grundsätzlich auch die eigenen waren), und Israel gegenüber, weil es in der DDR (spätestens seit 1953) nur unter Gefährdung der eigenen Sicherheit möglich gewesen wäre, gegen eben diese Politik wirkungsvoll zu protestieren und für eine Annäherung der beiden Staaten zu plädieren. Da Anträge auf Reisegenehmigungen lange Zeit aussichtslos waren und nur vereinzelt private Kontakte bestanden, blieb Israel ein Abstraktum, ein Zerrbild aus staatlicher Propaganda, eigenen Gefühlen und den spärlichen – und in Kenntnis der ostdeutschen Zensur wohl auch oft sehr zurückhaltend formulierten – Informationen von dort lebenden Freunden und Verwandten, was eine (eventuelle) Identifikation fast vollständig verhinderte.

Die Nichtanerkennung einer jüdischen Nation durch die kommunistischen Theoretiker, die in der DDR bis zur «Wende» zumindest offiziell nie revidiert wurde, beeinflußte auch andere Bereiche: Die ganze Welt der jiddischen Kultur – mit Jiddisch als ‹Haushaltssprache› der mittel- und osteuropäischen Juden, mit einer vielfältigen, häufig säkularen Literatur, mit Musik, Tänzen und Traditionen – fand lange keinen Platz im Leben der DDR-Gemeinden; in den USA erscheinende jiddische Publikationen waren hier nicht erhältlich. Die Pflege des Erbes dieser vernichteten Welt galt als ungehörig oder überflüssig. Obschon es sich dabei um eine Kultur handelt, die insbesondere im Proletariat stark verankert war und eine reiche, meist deutlich sozialistisch orientierte politische Tradition aufwies[264], die für das SED-Regime inhaltlich zu keiner Kritik hätte Anlaß geben können (sich im Gegenteil sogar für eine propagandistische Vereinnahmung anbot), schien den Herrschenden offenbar schon die grundsätzliche Vorstellung, eine Minderheit könnte sich mit der Bewahrung ihrer besonderen Kultur einen (zu großen) Freiraum schaffen, als überaus bedrohlich.[265]

Erst in den achtziger Jahren begannen ostdeutsche Verlage vermehrt, jiddische Bücher zu übersetzen und aufzulegen; die *Klezmer*-Musik, die zuvor fast nur in den ästhetisierten und meist rein vokalen Interpretationen des Synagogalchors zu hören gewesen war, erlebte gleichzeitig eine kleine Renaissance – die Interpreten waren allerdings häufig keine Juden. Die international bekannte jüdische Interpretin Lin Jaldati, die keinerlei Beziehung zu den Gemeinden hatte, trat in der DDR während langer Zeit kaum auf, gastierte jedoch oft im (westlichen) Ausland und sah sich selbst wohl auch als «Botschafterin» des toleranten Klimas im «real existierenden Sozialismus».[266] Die während einer oder zwei Generationen fehlende Auseinandersetzung mit dieser Kultur führte zu einer weitgehenden Entfremdung: Als 1987 erstmals seit Entstehen der DDR in Ostberlin eine dreitägige Veranstaltung mit jiddischer Kultur stattfand, wurde deutlich, daß diese als exotisch, als Reminiszenz aus einer weitgehend unbekannten Welt empfunden wurde[267] – ohne konkreten Bezug zur eigenen Existenz.

Auch die Aneignung und Vermittlung jüdischer Geschichte war nur sehr begrenzt möglich und beschränkte sich meist auf die Tradierung im Rahmen der Familie oder bei den gemeinsam begangenen Feiertagen. Im selten (und ausschließlich in Berlin) angebotenen Religionsunterricht mußte die Unterweisung in religiöser Praxis im Vordergrund stehen. Daß religionsgeschichtlichem Unterricht in einem atheistischen Staat wenig Aufmerksamkeit geschenkt werden konnte, ist folgerichtig; vereinzelt erschienen Artikel zu religiösen Fragen im «Nachrichtenblatt», ansonsten war dieses Thema an die theologischen Fakultäten der Hochschulen und kirchliche Veranstaltungen verbannt.

Wesentlich gravierender war zweifellos der Umgang mit der politischen Geschichte der Juden. Die von Deutschen geplante und weitgehend vollzogene Vernichtung der europäischen Juden war (und ist) gerade für die jüdische Gemeinschaft in Deutschland «verinnerlichtes Dauerthema» (Runge). Die Gemeinden fanden sich jedoch in der DDR einer Obrigkeit gegenüber, die den Antifaschismus ausschließlich für sich reklamierte, die «Opferhierarchie» zugunsten der verfolgten Kommunisten umlagerte und somit die Judenvernichtung aus der Geschichte und dem öffentlichen Bewußtsein verdrängte. Ein jüdischer Widerstand hatte gemäß offizieller Auffassung nicht existiert – wurden Antifaschisten aus diesem Kreis dennoch erwähnt, so wurde ihre Herkunft unterschlagen: Für Jüdinnen und Juden war die Opferrolle festgeschrieben. Eschwege, der ein Buch zu diesem Thema verfaßte, bemerkt:

«Für mein Buch [«Selbstbehauptung und Widerstand»] (...) war kein Verlag in der DDR zu finden, sofern sich später doch ein Exemplar des Buches in eine DDR-Bibliothek verirrte, landete es in einem ‹Giftschrank›.»[268]

Wenn auch die Repräsentanten dieses Staates tatsächlich als Vertreter des «anderen Deutschland», verbündet mit der Sowjetunion, die Nazis bekämpft hatten und der Verfolgung ausgesetzt gewesen waren, konnte die offiziell vermittelte Darstellung dieses Widerstands – «als ob die DDR das erste von Hitler besetzte Land gewesen wäre»[269] – die Juden nicht darüber hinwegtäuschen, daß auch hier die «Bevölkerungsmajorität aus ehemaligen Mitwissern, Mitläufern und Mittätern»[270] bestand (und daß auch die Kommunisten als Kollektiv sich keineswegs als Beschützer und Retter der Juden besonders hervorgetan hatten). Da die historische (Selbst-)Darstellung in der DDR jedoch in hohem Maße der Herrschaftslegitimation diente, wurde der Nazismus

im wesentlichen als durch das «Monopolkapital» ermöglichte und getragene Entwicklung interpretiert, eine Beteiligung der Arbeiter verneint[271] – und die nazistische Vergangenheit durch die Errichtung des
«Arbeiter- und Bauernstaates» für «bewältigt» erklärt.

Für die Juden (die ermordeten wie die überlebenden) war in diesem
Geschichtsbild allenfalls ein marginaler Platz. Anders als in der BRD,
wo die selbstgestellten Aufgaben (Mahnung gegen den Faschismus
und Brückenbau zwischen der deutschen «Heimat» und Israel) zu
identitätsstiftenden Momenten des Gemeindelebens geworden waren, blieb diese Rolle den DDR-Gemeinden verwehrt: «Kämpfer»
waren und blieben die (nichtjüdischen) Kommunisten, Mahnung und
Abwehr waren gemäß staatlicher Selbstdefinition mit der Errichtung
der antifaschistischen Gesellschaftsordnung im eigenen Land überflüssig geworden und konnten sich nur noch gegen das faschistisch-
imperialistische (westliche) Ausland richten. In welchem Ausmaß
diese Auffassung noch Ende der siebziger Jahre auch von jüdischen
Funktionären vertreten wurde, zeigt ein Auszug aus dem Leitartikel
zum 40. Jahrestag der «Kristallnacht»:

«Während in dem einen deutschen Staat – der Deutschen Demokratischen Republik – eine neue, antifaschistisch-demokratische Ordnung von den ehemals
Verfolgten – Kommunisten, Sozialdemokraten und anderen fortschrittlichen
Kräften – errichtet (...) wurde, zeigte sich im anderen Teil eine gesellschaftliche Entwicklung, die durch die Beibehaltung ihrer wirtschaftlichen und gesellschaftlichen Grundstruktur eine vorschnelle ‹Bewältigung der Vergangenheit› anstrebte.»[272]

Diese Aufzählung legt nahe, daß Juden für sich selbst im historisch-
politischen Kontext der DDR keine besondere Position zu beanspruchen wagten; sie identifizierten sich mit den erwähnten Gruppen –
oder blieben ausgeklammert.

Die Gemeinden wurden für die staatliche Propaganda zu «Ausstel-
lungsobjekten und Marionetten»[273] degradiert: Ihre bloße Existenz
sollte beweisen, daß die DDR jüdisches Leben unterstütze und för-
dere. (Aus diesem Grund durften die faktisch seit Jahren nicht mehr
existenten Gemeinden Halle und Schwerin nicht aufgelöst werden.)
Im Namen des Verbandes erscheinende Verlautbarungen, die der offiziellen Linie entsprachen, galten als inhaltliches Alibi, bei den for-

malisierten staatlichen Gedenkritualen war die Präsenz der Juden als «Statisten de luxe»[274] gefordert.

Dieser Situation wurde auch von außen, von der übrigen Diaspora und Israel, nichts entgegengesetzt. Die Isolation – durch die sehr selektiv an garantiert linientreue Gemeindefunktionäre (und später an ‹harmlose› Rentner) erteilten Reisegenehmigungen bewirkt – wurde zusätzlich dadurch verschärft, daß die DDR-Juden bei den seltenen Kontakten mit internationalen jüdischen Organisationen oft als Kommunisten – und somit als Vertreter einer antiisraelischen Politik – ausgegrenzt wurden. Damit war ihnen auch die Möglichkeit verwehrt, aus dem Bewußtsein, integrierter Teil der gesamten jüdischen Gemeinschaft zu sein, Identität zu entwickeln.

Was blieb, war somit – subjektiv und objektiv – nur die auf dem ‹geschlossenen Grundstück› DDR gelebte Religion. So wird auch die (selbst noch kurz vor der «Wende» erhobene) Forderung verständlich, daß das Glaubensbekenntnis Voraussetzung für die Mitgliedschaft in einer Gemeinde sei. Doch selbst bezüglich der Entfaltung religiöser Praxis waren Einschränkungen vorgegeben. Zum einen wurde diese durch mangelndes Wissen (das nur begrenzt durch den ‹Import› von rabbinisch geschulten Lehrkräften erweitert werden konnte) und die geringe, zudem schwindende Zahl der «Glaubensjuden» behindert, zum anderen wohl auch durch das (Schuld-)Bewußtsein, Religiosität stehe im Widerspruch zum staatlichen Selbstverständnis. Wesentlich war aber ein weiterer Aspekt: Das Judentum ist nicht nur religiöses und kulturelles, sondern – in seinem historischen Kontext – auch nationales Konzept; gleichzeitig ist es, da es nicht nur die Beziehungen zwischen Mensch und Gott, sondern auch diejenigen der Menschen untereinander regelt, politisch. Eine Integration der nationalen und politischen Komponenten jüdischen Lebens wäre jedoch in der DDR schlechterdings undenkbar gewesen. – Dieser Mangel ist jedoch keineswegs DDR-spezifisch oder an totalitäre Systeme gebunden. In vielen Diaspora-Gemeinden schlägt sich die nationale Komponente im Engagement für Israel nieder, der (sozial-)politische Aspekt bleibt oft auf den Rahmen der Gemeinden beschränkt, ohne darüber hinaus wirksam zu werden.

Einzig die rein religiösen Rituale blieben unangetastet und wurden somit (neben der Opfersolidarität) zum prägenden positiven Moment jüdischer Identität. Da die vormals weitestgehend assimilierten Jüdinnen und Juden nun nicht plötzlich der Orthodoxie anhingen, war allerdings die Identifikation der Mitglieder mit der Religionsgemeinschaft nur schwach. Das zeigte sich deutlich, wenn der insgesamt seltene Synagogenbesuch der Gemeindemitglieder von den Funktionären beklagt wurde; nur an den hohen Feiertagen konnten sie eine stärkere Beteiligung konstatieren:

«Damals wie heute gestehen [die Gemeindemitglieder] auch offen ein, daß sie nicht fromm und religiös seien. (...) Das, was sie zu ihrem Kommen bewegt, ist eine ihnen zum Teil selbst nicht immer klar gewordene Tradition, ein Sich-verbunden-Fühlen, wehmutsvolle Rückerinnerung und Beweis dafür, daß man sich aus seinem Judentum niemals ganz lösen kann.»[275]

6. Eingriffe und Verflechtungen

Von der Nazitochter zur jüdischen Gemeindevorsitzenden – eine Biographie

Die Grenzen des ‹geschlossenen Grundstücks›, auf dem jüdisches Leben existieren konnte, waren durch Ideologie und Politik der DDR sehr eng gesteckt. Zweifellos hatten die Erfahrungen der ersten zehn Nachkriegsjahre auch bei den Jüdinnen und Juden, die Mitglieder der Gemeinden wurden und blieben, zu einer starken, mindestens von unausgesprochener Angst geprägten Selbstkontrolle geführt, die ‹Ausbruchsversuche› aus diesem nur widerwillig zugestandenen ‹Freiraum› kaum erwarten ließ. Das Regime erkannte – trotz marxistisch begründetem Atheismus, stalinistisch orientiertem Antizionismus und eigenen antisemitischen Residuen – sehr bald die Nützlichkeit jüdischer Gemeinden als ‹Beweisstücke› für den lautstark propagierten Antifaschismus. Deren Existenzsicherung diente der eigenen Glaubwürdigkeit, was sich vorrangig im finanziellen Bereich – und da vor allem bei der Pflege der Friedhöfe – manifestierte. Die SED sorgte sich jedoch auch um den personellen Bestand: Etwa ab Mitte der siebziger Jahre kamen berechtigte Befürchtungen auf, die Gemeinden könnten bald aussterben, was Klaus Gysi, der damalige Staatssekretär für Kirchenfragen, so kommentierte:

«(...) die jüdische Gemeinde hat nur wenige Mitglieder unter 25 Jahren. (...) Das ist für uns sehr unerfreulich, weil wir dafür die Schuld bekommen könnten, obwohl wir nichts dafür können.»[276]

Offenbar hat die Partei ehemaligen Mitgliedern oder ihren Nachkommen geraten, den Gemeinden (wieder) beizutreten.[277] Dem zumindest nominellen Erhalt aller Gemeinden wurde großes Gewicht beigemessen. Gleichzeitig ermöglichte die ‹Delegierung› parteitreuer jüdischer Genossinnen und Genossen in die Gemeinden eine breiter abgestützte innere Kontrolle über deren Aktivitäten.

Es scheint jedoch, daß die SED weder der Langzeitwirkung der «Lehren aus dem Slansky-Prozeß» noch der Einflußnahme durch die eigenen Mitglieder, die nun wieder der jüdischen Gemeinschaft angehören durften (oder mußten), unbeschränkt vertraute. Um sicherzustellen, daß die Gemeinden die ihnen zugedachte Rolle kontinuierlich und überzeugend spielten, war eine permanente Kontrolle durch Personen, deren Loyalität zu Staat und Partei unzweifelhaft feststand, unabdingbar.

In diesem Zusammenhang ist zweifellos auch die Tatsache zu erklären, daß sich eine Frau, die weder gebürtige noch (gesetzeskonform) konvertierte Jüdin war, 18 Jahre lang als Vorsitzende der Gemeinde Halle halten konnte.[278]

Karin Mylius-Loebel war die leibliche Tochter des Polizeihauptwachtmeisters Paul Loebel und der Emilie Loebel-Petersen – beide gemäß nazistischer Gesetzgebung «Arier».[279] Die Familie zog 1938 aus Münster / Westfalen nach Halle und bezog dort die «arisierte» Wohnung einer jüdischen Witwe. 1940 wurde die deutsche Schutzpolizei der SS unterstellt; Loebel meldete sich im Winter 1941 / 42 freiwillig zu den sogenannten Einsatzkommandos der SS, welche die erklärte Aufgabe hatten, die jüdische Bevölkerung weiter Teile Polens und der besetzten sowjetischen Gebiete auszurotten. Dennoch hatte er nach Ansicht der ostdeutschen Entnazifizierungsbehörden nicht zum Kreis der ‹aktivistischen› Nazis gehört, da seine einzige Bestrafung darin bestand, daß er 1947 vom Polizeidienst suspendiert wurde und fortan im Hallenser Heimatmuseum arbeitete. «Aus (...) ungeklärten Gründen» wurde Loebel zudem vom damaligen Vorsitzenden der jüdischen Gemeinde, Hermann Baden, als Hausmeister für das Gemeindehaus eingestellt und bezog dort mit seiner Familie eine Dienstwohnung. Etwa ab Mitte der fünfziger Jahre arbeitete Karin Loebel als Sekretärin Badens, der inzwischen zum Präsidenten des Verbands der Jüdischen Gemeinden in der DDR gewählt worden war.[280] Als Baden 1962 starb, übernahm Franz Kowalski dessen Amt als Gemeindevorsitzender von Halle; Helmut Aris wurde Präsident des Verbandes, dessen Sitz nach Dresden verlegt wurde.

Karin Loebel behauptete einerseits, sie sei als jüdisches Waisenkind während des Krieges vom Ehepaar Loebel adoptiert worden; sie verfaßte dazu ein Gedicht, «Ein jüdisches Kind», das die angebliche Erschießung ihrer Eltern vor ihren Augen schilderte und das sie gelegentlich in der Öffentlichkeit vortrug. Andererseits erzählte sie, ihr (jüdischer) Vater sei ein ostpreußischer Gutsbesitzer gewesen. Nach einer dritten Variante stammte die Familie aus Kiel.[281] Goeseke bemerkt dazu: «Wahrscheinlich war die Legende vom ‹Findelkind Morgenstern› auf Riesenburgers Vorschlag zwecks Aufnahme von Karin Loebel ins Judentum mit den staatlichen Stellen abgesprochen worden.»[282]

1961 trat sie der Gemeinde Halle bei und gehörte bis 1968 deren Vorstand an.[283] Im Oktober 1968 veranlaßte die inzwischen verheiratete Karin Mylius Neuwahlen für den Gemeindevorstand – ohne Wissen des Vorsitzenden Kowalski[284] – und ließ sich selbst zur neuen Vorsitzenden wählen. In der entsprechenden Mitteilung an den Verband begründete sie diese Umbesetzung damit, daß Kowalski aufgrund seines Wohnsitzes außerhalb des Bezirks Halle gemäß Statuten nicht Mitglied der Gemeinde sein könne. (Möglicherweise war dies tatsächlich eine von Kowalski nicht erfüllte Bedingung; in den vergangenen sechs Jahren war jedoch an seinem Vorsitz kein Anstoß genommen worden.) Zudem habe er sich durch Vernachlässigung seiner Pflichten gegenüber den Mitgliedern selbst für dieses Amt disqualifiziert.[285]

Kowalski wurde darauf beim Verband vorstellig und forderte die Einberufung der Schiedskommission. Er verwies auf den Widerspruch zwischen der angeblich an ihn ergangenen Einladung zur Wahlversammlung und der Feststellung, er könne, da er außerhalb des Bezirks Halle wohne, nicht Gemeindemitglied sein, und bezeichnete den Vorgang als «offensichtlichen Betrug». Weiter bemerkte er:

«Ich glaube wohl, sagen zu können, daß die alleinige Verfasserin des Schreibens [Karin Mylius] mit nazistischen Gesetzen aus Nürnberg gut vertraut ist (...).»[286]

Im Verband kam es aufgrund der Wahlen in Halle zum Eklat: Die Gemeindeführer von Berlin, Karl-Marx-Stadt, Leipzig, Magdeburg und Schwerin protestierten gegen diesen neuen Vorstand, da sie die Auffassung vertraten, es sei aufgrund religiöser Vorschriften absolut unzulässig, daß eine jüdische Gemeinde von einem reinen Frauengremium – weitere Vorstandsmitglieder waren Goldi Giese und Käthe Ring – geleitet werde. In diesem Sinn wurde auch die Schiedskommission an der kurzfristig für Ende Oktober einberufenen Verbandstagung instruiert. Dieses Gremium hielt sich jedoch nicht an den Beschluß, denn Karin Mylius blieb im Amt. Die Gemeinde Berlin trat daraufhin unter Protest aus dem Verband aus; der Vorsitzende Schenk berief sich dabei ausdrücklich auf den für die DDR-Gemeinden zuständigen ungarischen Oberrabbiner Ödön Singer, der den Hallenser Vorstand ebenfalls als unakzeptabel bezeichnet habe.[287] Auch die Gemeinden Magdeburg und Leipzig drohten mit dem Austritt, falls die Wahl des weiblichen Vorstands nicht vom Verband für ungültig erklärt würde.[288]

Der Einwand entbehrte allerdings jeglicher religionsgesetzlichen Grundlagen: Der Gemeindevorsitz ist ein säkulares Amt ohne religiöse Aufgaben; somit existieren diesbezüglich auch keine religiösen Vorschriften. Darüber mußten sich die Gemeinden und das Verbandspräsidium belehren lassen – von Karin Mylius:

«Ganz abgesehen davon, daß der *Schulchan Aruch* heute veraltet ist und einem neuen Kodex Platz machen müßte, enthält er auch keinen das Verhalten von Herrn Schenk rechtfertigenden Passus.

(...)

Die Verfassung der Deutschen Demokratischen Republik garantiert die Gleichberechtigung von Mann und Frau auf allen Gebieten des Lebens. Hiervon können auch wir Juden keine Ausnahme machen. Das sollten gerade diejenigen, die sich auf den Schulchan Aruch berufen, am besten wissen. Wir verweisen nur auf den Leitsatz Dina de-Malchute Dina.»[289]

Damit war das Hauptargument gegen den weiblichen Vorstand entkräftet. Obschon die verbandsinternen Diskussionen – nicht zuletzt, weil Franz Kowalski unter Protest aus der Gemeinde austrat [290] – noch längere Zeit andauerten [291], blieb Karin Mylius im Amt. Die Gemeinde Berlin wurde seitens des Staatssekretariats für Kirchenfragen «aufgefordert», ihren Austritt aus dem Verband rückgängig zu machen, was im Juli 1969 geschah. [292]

Während der nächsten Dekade führte Karin Mylius die Gemeinde unangefochten. Nach außen machte das Gemeindeleben in Halle einen für DDR-Verhältnisse normalen Eindruck, was Frau Mylius durch ihre Berichterstattung im «Nachrichtenblatt» zu untermauern suchte. Allerdings fällt bei der Durchsicht der von ihr verfaßten Artikel auf, daß – trotz von ihr mehrmals behauptetem «regem Gemeindeleben» – kaum Rückschlüsse auf die damaligen Aktivitäten der Mitglieder möglich sind; die «gesellschaftliche Arbeit» der Vorsitzenden gelangt jedoch wiederholt ausführlich zur Darstellung. Immer wieder wurde von gegenseitigen Besuchen, gemeinsam begangenen Anlässen und wechselseitiger Korrespondenz zwischen der Vorsitzenden und Mitgliedern der Stadt- und Bezirksleitung der SED sowie weiterer DDR-Honoratioren und Spitzenfunktionären kirchlicher Organisationen berichtet. Dies mochte insofern verständlich sein, als die Vorsitzende, selbst SED-Mitglied und Trägerin des Vaterländischen Verdienstordens in Bronze, mit einem geachteten Angehörigen des regionalen Parteikaders, Prof. Dr. Dr. Klaus Mylius, verheiratet war, der u.a. an der Karl-Marx-Universität in Leipzig das Parteilehrjahr leitete und dort für die systemkonforme, atheistische Haltung der Auszubildenden zu sorgen hatte. [293] Die engen Beziehungen der Vorsitzenden zu Partei und Staat überstiegen zweifellos das bei anderen DDR-Gemeinden übliche Maß; dort berührte die «gesellschaftliche Arbeit» zwar einen bedeutenden, aber nicht den hauptsächlichen Teil der Aktivitäten.

Das Ausmaß der Vernachlässigung gemeindeinterner Aufgaben – religiöses Leben, kulturelle Veranstaltungen, Betreuung der Mitglieder etc. – begann erst nach etwa zehn Jahren sichtbar zu werden. Obschon sämtliche Akten aus der Zeit von 1933 bis 1945 gemäß Archivgesetz der DDR dem Zugang der Wissenschaft ebenso wie der Betroffenen entzogen sein sollten, lagerten in Halle (einer wichtigen Durchgangsstelle für die nach Osten in die Vernichtungslager führenden Deportationen) zahlreiche Bündel von Akten aus dieser Zeit – im

Kohlekeller des Gemeindehauses.[294] Gudrun Goeseke, eine Nicht-jüdin, wurde von Karin Mylius 1979 mit dem Ordnen dieser Be-stände betraut, da die Gemeindevorsitzende diese Arbeit als «zu lang-weilig» ansah.

Während dieser Zeit führte sie zudem im Beisein ihrer Tochter ein Gespräch mit Karin Mylius über die nazistischen Verbrechen. Dabei schilderte die Vorsitzende u.a. die «Verwendungsmöglichkeiten des von der SS umgebrachten ‹Menschenmaterials› (...), daß z.B. aus Menschenhäuten Lampenschirme, Taschen sowie andere Lederwaren angefertigt wurden», und präsentierte – zum Beweis – ein solches Stück Haut, war jedoch nicht bereit, sich über dessen Herkunft zu äu-ßern.[295] Darauf unterrichtete Gudrun Goeseke den stellvertretenden Vorsitzenden der Berliner Gemeinde, Hermann Simon, über diesen Sachverhalt, in der Hoffnung, er möge diesem für die Hallenser Ge-meinde, die Juden in der DDR – aber letztlich ihrer Ansicht nach auch für den Staat selbst – unhaltbaren Zustand ein Ende setzen.[296] Doch Simon riet ihr dringend davon ab, Schritte gegen Karin Mylius zu un-ternehmen: Das Risiko eines Racheaktes sei zu groß. Offenbar schien diese in der SED so stark abgestützte Frau für die Juden unantastbar.

Frau Goeseke recherchierte zwar gemeinsam mit der Studentin Re-gina Srowig weiter, unternahm jedoch erst vier Jahre später erneut Schritte, um die jüdischen Funktionäre davon zu überzeugen, daß die Vorsitzende der Gemeinde Halle abgesetzt werden müsse. Nachdem sich diese aus Anlaß des 45. Jahrestages der «Kristallnacht» mit einer «lügnerisch-pathetischen Show» wieder einmal publikumswirksam in Szene gesetzt hatte, verfaßten die beiden Frauen einen Brief an Pe-ter Kirchner, der allerdings bis zum Sommer 1984 unbeantwortet blieb. Deshalb wandten sie sich nun an die Gemeinde Leipzig. Deren stellvertretende Vorsitzende, Ella Wittmann, versprach, gemeinsam mit dem Vorsitzenden Eugen Gollomb diese Angelegenheit verbands-intern einer Lösung zuzuführen. Die Beteiligten waren sich zweifel-los einig, daß alles getan werden müßte, um öffentliches Aufsehen zu vermeiden: Nach außen sollte der Schein einer harmonisch funktio-nierenden Gemeinschaft möglichst gewahrt bleiben. Der Leipziger Vorstand wollte sich erst an die Behörden wenden, wenn der Ver-band keine Veränderung durchsetzen sollte. Als letzte Maßnahmen waren der Austritt Leipzigs und die Orientierung der DDR-Regierung vorgesehen. Im August 1984 endlich schloß sich Kirchner diesem Vorhaben an.

Eugen Gollomb hatte schon früher von der Familiengeschichte der Karin Mylius erfahren und sie im Februar 1983 schriftlich zur Rede gestellt. Eine Antwort blieb aus; doch reagierte die Vorsitzende, indem sie, erstmals seit 1959, wieder Gottesdienste in Halle veranstaltete[297], statt an jenen in Leipzig teilzunehmen. Im September 1984 teilten Kirchner und Gollomb mit, die Angelegenheit würde auf einer Sondertagung des Verbandes – in Anwesenheit von Karin Mylius, die zuvor über die Vorwürfe informiert werden sollte – einer Regelung zugeführt, doch «aufgrund der destruktiven Haltung des Präsidenten fand diese Veranstaltung niemals statt»[298]. Offenbar hatte Karin Mylius ihren Einfluß bei Helmut Aris geltend gemacht, der nun Gollomb des Rufmordes und der Verleumdung bezichtigte und die Übergabe sämtlicher Akten forderte. Gollomb verweigerte dies und war auch nicht bereit, seine Informantinnen zu benennen.

Im Dezember 1984 trat Helmut Eschwege an Regina Srowig und Gudrun Goeseke heran und wollte erfahren, weshalb nichts gegen die Vorsitzende unternommen werde; er selbst hatte auf einer Reise nach Israel (die ihm als Rentner gestattet war)[299] von ehemaligen Hallenser Juden davon erfahren und sich umgehend an Helmut Aris gewandt, der jedoch auch auf diesen Vorstoß nicht reagierte.

Nachdem Gollomb im Dezember 1984 einen letzten vergeblichen Versuch unternommen hatte, Aris und den Verband zum Handeln zu bewegen, unterbreitete er die Karin Mylius betreffenden Akten dem in Leipzig zuständigen Sekretär für Kirchenfragen. Zudem erhob Peter Kirchner – obschon es für ihn, Gollomb und vermutlich alle anderen Beteiligten offensichtlich war, daß die Vorsitzende von Halle für den Staatssicherheitsdienst tätig war – bei der Staatsanwaltschaft in Berlin Klage gegen sie.[300]

Das erste sichtbare Resultat dieser Schritte war die umgehende «Befragung» von Helmut Eschwege durch die Staatssicherheit, da man in ihm einen der «Denunzianten» vermutete. (Er selbst bemerkte 1990, dieses Vorgehen habe ihn keineswegs überrascht, da Aris alle Gespräche mit ihm auf Tonband aufzeichnete, worauf er jeweils «Besuch» von den Sicherheitsorganen erhielt, die ihn zu diesen Unterredungen befragten.) Über jene Unterhaltung mit den Stasi-Leuten, die nach der

Klageerhebung gegen Karin Mylius stattfand, berichtet er, die Beamten hätten ihm vorgeschlagen, die Geburts- und Taufurkunde der Vorsitzenden in der BRD zu beschaffen; dann sei das «Märchen», daß sie jüdisch sei, unzweifelhaft aufgedeckt – und Aris müsse nachgeben und sie absetzen. (Eschwege mokierte sich darüber, daß die Stasi Ratschläge erteilt habe, wie Aris zum Handeln gezwungen werden sollte – nachdem offenkundig war, daß die so in Mißkredit geratene Frau nicht mehr zu halten – und somit auch für allfällige Überwachungen unbrauchbar – war, sondern im Gegenteil die Einheit der Juden, die in aller Interesse lag, zu sprengen drohte. Von der Stasi stammte auch der Hinweis, daß die Familie aus Münster / Westfalen zugezogen war.[301]) Im März und April wurden auch Peter Kirchner und Eugen Gollomb vom Staatssicherheitsdienst befragt und verpflichtet, über diese Sache absolutes Stillschweigen zu bewahren – die Öffentlichkeit sollte keinesfalls davon erfahren.

Vermutlich setzten die Behörden nun den Verbandspräsidenten unter Druck, denn im Juni 1985 fuhr er nach Halle, «um die Vorsitzende ihres Amtes zu entheben und sie aus dem Judentum für immer auszuschließen», wie er ankündete. Am folgenden Tag berichtete er jedoch Helmut Eschwege, er habe es Frau Mylius in ihr «Ermessen gestellt» abzutreten; er werde sie «aus demokratischen Gründen» nicht absetzen.[302] Möglicherweise wollte Aris, der diese Frau während Jahren gestützt hatte, auch im eigenen Interesse vermeiden, sie ihres Amtes entheben zu müssen – ein Rücktritt (z.B. aus gesundheitlichen Gründen, zumal Karin Mylius sehr oft krank war) hätte es auch dem Verbandspräsidenten ermöglicht, sein Gesicht zu wahren. Die Vorsitzende fühlte sich aber offenbar vom Staat beschützt, da sie sich auch jetzt weigerte, ihr Amt aufzugeben. Erst im Herbst 1986, als sie erkrankte und in die Berliner Charité eingewiesen wurde, schritt Helmut Aris ein: Anfang September teilte er der Vorsitzenden und auch dem Rat des Bezirks Halle mit, daß sie ihres Amtes enthoben sei, der Verband vorübergehend die Verwaltung der Gemeinde übernommen habe und die Gemeinderäume versiegelt worden seien.[303]

Nach ihrer Rückkehr aus Berlin berief Karin Mylius Anfang Oktober eine Vorstandssitzung ein, bei der auch Prof. Mylius zugegen war, und forderte die beiden Vorstandsmitglieder Ring und Wolfson auf, die Siegel zu entfernen, da das Vorgehen des Verbandspräsidenten einen unrechtmäßigen Eingriff in die Gemeindeautonomie darstelle. Beide weigerten sich und verwiesen darauf, daß dies strafbar wäre. Darauf formulierte Klaus Mylius einen Brief an den Verband, in dem dieser ultimativ aufgefordert wurde, die eingeleiteten Schritte rückgängig zu machen, fügte allerdings nach Unterzeichnung des Textes durch die Vorstandsmitglieder noch einen Abschnitt ein, laut dem sich der Vorstand vorbehielt, Ende 1986 seine Tätigkeit niederzulegen. Der Verband ging auf diese Forderung nicht ein, worauf Frau Mylius heimlich die Siegel selbst aufbrach; den Vorstandsmitgliedern gegenüber behauptete sie allerdings, Hans Levy, der Vizepräsident des Verbandes, habe dies getan und sei dabei beobachtet worden.[304]

Levy selbst traf sich Ende November mit Käthe Ring, Gerhard Wolfson und dem Referenten für Kirchenfragen vom Rat des Bezirks Halle, um das weitere Vorgehen zu diskutieren. Hier wurde noch einmal betont, daß die Behauptung, Karin Mylius sei jüdisch, jeder Grundlage entbehrt; gemäß Peter Kirchner hätten sich im Nachlaß Rabbiner Riesenburgers keinerlei Hinweise auf einen gesetzeskonformen Übertritt gefunden. Der zur Aufnahme ins Judentum notwendige Beschluß der Gemeinde, deren Mitgliedschaft angestrebt wird, lag für Karin Mylius auch in Halle nicht vor.

Im Laufe dieses Gesprächs wurde klar, daß selbst die beiden Vorstandsmitglieder über die Geschäftsführung durch Karin Mylius nicht informiert waren. Sie verfügten auch nicht über Mitgliederlisten, mittels deren die Angehörigen der Gemeinde Halle zur nun dringend notwendigen Mitgliederversammlung hätten eingeladen werden können; der Regierungsvertreter sagte jedoch zu, eine solche Liste beizubringen. Bezeichnend ist, daß die Behörden über interne Informationen verfügten, die selbst den Vorstandsmitgliedern nicht zugänglich waren.

Diese gemeinsamen Anstrengungen führten schließlich zum Erfolg; denn am 5. Dezember 1986 wandte sich Karin Mylius in einem letzten Versuch, ihre Position zu retten, an den Staatssekretär für Kirchenfragen, Klaus Gysi, um ihn auf die «Führungsschwäche des Verbandspräsidenten aufmerksam zu machen», die sich in seiner Unfähigkeit gezeigt habe, mit ihr zu einer «einvernehmlichen Arbeit zu gelangen». Weiter bemerkte sie:

«Die Gestaltung jüdischen Lebens in der DDR kann ich nicht als eine rein verbandsinterne Angelegenheit betrachten. Sie hat vielmehr auf das Ansehen unserer Republik im Ausland nicht zu unterschätzende Auswirkungen. Daher bitte ich Sie (...), Ihren Einfluß dahingehend geltend zu machen, daß seit Jahren offene Fragen wie die Leitungstätigkeit des Präsidenten, sein Verhältnis zu den Gemeindevorständen (das bereits in der Vergangenheit mehrfach durch scharfe Differenzen getrübt war) und die künftigen Strukturen des Verbandes sowie die zahlenmäßig rapide schrumpfenden Gemeinden einer Lösung [sic!] zugeführt werden.»[305]

Diesem Schreiben war die Kopie eines Briefes an Helmut Aris beigefügt. Darin erhob sie schwere Vorwürfe gegen den Verbandspräsidenten, da er die Bankkonten der Gemeinde hatte sperren lassen[306], um ihr, die er «ohne jede Begründung und ohne erklärende Rücksprache als abgesetzt»[307] betrachtete, den Zugriff auf die Gelder der Gemeinde zu verwehren. Diesen Eingriff kommentierte sie – mit einer versteckten Drohung:

«Eine solche Diskriminierung meiner Person verträgt sich nicht mit meinen Eigenschaften als Ordensträgerin und Volksvertreterin. Darüber wird noch anderweitig zu reden sein.»

Zuden machte sie unmißverständlich klar, daß sie die Ansicht vertrat, für die jüdische Gemeinschaft müsse an erster Stelle die Erfüllung staatlicher Interessen stehen: Sie warf Aris vor, er hätte die Hand, die sie ihm zu einem «vertrauensvollen Miteinander gereicht» habe, ausgeschlagen, was dem Judentum, seinem inneren Zusammenhalt und damit «zwangsläufig auch unserer Heimat, der Deutschen Demokratischen Republik» Schaden zufüge. Außerdem konkretisierte sie den Vorwurf der Vernachlässigung der Verbandsarbeit und der Verletzung der Verbandsstatuten (und denunzierte damit den Präsidenten):

«Vorgeschrieben ist, wie Sie wissen, jährlich eine Verbandstagung. Sie dagegen haben die letzte Verbandstagung am 29.11.1981 durchgeführt! Damit offenbaren Sie eine Führungsschwäche, die – wenn man nicht die bewußte Einführung eines autokratischen Regimes annehmen will – nur Ihrer seit Jahren andauernden Kränklichkeit geschuldet sein kann.»[308]

Diese Briefe blieben allerdings ohne Folgen, denn acht Tage später starb Karin Mylius.[309] Bemerkenswert ist in diesem Zusammenhang, daß «Neues Deutschland» – entgegen seinen Gepflogenheiten beim

Tod von Gemeindevorsitzenden, aber auch von Ordensträgern – weder einen Nachruf noch eine Todesanzeige veröffentlichte.

Weder auf seiten des Staates noch innerhalb des Verbandes war in der Folge ein Interesse daran vorhanden, die Angelegenheit weiterhin aufzuklären: Man war auf beiden Seiten erleichtert, daß sich die zweifellos «verfahrene Situation» (Kirchner) aufgelöst hatte, ohne daß es zu einem öffentlichen Skandal gekommen war. Einzig Gudrun Goeseke, die mit der Aufdeckung dieser Affäre begonnen hatte, sowie Käthe Ring als neue Vorsitzende und die ebenfalls neu als Sekretärin eingestellte Gattin des Verwalters des jüdischen Friedhofs, Doris Mitschke, setzten diese Arbeit, d.h. die Auflistung der Vergehen der vormaligen Vorsitzenden und der entstandenen Schäden, trotz Behinderungen fort.[310] Jetzt erst wurde in vollem Ausmaß ersichtlich, welche Folgen sich aus der 18jährigen Amtstätigkeit für die Gemeinde Halle ergeben hatten.[311] Offenbar hörte die Gemeinde faktisch schon bald nach der Wahl von Karin Mylius zu existieren auf: Viele Mitglieder traten nach diesem ‹Coup› aus. – Danach waren die Mitgliederlisten manipuliert: Ausgetretene wurden darin ebenso weitergeführt wie Verstorbene.[312] Damit konnten auch die finanziellen Mittel, die Karin Mylius für ihre Gemeinde beanspruchen durfte, aufgestockt werden. Es zeigte sich ferner, daß die für Instandsetzungsarbeiten an den beiden jüdischen Friedhöfen vorgesehenen Gelder nur begrenzt für diesen Zweck verwendet worden waren: Ein Teil des alten Friedhofs mit zum Teil aus dem 18. Jahrhundert stammenden, kulturhistorisch äußerst wertvollen Grabsteinen, der wegen seiner Lage vom Nazi-Vandalismus verschont geblieben war, galt als «verschwunden» und blieb, obschon Karin Mylius von seiner Existenz wußte, jahrelang von Dickicht überwuchert. Sie wollte nichts zur «Freilegung und Erhaltung beitragen, weil dadurch Gemeindegelder ohne Nutzen investiert werden müßten»[313]. Was mit diesen staatlichen, eigentlich zweckgebundenen Mitteln geschah, ist unklar.

Es ist jedoch anzunehmen, daß sie ebenso in der privaten Kasse der Familie Mylius verschwanden wie andere ‹Erträge›, die der Vorsitzenden im Laufe ihrer Tätigkeit zuflossen. Obschon Karin Mylius wohl ab Anfang der 80er Jahre, als die Recherchen über ihre Tätigkeit einsetzten, begann, geschäftliche Unterlagen zu vernichten, die sie hätten belasten können[314], wurde jetzt ersichtlich, daß zahlreiche Kultusgegenstände, die als Spenden bei der Gemeinde eingegangen waren, fehlten – Kopien der Dankschreiben existierten allerdings noch. Ebenso fehlten zahlreiche Bücher aus der Gemeindebibliothek, insbesondere eine alte Talmud-Ausgabe im Wert von 25000 Mark (Ost). Jedenfalls ‹fand› Klaus Mylius im Nachlaß seiner Frau Holzschnitte, die nachweisbar der Gemeinde gehörten, für die er jedoch bei der Übergabe einen Finderlohn forderte. Hinzu kam, daß die im Gemeindehaus zur Verfügung gestellte Dienstwohnung (aus der auszuziehen sich Klaus Mylius nach dem Tod seiner Frau weigerte) auf Kosten der Gemeinde mit Kohle und Strom versorgt und teilweise erneuert worden war, was nicht den Gepflogenheiten des Verbandes entsprach.

Gravierender ist jedoch, wie in Halle während der Amtszeit von Karin Mylius die letzten Reste jüdischen Lebens zerstört wurden. Bezeichnend war dabei z. B. ihre Gleichgültigkeit gegenüber dem jüdischen Ehrenmal, dem Eingangstor der 1869 erbauten Synagoge. Diese war während des Kriegs weitgehend zerstört worden; erhalten blieb nur ein Teil der Fassade mit dem Hintereingang, aus dem ein Mahnmal für die jüdischen Opfer des Faschismus gestaltet wurde. 1984 begann die Stadt Halle, die Rekonstruktion und Sanierung der Altstadt zu planen. Da sich das Mahnmal im davon betroffenen Gebiet befand, wurde Karin Mylius mehrmals zu Besprechungen eingeladen, bei denen entschieden werden sollte, wie diese Gedenkstätte in den Gestaltungsplan einzubeziehen war. Trotz schriftlicher Aufforderungen nahm die Vorsitzende an keiner dieser Sitzungen teil, weshalb die Verantwortlichen annehmen mußten, auf jüdischer Seite bestehe kein Interesse an der Erhaltung dieses Monuments – und es im September 1984 abreißen ließen.[315] Während mehrerer Jahre existierte in der städtischen Öffentlichkeit nichts mehr, was an die Juden von Halle erinnerte. 1988 wurde das Mahnmal allerdings – im Hinblick auf die staatlich inszenierten Gedenkfeierlichkeiten zum 50. Jahrestag der «Kristallnacht» – an seinem ursprünglichen Standort wieder aufgebaut.

Ebenfalls bezeichnend war, wie Karin Mylius der nichtjüdischen Umwelt jüdisches Leben präsentierte: Sie leitete mehrmals Gottesdienste, sprach Gebete «in einer auf der ganzen Erde nicht vorkommenden Sprache» (Srowig) und forderte vor Beginn der *Thora*-Vorlesung «alle Anwesenden: Gäste *und* ‹imaginäre› Gemeindemitglieder auf, die Synagoge zu verlassen».[316] Zu den von ihr geforderten fundamentalen Reformen mochte auch gehören, daß sie, die kein Studium absolviert hatte, den für jüdische Theologen nicht existenten Titel einer «Dr. theol.» führte[317] – was ihr gegenüber den atheistischen Staats- und Parteifunktionären zusätzlich Glaubwürdigkeit verleihen sollte.

Ihr ‹Verständnis› für jüdische Belange, Gesetze und Traditionen (aber auch ihre Auffassung von Antifaschismus) demonstrierte sie auch nach dem Tod ihrer Eltern 1974 respektive 1977: Sie verstieg sich dazu, das nichtjüdische Ehepaar Loebel auf dem jüdischen Friedhof von Halle beizusetzen – inmitten der Gräber von NS-Opfern –, angesichts der nazistischen Vergangenheit ihres Vaters eine sichtbare massive Verhöhnung der Opfer, die durch die Anbringung eines Davidsterns auf dem Grabstein der Eltern noch gesteigert wurde. Zudem bedeutete die Bestattung der beiden Nichtjuden gemäß orthodoxem ebenso wie dem in der DDR vertretenen Reformjudentum eine vollständige Entweihung des Friedhofs.[318] Die Bestattungszeremonie wurde von Karin Mylius geleitet, die zu diesem Anlaß in Rabbinertracht auftrat. Zweifellos waren keine Vertreter anderer Gemeinden bei den Beerdigungen anwesend, da sonst wohl schon damals der Verband die Entlassung von Karin Mylius durchgesetzt hätte.

Kaum überraschend, daß auch ihr Sohn, Frank-Chaim, ein zumindest eigenartiges Verständnis von Judentum und jüdischer Geschichte entwickelte. Dieses manifestierte sich z.B. darin, daß er in der Zeit von 1978 bis 1981 verschiedentlich am Gemeindehaus Fensterscheiben einschlug und Hakenkreuzschmierereien anbrachte – um ‹neonazistische› Angriffe auf seine Familie vorzutäuschen. Damit kaum in Einklang zu bringen ist die Tatsache, daß er den Berufswunsch hegte, Kantor zu werden, der ihm auch erfüllt werden sollte. Karin Mylius schrieb 1982 dazu:

«Dank dem Entgegenkommen des Ministeriums für Hoch- und Fachschulwesen der DDR, des Staatssekretariats für Kirchenfragen der DDR mit den entsprechenden Dienststellen der ungarischen Volksrepublik, insbesondere der Leitung des Rabbinerseminars Budapest konnte der Sohn unserer Vorsitzenden, Frank-Chaim Mylius, (...) sein Studium am Staatlichen Rabbinerseminar in Budapest aufnehmen. Hierfür gilt nicht zuletzt unser Dank dem Präsidenten des Verbandes (...), Helmut Aris, der die Delegierung nachhaltig unterstützt hat.»[319]

Allerdings fiel Frank Mylius nicht durch besonderes Engagement für dieses Studium auf – was seine ‹Jugendsünden› allenfalls hätte vergessen lassen können –, sondern durch verschiedene Delikte, u.a. Diebstahl und Verkauf von Büchern aus der Bibliothek des Rabbinerseminars.[320] Dennoch wirkte er – mindestens einmal – in Halle als Kantor und bewarb sich beim Verband um eine feste Anstellung, obwohl er wußte, daß seine Vergehen in Ungarn den Gemeindefunktionären in der DDR bekannt waren und er für sie als Kantor deshalb nicht in Frage kommen konnte.[321] Mit dem Tod seiner Mutter und den nachfolgenden gerichtlichen Auseinandersetzungen zwischen seinem Vater und der Gemeinde Halle wurden weitere derartige Bemühungen hinfällig.

Karin Mylius kann die nazistische Vergangenheit ihres Vaters ebensowenig angelastet werden wie Frank-Chaim die Unfähigkeit, zwischen dem (schein-)jüdischen Leben der Mutter und der marxistischen, atheistischen Ideologie des Vaters eine autonome, unverzerrte Position einzunehmen. Auf das politische System werfen die hier aufscheinenden Formen der Überwachung und Manipulation jüdischen Lebens, aber auch der ‹Vergangenheitsbewältigung› jedoch ein scharfes Licht. Davon sind auch die damaligen jüdischen Funktionäre betroffen, die (gezwungenermaßen) den Protest aus den eigenen Reihen zu unterdrücken versuchten, um nach außen eine in Harmonie mit dem Staat lebende Gemeinschaft präsentieren zu können.

Die Juden als Einsatz im SED-Westpoker

Die umfassende Kontrolle und die gezielte Beeinflussung jüdischen Lebens durch die Machthaber der DDR beruhten unter anderem auf einer verzerrten Wahrnehmung jüdischer Realität: auf der (keineswegs nur im Ostblock vorhandenen) Vorstellung, die durch Flucht und Vertreibung bedingten internationalen Verbindungen von Familien und Organisationen böten den Juden weltweit große Möglichkeiten zu politischer (und wirtschaftlicher) Einflußnahme. Diese Vorstellung, die zumindest latent antisemitische Züge trägt, kann als ‹moderate› Form der Phantasie einer ‹jüdischen Weltverschwörung› angesehen werden. Sie stützt sich (direkt oder indirekt) auf die aus dem zaristischen Rußland stammenden «Protokolle der Weisen von Zion», einer von der

Geheimpolizei produzierten Fälschung, die beweisen sollte, daß die «Weisen von Zion» danach strebten, Krieg, Unzufriedenheit und Chaos hervorzurufen, um ein «messianisches Zeitalter» herbeizuführen, in dem die Juden die Weltherrschaft übernehmen würden.

Obwohl das Regime die Einbindung der DDR-Gemeinden in jüdische Organisationen der Diaspora massiv erschwert und Beziehungen zu Israel weitestgehend unterbunden hatte[322], begann die DDR etwa 1987 mit dem Versuch, dieses (größtenteils phantasierte) Potential ‹jüdischer Macht› für die eigene Politik nutzbar zu machen.

Während fast 40 Jahren hatte die DDR an der Parole «Von der Sowjetunion lernen, heißt siegen lernen» unbeirrt festgehalten. Wohl war es in der Praxis immer wieder zu ‹Anpassungen› der politischen Linie der UdSSR an die ostdeutschen Gegebenheiten gekommen – am deutlichsten bei der äußerst kurzlebigen, unvollständigen und später weitgehend revidierten Entstalinisierung des DDR-Systems. (Die grundsätzliche Gefahr, durch eine profunde Entstalinisierung wesentlich an Macht zu verlieren, war hier noch dadurch verschärft worden, daß die Herrschaftslegitimation der SED wesentlich auf der Koalition der Antifaschisten mit dem ‹Befreier› Stalin beruhte.[323]) Dennoch war es in dieser Zeit unvorstellbar, eine grundsätzlich ablehnende Haltung gegenüber sowjetischen Entwicklungen und Intentionen zu artikulieren. Mit der Wahl Michail Gorbatschows zum Generalsekretär der KPdSU und dem Beginn von Perestroika und Glasnost änderte sich allerdings die ostdeutsche Einstellung zum großen Bruderstaat. Obschon die dort eingeleiteten Reformschritte auf die Linderung bzw. Lösung von Problemen zielten, mit denen auch das SED-Regime zu kämpfen hatte, ging Ostberlin nun deutlich auf Distanz. Mit der Erklärung, nur weil der Nachbar seine Wohnung neu tapeziere, müsse man sich selbst keineswegs verpflichtet fühlen, dies auch zu tun, versuchte Chefideologe Kurt Hager, in der DDR aufkeimende Hoffnungen auf den weite Teile Osteuropas erfassenden Umgestaltungsprozeß soweit wie möglich zu unterbinden. Zu groß war die Angst vor dem Machtverlust an der Spitze der SED. Nur in einem Aspekt gab es seitens der DDR-Führung volle Übereinstimmung mit Gorbatschow: in der größeren Offenheit gegenüber dem Westen, denn damit konnte die DDR u.a. ihre privilegierten Beziehungen zur BRD aufrechterhalten und ausbauen.[324]

Die osteuropäischen Reformen, aber auch weltwirtschaftliche Entwicklungen wie der Kurssturz des Dollars und der Preiszerfall beim Erdöl Mitte der 80er Jahre wirkten sich für die Wirtschaft der DDR gravierend aus und zwangen das Regime, die bisher unumstößlichen ideologischen Grundsätze wirtschaftlichen Notwendigkeiten unterzuordnen. Dies zeigte sich in den Beschlüssen des XI. Parteitags der SED im April 1986 deutlich, als u.a. davon die Rede war, die «ökonomische Unangreifbarkeit der DDR zu festigen» und den «handelspolitischen Spielraum zu erweitern»[325]. Dies war jedoch nur durch eine verstärkte Orientierung an den westlichen Industrienationen möglich, was seinen Niederschlag in einer Intensivierung der Kontakte insbesondere zu den EG-Mitgliedstaaten fand. Höhepunkte dieser Bemühungen waren die Staatsbesuche Erich Honeckers in der BRD im September 1987 und in Frankreich im Januar 1988.

Das Hauptanliegen der Außen- und Wirtschaftspolitik der DDR ab 1986 bestand zweifellos in der Verbesserung der Beziehungen zu den USA – verknüpft mit der Hoffnung, in den Genuß der amerikanischen Meistbegünstigungsklausel zu gelangen. Einen ersten Schritt in dieser Richtung stellte der offizielle Besuch einer Delegation von elf Repräsentanten des US-Kongresses im Januar 1986 dar: Die Vertreter der «kapitalistischen, imperialistischen» Großmacht wurden von SED-Generalsekretär Honecker persönlich empfangen.[326] Weitere Etappen in der Neugestaltung der bilateralen Beziehungen bildeten u.a. ein Interview, das Erich Honecker dem Magazin «U.S. News and World Report» im Dezember 1986 gewährte (und das im Januar 1987 – trotz Ablehnung von Glasnost – in «Neues Deutschland» veröffentlicht wurde), sowie Kontakte zwischen den Vizeaußenministern der USA und der DDR im April 1987. Ein Durchbruch konnte jedoch damit nicht erzielt werden; Verhandlungen über amerikanische Wirtschaftshilfe oder gar die Anwendung der Meistbegünstigungsklausel bildeten keine (offiziellen) Gesprächsthemen.

Auf diesem Hintergrund entschied sich Ostberlin, die «jüdische Karte»[327] zum Erreichen der politischen Ziele auszuspielen – und auch hier zeigte die DDR, daß sie von der Sowjetunion gelernt hatte: Im «Jackson-Vanik-Amendment» von 1974 hatten die USA die Gewährung der Meistbegünstigungsklausel für die UdSSR an die Bedingung von Ausreiseerleichterungen für sowjetische Jüdinnen und Juden geknüpft.[328] In der DDR stellte sich das Auswanderungsproblem nicht; doch war in einem anderen Bereich die jüdische wie die amerikanische Kritik nie verstummt, in welchem die DDR nun ‹Besserung› demonstrieren konnte: bezüglich der Frage der Mitverantwortung an der Vernichtung der europäischen Juden und der sich daraus ergebenden Verpflichtung zur Leistung von «Wiedergutmachung». Nur so ist es zu verstehen, daß Honecker im Juni 1987 den Präsidenten der «Jewish Claims Conference», Rabbiner Israel Miller, zu einem Gespräch einlud.[329] Die Verknüpfung dieser Themen wird selbst im Bericht des SED-Organs «Neues Deutschland» deutlich:

«Es bestand Übereinstimmung, die Gespräche zwischen beiden Seiten auf geeigneter Ebene fortzusetzen mit dem Ziel, eine einvernehmliche Regelung zu finden. Rabbiner Miller betonte die humanitäre Fürsorge der ‹Jewish Claims Conference› für die Belange der Opfer der nazistischen und faschistischen Verfolgung und bekräftigte im Lichte der Gespräche die Bereitschaft seiner Organisation, alle Möglichkeiten für eine vorteilhafte Entwicklung der zwischenstaatlichen Beziehungen, insbesondere auf ökonomischem Gebiet, wahrzunehmen.»[330]

Die Betonung des humanitären Charakters der «Claims Conference» in diesem Artikel war wohl unerläßlich, da die DDR 40 Jahre lang immer wieder jüdischen Organisationen (unabhängig von deren Zielsetzungen) unterstellt hatte, «Agenten» Israels und somit mitschuldig an der Unterdrückung der Palästinenser zu sein. Noch im Juli 1986 war dies deutlich geworden, als Studenten- und Jugendfunktionäre der UdSSR und der DDR die Aufnahme der Europäischen Union Jüdischer Studenten (EUJS) in die Dachorganisation, Gesamteuropäische Jugend- und Studentenzusammenarbeit (AEYSC), verhindert hatten. Sie behaupteten, «arabische Organisationen (seien) der Ansicht, die EUJS vertrete in Wirklichkeit den Staat Israel»[331].

Die Begegnung mit Miller und die Ankündigung weiterer Konsultationen «auf geeigneter Ebene» machten einen deutlichen Kurswechsel in der DDR-Politik öffentlich sichtbar, der sich schon zuvor zaghaft angedeutet hatte, ohne allerdings politisch ausgeschlachtet worden zu sein: Vom 27. bis 30. Januar 1986 hatte der Jüdische Weltkongreß aus Anlaß seines fünfzigjährigen Bestehens in Jerusalem getagt; Ostberlin hatte den jüdischen Gemeinden die Teilnahme als Beobachter überraschend gestattet: «Die DDR-Regierung hat zum ersten Mal einer offiziellen Delegation die Reise nach Israel genehmigt. Alles wurde sehr schnell arrangiert.»[332]

Die große – und für die DDR-Bürokratie absolut untypische – Eile, mit der diese Reise organisiert wurde, legt die Vermutung nahe, daß zwischen diesem Haltungswandel der Regierung und dem knapp drei Wochen zuvor erfolgten Besuch der Repräsentanten des US-Kongresses ein direkter Zusammenhang bestand.

Ein weiterer Faktor mochte es dem SED-Regime erleichtert haben, sich den Juden gegenüber großzügig zu zeigen: Die BRD, mit der die DDR nach wie vor ihren (meist einseitig geführten) Konkurrenzkampf in Sachen ‹Vergangenheitsbewältigung› austrug, war 1985 durch die Kontroverse um Bitburg und 1986 durch den «Historikerstreit» in eine «geschichtspolitische Defensive» (Wolffsohn) geraten. Betont positives Verhalten den Juden gegenüber versprach also auch auf dieser Ebene eine Chance zur Profilierung.[333]

Einen nächsten, vor allem propagandistischen und nur kurzlebigen Erfolg verzeichnete die DDR im August 1987 mit der Anstellung Rabbiner Neumans als Seelsorger für die Gemeinde in Ostberlin, die durch Kontakte mit dem American Jewish Committee (AJC) ermöglicht worden war. Der Erfolg wurde zunächst dadurch geschmälert, daß sich das AJC nicht bereit zeigte, im Gegenzug «politische Hilfe für die DDR als Staat»[334] zu leisten. Zudem äußerte sich Neuman nach seinem Rücktritt knapp acht Monate später äußerst kritisch zum Antisemitismus in der DDR-Presse. Auch wenn gemeindeinterne Auseinandersetzungen um die Art seiner Amtsführung die tatsächliche Ursache für seine Abreise darstellten, zeigt doch die offizielle Reaktion der DDR-Juden, wie wenig ihnen diese negativen Äußerungen behagten. Sie waren sehr an der Erhaltung des freundlicheren Klimas interessiert – selbst um den Preis, die unverhohlen antisemitische Berichterstattung über den Nahostkonflikt nicht kritisieren zu dürfen. In der Presseerklärung der Jüdischen Gemeinde Berlin heißt es:

«Seine jetzige Behauptung, daß antisemitische Tendenzen in der Presse der DDR ihn zur Rückkehr veranlassen würden, waren von seiner Seite niemals in die Gespräche mit der Gemeinde eingebracht worden. Diese Unterstellungen wären unsererseits dann bereits in den Aussprachen zurückgewiesen worden.»[335]

Der Rücktritt Neumans erfolgte, als sich die Zeichen eines Sinneswandels in Ostberlin zu mehren begannen. In den vergangenen Wochen und Monaten hatten sich Staat und führende jüdische Persönlichkeiten immer wieder gegenseitig versichert, das Vermächtnis der von den Nazis Ermordeten werde in Ehre gehalten und die Jüdinnen und Juden hätten in der DDR ihre wahre Heimstatt gefunden.[336] (Allerdings zeigte sich die Berichterstattung zum Nahostkonflikt unverändert radikal antiisraelisch, während die Solidarität mit dem palästinensischen Volk weiterhin mit Nachdruck beteuert wurde.) Zudem hatte Außenminister Oskar Fischer bei einem Besuch des Ersten Stellvertreters des US-Außenministers, John Whitehead, im November 1987 betont, daß sich für die BRD und die DDR aus der gemeinsamen Geschichte auch eine gemeinsame Verantwortung ergebe[337] – zuvor hatte die DDR jegliche Mitverantwortung an nazistischen Verbrechen abgelehnt. Als im Februar 1988 bekannt wurde, daß Ostberlin «grundsätzlich» zu Entschädigungen an die Juden bereit sei,[338] überraschte dies kaum mehr. Allerdings wurde auch im Bericht des «Aufbau» deutlich, daß dabei nicht die Einsicht in einen historischen Irrtum, sondern politisches Kalkül entscheidend gewesen sein mußte:

«Worauf die Wende im Kurs der DDR zurückzuführen ist – daran wird immer noch gerätselt. (...) Vielleicht rechnet Honecker (...) mit einer Einladung nach Washington – sei es durch Reagan oder dessen Nachfolger – als Krönung seiner Reisediplomatie (...). Wenn, wie verlautet, Edgar Bronfman, der Präsident des World Jewish Congress, noch in diesem Jahr Honecker besuchen wird, wäre dies zumindest schon ein kleiner Triumph für den SED-Chef.»[339]

Doch im Hinblick auf die außenpolitischen Ambitionen zeichnete sich auch kein Erfolg ab, als Hermann Axen, der «ranghöchste Jude in der DDR-Parteiführung»,[340] im Mai 1988 die USA besuchte – offenbar genügten den zuständigen Stellen in der Reagan-Administration die in Ostberlin abgegebenen Absichtserklärungen nicht. Im Juni 1988 ging die SED schließlich mit einiger Eile zu konkreten Taten über. Der 50. Jahrestag der «Kristallnacht» stand im November bevor und sollte wirkungsvoll begangen werden. Am 2. Juni empfing Erich Honecker das Präsidium des Verbandes der Jüdischen Gemeinden in der DDR und informierte über staatliche Pläne im Zusammenhang mit diesem Gedenktag. Dazu berichtete «Neues Deutschland»:

«Die Repräsentanten der jüdischen Gemeinden begrüßten und unterstützten den Vorschlag Erich Honeckers, ein internationales Kuratorium und eine Stiftung für den Wiederaufbau und die würdige Ausgestaltung der im Herzen der Hauptstadt, in der Oranienburger Straße gelegenen Synagoge ins Leben zu rufen.»

Die Öffentlichkeit erfuhr nicht, daß diesem «Vorschlag» Honeckers langjährige Verhandlungen zwischen Peter Kirchner und dem vormaligen Staatssekretär für Kirchenfragen, Klaus Gysi, vorausgegangen waren, in denen der Vorsitzende der Ostberliner Gemeinde sich für die Erhaltung (und Rekonstruktion) der einsturzgefährdeten Synagogenruine eingesetzt hatte, ohne konkrete Fortschritte zu erzielen.[341] – Jetzt aber konnte mit diesem Projekt ein Prestigegewinn verbucht werden. Daß die jüdische Gemeinschaft in der DDR ein vitales Interesse an jeglichen Fortschritten im Verhältnis zum Staat hatte, ist verständlich. Es überrascht dennoch, in welchem Maß beispielsweise Verbandspräsident Rotstein die DDR-Führung und insbesondere Erich Honecker bei der Herstellung (s)eines besseren Images unterstützte. Dies wurde beispielsweise auf einer internationalen Pressekonferenz zur Gründung der Stiftung «Neue Synagoge Berlin – Centrum Judaicum» und zu den Aktivitäten um den 50. Jahrestag der «Kristallnacht» deutlich, als Rotstein bemerkte:

«Daß die Initiative und der Vorschlag von unserem Staatsratsvorsitzenden, Erich Honecker, ausgeht, beweist einmal mehr, daß er es als seine eigene Sache und als Sache des Staates betrachtet, daß wir einmal gedenken und zum anderen mahnen.»[342]

Als nächster Gast wurde Heinz Galinski, der Vorsitzende des Zentralrats der Juden in Deutschland, vom SED-Chef zu einem Treffen eingeladen. Bei diesem Gespräch, das bereits am 6. Juni 1988 stattfand, wurde allerdings klar, daß auch Galinski nicht gewillt war, die fast ausschließlich propagandistischen Schritte der DDR als tiefgreifenden Kurswechsel anzuerkennen. Er zeigte sich zwar über die Gründungen von Kuratorium und Stiftung für den Wiederaufbau der Neuen Synagoge erfreut und würdigte auch die finanziellen Verpflichtungen, die sich daraus für die DDR und für Honecker, der persönlich einen namhaften Betrag beisteuerte, ergäben; zudem regte er an, daß der Wirkungsbereich der Stiftung auf den jüdischen Friedhof in Berlin-Weißensee ausgedehnt werde.[343] Gleichzeitig trat er aber mit Forderungen an Honecker heran, deren Erfüllung weniger der Imagepflege des Regimes als der tatsächlichen Verbesserung der Situation der ostdeutschen Jüdinnen und Juden dienen sollte:

«Heinz Galinski betonte (...), die Verantwortung für das Erinnern [dürfe] nicht der jüdischen Gemeinschaft allein aufgebürdet sein, und der bevorstehende Jahrestag der Pogromnacht vom 9. November 1938 biete den geeigneten Anlaß, staatlicherseits einen würdigen Rahmen zum Begehen dieses Tages zu entwerfen. Erich Honecker erklärte sich bereit, den Gedanken einer Sondersitzung der Volkskammer der DDR zu diesem Thema den zuständigen Gremien zu unterbreiten, wobei Heinz Galinski die Entsprechung im Deutschen Bundestag anzuregen gedenkt.»

Damit sollte die Gemeinsamkeit beider deutscher Staaten in der historischen Verantwortung demonstriert und gleichzeitig den in Deutschland Ost und West lebenden Jüdinnen und Juden ermöglicht werden, *ihre* historische Gemeinsamkeit neu zu entdecken und aufzubauen: Galinski schlug gegenseitige Teilnahme jüdischer Vertreter an den Gedenkveranstaltungen in der BRD und der DDR vor. Bei den dazu notwendigen Ein- und Ausreisegenehmigungen, aber auch in anderen Belangen machte der SED-Chef große Zugeständnisse: Er äußerte seine «volle Zustimmung» zur Forderung Galinskis, jungen Juden aus der DDR eine Berufsausbildung an der Hochschule für Jüdische Studien in Heidelberg zu ermöglichen. Zudem erklärte er sich bereit, «die Archive der DDR ohne Einschränkung der Forschung zur Verfügung zu stellen». Weiter sagte Honecker zu, im Hinblick auf die äußerst einseitige Berichterstattung zu Israel «seinen Einfluß auf die Medien der DDR geltend zu machen (...)»[344].

Die Erörterung all dieser Themen ist im Bericht von «Neues Deutschland» dokumentiert. Zusätzlich erhielt Heinz Galinski auf der Titelseite die Möglichkeit, seine Einschätzung der Begegnung mit Honecker darzustellen.[345] Ein Thema blieb im Artikel des SED-Organs allerdings unerwähnt: die «Wiedergutmachung». Die «Allgemeine» berichtete hingegen:

«Was die Entschädigung der Opfer des Nationalsozialismus seitens der DDR betrifft, so erklärte der Staatsratsvorsitzende die grundsätzliche Bereitschaft seines Landes zu Leistungen, deren Umfang und Form zur Zeit in Washington verhandelt werden und die nach Einschätzung von Erich Honecker die Höhe von 100 Millionen Dollar erreichen dürften. In der praktischen Durchführung stünde diesbezüglich die DDR vor großen Devisenproblemen.»[346]

Wie der «Aufbau» vermeldete, dementierte selbst das DDR-Außenministerium die entsprechenden Verhandlungen nicht. Allerdings konnte auch der Präsident der «Claims Conference» die Nennung eines konkreten Betrags nicht bestätigen.[347]

Der Haltungswandel der DDR-Führung wurde auch in einem anderen Bereich manifest: Mit der Berichterstattung über Prozesse gegen Skinheads und Neonazis in Ostberlin vom Dezember 1987 und Juni 1988[348] – beim zweiten Prozeß ging es um fortgesetzten, eindeutig antisemitisch motivierten Vandalismus auf dem jüdischen Friedhof Prenzlauer Berg – wurde nun offiziell zugegeben, daß auch in der DDR faschistische Tendenzen möglich waren. Obwohl in beiden Fällen der obligate Hinweis auf die westdeutschen Vorbilder (und Mittäter) nicht fehlte, stellte das Eingeständnis, daß die ‹Immunisierung› durch antifaschistische Erziehung nur unvollständig gelungen war, in dieser Form eine Neuerung dar.

Im Sommer 1988 liefen die Vorbereitungen für die Gedenkveranstaltungen zum 50. Jahrestag der «Kristallnacht» weiter, und die DDR-Presse informierte eifrig darüber. Dazu gehörten z.B. zwei weitere Besuche von Heinz Galinski beim neuen Staatssekretär für Kirchenfragen, Kurt Löffler.[349] Dazu gehörte aber auch, daß sich Mitglieder der «Freien Deutschen Jugend» (FDJ) erstmals an sogenannten Arbeitseinsätzen zur Instandsetzung und Pflege jüdischer Friedhöfe in der DDR beteiligten. Bis 1988 war die ostdeutsche «Aktion Sühnezeichen» die einzige Organisation gewesen, die sich freiwillig und regelmäßig für solche Einsätze zur Verfügung gestellt hatte[350] – die «gesellschaftlichen Organisationen» hatten sich dazu weder verpflichtet gefühlt, noch sahen sie darin eine (in ihrem Sinn antifaschistische) erzieherische Aufgabe. Jetzt aber paßte auch diese Aktivität ins ‹Imagepflege›-Programm. «Neues Deutschland» verschwieg geflissentlich, daß es sich hier um ein Novum handelte, sondern veröffentlichte vielmehr einen Kommentar mit dem Titel «In antifaschistischer Tradition»[351].

Nach einer Gedenkveranstaltung im «Nationalrat der Nationalen

Front» Ende September 1988[352] und der ebenfalls von der Presse beachteten Teilnahme jüdischer Repräsentanten aus der DDR an einem Symposium zur «Kristallnacht» von 1938 in Köln kam es Mitte Oktober zu einem weiteren medienwirksamen Höhepunkt ost-deutsch-jüdischer Politik: Am 16. Oktober traf der Präsident des Jüdischen Weltkongresses (WJC), Edgar Bronfman, von Außenminister Oskar Fischer eingeladen, zu einem dreitägigen Besuch in Berlin ein und wurde von einigen Regierungsvertretern wie ein Staatsmann am Flughafen empfangen.[353] Ebenfalls angereist waren Rabbiner Israel Singer, Generalsekretär des WJC, und Maram Stern, Präsident der Europäischen Union Jüdischer Studenten.[354]

Das Programm machte unmißverständlich klar, welchen Zweck die Einladung verfolgte. Bronfman konnte sich immerhin am Tag seiner Ankunft jüdischen Belangen widmen: Er besuchte zunächst den Fried-hof in Weißensee, anschließend den Gedenkstein in der Großen Ham-burger Straße, wo sich bis in die Nazizeit das jüdische Altenheim von Berlin befunden hatte, um an diesen Orten der von den Nazis ermor-deten Juden zu gedenken. Am Abend empfing er die Mitglieder der Gemeinde Berlin und die Vorsitzenden der übrigen DDR-Gemeinden zu einem Festessen im Palast-Hotel.[355] Der 17. und 18. Oktober waren jedoch fast ausschließlich für politische Verhandlungen reserviert. Ein-zige Ausnahme war der Besuch der wenige Stunden vor Bronfmans Ankunft eröffneten Ausstellung «Und lehrt sie: Gedächtnis!» im Ber-liner Ephraim-Palais, die zu den staatlichen Gedenkveranstaltungen gehörte und sich mit der Geschichte der Berliner Jüdinnen und Juden seit dem 18. Jahrhundert, der Verfolgung der Nazizeit, aber auch mit dem Projekt des «Centrum Judaicum» befaßte.[356]

Den Auftakt des offiziellen Teils bildete ein Empfang von Erich Ho-necker, an dem neben Bronfman, Singer, Stern und Kirchner auch Außenminister Fischer, Politbüro-Mitglied und ZK-Sekretär Werner Jarowinski (im ZK zuständig für Kirchenfragen) und weitere hohe Be-amte teilnahmen. Zu Beginn dieser Begegnung verlieh das Staatsober-haupt dem Präsidenten des WJC «in Anerkennung seiner großen Ver-dienste für die Wahrung der Gerechtigkeit in der Welt im Geiste des Humanismus und des Antifaschismus, für Frieden, Freundschaft und Zusammenarbeit zwischen den Völkern» den Orden «Stern der Völ-kerfreundschaft» in Gold, den Bronfman «in aller Demut» entgegennahm.[357] Im weiteren Verlauf der Zusammenkunft wurden die Abrüstungsverhandlungen der Großmächte, die Initiative der DDR zur Schaffung eines kernwaffenfreien Korridors und einer chemiewaffenfreien Zone in Mitteleuropa, aber auch die Haltung zum Nahostkonflikt erörtert. Dabei unterstrich Honecker, daß die DDR eine Friedenskonferenz unter Schirmherrschaft der UNO befürworte.[358] Anders als «Neues Deutschland» berichtete das «Nachrichtenblatt» zudem:

«Im Zusammenhang mit einer solchen Konferenz sei die Anerkennung des Staates Israel möglich, wenn gleichzeitig die Existenz eines palästinensischen Staates garantiert werden könne.»[359]

Den nächsten Programmpunkt bildete ein «Meinungsaustausch» zwischen Oskar Fischer und Bronfman, bei dem – gemäß offiziellen Verlautbarungen – diese Themen ebenfalls diskutiert wurden. Ausführlich wurde jedoch auch darüber gesprochen, daß in der Entwicklung der (Handels-)Beziehungen der DDR zu den USA in jüngster Zeit kaum Fortschritte erzielt worden seien, was Fischer bedauerte.[360] Bei einem anschließenden Essen zu Ehren des amerikanischen Gastes, zu dem u.a. der US-Botschafter in der DDR, Francis Meehan, geladen war, versprach Bronfman, sich für dieses ostdeutsche Anliegen einzusetzen.[361]

Unterstrichen wurde die Tatsache, daß es den Gastgebern vorrangig um die ökonomischen Interessen der DDR ging, auch durch den weiteren Verlauf des Besuchs. Nach der Besichtigung der Ausstellung im Ephraim-Palais, einem Treffen mit dem Sekretär des Zentralrats der FDJ, bei dem dieser um Anerkennung für den Beitrag der Jugend zur Erhaltung des jüdischen Erbes warb, und einem Empfang bei Botschafter Meehan in Anwesenheit weiterer Diplomaten und Kaderleute der DDR begab sich Bronfman zu einem Arbeitsessen «mit dem Stellvertretenden Außenhandelsminister und Generaldirektoren von Kombinaten»[362] – das von «Neues Deutschland» nicht erwähnt wurde.

Nochmals traf sich der Präsident des WJC am 18. Oktober mit Außenminister Fischer und Staatssekretär Löffler. Verhandelt wurden dabei vor allem die Möglichkeiten einer besseren Integration der DDR-Juden in die Diaspora, zum Beispiel durch die Benennung amerikanischer Partnergemeinden oder durch die Zulassung jüdischer

DDR-Bürger zu den westlichen Ausbildungsstätten. Im Gegenzug versprach Bronfman laut «Nachrichtenblatt», er werde «nach seiner Rückkehr (...) durch einen Beitrag in der ‹New York Times› einen sehr breiten Kreis von Personen von den positiven Aktivitäten [in der DDR] in Kenntnis setzen». Dies mußte in DDR-Ohren wesentlich besser tönen als die am Vortag in seiner Tischrede mindestens fein angedeutete Kritik an der (für ihn) inszenierten Propaganda für den «verwirklichten Antifaschismus»:

«Dieses Land hat es auf sich genommen, seine Verantwortung für die Vergangenheit zu tragen. Das bedeutet, daß der Besuch mehr als nur symbolische Bedeutung hat.

(...)

Die Verantwortung all derjenigen, die damals damit [mit der Judenvernichtung; die Verf.] zu tun hatten, kann nicht geleugnet werden, und wir müssen alle Versuche zurückweisen, die Schuld großer Teile der Bevölkerung zu leugnen. Ich weiß, daß dies hier schwierig ist, weil die Faschisten, die die überwältigende Mehrheit bildeten, in jenen Tagen den Kommunisten das gleiche antaten wie den Juden.»[363]

Dennoch hatte er mindestens angedeutet, daß ihm die Haltung der DDR, hüben seien alle Antifaschisten, drüben alle Faschisten anzutreffen, suspekt erschien. Diese Äußerung legte aber auch den Schluß nahe, daß er bereit war, die (deklarierten) Bemühungen der DDR anzuerkennen. In der abschließenden Pressekonferenz ging er noch einen Schritt weiter. Den Journalisten gegenüber betonte Bronfman, er sei im Hinblick auf den Umgang der DDR mit der Geschichte, «dem moralischen Standpunkt, den die DDR zur Verantwortung für den Holocaust einnimmt», und mit dem Stand der Verhandlungen über Entschädigungszahlungen an die Überlebenden «völlig zufrieden»[364]. Auf die Frage, ob er eine Einladung Honeckers in die USA und die Gewährung der Meistbegünstigungsklausel für die DDR unterstützen würde, meinte er gemäß «Neues Deutschland»:

«Er wolle darüber mit dem State Departement diskutieren und nach dessen Problemen fragen. Von einem jüdischen Standpunkt aus sehe er gewiß keinen Grund, warum der DDR nicht die Meistbegünstigung gewährt und warum Herr Honecker nicht eingeladen werden sollte.»[365]

Auch in den folgenden Wochen verschwanden jüdische Themen nicht aus den DDR-Medien. Besonders großen Raum nahmen dabei die staatlichen Gedenkveranstaltungen zum 50. Jahrestag der «Kristallnacht» ein, die zum Teil auch von Radio und Fernsehen übertragen wurden.[366] Den Auftakt bildeten ein Treffen der FDJ im ehemaligen KZ Ravensbrück und eine Kundgebung dieser Organisation gleichentags in Dresden. Ebenfalls am 27. Oktober wurde in Neustrelitz ein Gedenkstein enthüllt. Zudem weilte Heinz Galinski erneut in der DDR, besuchte die Ausstellung im Ephraim-Palais in Begleitung von Staatssekretär Löffler und traf sich am nächsten Tag mit Verbandspräsident Rotstein, um mit ihm die zukünftig engere Zusammenarbeit zu erörtern.[367] In derselben Ausgabe von «Neues Deutschland» finden sich zudem Berichte über eine Kranzniederlegung in Erfurt in Anwesenheit von Gerhard Müller, Kandidat des Politbüros des ZK der SED, und weiterer Kader sowie über ein Treffen einer Delegation der EUJS mit leitenden Mitgliedern der FDJ. Es folgten Meldungen über Gedenkveranstaltungen in Leipzig, Dresden und Halle.[368] Am 8. und 9. November veranstaltete die Humboldt-Universität ein internationales, theologisch orientiertes «Kolloquium zur Pogromnacht». Außerdem ernannte die theologische Sektion den Vizepräsidenten des WJC, Gerhard Riegner, zum Ehrendoktor. Riegner war ebenso wie eine Delegation der «Vereinigung amerikanisch-hebräischer Kongregationen» und weitere Gäste angereist, um am offiziellen Staatsakt der von Heinz Galinski initiierten Sondersitzung der Volkskammer am 8. November 1988 teilzunehmen.

Unmittelbar vor dieser Sondersitzung empfing Erich Honecker die über 100 jüdischen Gäste aus der DDR und aus dem Ausland zu einer «bewegenden Begegnung»[369], in deren Verlauf er zahlreiche Persönlichkeiten mit hohen und höchsten Orden auszeichnete. Auffällig ist bei diesem ‹Ordensregen›, daß die so geehrten DDR-Bürger – mit Ausnahme des (nichtjüdischen) Leipziger Synagogalchors und der Witwe von Rabbiner Riesenburger[370] – ‹nur› mit «Vaterländischen Verdienstorden» in Gold und Silber ausgezeichnet wurden, während die ausländischen Juden, unter ihnen Heinz Galinski, mit dem «Stern der Völkerfreundschaft» bedacht wurden.[371] Auch damit wurden also vor allem Personen hofiert, die zu einer positiv(er)en Einstellung zum SED-Staat gelangen sollten, um ihrerseits eine stärkere politische oder ökonomische Unterstützung der DDR zu propagieren. Die ostdeutschen Jüdinnen und Juden mußten, wie die von ihnen im Laufe der zahlreichen offiziellen Veranstaltungen immer wieder geäußerte Dankbarkeit deutlich macht, nicht mittels Orden überzeugt werden. Anders als etwa bei Heinz Galinski, dessen Ansichten auch in der BRD meist zur Kenntnis genommen wurden, war zudem ihr Potential als ‹Botschafter› in Anbetracht ihrer bisher mangelhaften Einbindung in die Diaspora nicht sonderlich hoch zu veranschlagen – selbst wenn sie dies anboten. So bemerkte der Vorsitzende der (faktisch inexistenten) Schweriner Gemeinde, Friedrich Broido, in der Dankesrede, die er stellvertretend für die von Honecker ausgezeichneten ostdeutschen Jüdinnen und Juden hielt:

«Wir meinen, die uns zuteil gewordenen Ehrungen werden uns inspirieren, gegenwärtig und künftig, überall, wo uns das möglich sein wird, uns für die Erhaltung und Sicherung des Friedens in der Welt, für Freundschaft und gedeihliche Beziehungen zwischen den Völkern und Staaten (...) uns zu engagieren.»[372]

Ebenso wie die Vergabe der Auszeichnungen mußte auch die Sondersitzung den Eindruck einer gezielten Inszenierung erwecken.[373] Den vor allem aus dem westlichen Ausland angereisten Gästen, die das oft schon stark ritualisierte Benehmen von Behörden und Juden der DDR im Umgang miteinander meist kaum aus eigener Erfahrung (oder aus der Lektüre des «Nachrichtenblattes») kannten, mochte nicht auffallen, daß die Reden von Volkskammerpräsident Horst Sindermann und Verbandspräsident Siegmund Rotstein – nebst Schilderungen des eigenen Erlebens der «Kristallnacht» und der Zeit der Verfolgung – kaum mehr enthielten als die schon unzählige Male mit den immer gleichen rhetorischen Figuren ausgetauschten Beteuerungen gegenseitiger Verpflichtung, gegenseitiger Achtung sowie der gemeinsamen Beschwörung des sozialistischen, antifaschistischen Ideals. Ihnen mochte kaum bewußt sein, daß hier in einem in der DDR bisher unbekannten Maß die Jüdinnen und Juden immerhin mitgemeint waren, wenn von den Opfern jener Zeit gesprochen wurde, daß nicht zufällig die von Sindermann namentlich erwähnten jüdischen Persönlichkeiten – Hanns Eisler, Anna Seghers, Arnold Zweig, Lin Jaldati, Lea Grundig, Peter Edel, Leo Haas und (als einziger ‹Ausländer›) Lion Feuchtwanger –, denen die Menschheit, insbesondere aber die DDR als ihre Nach-kriegsheimat so viel verdanke, allesamt nicht Mitglieder einer Ge-meinde wurden, sich vielmehr vom Judentum ab- und dem Sozialis-mus zuwandten. Ihnen mochte auch entgangen sein, daß Sindermann vom Widerstandskämpfer «Bruno Baum» sprach, aber zweifellos Herbert Baum meinte, den Anführer der wichtigsten jüdischen Wider-standsgruppe – der einzigen, die von der DDR überhaupt zur Kenntnis genommen worden war.[374] Kaum überraschend also, daß einige der anwesenden Gäste lobende Worte für die Gedenkveranstaltungen und für den «verantwortungsvollen Umgang» der DDR mit der Vergan-genheit fanden.[375]

Die DDR konnte ihre Manifestationen zum 50. Jahrestag – anders als die BRD mit dem Eklat um die Rede Philipp Jenningers vor dem Bun-destag[376] – als großen Erfolg verbuchen, selbst ohne Einladung Ho-neckers ins Weiße Haus und ohne Meistbegünstigungsklausel. Doch auch für die Jüdinnen und Juden in der DDR blieb mehr als das Gefühl, für die Vorführung «jüdisch-potjemkinscher Dörfer»[377] mißbraucht worden zu sein. Schon im Editorial des «Nachrichtenblatts» vom De-zember 1988 wurde leiser Optimismus – wie auch die Bereitschaft, der DDR ein 40 Jahre dauerndes Versäumnis nachzusehen – manifest: «Unsere ständige Mahnung, daß das Erinnern nicht nur auf den Kreis der überlebenden Opfer und deren Nachkommen begrenzt bleiben darf, wurde umfassender aufgenommen, als wir es zu hoffen wag-ten.»[378]

Ihr Leben hatte sich dadurch tatsächlich verändert. Wenn auch die positiven Aspekte deutlich überwogen, blieben Skepsis, Verunsiche-rung und Überforderung durch die neue Rolle der Gemeinden spür-bar, wenn z. B. Renate Kirchner auf dem erwähnten Symposium in Köln bemerkte, «daß die extreme Wendung zu einem allgemeinen Interesse geführt habe, dem sich die kleine Jüdische Gemeinde nicht gewachsen fühle und das ihr ‹neue Sorgen› bringe.»[379]

Aus dieser veränderten Situation, in der insbesondere die Jüdische Gemeinde Berlin zu einer ‹Propagandagemeinde› umfunktioniert worden war, entschloß sich der Verband, Peter Fischer als Sekretär zu benennen. Er sollte die Gemeinde Berlin, aber auch das Verbandsprä-sidium in den vielfältigen Repräsentationsaufgaben professionell un-terstützen. Das enorme Gefälle zwischen Berlin einerseits, das im Hinblick auf Mitgliederzahl, Finanzen, Möglichkeiten für kulturelle Aktivitäten und auch seelsorgerische Betreuung durch Rabbiner Stein und Kantor Nachama aus Westberlin ohnehin immer in einer besseren Lage gewesen war, und den ‹Provinzgemeinden› andererseits wurde durch die staatlich initiierten Veranstaltungen zum Gedenken 1988 deutlich verstärkt. Berlin war die einzige Gemeinde, die den damit verbundenen Repräsentationsaufgaben wenigstens einigermaßen nachkommen – und dabei glaubhaft wirken konnte. Daß «Glasnost» allerdings auch innerhalb des Verbands nur begrenzt wirksam war, ist daraus ersichtlich, daß im «Nachrichtenblatt» weder die Schaffung dieser Stelle noch die Ernennung des Berliner Gemeindemitglieds Fischer mitgeteilt wurden. Diese Information floß beiläufig in einen Bericht zu den politischen Aktivitäten des Verbands im «Nachrichtenblatt» vom März 1990 ein – fast ein Jahr nach Fischers Wahl.[380]

Obschon dies kaum die Absicht der Regierung gewesen sein konnte, ergaben sich aus der Instrumentalisierung der jüdischen Gemeinschaft für die eigene Politik zahlreiche Verbesserungen im konkreten Alltag der Jüdinnen und Juden. So wurde nun nicht mehr nur den Repräsentanten, sondern auch Jugendlichen und Studenten erlaubt, ins westliche Ausland und sogar nach Israel zu reisen, um an Ferienlagern, Sommerkursen der Hochschule für Jüdische Studien in Heidelberg und (schon im Herbst 1988) an Veranstaltungen der EUJS[381] teilzunehmen. Intensiviert wurde zudem die Zusammenarbeit mit dem Zentralrat der Juden in der BRD, dem Europäischen Jüdischen Kongreß und dem WJC, dessen Vollmitglied der Verband der Jüdischen Gemeinden in der DDR 1989 wurde.[382] Noch im November 1988 hatte der New Yorker «Aufbau» seinen Bericht über die Gedenkveranstaltungen in Ostberlin mit der Feststellung beendet:

«Uns obliegt es nun, mit vermehrter Kraft unseren jüdischen Brüdern und Schwestern in der DDR das Gefühl zu geben, daß sie nicht alleine stehen, wenn sie die Verbindung zur Welt herstellen wollen. Sie haben unsere volle Unterstützung verdient.»[383]

Dieser Aufruf wurde, wie es scheint, in den USA gehört, denn seit der Ausgabe des «Nachrichtenblatts» vom März 1989 nahmen Berichte über amerikanische Besuche in den DDR-Gemeinden immer größeren Raum ein – die Isolation der DDR-Juden wurde sukzessive aufgehoben. Auch Israel betreffend wurden deutliche Veränderungen sichtbar, nicht nur in bezug auf gegenseitige Besuche, sondern auch dadurch, daß die Gemeinde Berlin 1989 erstmals zwei Feiertage im jüdischen Kalender begehen konnte. Dazu bemerkte Peter Kirchner:

«Ab nun werde der *Jom Haschoa* auch in der DDR begangen und die Zeit sei reif für die jüdischen Gemeinden in der DDR, auch den Tag der Gründung des Staates Israel zu feiern.»[384]

Das Regime erlaubte den Jüdinnen und Juden nun endlich, sich mit Israel auf einer von der Propaganda unabhängigen Linie auseinanderzusetzen und ihre Verbundenheit zum Ausdruck zu bringen. Allerdings änderte auch dieses Zugeständnis wenig an der offiziellen Haltung der DDR zu Israel. Noch immer wurde aus den Berichten über den Nahostkonflikt nicht ersichtlich, daß Israels Hauptstadt seit 1988 Jerusalem ist[385], sondern die «Okkupationspolitik Tel Avivs», die «Politik der eisernen Faust», der «beispiellose Terror der Okkupanten», der «israelische Mordfeldzug» und «Massenmord an Wehrlosen» sowie andere «Greueltaten» gegen die (scheinbar gewaltlos demonstrierende) palästinensische Bevölkerung geschildert und von der DDR wiederholt schärfstens verurteilt.[386] Mit diesen und ähnlichen Formulierungen wurden Assoziationen zu den Nazis geweckt; der Schritt zur Gleichstellung von Nazis und Zionisten wurde der Leserschaft damit nahegelegt.

Im Sommer 1988 berichtete «Neues Deutschland» zwar erstmals darüber, daß es auch innerhalb der israelischen Bevölkerung Widerstand und Proteste gegen die Besatzungspolitik gebe, doch wurde dieser Friedenbewegung kein Gewicht zugebilligt. Die parteiische, der «Solidarität der DDR mit dem palästinensischen Volk» verpflichtete Darstellung erfuhr – trotz des Versprechens Honeckers an Galinski – keine sichtbare Mäßigung. Der von Peter Kirchner geäußerte Eindruck, die Haltung der DDR habe sich nicht nur bezüglich der Juden, sondern auch im Hinblick auf Israel spürbar geändert, die antiisraelische Polemik habe nachgelassen und sei mindestens von der Titelseite verschwunden, wird durch die Lektüre des Zentralorgans der SED weitestgehend widerlegt. Der stalinistisch begründete Antizionismus hielt sich in der DDR – wohl vor allem deshalb, weil die umworbenen ausländischen jüdischen Organisationen sich damit zufriedengaben, daß eine diplomatische Anerkennung Israels in Aussicht gestellt wurde –, eine diesbezügliche Aufarbeitung der Vergangenheit wurde nicht gefordert.

Auf einem anderen Gebiet, das die deutsche Geschichte direkt betraf, war den jüdischen Forderungen, für die sich insbesondere Heinz Galinski eingesetzt hatte, jedoch ein Erfolg beschieden. Die DDR konnte dazu bewegt werden, dem Verband der Jüdischen Gemeinden in der DDR die Rückgabe des jüdischen Archivmaterials verbindlich zuzusagen, welches – je nach ‹Sprachregelung› per Konfiszierung durch die DDR–Behörden oder «auf Ersuchen der Jüdischen Gemeinde Berlin»[387] – im Zentralen Staatsarchiv aufbewahrt wurde. Die Rückführung dieser Archivbestände war auch deshalb bedeutsam, weil ohne Einsicht in diese Akten die Festlegung von Entschädigungsansprüchen von Gemeinden und Einzelpersonen erheblich erschwert oder gar verunmöglicht worden wäre.

Die wichtigste ‹Errungenschaft›, die aus dem Haltungswandel der DDR für die Juden resultierte, war zweifellos die Gründung der Stiftung «Neue Synagoge Berlin – Centrum Judaicum». Zum einen sollte gemäß den ursprünglichen Vorstellungen des Initiators, Peter Kirchner, gerade durch den Wiederaufbau die Zerstörung dokumentiert werden – «gleichsam zum Trotz gegen jene, die mit den Bauten auch die Erinnerung an das jüdische Leben vernichten wollten»[388]. Das Konzept sieht vor, die Gebäudehülle der größten Synagoge im vornazistischen Deutschland, die ursprünglich Platz für mehrere Tausend Personen bot, originalgetreu zu rekonstruieren; im Innern soll jedoch nur ein kleiner Raum – den Verhältnissen der so massiv dezimierten Gemeinde entsprechend – für synagogale Zwecke eingerichtet werden. Zudem sind ein Museum, ein großer Veranstaltungsraum, Archivräume für die zurückerstatteten Aktenbestände, die (zu erweiternde) Gemeindebibliothek, Schulungseinrichtungen etc. geplant. Nicht die Religion, sondern Kultur, Forschung und Begegnung sollen im Vordergrund der Arbeit des «Centrum Judaicum» stehen.

Die «Initiative Honeckers» zur Gründung der Stiftung war nicht nur deshalb bedeutsam, weil mit dieser Einrichtung die Jüdische Gemeinde von Ostberlin ein ‹Geschenk› erhalten würde, von dem wesentliche Impulse für die innere Entwicklung zu erwarten waren; vielmehr wurde damit erstmals in der DDR eine Institution geschaffen, die –

inmitten der Stadt und somit für die Öffentlichkeit unübersehbar – signalisieren sollte, daß auch hier die Absicht bestand, die Auseinandersetzung mit Geschichte und Gegenwart jüdischen Lebens zu ermöglichen, daß eine Öffnung des ‹geschlossenen Grundstücks› erwünscht war.

Der Einsatz der ‹jüdischen Karte› für die (wirtschafts-)politischen Interessen der DDR, als dessen sichtbares Symbol das «Centrum Judaicum» gelten kann, bewirkte noch ein weiteres: Die ausländischen Juden wurden nicht nur mit Orden umworben und um finanzielle Unterstützung des Projekts gebeten, sondern auch zur Mitgliedschaft im internationalen Kuratorium der Stiftung aufgefordert. Dadurch wurden sie an die DDR selbst wie an deren jüdische Bevölkerung gebunden, für welche sich ein ‹Integrationsschub› in die Gemeinschaft der Diaspora ergab. Diese Öffnung in jüdischen Belangen erhielt somit eine vom Regime nicht mehr kontrollierbare Dynamik, welche – in Anbetracht der staatlichen Intentionen paradoxerweise – die «Wende» vom November 1989 für die Juden gleichsam vorwegnahm.

7. Von der «Wende» zur deutschen Einheit

Konsequenzen in der DDR-Politik

Die Bemühungen des SED-Regimes um Anerkennung bei jüdischen Organisationen wie dem World Jewish Congress, der «Claims Conference» oder dem Zentralrat hatten zweifellos die Situation der ostdeutschen Juden spürbar verbessert – nicht aber die der DDR. Im Spätsommer und Herbst 1989 spitzte sich die Lage immer mehr zu. Die Bevölkerung begann, offen gegen die Machthaber zu protestieren, forderte, ebenso wie in anderen osteuropäischen Staaten, die Einführung demokratischer Strukturen. Die Regierung ließ sich jedoch weder von Manifestationen der organisierten Opposition aus Kirchen und Bürgerbewegungen, die einen Reformprozeß anstrebten, noch von den zahllosen Bürgern, die ‹mit den Füßen abstimmten› und die DDR (meist mit Urlaubsvisen für Ungarn) fluchtartig verließen, sichtlich beeindrucken. Am 7. Oktober 1989 feierte die DDR den 40. Jahrestag ihrer Gründung – die aufwendige Inszenierung mit Militärparade und Massenaufmärschen sollte über die Brüchigkeit des «real existierenden Sozialismus» hinwegtäuschen. Doch der Ehrengast, Michail Gorbatschow, wurde vor allem von den Oppositionellen im Lande gefeiert, die der Devise «Von der Sowjetunion lernen, heißt siegen lernen» nun (erneut im Gegensatz zu den Herrschenden) einiges abzugewinnen vermochten, um so mehr, als der Generalsekretär der KPdSU bei diesem Anlaß äußerte, was zum Startsignal der Umwälzungen in der DDR werden sollte: «Wer zu spät kommt, den bestraft das Leben.»[389]

Vorerst jedoch waren tiefgreifende Reformen (oder gar das spätere Ende der DDR) nicht abzusehen. Kaum überraschend also, daß zu den Gratulanten zum 40. Jahrestag der Staatsgründung auch die jüdischen Gemeinden in der DDR zählten. Schon am 30. August hatten sie einen Gedenk- und Festgottesdienst begangen, an dem auch des Beginns des Zweiten Weltkriegs mit dem deutschen Angriff auf Polen gedacht wurde. Während Verbandspräsident Rotstein in seiner Ansprache die Teilnahme der ostdeutschen Juden an der 40jährigen Entwicklung der DDR und die großzügige Unterstützung betonte, die der Staat ihnen für die Gestaltung des Gemeindelebens habe zukommen lassen, wählte der Westberliner Rabbiner Stein einen talmudischen Leitsatz, der gut zur Aufbruchstimmung im Lande paßte:

«Das Staatsgesetz ist Gesetz.
(...) Selbstverständlich, wie alles im Judentum, ist [dieser Grundsatz] nicht blind zu befolgen, sondern, den Gegebenheiten und dem Zustand der Umwelt entsprechend, lebendig angepaßt (...).»[390]

Doch selbst diese rabbinische Ermutigung, die Zeichen der Zeit richtig zu deuten und entsprechend zu handeln, konnte die Repräsentanten der DDR-Juden nicht dazu veranlassen, sich in die Reihen der Opposition einzugliedern. Zweifellos gab es einige Gemeindemitglieder, die durchaus der Opposition angehörten, die sich für die DDR einen «Sozialismus mit menschlichem Antlitz» oder einen zweiten «Prager Frühling» wünschten. Ihr Protest war jedoch ausschließlich privater Natur und tangierte die Gemeinden nicht. Soweit bekannt geworden ist, befanden sich allerdings keine Jüdinnen oder Juden unter den ‹Übersiedlern› des Spätsommer und Herbst 1989.

Der Verband als offizieller Sprecher wie auch die Gemeinden wollten sich diesem Regime nicht entgegenstellen. Dafür sind wohl vor allem zwei Gründe anzuführen: Die außerordentlich schwierigen Bedingungen, unter denen sich jüdisches Leben in der DDR abspielte (und das zweifellos auch von der Erinnerung an die stalinistischen Verfolgungen der späten 40er und frühen 50er Jahre geprägt und überschattet war), lassen zum einen vermuten, daß die zur Zeit des Umbruchs in der DDR lebenden Gemeindemitglieder in der Mehrheit von der Idee – wenn auch nicht unbedingt von der konkreten Umsetzung – des Sozialismus überzeugt waren.[391] Andererseits schien gerade der Umbruch in der UdSSR die (von den nichtjüdischen Antifaschisten geteilte) Auffassung zu bestätigen, daß nur ein sozialistisches System in der Lage sei, die Gefahr des Antisemitismus zu bannen. Die Perestroika und die mit ihr verbundene Verschärfung der ökonomischen Krise bei der allmählichen Einführung der Marktwirtschaft sowie Glasnost mit einer weitreichenden Liberalisierung des Pressewesens, mit größerer Meinungs- und Versammlungsfreiheit hatten Kräften wie der radikal nationalistischen, reaktionären und vor allem militant antisemitischen Pamjat-Bewegung Auftrieb verschafft. Pogromdrohungen gegen sowjetische Juden gehörten für diese schon fast (wieder) zum Alltag und bewirkten – nebst den schon zuvor üblichen diskriminierenden Maßnahmen – ein rapides Ansteigen der Ausreiseanträge. Vor diesem Hintergrund war es nur allzu verständlich, daß sich die jüdische Gemeinschaft in der DDR auf keiner Seite der Konfrontation exponieren wollte.

Dennoch finden sich bereits im «Nachrichtenblatt» vom Dezember 1989 (Redaktionsschluß war etwa Anfang Oktober, also noch vor Honeckers Rücktritt) im Editorial durchaus regimekritische Bemerkungen zur Verleugnung des jüdischen Widerstands gegen die Nazis, zu den Vorwürfen einer «‹zionistischen Weltverschwörung› in der stalinistischen Zeit», zur diffamierenden Berichterstattung über den Nahostkonflikt und zu den immer deutlicher und häufiger sichtbar werdenden rechtsextremen Manifestationen in der DDR. Allerdings schwingt in diesem Text noch die Hoffnung mit, das SED-Regime habe diesbezüglich seine Fehler eingesehen und bemühe sich um Besserung. Ebenfalls als Manifestation einer – wenn auch durchaus kritischen – Solidarität mit den (noch) Regierenden kann die Erklärung angesehen werden, welche die Mitglieder des Verbandes nach einer außerordentlichen Tagung vom 4. November 1989 abgaben.[392] Daraus geht hervor, daß auch die jüdische Gemeinschaft die «eingeleiteten Wandlungen» begrüßte, ihre Mitwirkung dabei anbot und forderte, bei der Neugestaltung des öffentlichen Lebens seien keine Abstriche am bisher bestimmenden Antifaschismus zulässig. Gleichzeitig wurde heftige Kritik am bisherigen Umgang mit der Geschichte von Nazismus und Antisemitismus, mit dem DDR-spezifischen Verhalten gegenüber den Jüdinnen und Juden, aber auch gegenüber Israel geübt und Unzufriedenheit über die Bildungs- und die Medienpolitik geäußert. Weiter verlangten die Funktionäre, über antisemitische Vorfälle in der DDR müsse offen berichtet werden, da «falsche Scham» eine Bagatellisierung bewirke. Abschließend wurde an die Regierung appelliert, unverzüglich «eine Herstellung und damit Normalisierung der diplomatischen Beziehungen zu Israel (...) anzustreben».

Im Dezember 1989 wandte sich der Verband erneut an die Öffentlichkeit, diesmal mit einer «Erklärung zur Deutschen Frage». Darin wird hervorgehoben, es könne nicht Sache der Deutschen, sondern vielmehr das Vorrecht aller vom Zweiten Weltkrieg betroffenen Völker einschließlich der Juden sein, über die Zukunft der beiden deutschen Staaten zu entscheiden. Zudem sei es unerläßlich, mit der anzustrebenden friedensvertraglichen Regelung die Wahrung der Souveränität beider Staaten zu gewährleisten. Moniert wurde, daß die BRD, die an einer «Doktrin der einheitlichen Staatsbürgerschaft» festhalte, die Abwanderung vieler DDR-Bürger begünstige und damit die Handlungs- und Entscheidungsfreiheit der DDR untergrabe.[393]

Bis zum Dezember 1989 verhielt sich der Verband den Herrschenden gegenüber loyal und forderte die Erhaltung der DDR. Daß sich im Zuge der rasanten Veränderungen auch diese Position verschob, zeigt das «Nachrichtenblatt» vom März 1990. Da das Organ nur vierteljährlich erschien, wird in dieser Ausgabe nicht nur deutlich, daß sich die offizielle Haltung (die der Verband als Sprecher der Gemeinschaft vertrat) zu den Umwälzungen in der DDR wandelte, sondern auch, daß diese nicht unbedingt derjenigen der verschiedenen Gemeindevorsitzenden entsprach. «Unsere Meinung», das Editorial, beschränkt sich – ähnlich wie die offizielle Erklärung vom 4. November 1989 – auf eine pauschale Kritik an der verfehlten Politik, insbesondere in den Bereichen Medien und Bildung. Zusätzlich kommt hier erstmals unverhohlene

Enttäuschung über das «sich als antifaschistisch darstellende Regime» zum Ausdruck, und es ist von «verordnetem Antifaschismus» die Rede.[394] Darüber hinaus verzichtete der Verband aber auf eine pointierte Stellungnahme; hier – wie in der ganzen Ausgabe – fehlt jede ausdrückliche Erwähnung des Rücktritts von Erich Honecker, auf die Öffnung der Mauer wird nur in einem Bericht aus Berlin verwiesen.

Die Nachrichten aus den Gemeinden vermitteln jedoch ein differenzierteres – wenn auch für die einzelnen Gemeindemitglieder nicht repräsentatives – Bild. Erfurt und Berlin enthielten sich jeglicher konkreten Stellungnahme; die Umwälzungen kamen lediglich darin zum Ausdruck, daß beide Gemeinden über grenzübergreifende Aktivitäten, vor allem Besuche in der BRD, informierten. Einzig im Hinblick auf das Verhältnis der DDR zu Israel forderte Kirchner, «daß nach der Anerkennung eines derzeit lediglich formaliter existenten palästinensischen Staates nunmehr die Aufnahme diplomatischer Beziehungen zu dem seit vier Jahrzehnten realiter bestehenden Staat Israel erfolgen müsse.»[395]

Die Gemeinde Leipzig berichtete über Veranstaltungen zum Gedenken an die «Kristallnacht» vom 9. November 1989, insbesondere über einen von der Bürgerbewegung «Neues Forum» organisierten Schweigemarsch, an dem, trotz der aktuellen Ereignisse, etwa 10000 Personen teilnahmen. In Karl-Marx-Stadt und Dresden hielt Verbandspräsident Rotstein je eine Gedenkrede zum 51. Jahrestag der «Kristallnacht» – mit widersprüchlichen Aussagen: Während er in Dresden davon sprach, daß die von den Medien dokumentierte Massenflucht «aus unserer Republik (...) wie eine Psychose» anmute und zu verurteilen sei, griff er in Karl-Marx-Stadt die Regierung an, insbesondere im Zusammenhang mit der mediengerechten Inszenierung der Gedenkveranstaltungen von 1988. Dieser fehle – trotz gegenteiliger Beteuerungen der Regierenden – nach wie vor eine tagespolitische Fundierung, d.h. eine umfassende Korrektur des Verhältnisses zu den Juden, zu Israel und zum Umgang mit der eigenen Geschichte. Nur zwei Gemeinden nahmen zur «Wende» eindeutig – und positiv – Stellung. Volker Dietzel, der in Halle die Gedenkansprache zum 9. November hielt, verglich die Ausschreitungen der Nazis gegen die jüdische Bevölkerung in der «Kristallnacht» mit denjenigen von Volkspolizei und Staatssicherheitsdienst gegen die Demonstranten anläßlich des 40. Gründungstags der DDR, «denn wo Gummiknüppel auf Köpfe schlagen, fühlen auch wir uns getroffen». Zudem betonte er die Solidarität mit allen, «die für Demokratie und Gerechtigkeit eintreten». Auch der Gemeindevorsitzende von Magdeburg, Hans Levy, begrüßte den Umbruch, wie aus seiner Ansprache zum Gottesdienst an *Chanukka*, dem Lichterfest, vom 23. Dezember hervorgeht:

«In den letzten Wochen des Jahres 1989 wurden ebenfalls viele Lichte gezündet bei den Demonstrationen in der DDR, um auf friedlichem Weg die Freiheit des Volkes zu erreichen. (...) Wieder kündeten Lichte der Freiheit.»

Levy wurde auch, als einziger Gemeindevorsitzender, zur Teilnahme an einem «Runden Tisch», einem Forum von Regierungs- und Oppositionsvertretern zur Diskussion der notwendigen Reformschritte, eingeladen. Inwiefern die einzelnen Mitglieder sich am Reformprozeß, an Demonstrationen oder Diskussionsrunden beteiligten, ist nicht bekannt.[396] Einzig Eschwege berichtet, insbesondere junge Jüdinnen und Juden hätten sich den «Protestgruppen», der Sozialdemokratischen Partei oder dem «Neuen Forum» angeschlossen. Außerdem hätten sie verschiedentlich Resolutionen der Verbände der Künstler, Schriftsteller, Wissenschaftler etc. mitunterzeichnet. Weiter bemerkt er:

«Wir haben Verständnis dafür, daß die Verbandsführung der jüdischen Gemeinden in der DDR sich zurückhält, sich öffentlich dem Aufbruch der Gesellschaft der DDR anzuschließen, hat sie sich doch bisher weit mehr als jede andere Religionsgemeinschaft mit der SED-Führung liiert.»[397]

Daß auch die Beziehungen des Staates zu den Juden ganz allgemein einer Veränderung unterworfen waren, zeigte sich schon früh, wenn es sich auch nicht in der Antwort des neugewählten Volkskammerpräsidenten, Günther Maleuda, auf die Erklärungen des Verbands vom 4. November und 4. Dezember 1989 niederschlug. Dort wurde – im bekannten Parteijargon – nur die gemeinsame antifaschistische Verpflichtung betont.[398] Anders sah jedoch die Reaktion von Ministerpräsident Hans Modrow aus, an den der Verband anläßlich seiner Amtsübernahme ein Schreiben richtete. Er veranlaßte ein Gespräch zwischen den führenden jüdischen Funktionären Rotstein, Fischer und Kirchner mit Außenminister Oskar Fischer, bei dem dieser die Bereitschaft der DDR erklärte, mit Israel ohne Vorbedingungen diplomatische Beziehungen aufzunehmen.

«Weiterhin vertrat er, eingehend auf die Befürchtungen in Israel über eine ‹Wiedervereinigung›, die Auffassung, daß Israel selbst mit einem deutlichen Bekenntnis zur Normalisierung der Beziehungen mit der DDR diesen Bestrebungen eine Absage erteilen könne.»

Zudem wurde den Vertretern des Verbandes bei einem Gespräch mit Lothar de Maizière, zu diesem Zeitpunkt noch zuständig für Kirchenfragen, am 15. Januar 1990 zugesichert, die notwendige materielle Unterstützung der Gemeindeexistenz werde weiterhin durch den Staat gewährleistet.

De Maizière war es auch, der als erster Regierungsvertreter der DDR, wenn auch bei einem inoffiziellen Anlaß, nicht nur von der gemeinsamen Verantwortung «für die Geschichte», sondern ausdrücklich von der «Mitverantwortung der Bürger der DDR für die einmaligen Verbrechen» sprach und ein Schuldbekenntnis auch für die DDR-Politik gegenüber Israel und den Juden abgab.[399] Wiederholt wurde dieses Schuldbekenntnis und die damit verbundene «humanitäre Verpflichtung gegenüber den Überlebenden des jüdischen Volkes» am 8. Februar 1990 von Ministerpräsident Hans Modrow, der in einem Brief an die israelische Regierung und den Jüdischen Weltkongreß erneut die Bereitschaft zur Leistung von «Wiedergutmachung» erklärte.[400]

Hier wie auch beim Schuldbekenntnis der ersten demokratisch gewählten Volkskammer vom 12. April 1990 waren die jüdischen und israelischen Reaktionen zurückhaltend. Im «Nachrichtenblatt» vom Juni 1990 wurde ein Vergleich zwischen der Sondersitzung der (alten) Volkskammer vom 8. November 1988 zum 50. Jahrestag der «Kristallnacht» und der Eröffnungssitzung des neu gewählten Parlaments angestellt. Das Redaktionskollegium hob hervor, als wesentlicher Unterschied sei hier erstmals die Bitte um Verzeihung für das den Juden von Deutschen – in der Nazizeit ebenso wie durch die offizielle DDR-Politik – zugefügte Leid enthalten gewesen, die man noch 1988 schmerzlich vermißt habe. Weiter heißt es: «Danken können wir nicht dafür, denn ein derartiges Bekenntnis zur Schuld und Wiedergutmachung kommt 40 Jahre zu spät.»

Der WJC und Israel, welche diese Auffassung teilten, werteten die DDR-Erklärungen als «ersten Schritt» einer Annäherung, die «Allgemeine» mutmaßte – mit Blick auf die oben zitierten Äußerungen von DDR-Außenminister Fischer folgerichtig –, daß es sich dabei nicht um das Resultat eines «Läuterungsprozesses» handle, sondern vielmehr um ein taktisches Vorgehen mit dem Ziel, diplomatische Beziehungen mit Israel zu erlangen. Dies wiederum war ein Teil des Versuchs, die Eigenstaatlichkeit der DDR zu wahren.[401] Israel zeigte hingegen keine große Begeisterung: Einerseits sollte abgewartet werden, welche konkreten Taten diesem positiven Signal folgten, andererseits stellte sich die Frage: Wie baut man Beziehungen zu einem Staat auf, der sich selbst als in Liquidation befindlich ansieht?

Aus Ostberlin waren weitere Zeichen zu vernehmen, die mindestens die Vermutung zulassen, die DDR habe tatsächlich auch eine gewisse – nicht nur funktionale – Korrektur angestrebt. Dazu gehörte der am 20. April 1990 angekündigte und im folgenden Juni erfolgte Besuch der Volkskammerpräsidentin Sabine Bergmann-Pohl und der Bundestagspräsidentin Rita Süssmuth in Israel, der helfen sollte, Vertrauen zu beiden deutschen Staaten aufzubauen. Das amtierende ostdeutsche Staatsoberhaupt bekundete zu einem Zeitpunkt, als die Vereinigung von BRD und DDR schon feststand, nochmals die Absicht seiner Regierung, diplomatische Beziehungen zu Israel aufzunehmen, selbst wenn es sich dabei nur noch um einen symbolischen Akt handle – um ein Zeichen der revidierten Haltung der DDR.[402]

Einen ähnlichen Zweck, nämlich die Anerkennung der Mitverantwortung zu dokumentieren und den Aufbau freundschaftlicher Beziehungen zwischen Ostdeutschen und Israelis zu fördern, verfolgte die am 5. Januar 1990 gegründete «Gesellschaft DDR–Israel».[403] Sie stellte sich insbesondere die Aufgabe, in der DDR ein «wahrhaftes Israel-Bild» (und umgekehrt) zu vermitteln, Kontakte zwischen Institutionen beider Staaten und gemeinsame Aktivitäten zu unterstützen sowie einen Beitrag zur Bekämpfung von Neonazismus, Rassismus und Antisemitismus zu leisten. Die Gesellschaft, deren Mitglieder sich vor allem aus Kreisen kirchlich engagierter und künstlerisch tätiger Personen, nicht aber aus den jüdischen Gemeinden rekrutierten[404], ist (soweit feststellbar) nach ihrer Gründung offiziell nicht mehr in Erscheinung getreten.

Einen weiteren konkreten Schritt unternahm Ostberlin im Frühjahr 1990, um die Glaubwürdigkeit des Schuldbekenntnisses vom April und die Bereitschaft, die überlebenden Opfer auch materiell zu entschädigen, zu unterstreichen. Das Parlament beschloß, den im März 1990 gegründeten Zweig der «Amcha-Stiftung», deren Aufgabe die Bereitstellung von Mitteln für die Pflege und zur Heilung psychischer Spätfolgen des Holocaust ist, mit 6,2 Mio. DM zu unterstützen.[405] Damit war ein erster symbolischer Schritt zur «Wiedergutmachung» getan. Daß dennoch (berechtigte) Zweifel an der Aufrichtigkeit der DDR bestanden, unterstreicht eine Notiz in der «Allgemeinen» vom 22. 3. 1990: Der Vorsitzende der SED-Nachfolgepartei PDS, Gregor Gysi, hatte offenbar an die Juden in aller Welt appelliert, die Unabhängigkeit der DDR als erwünscht zu erklären und mittels finanzieller Unterstützung sichern zu helfen. Der Verdacht, damit solle die jüdische Gemeinschaft die versprochene «Wiedergutmachung» der DDR gleich selbst finanzieren, konnte nicht widerlegt werden.[406] Obschon die Claims Conference und die israelische Regierung einen Koordinierungsausschuß zur Regelung der Ansprüche an die DDR bildeten und eine Delegation der Claims Conference am 25. / 26. Juni 1990 mit Vertretern der DDR-Regierung erste Gespräche führte, konnte keine Einigung über eine Abfindungszahlung für jüdische Opfer, «denen die bundesdeutsche Entschädigungsgesetzgebung nicht zugute kam», oder über eine Globalzahlung für Rehabilitations- und Hilfsprogramme erreicht werden.[407] Zu einer Vereinbarung kam es lediglich bezüglich der Rückerstattung des – von den Nazis ebenso wie von der DDR-Regierung – enteigneten jüdischen Vermögens, insbesondere von Liegenschaften.[408] Zweifellos wäre jedoch jede «Wiedergutmachungs»-Vereinbarung seitens der DDR kaum mehr als eine Bekundung des guten Willens gewesen: Zu konkreten Leistungen fehlten dem bankrotten Staat die Mittel – die Rasanz des Umbruchs und die erdrückenden tagespolitischen Probleme ließen nicht einmal Raum für eine inhaltliche Auseinandersetzung.

Neues Selbstbewußtsein, neue Lebensformen

Der Jüdische Kulturverein

Der Umbruch in der DDR führte nicht nur zu einer Revision der offiziellen tagespolitischen Haltung gegenüber den Juden im eigenen Land und Israel, sondern auch zur faktischen – wenn auch nicht ausdrücklich deklarierten – Aufhebung der ideologischen Grundposition, die jüdisches Leben strikt auf die Mitgliedschaft in der Gemeinde, auf die religiöse Praxis beschränkt hatte. Die prinzipielle Religionsfeindlichkeit des Systems hatte eine (unterschwellige) Stigmatisierung bewirkt, welche eine kulturelle oder historische Identifikation mit dem Judentum für nichtgläubige Juden (und gläubige Sozialisten) verunmöglichte – und damit die Existenz der Gemeinden bedrohte: Gerade die Nachkommen der Überlebenden, die in der DDR geboren und sozialisiert worden waren, fanden den Weg in die Gemeinden oft nicht mehr.

Die Gemeinde Berlin, die spätestens seit dem Amtsantritt Peter Kirchners 1971 immer wieder – mit einigem Erfolg – bestrebt war, den staatlich zugestandenen Freiraum mit einer Palette verschiedenster Veranstaltungen bis an seine Grenzen auszunutzen, sich also nicht mit religiösen und (verordneten) ‹gesellschaftlichen› Gedenk-Aktivitäten begnügte, versuchte etwa ab 1986, der Tendenz des allmählichen Aussterbens der Gemeinde entgegenzuwirken. Dies wurde erleichtert, weil der Staat zur Dokumentation des «real existierenden Antifaschismus» ein vitales Interesse an der Erhaltung jüdischer Gemeinden bekundete.

Im Bewußtsein, daß zur Sicherung der Zukunft eine Öffnung notwendig sei – eine wesentliche Erweiterung dessen, was bis dahin, zumindest offiziell, für eine Mitgliedschaft als Bedingung angesehen worden war –, veranstaltete die Berliner Gemeinde im Mai 1986 eine «offene» Gemeindeversammlung:

«Der Vorstand hatte sich entschieden, (...) auch Berliner einzuladen, von denen ein Interesse an diesen Fragen bekannt ist, die häufig an Kulturveranstaltungen teilnehmen, sich in der Bibliothek als Juden bekennen und deutlich machen, daß sie einen gewissen Kontakt zur Gemeinde suchen.»[409]

Die Voten der Gäste dokumentieren, daß das (staatlich diktierte) Image einer Gemeinschaft tief religiöser Menschen für viele Interessenten eine Hemmschwelle dargestellt hatte, daß sie auch glaubten, als Atheisten in der Synagoge zu stören und nicht erwünscht zu sein. Jetzt wurde dieses Bild der Gemeinde widerlegt: «Auch sie hat sich niemals von der faschistischen Endlösungsstrategie erholt. Insofern ist Mitgliedschaft auch ein Bekenntnis zum Weiterleben.»

Um die Kontakte zwischen den Außenstehenden und den Mitgliedern zu verbessern, begann im Sommer 1986 eine Veranstaltungsreihe, die sich speziell an die Generation der 35- bis 45jährigen mit mindestens einem jüdischen Elternteil richtete. Beabsichtigt war nicht nur, einen gesellschaftlichen Rahmen zur gemeindeübergreifenden Anknüpfung von Beziehungen zu schaffen, sondern diesen ‹biographischen› Jüdinnen und Juden auch die Möglichkeit zu bieten, sich Kenntnisse bezüglich aller Aspekte des Judentums anzueignen. Die Hoffnung der Gemeindeführung, aus dieser Gruppe der «Freunde» neue Mitglieder gewinnen zu können, erfüllte sich wenigstens teilweise – insbesondere bei denjenigen, für die kein Übertritt erforderlich war.[410] Für die Interessierten, die ‹nur› jüdische Väter hatten (also zum Judentum hätten konvertieren müssen), bot sich hier immerhin ein Rahmen, der eine Annäherung an eine jüdische Identität wie auch eine zwanglose Einführung in Religion und Kultus ermöglichte. Damit wurden also die Entscheidungsgrundlagen für einen solchen Schritt vermittelt, ohne eine Absichtsbekundung zur Bedingung für die Teilnahme an den Veranstaltungen zu machen.[411]

Der Mitgliederzuwachs war für die Gemeinde jedoch nicht uneingeschränkt positiv: Die ‹Neuen› waren mehrheitlich Mitglieder der SED, was, zumal sie sich oft sehr aktiv zeigten, Befürchtungen in bezug auf ideologische Beeinflussung und interne Kontrolle der Gemeindearbeit aufkommen ließ. Kirchner berichtet, daß es bis Mitte der 80er Jahre im sieben, später neun Personen zählenden Vorstand kein einziges Parteimitglied gegeben hatte, aus den Reihen der neuen Mitglieder dann aber – im Zuge eines Verjüngungsprozesses in der Gemeindeführung – doch «einige» auch Leitungsfunktionen übernahmen.[412]

Insgesamt entwickelte diese Gruppe rasch große Eigeninitiative, die sich schon bald auch in der Namensgebung manifestierte: «Wir für uns» war Programm.[413] Es entsprach der Vorstellung, nicht für Dritte oder von Dritten, sondern zur eigenen Bedürfnisbefriedigung das gesamte Spektrum des Wissens – religiöse Bildung vor allem der Gemeindemitglieder, politische, (kultur-)historische und philosophische Kenntnisse sowie Ansatzpunkte der ‹Neuen› – in den eigenen Reihen auszuschöpfen. Als einziger Außenstehender wurde der Westberliner Rabbiner Ernst Stein zugezogen, der sich in Vortragsreihen insbesondere mit religionsphilosophischen Themen befaßte.

Obschon die Aktivitäten dieser «Selbsthilfegruppe» den staatlich gesetzten (und von der Gemeinde bislang akzeptierten) Rahmen schon dadurch sprengten, daß die Frage nach den Möglichkeiten einer jüdischen Identität auch (oder gerade) im Kontext der atheistischen und mindestens latent antisemitischen Gesellschaftsstrukturen der DDR ein zentrales Thema war[414], entwickelte sich «Wir für uns» selbst unter den Vorzeichen der «Wende» (anders als die Kirchen) nicht zu einem Forum Oppositioneller aus jüdischen Kreisen. Die (notwendige) Anlehnung an die Gemeinde, unter deren Schirmherrschaft die Veranstaltungen stattfanden, bewirkte auch hier ‹Neutralität›.

Die «Wende» veränderte die Lage auch für diese Gruppierung. Bis zum Herbst 1989 war jede praktische Auseinandersetzung mit dem Judentum an die Gemeinde gebunden; für eine theoretische Annäherung waren die Sektionen Theologie und allenfalls Geschichte an den Hochschulen zuständig – hier also Religion, dort Wissenschaft. Eine autonome Erarbeitung jüdischer Identifikation für die (fast) vollständig assimilierten Sozialisten (oder politischen Opportunisten) bzw. ihre Nachkommen war unerwünscht. Mit dem Umbruch verschwand jedoch dieses Hindernis. Einige «Wir für uns»-Mitglieder reagierten umgehend: Sie gründeten im Januar 1990 den Jüdischen Kulturverein.[415] Umfaßte die unter der Obhut der Gemeinde aktive Gruppe noch etwa 200 Personen – immerhin so viele wie die Gemeinde selbst (oder zehn Prozent der geschätzten ‹Dunkelziffer› der jüdischen Bevölkerung von Ostberlin) –, so meldeten sich auf den Gründungsaufruf des Kulturvereins über 500 Personen.[416] Dieser (überraschende) Zulauf bestätigte erneut die Erfahrung von 1986: Das Image der Gemeinde als einer Religions- und Glaubensgemeinschaft im engsten Sinn und die staatlich demonstrierte Haltung, nur eben diese Form sei akzeptabel, stand der überwältigenden Mehrheit der jüdischen Bevölkerung in der DDR – trotz aller Bemühungen der Gemeinde – entgegen, um sich mit diesem Teil ihrer Geschichte und Identität angstfrei auseinanderzusetzen.

Die Gemeinde hatte «Wir für uns» primär deshalb unterstützt, weil sie darin eine Vorstufe für die spätere Mitgliedschaft sah – eine verständliche, wenn auch oft nicht realistische Erwartung, da die meisten Teilnehmer zuvor überhaupt keine Beziehung zum Judentum gehabt hatten; deren jüdische Herkunft stellte bestenfalls eine Facette ihrer politischen Identität dar. Dieser (latente) Erwartungsdruck seitens der Gemeinde entfiel nach der Neugründung, da der Kulturverein vollständig unabhängig operierte. Konsequenterweise verschoben sich auch die Schwerpunkte der Aktivitäten. Im Vordergrund steht nunmehr die politische und historische Auseinandersetzung mit dem Judentum, einschließlich der Aufarbeitung der jüngsten – und somit persönlichen – Vergangenheit. Der Selbsthilfe-Ansatz ist geblieben, bei der gesellschaftlichen Analyse ebenso wie bei der Suche oder Revitalisierung jüdischer Wurzeln und Inhalte. Schon im Frühjahr 1990 begann der Kulturverein, einen orthodoxen (aber undogmatischen und weltoffenen) Rabbiner aus Israel zu den Feiertagen einzuladen, der ihnen nicht nur die religiösen Hintergründe, sondern auch eine ungebrochene jüdische Atmosphäre vermitteln sollte.[417]

Obschon es vereinzelt noch Kontakte und gemeinsame Aktivitäten zwischen Kulturverein und Gemeinde gab – so an *Pessach* im Frühjahr 1990[418] –, zeichnete sich schon früh eine weitgehende Trennung ab. Wohl gab es einige Personen, die beiden Organisationen angehörten (weder Gemeinde noch Kulturverein schlossen eine Doppelmitgliedschaft aus), doch wurde auf Leitungsebene vermehrt gegenseitig Kritik geäußert, machte sich zum Teil ein gewisses Konkurrenzdenken bemerkbar. Dies mochte darin spürbar werden, daß der Kulturverein erreichte, was der Gemeinde trotz großer Bemühungen nicht gelang: einen Rabbiner zu finden, der die Mitglieder betreute – bei Rabbiner Stein blieb, trotz seines großen Engagements, das Gefühl, ihn mit den Westberlinern ‹teilen› zu müssen. Daß der Verein der Gemeinde die Teilnahme an seinen religiösen Veranstaltungen anbot, um diesen ‹Notstand› aufzufangen, wurde nur teilweise als freundliche Geste aufgefaßt. Seitens des Kulturvereins wurde vor allem politische Kritik geäußert, die sich weniger auf die Vergangenheit als auf die Zeit seit der «Wende» bezog. Es wurde bemängelt, daß sich die Gemeinde beispielsweise unfähig oder unwillig zeigte, im Hinblick auf das Erstarken neonazistischer Gruppierungen gemeinsam eine Gegenposition zu vertreten, die auch andere betroffene Minoritäten einschließt.[419] In diesem und anderen Bereichen divergierten die Auffassungen jedenfalls beträchtlich.

Der Berliner Vorsitzende Kirchner erachtete die Namensgebung des Vereins als fragwürdig: Da die Nachkommen sowohl jüdischer Mütter (nur diese sind «halachische» Juden) als auch (nur) jüdischer Väter zur Mitgliedschaft zugelassen sind – und zudem Nichtjuden an den (meisten) Aktivitäten des Kulturvereins teilnehmen könnten, allerdings nicht als Mitglieder, sondern lediglich als «Freunde» –, sei die Bezeichnung «jüdisch» irreführend. Auch inhaltlich sei eine Fehleinschätzung festzustellen, wenn postuliert werde, jüdische Geschichte aufzuarbeiten. Ein umfassendes historisches Verständnis sei ohne die – beim Kulturverein laut Kirchner nicht vorhandenen – Kenntnisse religiöser Grundsätze und Praktiken nicht möglich.[420] Allerdings räumte er ein, primär sei die Gemeinde für die Gewährleistung religiösen Lebens zuständig, nicht für (kultur-)historische und politische Analysen. Dennoch stellte er sich auf den Standpunkt: «Es ist auch in dieser Stadt genügend Raum für unterschiedliche Gruppierungen, die sich unterschiedliche Schwerpunkte in ihrer Arbeit gestellt haben.»

Diese Auffassung wurde jedoch von anderer Seite keineswegs geteilt: Im April 1990 fand in Dresden eine Tagung des Verbandes statt, an der auch Heinz Galinski und Ignatz Bubis[421] als Repräsentanten des bundesdeutschen Zentralrats teilnahmen, um die zukünftige engere Zusammenarbeit zu erörtern. Gemäß Mitteilung eines Beirats warnte Galinski bei diesem Anlaß deutlich vor dem Kulturverein und insbesondere vor der dort federführenden Irene Runge, da diese eine Spaltung der Berliner Juden anstrebe und vielleicht sogar eine «eigene Richtung der jüdischen Gemeinde» gründen wolle. Er forderte den Verband auf, sich eindeutig und umfassend von dieser Organisation zu distanzieren. Vor diesem Hintergrund wird auch verständlich, weshalb das «Nachrichtenblatt» vom Juni 1990, das diesen Kontext verschweigt, eine Äußerung Galinskis – scheinbar zusammenhanglos – zitiert:

«Dem Verband der Jüdischen Gemeinden gehört jede politische und moralische Unterstützung, weil für mich der Verband der Jüdischen Gemeinden in der DDR die einzige legitime Vertretung der Juden in der DDR ist.»

Damit wurde erneut gerade jener Alleinvertretungsanspruch formuliert, den die «Wir für uns»-Gruppe und später der Jüdische Kulturverein zu durchbrechen versucht hatten. Doch das einzige Mittel, das die ‹etablierte› Gemeinschaft dieser Gruppierung entgegenzusetzen hatte, war, sie konsequent zu ignorieren.

Adass Jisroel

Für einen anderen Bereich jüdischen Lebens zeitigte der Alleinvertretungsanspruch des Verbands und des Zentralrats (respektive der beiden Gemeinden in Ost- und Westberlin) weitaus gravierendere Konsequenzen als für den Jüdischen Kulturverein: für die «Israelitische Synagogengemeinde (Adass Jisroel) zu Berlin».[422]

Diese Gemeinde wurde 1869 gegründet, weil orthodoxe Mitglieder der damaligen Jüdischen Gemeinde mit deren religiöser Entwicklung nicht einverstanden gewesen waren:

«Reform-Rabbiner waren berufen, Gebete und Liturgie geändert, rituelle Einrichtungen nicht sorgfältig gepflegt worden; Petitionen an die Jüdische Gemeinde, man möge die Belange der gesetzestreuen Mitglieder beachten, wurden nicht beantwortet.»[423]

Der im Anfangsstadium nur etwa 200 Personen umfassenden Gruppe war zu Beginn nicht an einer Spaltung gelegen, obwohl der Vorstandsvorsitzende der Jüdischen Gemeinde festgestellt hatte, die Orthodoxie sei «auf den Aussterbeetat gesetzt». Vielmehr war lediglich die Gründung einer Religionsgesellschaft vorgesehen, die es den orthodoxen Mitgliedern ermöglichen sollte, ihre Vorstellungen von religiöser Praxis umzusetzen. Daß keine Neugründung geplant war, hatte vor allem rechtliche Gründe. Ein Gesetz des Preußischen Landtags von 1873 über Austritte aus der Kirche besagte nämlich, daß Katholiken und Protestanten die Kirchgemeinde verlassen konnten, ohne aus dem Christentum auszuscheiden; für Juden hingegen bestand diese Möglichkeit nicht. Ein Austritt aus der Synagogengemeinde war rechtlich gleichbedeutend mit dem Austritt aus dem Judentum (aus jüdischer Sicht ist ein solcher Austritt nur durch Konvertieren möglich). Trotz heftigem

Widerstand seitens der Jüdischen Gemeinde selbst wurde dieses Gesetz 1876 dahin gehend geändert, daß auch für Juden ein Austritt aus der Gemeinde die Zugehörigkeit zur Religionsgemeinschaft nicht beendete. Obwohl damit die rechtliche Grundlage gegeben war, eine eigenständige orthodoxe Gemeinde zu gründen, faßten die Angehörigen von Adass Jisroel erst 1883 den Entschluß, die Jüdische Gemeinde zu verlassen und sich neu zu konstituieren. (Dies erklärt die gelegentlich für Adass verwendete Bezeichnung der «Austrittsgemeinde».) Vor allem materielle Gründe waren für das Zögern verantwortlich, da die Regierung die Gewähr des wirtschaftlichen Fortbestandes forderte, die Adassianer aber mehrheitlich zu den finanziell Schwächeren unter den Juden gehörten.

Die Gemeinde, die sich aus Mitgliederbeiträgen[424] und Spenden finanzierte, entwickelte sich nicht nur zahlenmäßig rasch, sondern entfaltete schon bald auch ein blühendes religiöses Leben nach den Grundsätzen einer modernen Orthodoxie – gesetzestreu, aber außerhalb des religiösen Bereichs offen für die Auseinandersetzung mit dem kulturellen Umfeld Berlins. Seit 1869 wurden regelmäßig Gottesdienste durchgeführt, im selben Jahr eine Religionsschule für Knaben und Mädchen (allerdings getrennt und mit unterschiedlichen Lehrplänen) eingerichtet. 1880 wurde ein eigener Friedhof in Berlin-Weißensee eingeweiht[425], bis 1924 drei Synagogen errichtet. Zudem verfügte die Gemeinde über ein eigenes Krankenhaus und ein Rabbinerseminar. Dessen geographische Lage in der Artilleriestraße (heute Tucholskystraße), Berlin Mitte – in unmittelbarer Nachbarschaft zur liberalen Hochschule für die Wissenschaft des Judentums –, dokumentierte auch, daß nach den anfänglichen Querelen um die Austritte aus der Jüdischen Gemeinde eine friedliche Koexistenz angestrebt und weitgehend erreicht wurde. Die beiden Institute wurden im Volksmund die «leichte und die schwere Artillerie» genannt, letzteres die Bezeichnung für das orthodoxe Seminar. Gemeinsam wurde von den Gemeinden z. B. ein «Büro für Schächterangelegenheiten» betrieben; zudem traten die Gemeinden nach außen gemeinsam auf.[426] Bis zum Zeitpunkt ihrer zwangsweisen Auflösung durch die Nazis am 18. Dezember 1938 wuchs Adass Jisroel auf etwa 30000 Mitglieder an.[427]

Nach 1945 kam es zu keiner Wiederbelebung dieser Gemeinde. Auch die Adassianer waren ermordet worden oder geflohen – übrig blieben fast nur die baulichen Zeugnisse auch dieses Teils der Berliner Juden. Die Nachkriegsgeschichte dieser Relikte wirft erneut ein scharfes Licht auf die deutsche «Vergangenheitsbewältigung», legt aber auch die Vermutung nahe, daß internationale jüdische Organisationen sowie die in Berlin nach 1945 entstandene Gemeinde (und, nach der Spaltung von 1953, beide Berliner Gemeinden) daran nicht unbeteiligt waren.

Nach Kriegsende wurde von den Alliierten eine Kontrollratskommission gegründet, welche die Rückerstattung von Vermögenswerten demokratischer Organisationen regeln sollte, die in der Nazizeit enteignet worden waren. Die von den Nazis geschaffene «Reichsvereinigung der Juden in Deutschland» wurde dabei als faschistische Körperschaft angesehen, anders als die in ihr zwangsvereinigten ursprünglichen Gemeinden. Damit wurde auch festgehalten, daß die Auflösung der Körperschaften durch die Nazis ein Unrechtsakt und somit nichtig war. Die Gemeinde Adass Jisroel bestand de jure also auch nach dem Krieg. Vorgesehen war die Rückerstattung an die ehemaligen Eigentümer oder, wo diese nicht mehr existierten, die Übertragung auf Institutionen, «deren Ziele denen der früheren Organisationen ähnlich sind»[428].

In Berlin trat neben der Jewish Restitution Successor Organization und der Jewish Trust Corporation for Germany die Jüdische Gemeinde zu Berlin als Antragstellerin auf. Am 29. Juni 1950 stellte Heinz Galinski im Namen dieser Gemeinde «als früherer Eigentümerin» den Antrag auf Übertragung des Grundstücks Siegmundshof 11, wo sich das Schulwerk und eine der Adass-Synagogen befanden. Bis 1953 ‹versäumte› es die Gemeinde allerdings, diesen Antrag zu substantiieren – möglicherweise in Anerkennung ihrer fehlenden Legitimation. Nun reichte die JRSO, stellvertretend für die JTC, der einzigen Prätendentin für das im britischen Sektor liegende Grundstück, einen Rückerstattungsantrag für diese Liegenschaft mit beglaubigtem Grundbuchauszug ein. Diesem Antrag wurde stattgegeben; die JTC verkaufte das Areal jedoch bereits im Frühjahr 1955 an eine deutsche Baufirma, welche dort Wohnhäuser erstellte. Ein Versuch, überlebende Adassianer ausfindig zu machen, und über die geplanten Schritte zu informieren, war angeblich nicht erfolgt. Erst 1986 wurde ein Mahnmal für die Gemeindestätten von Adass Jisroel auf diesem Gelände errichtet.

Einige weitere Vermögenswerte von Adass, die in den westlichen Sektoren Berlins lagen, erfuhren ein ähnliches Schicksal: Sie wurden verkauft (und der Erlös nach Israel transferiert, um damit die Eingliederung europäischer Emigranten mitzufinanzieren) oder von der Westberliner Gemeinde übernommen. Das Zentrum von Adass befand sich jedoch auf DDR-Gebiet: die große Synagoge, das Gemeindehaus mit Verwaltung und Wohnungen, das Rabbinerseminar mit der Studentensynagoge und die rituellen Quellbäder – alle auf demselben Grundstück. Diese Liegenschaft hatte die «Kristallnacht» und den Krieg relativ unbeschadet überdauert und wurde später von einer Werbeagentur genutzt, die sie vom Staat gemietet hatte.[429] Die große Synagoge im zweiten Innenhof wurde allerdings (obschon relativ gut erhalten) 1967 gesprengt – mit Wissen und Zustimmung der Ostberliner Jüdischen Gemeinde, wofür sich Beamte des Stadtbezirks ausdrücklich bedankten.[430] Zahlreiche weitere Bauten in beiden Teilen der Stadt, die der Jüdischen Gemeinde oder Adass Jisroel gehörten, wurden in den 50er und 60er Jahren abgetragen, auch wenn sie nicht stark beschädigt waren.[431]

Ebenfalls kaum versehrt war 1945 der Friedhof von Adass Jisroel; nur die Abdankungshalle wurde durch Bombenangriffe zerstört. Aufsicht und Administration dieses Friedhofs in der Wittlicher Straße wurden der Jüdischen Gemeinde Berlin nach deren Neugründung übertragen; bis 1974 war dafür eigens ein Verwalter angestellt. Nach dessen Pensionierung wurde die Stelle allerdings nicht neu besetzt. Fortan war während elf Jahren im «Nachrichtenblatt» zu lesen, der Friedhof sei «vorerst» geschlossen und könne nur nach Absprache mit der Gemeindeverwaltung besucht werden. Doch geschlossen war nur das Eingangstor. Das Areal, das in einem dünn besiedelten Gebiet liegt, war an mehreren Stellen, wo die Umzäunung beschädigt war, frei zugänglich – und wurde zudem kaum kontrolliert. Im Laufe der nachfolgenden zehn Jahre kam es wiederholt zu Vandalenakten; von den etwa 3000 Grabsteinen waren 1985 gerade noch deren 619 unbeschädigt. Zudem war der Friedhof gänzlich verwildert.[432]

1984 ging die Gemeinde Berlin noch einen Schritt weiter: Sie erklärte einen Teil des Friedhofs für «nicht belegt» und verkaufte ihn an eine «Dienststelle der DDR» (Offenberg) – das Ministerium für Staatssicherheit[433], das darauf mehrgeschossige Wohnbauten zu errichten plante. Dieser Verkauf verletzte materielle Rechte der juristisch nach wie vor existenten Gemeinde Adass Jisroel. Vor allem überging man damit religiöse Bestimmungen, da auf diesem Gelände auch nach 1942 bestattet worden ist. Beigesetzt wurden damals «Illegale», die im Untergrund eines natürlichen Todes gestorben waren oder Selbstmord begangen hatten. Da selbst diese Beerdigungen illegal und für die Ausführenden äußerst gefährlich waren, fanden sie meist nachts statt. Grabsteine konnten nicht aufgestellt werden, nur vereinzelt war es möglich, diese über das ganze Friedhofsgelände verteilten Gräber mit kleinen Schildern zu markieren. Die Gräber auf dem «nicht belegten» und verkauften Teil waren, da sie damit «zu einem sachfremden Zweck umgewidmet» worden waren, aus religionsgesetzlicher Sicht entweiht. Versuche von Adassianern, den Verkauf zu verhindern und die Pflege des Friedhofs zu verbessern, scheiterten an der Auffassung des Ostberliner Vorsitzenden, dies «sei ein geschlossenes Kapitel».

Im November 1985 wandte sich Mario Offenberg, Enkel eines der Adass-Gründer, direkt an Erich Honecker, beschrieb den Zustand des Areals in der Wittlicher Straße und erwähnte außerdem, daß Überlebende dieser Gemeinde aus dem westlichen Ausland und deren Nachkommen planten, nach Berlin zu kommen, um die Relikte ihrer ehemals blühenden Gemeinde zu besuchen. Honecker antwortete umgehend, die Vernachlässigung dieses Friedhofs sei ihm nicht bekannt gewesen; er werde jedoch sofort alles Notwendige zur Wiederherstellung eines würdigen Zustandes veranlassen. Bei eisiger Kälte, in großer Eile, aber «mit außerordentlicher Sorgfalt und Gründlichkeit»[434] wurden die versprochenen Arbeiten vorangetrieben: Bis zum Februar 1986 wurden die Mauern rekonstruiert, bis März ein neues Gebäude für den Friedhofswächter und die Gartenarbeiter errichtet und die Anlage weitgehend von Wildwuchs befreit; zudem restaurierte man, in Zusammenarbeit mit der Jüdischen Gemeinde, die Grabsteine. Ende Juni 1986 konnte der Friedhof – rechtzeitig zum Besuch der ehemaligen Adassianer – wieder geöffnet werden.[435]

Mitte der 80er Jahre – vermutlich anläßlich dieses Treffens ehemaliger Adassianer in Berlin – rekonstituierte sich die Gemeinde und ersuchte sowohl den Westberliner Senat als auch die Regierung der DDR um Wiedereinsetzung in ihre Rechte.[436] Der Senat bescheinigte Adass noch vor der Regierungsübernahme durch Walter Momper, daß die

Gemeinde rechtlich weiterhin existiere; die neue Regierung sei gebeten worden, «dies in die Praxis umzusetzen», der Adass also ihre Rechte und ihr Eigentum zurückzuerstatten.[437] Dazu kam es allerdings nicht. Die Regierung Momper blieb untätig, reagierte auch nur summarisch (und ablehnend) auf Gesprächsangebote und Appelle. Deshalb erhob Adass im April 1989 Klage gegen das Land Berlin.[438] Die Antwort der Regierung, welche die Klage insgesamt als unbegründet und unzulässig bezeichnete, erstaunt in der Argumentation: Es wurde festgestellt, daß Adass nicht über einen demokratisch legitimierten Vorstand verfüge, daß der Gemeinde zudem die erforderliche Synagoge, die Religionsschule, das rituelle Tauchbad und andere Einrichtungen fehlten, die das Gründungsstatut der Adass von 1885 gefordert hatte. – Damit wurde den Klägern faktisch die Zerstörung dieser Einrichtungen durch die Nazis (respektive durch Institutionen der BRD und der DDR) angelastet. Abschließend wurde festgehalten, das Gemeindeleben sei «tatsächlich seit 1939 eingestellt»[439]. Offenberg kommentierte:

«Nach der Logik und der Terminologie des Momperschen Schreibens haben nicht nur viele unserer Gemeindemitglieder, sondern rund sechs Millionen Juden nach 1939 ihr Leben ‹tatsächlich eingestellt›.»

Adass stieß bei der Westberliner Regierung auf umfassende Ablehnung. Das mochte damit zu erklären sein, daß der Senat die drohenden Kosten der Rückerstattung, aber auch politischen Widerstand befürchtete. Ein wesentlicher Grund wurde jedoch spätestens nach der «Wende» ersichtlich. Am 18. Dezember 1989 – genau 50 Jahre nach der Zwangsauflösung von Adass – wurde diese Gemeinde von der Regierung der DDR wieder in ihre Rechte eingesetzt, der Status einer Körperschaft des öffentlichen Rechts wurde ebenso bestätigt wie die Legitimation des Vorstandes.[440] Zudem wurde die Rückgabe aller auf Ostberliner Gebiet liegenden Gemeindestätten beschlossen, ebenso Maßnahmen der Regierung, um Adass bei der Beschaffung von Ausstattungs- und Kultgegenständen (auch materiell) behilflich zu sein.[441] (Die Bitte Offenbergs an Heinz Galinski, dieser möge Adass aus dem Fundus der zahlreichen *Thora*-Rollen, die in Berlin nicht nur in den Synagogen verwendet werden, sondern teilweise auch als Leihgaben an Museen übergeben wurden, die für den Gottesdienst notwendigen drei *Thora*-Rollen zur Verfügung stellen, wurde von diesem abgelehnt.[442]) Gegen den Regierungsbeschluß regte sich heftiger Widerstand seitens der ‹etablierten› Gemeinden Berlins. Während die Ostberliner Gemeinde insbesondere dagegen protestierte, daß Adass materiell massiv bevorzugt worden sei und die Regierung Adass zur Aufpolierung des eigenen Images instrumentalisiert habe, ging es in Westberlin um sehr viel Grundsätzlicheres: um den Alleinvertretungsanspruch. Diese Haltung des Zentralrats, insbesondere aber Galinskis, war bestens bekannt und mochte – mindestens im Hintergrund – für die Ablehnung einer Wiederbegründung von Adass durch den Senat eine wesentliche Rolle gespielt haben. Ihn zu verärgern – dies konnte oder wollte sich keine der Westberliner Regierungen leisten. Im Osten war, zumindest unmittelbar nach der «Wende», Galinskis Position von bestenfalls geringer Bedeutung – zweifellos war der Prestigegewinn durch die Unterstützung der Anliegen von Adass bei den Juden auch und vor allem außerhalb Deutschlands und in Israel deutlich höher zu veranschlagen.

Die Gemeinde Adass Jisroel entwickelte sich (dennoch) rasch, nicht zuletzt deshalb, weil sie sich um viele der nach Berlin geflüchteten sowjetischen Jüdinnen und Juden kümmerte. Schon im Januar 1990 begann die Gemeinde mit regelmäßigen Veranstaltungen, im März wurde die ehemalige Studentensynagoge wieder eingeweiht und ein Rabbiner verpflichtet, im Mai begann die Betreuung der Flüchtlinge mit persönlicher Unterstützung im Kontakt mit Behörden, Deutschunterricht sowie Einführungskursen in die verschiedenen Aspekte des Judentums. Zudem wurde eine Teestube als Treffpunkt für Mitglieder und Besucher eingerichtet, mit der Rekonstruktion der Tauchbäder und der Abdankungshalle begonnen. Seit dem September 1990 veröffentlicht die Gemeinde vierteljährlich die «Nachrichten von Adass Jisroel». Bis Ende 1990 umfaßte Adass etwa 200 Familien.[443]

Galinski, der diese Entwicklung im Ostteil Berlins nicht hatte verhindern können, ließ aber weiterhin nichts unversucht, um Adass die Existenzgrundlage zu entziehen. Gemeinsam mit seinem östlichen Amtskollegen Peter Kirchner – der damit seine im Zusammenhang mit dem Kulturverein geäußerte Ansicht über die mögliche Vielfalt jüdischen Lebens in Berlin revidierte – richtete er im Oktober 1990 ein Schreiben an die Ostberliner Stadtverordnetenversammlung. Darin erklärte er, die Jüdische Gemeinde zu Berlin (d. h. die Westberliner Gemeinde, die sich mit derjenigen Ostberlins «in den nächsten Monaten» zusammenschließen werde) sei Rechtsnachfolgerin aller früheren jüdischen Gemeinden der Stadt.

«Diese sind zwar durch die Gewaltmaßnahmen des Regimes rechtlich nicht aufgelöst worden. Da sie jedoch faktisch aufgehört haben, zu bestehen, insbesondere nach rd. [sic!] 50 Jahren Mitglieder dieser Gemeinden nicht mehr am Leben sind oder nicht mehr in Berlin leben, ist nur die künftig alle 23 Bezirke Berlins umfassende Jüdische Gemeinde zu Berlin berechtigt, die Interessen der früheren jüdischen Gemeinden Berlins wahrzunehmen. Dies gilt insbesondere auch hinsichtlich der früheren Gemeinde Adass Jisroel.»[444]

Nach Auffassung von Adass steht diese Behauptung in direkter Kontinuität mit dem Nazi-Gesetz von 1939, das die Zwangsauflösung und Eingliederung in die «Reichsvereinigung der Juden in Deutschland» angeordnet hatte, und stellt zudem eine Verletzung der durch die Bundesverfassung garantierten Religions- und Gewissensfreiheit dar.[445] Galinski dagegen bezog die Legitimation für seinen Alleinvertretungsanspruch unter anderem aus einer eigenwilligen Interpretation des Begriffs der «Einheitsgemeinde»: Üblicherweise wird damit eine Körperschaft bezeichnet, die sich dazu verpflichtet, im Rahmen des Gemeindelebens die religiösen Vorschriften (beispielsweise bezüglich synagogalem Ritus, Speise- und Schächtvorschriften, Benützung der Tauchbäder) so zu befolgen, daß eine Mitgliedschaft auch für orthodoxe Jüdinnen und Juden möglich ist. Privat steht es dabei jedem Mitglied frei, die persönlich als richtig angesehene Praxis zu befolgen. Im Gegensatz dazu fordern zahlreiche orthodoxe Gemeinden, daß auch privat sämtliche Religionsgesetze eingehalten werden. Die Vielfalt religiöser, aber auch kultureller und allenfalls politischer Ausdrucksformen wird dabei mehrheitlich als Bereicherung jüdischen Lebens angesehen. Anders in Deutschland, wo kurz nach dem Krieg zweifellos auch Angst vor einer Zersplitterung der verschwindend kleinen jüdischen Minorität das Streben mitbestimmt haben mochte, möglichst alle an einem Ort lebenden Juden – oft weniger als hundert – in einer einzigen Gemeinde zu erfassen. Allerdings erscheint dieses Argument für die Einheitsgemeinde mit Alleinvertretungsanspruch gerade in Berlin, wo heute etwa 9000 Juden einer Gemeinde angehören, nicht mehr plausibel. Irreführend war zudem die Behauptung, die der Generalsekretär des Zentralrats Micha Guttmann, in einem Brief an den damaligen Ministerpräsidenten der DDR, de Maizière, vom 24. August 1990 erhob, wonach «die in Deutschland lebenden Juden sich für dieses Modell der Einheitsgemeinde entschieden haben.»[446] «Semit»-Herausgeber Melzer bemerkt dazu: «Ich bin ein in Deutschland lebender Jude. Ich bin zu diesem Sachverhalt nie gefragt worden.»

Und Mario Offenberg äußert sich dazu nicht nur in seiner Funktion als Geschäftsführer von Adass, sondern auch als Historiker, der hier eine Analogie zur Betrachtung der Weimarer Republik als einer Zeit des Zerfalls sieht:

«Mit dieser der Parteien- und Gewerkschaftsterminologie entliehenen Begriffsbildung wird vorgetäuscht, die als zwangsläufiges Ergebnis der Nazizerstörung bestehende Einfalt sei auch ein Vorteil, es sei sozusagen die gelungene Überwindung der organisatorischen Teilung und inhaltlichen Vielfalt der jüdischen Gemeinschaft; eine richtige Errungenschaft.»[447]

Der Öffentlichkeit blieben solche Zusammenhänge jedoch verborgen. Vermittelt wurde vielmehr der Eindruck eines privaten Konflikts, eines unrechtmäßigen (und persönlichen) Angriffs auf die Monopolposition Galinskis, den dieser durch Äußerungen gegenüber nichtjüdischen Medienvertretern zu verstärken suchte (während Adass seit ihrer Rekonstituierung im Organ des Zentralrats, der «Allgemeinen»[448], unerwähnt blieb), wenn er etwa bemerkte:

«Ich wehre mich entschieden dagegen, daß Menschen, die bisher überhaupt nicht in Deutschland gelebt haben und denen jegliche Kenntnis über die Vergangenheit fehlt, auf einmal herkommen und eine Story [betreffend das Schicksal der Liegenschaft Siegmundshof 11] verbreiten, die nicht den Tatsachen entspricht. Was heute hier entstanden ist, ist unsere Aufbauleistung gewesen. Wo waren denn die Offenbergs die ganze Zeit?»[449]

Wenn auch die berechtigte Frage, weshalb es vier Jahrzehnte bis zur Neugründung von Adass Jisroel dauerte und sich beinahe ebenso lange keiner der Überlebenden um das Erbe dieser Gemeinde bemüht hatte, von Mario Offenberg nicht beantwortet wurde, und zudem die prominente Position seiner Familie mit ihrem großen Engagement für die Revitalisierung der Gemeinde hervorsticht, so muß doch festgehalten werden, daß Galinski damit – wohl ungerechtfertigterweise – unter stellte, es gehe hier einzig um das Machtstreben eben dieser Familie, das unterbunden werden müsse.

Diese Darstellung bot zudem eine Handhabe für einen Versuch, die (ehemaligen) Adassianer zu spalten und somit gleichsam einen Auflösungsprozeß von innen her zu initiieren. Am 8. Juli 1990 wandte sich die «Gesellschaft zur Förderung von Adass Jisroel Berlin in Israel» an den Westberliner Regierenden Bürgermeister Walter Momper. Sie hatte sich zum Ziel gesetzt, «die geistige und kulturelle Überlieferung sowie alle Stätten und Institutionen der Gemeinde zu wahren und zu pflegen»[450]; eine Wiederbelebung von Adass war jedoch zu diesem Zeitpunkt keineswegs vorgesehen, da man die Interessen der Orthodoxie durch einen der beiden Westberliner Gemeinderabbiner als ausreichend gewahrt erachtete. In diesem Schreiben wurde erklärt, daß «alle den Herren Ari und Dr. Mario Offenberg gegebenen Vollmachten mit dem heutigen Tag widerrufen» seien.[451] (Die anläßlich des Berlin-Besuchs der ehemaligen Adassianer 1986 formulierte Vollmacht an Mario Offenberg hatte ursprünglich allerdings auch den Auftrag beinhaltet, «alle notwendigen Maßnahmen zu ergreifen, um die Wiederherstellung der Handlungsfähigkeit der ‹Israelitischen Synagogengemeinde Adass Jisroel zu Berlin› herbeizuführen und zu sichern».[452]) Im Brief an Momper heißt es weiter:

«Gleichzeitig erkläre ich, daß es heute keine rechtmäßige Adass Jisroel-Gemeinde in Berlin gibt, denn eine orthodoxe Austrittsgemeinde hat jetzt keine Existenzberechtigung. Keiner hat das Recht, den Namen ‹Adass Jisroel› zu mißbrauchen.»

Diesen Brief nutzte Galinski unter anderem für seine Versuche, Adass (oder die Familie Offenberg) öffentlich zu diskreditieren. Im September 1990 gab er anläßlich der Neugründung zweier Landesverbände der jüdischen Gemeinden in der DDR in Ostberlin eine Pressekonferenz. Dort bemerkte er zu den «Querelen um die sogenannte Berliner Adass Jisroel-Gemeinde»:

«Nachweislich hätten führende Vertreter der einstigen Adass Jisroel der Offenberg-Gruppe die Legitimation als Nachfolge-Organisation abgesprochen. Die Konsequenz müsse sein, (...) das Eigentum von Adass Jisroel an die rechtmäßigen Vertreter zurückzugeben.»[453]

Die Gesellschaft, die allerdings nur gerade fünf hochbetagte, keineswegs «führende» Mitglieder in Israel, der Schweiz und England umfaßte – während an der Wiedergründung von Adass immerhin etwa 50 Personen beteiligt waren[454] –, bestätigte die Auffassung Galinskis. Möglicherweise wurde das Statement der Gesellschaft gar in Absprache mit dem Berliner Gemeindevorsitzenden, zu welchem Kontakte bestanden, abgegeben.[455] Erreicht wurde damit allerdings nichts. In einem Rechtsgutachten zweier israelischer Anwälte vom 15. Oktober 1991 wurde festgehalten, diese Gruppe besitze keinerlei Legitimation, für die Interessen aller Adassianer zu sprechen. Das israelische Innenministerium schloß sich dieser Auffassung an und stufte die Tätigkeit der Gesellschaft als «rechtswidrig» ein; die Gesellschafter delegierten die Vertretung ihrer Anliegen an die Claims Conference, die Organisation wurde in der Folge aufgelöst.

Die Gemeinde Adass Jisroel besteht nach wie vor; ihre juristische Existenzberechtigung steht außer Zweifel. Dies bedeutet aber lediglich, daß ihr Fortbestehen nicht verboten werden kann. Ob die heutige Adass allerdings als legitime Nachfolgerin der früheren gleichnamigen Gemeinde anerkannt wird, ist bislang nicht geklärt.[456] Bis 1992 war jedoch kein Ende der Bemühungen Galinskis abzusehen, ihr die materiellen (und geistigen) Grundlagen zu entziehen. Dazu gehörte die versuchte Verhinderung eines von der gemeindeinternen Opposition in Westberlin und der Adass geforderten, seit Oktober 1991 aktiven «Runden Tisches»[457] ebenso wie die (erfolgreiche) Drohung gegen die von der Westberliner Gemeinde angestellte Hebräischlehrerin, sie werde entlassen, «falls sie den Unterricht in den Räumen von Adass Jisroel» fortsetze, den sie in ihrer Freizeit anzubieten bereit war.[458]

Die Bestrebungen des damaligen Vorsitzenden der Jüdischen Gemeinde zu Berlin zur Zementierung seines Alleinvertretungsanspruchs zeigten nachhaltige Wirkung: Die Zukunft von Adass bleibt – trotz starker inhaltlicher Entwicklung – ungewiß. Im Frühjahr 1991 zog Adass die Klage gegen den Berliner Senat zurück, da dieser angesichts eines anhängigen Verfahrens zu Verhandlungen nicht bereit war; zudem sind die Adassianer überzeugt, ihre Gemeindeexistenz sei – zumindest formal – durch den Einigungsvertrag der beiden deutschen Staaten abgestützt. Der Senat sagte zwar grundsätzlich zu, Adass fördern zu wollen; Form, Bedingungen und Höhe der Zuschüsse, die für die Weiterführung des Gemeindelebens unabdingbar sind, wurden bislang jedoch nicht geklärt, ebensowenig wie die Frage der Anerkennung der Legitimität der heute bestehenden Adass Jisroel und ihrer Führung – welche nicht zuletzt über die Anspruchsberechtigung auf das enteignete Vermögen der Gemeinde entscheidet.[459]

Wie aus den «Nachrichten von Adass Jisroel» vom April 1992 hervorgeht, begründet der Senat seine «Zurückhaltung» formaljuristisch damit, «die jetzigen Mitglieder seien persönlich wie rechtlich nicht mit denen von vor 1939 identisch». Sollte sich diese moralisch fragwürdige – weil geschichtsverleugnende – Haltung durchsetzen, so könnte der Berliner Senat zahlreiche kostenträchtige Ansprüche für «unberechtigt» erklären.

4. Gesamtdeutsche Entwicklungen

1. Ein ‹Abschiedsgeschenk› der DDR: Die sowjetischen Juden

Die Umwälzungen in der UdSSR hatten aus jüdischer Sicht zwei wesentliche Folgen. Zum einen drang der ‹traditionelle› sowjetische Antisemitismus seit Mitte der 80er Jahre vermehrt (und vom Staat trotz gesetzlich verankerten Diskriminierungsverbots keineswegs behindert) an die Oberfläche – die Juden wurden (wie so oft) zu den Sündenböcken für die umfassende Krise. Zum anderen fielen unter Gorbatschow einige Ausreiserestriktionen; für zahlreiche Jüdinnen und Juden schien nun endlich der Augenblick gekommen, die Sowjetunion zu verlassen, um nicht mehr unter Repressalien oder anonymen, doch nicht weniger beängstigenden Drohungen leben zu müssen. Da die USA Ende der 80er Jahre die Einwanderungsquoten für sowjetische Juden senkten, wurde Israel zum Ziel der meisten Ausreise-‹Willigen› – auch wenn die wenigsten von ihnen überzeugte Zionisten waren. Von den geschätzten zwei bis drei Millionen jüdischen Einwohnern haben in den letzten Jahren fast die Hälfte Ausreiseanträge gestellt; etwa zehn Prozent sind in den Jahren 1989 und 1990 nach Israel emigriert. [1]

Einige wenige hatten jedoch ein anderes Ziel: Sie wollten nach Deutschland auswandern. Dafür gab es verschiedene Motive. Zum einen leben in der Sowjetunion zahlreiche Jüdinnen und Juden deutscher Herkunft mit Bindungen an diese Kultur, welche oft durch die Pflege der jiddischen Sprache im privaten Bereich zusätzlich bewahrt wurde. Zum anderen gab (und gibt) es mindestens zwei Argumente gegen Israel als Auswanderungsziel: So hatte gerade die Bedrohungssituation den Massenexodus verursacht. Viele wollten diese nicht mit einer zwar nicht identischen, aber doch vergleichbar gefährlichen neuen Existenz eintauschen. Ferner hatte die mehrheitlich auf Israel ausgerichtete Fluchtwelle dazu geführt, daß von der Antragstellung für ein Ausreisevisum ins «Gelobte Land», bis zu seiner Erteilung meist ein gutes Jahr verging. Oft verloren die Antragsteller deswegen ihren Arbeitsplatz.[2] Wer nicht warten konnte, weil seine Existenz zerstört oder bedroht war, mußte nach einer anderen Lösung suchen. Wirtschaftliche Gründe sprachen allenfalls indirekt für Deutschland: Im Vergleich zu Israel, wo für Neueinwanderer riesige Starthilfeprogramme existieren, waren die Ausgangsbedingungen wesentlich schlechter, wenn auch langfristig die weltwirtschaftliche Position der Bundesrepublik bessere berufliche Möglichkeiten versprach.

Schon in den 70er Jahren hatte – zunächst zaghaft – die Einwanderung sowjetisch-jüdischer Flüchtlinge in die BRD eingesetzt; sie ließen sich meist in Westberlin nieder und stellen heute über ein Drittel der gegen 9000 Mitglieder zählenden Gemeinde[3], die damit eine außerordentliche Integrationsleistung vollbrachte.

Daß bis zur «Wende» nicht mehr Juden den Weg nach Deutschland fanden, dürfte in der großen ‹Zurückhaltung› der Regierungen von Bund und Ländern begründet sein; es bestand die Befürchtung, die verstärkte Immigration einer weiteren Minorität könnte das für Ausländer ohnehin schwierige Klima weiter anheizen. (Eine solche Auffassung impliziert, die Juden – nicht die Antisemiten – seien schuld am Antisemitismus.) Zudem konnte Bonn darauf verweisen, Israel sei gegen eine jüdische Einwanderung nach Deutschland. Diese Opposition fußt auf dem israelischen Selbstverständnis, wonach jüdische Menschen, die in der Diaspora verfolgt würden, «keinen Grund zur Klage» hätten, da mit dem staatlich garantierten «Recht auf Heimkehr» Israel allen potentiell oder real Gefährdeten offensteht. Jüdische Flüchtlinge oder gar Staatenlose kann es demgemäß nicht mehr geben. – Festzustellen ist jedenfalls, daß Israel, welches durch den wesentlich stärkeren Geburtenzuwachs der Palästinenser in den besetzten Gebieten langfristig Gefahr läuft, bevölkerungsmäßig zu einer Minderheit zu werden, eigene demographische Interessen verfolgt und – absichtlich oder nicht – mit seiner Haltung aufnahmeunwilligen Staaten wie der BRD in die Hände spielt. (So ist auch zu erklären, daß die USA vor einigen Jahren auf nachdrückliche Bitten Israels – und gegen den Protest amerikanisch-jüdischer Organisationen – ihre Einwanderungsquoten für sowjetische Jüdinnen und Juden senkten.)

Auch Benjamin Navon, der israelische Botschafter in der BRD, vertrat den israelischen Standpunkt wiederholt und mit Nachdruck. Eine weitere Ursache für den israelischen Widerstand gegen diese Immigration lag im Unbehagen, welches viele Israelis gegenüber den Deutschen hegten, in einem Unbehagen, das nach der «Wende» durch Mißtrauen oder Ängste vor einem vereinten, möglicherweise wieder allzu mächtigen Deutschland verstärkt wurde – Gefühle, die auch sehr viele in der übrigen Diaspora teil(t)en. Allerdings mochte die israelische Regierung nicht so weit gehen, Bonn um ein Einreiseverbot für sowjetische Juden zu bitten.[4] Die Bundesregierung verfügte somit aber innen- und außenpolitisch über Argumente, die BRD nicht als Fluchtziel anbieten zu müssen.

Solche Skrupel kannte die Regierung der in Auflösung begriffenen DDR nicht – oder sah sie nicht als wesentlich an. Zur Untermauerung der im April von der Volkskammer an alle Juden gerichteten Bitte um Vergebung verabschiedete der ostdeutsche Ministerrat am 11. Juli 1990 eine Sonderregelung, wonach einreisewilligen sowjetischen Jüdinnen und Juden ein «Bleiberecht» zu gewähren sei.[5] Verbunden mit dem Beschluß, den als «Flüchtlingen» Eingestuften «ständigen Wohnsitz» einzuräumen, war die Garantie für Unterkunft, Verpflegung und Arbeitserlaubnis. Hatte schon die Volkskammererklärung vom April einzelne bewegt, die DDR, d. h. Ostberlin, zum Ziel ihrer Emigration zu wählen, so stieg die Zahl der Einreisenden nun rapide an: von April bis Juli kamen etwa 650 Personen, in den nächsten drei Monaten weitere 2000, die meisten mit Touristenvisen. Sie wurden zunächst in Auffanglagern untergebracht – in ehemaligen «Stasi-Heimen» oder leerstehenden Kasernen der Nationalen Volksarmee.[6]

Betreut wurden sie von öffentlicher Seite durch das eigens eröffnete «Kontakt- und Beratungsbüro für jüdische Bürger aus Osteuropa» unter Federführung der Ausländerbeauftragten der DDR-Regierung, Almuth Berger.[7] Dieses Amt kümmerte sich vor allem um Unterbringung und notwendige Papiere. Gleichzeitig engagierten sich von Anfang an die jüdischen Organisationen Ostberlins – Gemeinde, Adass Jisroel und Kulturverein – um die Bedürfnisse der Neuankömmlinge. So richteten z. B. alle drei Institutionen Sprachschulen ein, welche Intensivkurse in Deutsch anboten, um für die Einwanderer – überwiegend Akademiker und Künstler – die Chancen auf dem insgesamt sehr angespannten Arbeitsmarkt der (v. a. wirtschaftlich) zusammenbrechenden DDR zu verbessern, aber auch, um ihre allgemeine Integrationsfähigkeit zu steigern. Außerdem bemühten sich besonders die beiden Gemeinden um bessere Wohnmöglichkeiten für die Flüchtlinge. Die Jüdische Gemeinde, die dafür eigens zwei Fürsorger anstellte, wurde dabei von der (dem Zentralrat angegliederten) Zentralwohlfahrtsstelle, der Westberliner Jüdischen Gemeinde und evangelischen Kreisen unterstützt. Ebenfalls von Beginn an wurde versucht, die Immigranten an den eigenen Aktivitäten zu beteiligen. Zudem wurden, vor allem von Adass Jisroel, Kurse angeboten, die Interessierten religiöse Grundkenntnisse vermitteln sollten, da sich die meisten aufgrund der Zwangsassimilation in der Sowjetunion weder theoretisches Wissen noch Praxis hatten aneignen können.

Allerdings konnte diese umfassende Betreuung – die auf jüdischer Seite gelegentlich beinahe zu einem Konkurrenzkampf zwischen den Organisationen geriet – nur in Ostberlin geleistet werden. Zahlreiche Flüchtlinge wurden jedoch schon bald, nachdem ihre «ständige Wohnsitznahme» gewährleistet war, auf das ganze DDR-Gebiet verteilt, in Orte wie Brandenburg, Gotha, Apolda oder Halle, wo keine (oder keine funktionierenden) Gemeinden existierten. Dagegen wehrte sich insbesondere Heinz Galinski, der die Auffassung vertrat, «man könne solche Personen, die die Sowjetunion um ihrer jüdischen Identität willen verlassen hätten, nicht an Orten unterbringen, wo sie keinen Kontakt mit Glaubensgenossen haben». (Damit wurde allerdings der Begriff der Identität strapaziert. Die sowjetischen Jüdinnen und Juden waren und sind aufgrund ihrer jüdischen *Herkunft* – von Außenstehenden festgemacht an Namen, Äußerem, Paßeintrag – diskriminiert und bedroht. Die Identitätsbildung wurde politisch bis zum Amtsantritt Gorbatschows weitestgehend verhindert – und findet heute nur unter äußerst schwierigen Bedingungen statt.)

Für die mit der Betreuung befaßten DDR-Juden ging es hingegen vorerst darum, die konkrete Lage der Immigranten zu verbessern; ihrer Ansicht nach sollten die Menschen dort untergebracht werden, wo Wohnungen und Arbeitsplätze verfügbar seien. Für die spezifisch jüdische Betreuung müßten dann eben neue Lösungen gefunden werden – Besuchsdienste, Einladungen, allenfalls sogar Gemeindeneugründungen. Eine solche erfolgte bereits am 22. März 1991 in Potsdam mit knapp 30 Mitgliedern – fast ausschließlich sowjetische Einwanderer.[8]

Für die bestehenden Gemeinden war diese Einwanderungswelle Anlaß zu verhaltener Hoffnung im Hinblick auf die eigene Existenz. Auch wenn sich unter den Flüchtlingen einige befinden mochten, die ihren Paßvermerk «Jude» durch Bestechung erhalten hatten, um von der DDR-Regelung profitieren zu können, eröffneten sich hier Möglichkeiten, die Mitgliederzahlen der jüdischen Gemeinden in der DDR – und damit deren Überlebenschancen, aber auch ihre religiösen und kulturellen Aktivitäten – zu verstärken.

Uneinig waren sich die Funktionäre jedoch in einem Aspekt: Wie sollte entschieden werden, wer tatsächlich jüdisch ist? Die meisten ‹Überprüfungskriterien› (Beschneidung der Männer, rituelle und sprachliche Kenntnisse) konnten hier nicht greifen: Alles, was mit dem Judentum zusammenhing, war in der UdSSR (meist erfolgreich) während 70 Jahren unterdrückt worden. Zudem stellte sich – für die jüdischen Betreuer ebenso wie für deutsche Beamte – das paradoxe Problem, im Land der Nürnberger Rassengesetze von den eintreffenden Flüchtlingen Beweise für ihre Zugehörigkeit zum jüdischen Volk fordern zu müssen. Während einige jüdische Funktionäre die Auffassung vertraten, es müßten Wege gefunden werden, um von Anfang an eine gewisse Sicherheit zu gewinnen, waren andere (so auch Adass Jisroel) der Meinung, für einen Nichtjuden gebe es keine Motivation, in einer Gemeinde Anschluß zu suchen und sich mit dem Judentum auseinanderzusetzen.[9] Aber auch sie forderten, für eine Mitgliedschaft müßten die religiösen Bedingungen erfüllt sein. Grundsätzlich bestand ein Konsens, diese Menschen nicht abzuweisen, sondern sie vorerst zu unterstützen und am Gemeindeleben teilhaben zu lassen, ohne von ihnen Absichtserklärungen für den Beitritt zu fordern (was auch dem jüdischen Missionsverbot entspricht).

Die Hoffnungen auf Zuwachs wurden auch von anderer Seite schon bald drastisch gedämpft. Anfang September 1990 wies Bonn die diplomatischen Vertretungen der BRD in der Sowjetunion an, «zunächst» keine neuen Aufnahmeanträge sowjetischer Juden zu bearbeiten; die noch existente DDR wurde zu demselben Verhalten «aufgefordert».[10] Innenminister Schäuble verwahrte sich dagegen, von einer Einreisesperre zu sprechen, begründete sein Vorgehen jedoch damit, daß die

Anträge «sprunghaft gestiegen» seien – in den vergangenen zwei Jahren hatten 400 Jüdinnen und Juden aus «humanitären Gründen» in der BRD Aufnahme gefunden; nun seien aber allein beim Generalkonsulat in Kiew gegen 10 000 Gesuche anhängig.[11] Schäuble forderte, Bund und Länder müßten erst ein Aufnahmeprogramm verabschieden, schwieg sich allerdings darüber aus, welcher Zeitraum dafür vorgesehen war. Er erklärte gar in einem Rundfunkinterview, dies sei mit Galinski bereits abgesprochen – was dieser empört dementierte. Der «Spiegel» kommentierte den Entscheid:

«Diese Reaktion ist fast so unglaublich wie ihr Anlaß: 45 Jahre nach Ende des Holocaust will erstmals wieder eine große Zahl von Juden in Deutschland heimisch werden – und Bonn macht die Grenzen dicht.»[12]

Der jüdische Protest richtete sich nicht nur gegen den einstweiligen Einreisestopp an sich, sondern auch dagegen, daß den sowjetischen Jüdinnen und Juden außerdem verwehrt wurde, eine allfällige deutschstämmige Herkunft geltend zu machen und somit als Heimatvertriebene anerkannt zu werden: Am 8. 11. 1990 berichtete die «Allgemeine», ein sowjetischer Jude hätte erstmals in der BRD den Vertriebenenstatus erhalten, nachdem er gegen das Land Niedersachsen geklagt hatte, das einen Widerspruch zwischen seiner «jüdischen Volkszugehörigkeit» (gemäß sowjetischem Recht) und seiner «Deutschstämmigkeit» geltend gemacht hatte. Da er bereits seit mehr als zehn Jahren in der BRD gelebt hatte, stand ihm der Rechtsweg offen – anders als jenen, die in der UdSSR auf Ausreisemöglichkeiten warten.[13] Zudem wurde verschiedentlich geäußert, der Regierung eines Staates, dessen Politiker immer wieder den «jüdischen Beitrag zur deutschen Kultur» hervorhoben (respektive den Verlust durch die nazistische Verfolgung und Vernichtung betrauerten), würde es gut anstehen, der gegenwärtigen jüdischen Gemeinschaft in Deutschland eine Chance zu einer zahlenmäßigen, aber auch kulturellen Revitalisierung zu geben.[14] In einer Ende September verabschiedeten Resolution forderte das Direktorium des Zentralrats von der Bundesregierung, «die restriktiven Maßnahmen unverzüglich zurückzunehmen und eine menschenwürdige Aufnahme zu gewährleisten»[15]. Gleichzeitig wurde aber betont, daß es keineswegs darum gehe, jene, die nach Israel auszureisen wünschten, «abzuwerben».

Die Bundesregierung zeigte jedoch keine Eile, eine Regelung für die Aufnahme sowjetisch-jüdischer Flüchtlinge zu finden. Am 31. Oktober 1990 fand auf Antrag der Fraktion der Grünen eine Bundestagsdebatte zu diesem Thema statt, nachdem eine «Aktuelle Stunde» in der Woche zuvor bereits zwischen allen Fraktionen den Konsens ergeben hatte, die Einwanderung werde «grundsätzlich» befürwortet. Beabsichtigt war, mittels dieser Debatte konkrete Entscheide vorzubereiten. Beschlüsse wurden jedoch keine gefaßt, der Antrag der Grünen lediglich an den Innenausschuß verwiesen und weitere Beratungen somit auf die nächste Legislaturperiode vertagt.[16] Hier wurde jedoch ersichtlich, daß insbesondere den Regierungsparteien eine Quotenregelung vorschwebte, die mit den Ländern ausgehandelt werden sollte, während Grüne und SPD schnelle und unbürokratische Hilfe forderten.

In einer nächsten Etappe beriet die erste gesamtdeutsche Innenministerkonferenz am 14./15. Dezember 1990 diese Fragen. Im Vorfeld wandte sich die «Allgemeine» an die zuständigen 16 Minister und Senatoren und bat um eine Stellungnahme zu vier konkreten Fragen (Beibehaltung oder Aufhebung des Einreisestopps, grundsätzliche Unterstützung der Einwanderung, Quotierung, Möglichkeiten für Integrationshilfen). Die veröffentlichten Antworten aus Baden-Württemberg, Bayern und Nordrhein-Westfalen zeigen, daß eine Kontingentsregelung angestrebt wurde.[17] Die mögliche Quote für ganz Deutschland schwankte zwischen 1000 Personen jährlich und 3000 verteilt auf fünf Jahre – für Galinski «ein Witz».[18]

Die jüdischen Vertreter waren nicht nur darüber empört, daß Bund und Länder versuchten, jüdische Flüchtlinge aus der Sowjetunion an der Einreise zu hindern – die Länder u. a. damit, daß sie deren «Verrechnung» mit dem ihnen zugewiesenen Asylbewerberkontingent forderten. «Lieber Juden als Tamilen und Neger?» bemerkte dazu Seligmann. Als schockierend empfanden sie auch, daß bei den wenigen «Auserwählten», denen die Einreise gestattet werden sollte, Kriterien wie familiäre Bindung oder gesuchter Beruf, nicht aber die konkrete Situation in der UdSSR eine Rolle spielen sollten. Als «unglaubliche Zumutung» bezeichnete die «Allgemeine» schließlich die bei einigen Politikern verbreitete Vorstellung, der Zentralrat würde in dieser Sache mit den Behörden kooperieren[19]:

«Um diesen Personenkreis, den das Bundesinnenministerium offenbar im Auge hat, kann es nicht gehen. Es geht (...) um diejenigen Menschen, die vor dem unerträglichen Antisemitismus in der Sowjetunion flüchten, ohne daß sie Privilegien hätten. Einfache Menschen also, die ihr Leben und die Zukunft ihrer Kinder retten wollen.

Und die sollen nun nach Tauglichkeit selektiert werden? Und das sollen die deutschen Juden machen? Dieses Ansinnen ist nicht nur degoutant, es ist unglaublich.»

Der Widerstand Galinskis, aber auch die deutliche Kritik liberaler und grüner Kräfte an Einreisesperre, Quotierung und Selektion verhinderten bei der Innenministerkonferenz eine Entscheidung über Kriterien und Zahlen; das Problem wurde den Ministerpräsidenten der Länder überlassen. Diese beschlossen im Februar 1991, die Zuwanderung sowjetischer Jüdinnen und Juden ohne Limitierung eines Kontingents zuzulassen; als einzige Bedingung sollte gelten, daß die deutschen Konsulate in der UdSSR den Emigranten zuerst eine Aufenthaltsgenehmigung erteilten. Dies reduzierte den Zustrom erheblich und verlangsamte ihn deutlich, da die dazu notwendigen Verfahren langwierig und kompliziert sind. Zudem wurde denjenigen, die nach dem 3. Oktober 1990, dem «Tag der Einheit», illegal oder mit einem Touristenvisum einreisten, das Bleiberecht entzogen – was ihre Abschiebung ermöglichte.[20] Faktisch wurde damit aus der von Schäuble verkündeten «großzügigen Handhabung» eine Beschränkung. Die von ihm in Aussicht gestellte Zahl von 10 000 Einwanderern jährlich wurde nicht erreicht. In der Zeit nach der Erklärung der ostdeutschen Volkskammer bis Mitte 1991 fanden etwa 7 000 sowjetische Juden Aufnahme, 3 000 davon in Berlin.

Doch auch für diejenigen Flüchtlinge, die vor dem 3. Oktober 1990 in die DDR eingereist waren, ergaben sich durch die deutsche Einheit gravierende Probleme – obschon sich die Regierungen der neuen Bundesländer insgesamt angeblich aufnahmebereiter zeigten als jene der alten BRD.[21] Im Einigungsvertrag, der «zahllose Details – bis hin zum Recht der DDR-Akademiker, ihre Doktortitel weiterzuführen» (Broder) – regelte, wurden sie mit keinem Wort erwähnt. Da nun auf dem ganzen Gebiet das BRD-Ausländerrecht, welches den Begriff «ständige Wohnsitznahme» nicht kennt, zur Anwendung gelangte, fielen sie «zwischen alle Paragraphen».[22] Sie sind weder Vertriebene, noch ist das Asylgesetz auf sie anwendbar, da keine staatliche Verfolgung vorliegt. Konkret bedeutete dies, daß ihnen per 3. Oktober 1990 das (einklagbare) Recht auf einen Wohnberechtigungsschein, auf Arbeit oder Integrationsleistungen entzogen wurde – sie waren lediglich «geduldet», bis die Ministerpräsidentenkonferenz vom Februar 1991 ihren Status regelte: Sie gelten nun – ebenso wie die mit gültigen Visen neu einreisenden Jüdinnen und Juden aus der UdSSR – als Kontingentsflüchtlinge, die aus humanitären Gründen Aufnahme finden.[23]

2. (Keine) Angst vor Deutschland

Mit der Öffnung der Berliner Mauer vom 9. November 1989 gewannen die – zumindest in der BRD nie vollständig aufgegebenen – gedanklichen Experimente und politischen Modelle für die Zukunft eines geeinten Deutschland unvermittelt an Aktualität. Schon sehr schnell, spätestens nach dem Wahlsieg der «Konservativen Allianz» in der DDR Mitte März 1990, wurde ersichtlich, daß die Einheit nicht nur von der Regierung Kohl, sondern auch von der ostdeutschen Bevölkerung zum frühestmöglichen Zeitpunkt angestrebt wurde; gegen die Einheit sprach sich insbesondere die (alte und neue) Opposition in der DDR aus. Unter die Freude darüber, daß nun auch die Bürger der DDR das Recht auf Freiheit und Selbstbestimmung erkämpft hatten, daß eine weitere Diktatur zusammengebrochen war, mischten sich jedoch vor allem im (westlichen und östlichen) Ausland viele Befürchtungen – Furcht vor einem neuen deutschen Nationalismus, vor der noch größeren Dominanz des Wirtschaftsgiganten, aber auch Angst vor einer «Entsorgung» der Geschichte Deutschlands, deren Konsequenzen ja gerade der Verlust der nun polnischen Gebiete, die Teilung und die Kontrolle durch die Alliierten des Zweiten Weltkriegs gewesen waren. Das Ende dieser Teilung und die sich damit abzeichnende Souveränität des künftig vereinten Deutschland schien gleichbedeutend mit dem Ende der Nachkriegszeit.[24]

Für Juden in Deutschland, der übrigen Diaspora und Israel war diese Zäsur zweifellos von besonderer Bedeutung. Allerdings bestand keineswegs eine einhellige Ablehnung, auch wenn der israelische Ministerpräsident Shamir schon am 16. November 1989 warnte: «Ein starkes und vereinigtes Deutschland wird vielleicht wieder versuchen, das jüdische Volk zu vernichten.»[25]

Ähnliche Befürchtungen mochten Elie Wiesel, den Friedensnobelpreisträger, dazu bewegt haben, an die Juden der ganzen Welt zu appellieren, «gegen einen neuen deutschen Einheitsstaat Front zu machen». Auch der World Jewish Congress war angeblich gegen eine Wiedervereinigung: Gemäß «Die Welt» stellte deren Funktionär für die Beziehungen zur DDR, Maram Stern, in einem Gespräch mit dem ostdeutschen Außenminister Oskar Fischer Ende November 1989 fest, «der WJC werde alles tun, damit es nicht dazu komme. (...) Allerdings wäre es schwer, diese Position gegenwärtig *öffentlich* zu vertreten (...)»[26]. Doch es gab, besonders in Israel und Deutschland, auch andere jüdische Stimmen. So meinte der ehemalige Botschafter Israels in der BRD, Yochanan Meroz: «Die Wiedervereinigung ist absolut und ausschließlich die Angelegenheit der beiden deutschen Staaten.»[27]

Heinz Galinski, der Direktoriumsvorsitzende des Zentralrats, hielt fest, er hege keine «grundsätzlichen Befürchtungen (...) gegenüber einer Vereinigung von Bundesrepublik und DDR»; wenige Wochen später stellte er gar ausdrücklich fest, er habe «keine Vorbehalte (...) und keine Angst»[28], auch nicht vor einem neuen Antisemitismus, den zahlreiche jüdische Einheitsgegner als drohende Gefahr bezeichnet hatten. Er widersprach auch der vom britischen Oberrabbiner geäußerten Ansicht, die Juden müßten vor der Entscheidung zur Wiedervereinigung konsultiert werden. Unterstützung seiner befürwortenden Haltung fand Galinski nicht nur bei ostdeutschen Jüdinnen und Juden, sondern auch bei einem seiner ansonsten schärfsten Kritiker, dem Historiker Michael Wolffsohn, der sich selbst als «deutschjüdischer Patriot» bezeichnet.[29] Wolffsohn, der schon 1988 für eine «Normalisierung» deutsch-jüdisch-israelischer Beziehungen, für den Abbau des deutschen Feindbildes in der jüdischen Gemeinschaft, für eine «Entkrampfung ohne Entsorgung» plädiert hatte, setzte sich nun gegen neue Versuche zur Wehr, Angst vor einem vereinten Deutschland zu kultivieren.[30]

Konsultiert wurden aber weder die in Deutschland lebenden Juden noch Diasporaorganisationen oder die israelische Regierung; auch gab es, weder von jüdischer noch von nichtjüdischer Seite, ernsthafte Bestrebungen, die künftige Einheit der beiden deutschen Staaten zu verhindern. Man diskutierte schon bald nicht mehr darüber, *ob*, sondern *wie* «zusammenwächst, was zusammengehört». Moniert wurde allenfalls – auch von zahlreichen Befürwortern – die Eile, mit der die Vereinigung angestrebt (und durchgesetzt) wurde.

Mit einer Befürchtung blieben die Juden allerdings allein: Die Vereinigung könnte das Bewußtsein für die besondere Verantwortung Deutschlands gegenüber Israel und den Juden langfristig zerstören, der Antisemitismus werde wieder verstärkt auftreten und ‹salonfähig› werden. Dies schien durch zahlreiche Vandalenakte auf jüdischen Friedhöfen vor allem in der DDR schon kurz nach der «Wende» bestätigt zu werden[31], aber auch dadurch, daß neonazistische Gruppierungen und Skinheads nicht nur vermehrt mit nationalistischen Parolen auftraten, sondern die gewalttätige Hetze gegen Ausländer immer größere Ausmaße annahm. Die von Hilflosigkeit und Verunsicherung geprägten Reaktionen führender Politiker trugen keineswegs dazu bei, das Vertrauen darin zu stärken, daß die Vergangenheit, insbesondere der Versuch, die Juden zu vernichten, sich in Deutschland niemals wiederholt. Angst und Verunsicherung könnten auch erklären, weshalb über Angriffe rechtsextremer Exponenten gegen jüdische Menschen und Einrichtungen, insbesondere gegen Durchgangslager für die sowjetischen Flüchtlinge und jüdische Gemeinden in den neuen Bundesländern in der «Allgemeinen» nicht berichtet wurde.[32]

Als bedeutsames Zeichen gegen bereits sichtbare (und befürchtete) Entwicklungstendenzen war die Tagung gedacht, welche der World Jewish Congress, der European Jewish Congress und der Zentralrat der Juden in Deutschland vom 6. bis 8. Mai 1990 in Berlin veranstalteten. Der WJC, der 1936 als Reaktion auf die nazistische Bedrohung zur Unterstützung gefährdeter und zur Rettung verfolgter Juden gegründet worden war, tagte in seiner 54jährigen Geschichte erstmals in diesem Land. Nicht nur der Ort, auch das für diesen Anlaß gewählte Datum sollte den symbolischen Charakter unterstreichen: der 45. Jahrestag des Kriegsendes. Welche inhaltlichen Absichten mit dieser Tagung verfolgt werden sollten, war jedoch weder im Vorfeld noch nach Abschluß dieser Veranstaltung klar ersichtlich. Die Nachrichtenagentur Reuters sprach davon, der WJC wolle damit deutlich vor den Gefahren der deutschen Wiedervereinigung warnen, aber auch die Basis für eine weitere Versöhnung zwischen Deutschen und Juden schaffen.[33] Dagegen bemerkte der Generalsekretär des Zentralrats, Micha Guttmann, der Kongreß werde sich neben einer Gedenkfeier in der Wannsee-Villa, wo 1942 die «Endlösung der Judenfrage» beschlossen worden war, insbesondere mit der Lage der jüdischen Bevölkerung in der UdSSR, ihren Schwierigkeiten bei der Ausreise nach Israel wie auch mit der kritischen Situation Israels selbst befassen.[34] Der Zentralrat, auf dessen Einladung die Tagung stattfand, wollte das Thema der deutschen Einheit umgehen – zweifellos auch deshalb, weil diese gemeinsame Veranstaltung nicht zuletzt als Signal dafür gelten mochte, daß der bisherige Status des Zentralrats als (aus moralischen Gründen) nicht vollwertiges Mitglied der Diasporagemeinschaft nur aufgehoben sei:

«Für den Zentralrat der Juden und dessen Direktoriumsvorsitzenden, Heinz Galinski, stellt die Tagung in Berlin zweifellos eine internationale Anerkennung ihrer bisherigen Arbeit (…) dar: Neben die Mahnung auch die Versöhnung zu setzen.»[35]

Allerdings widerfuhr der jüdischen Gemeinschaft in Deutschland nicht ungeteilte Anerkennung: Einige Delegierte, die sich geschworen hatten, «nie wieder den Boden des Landes zu betreten, auf dem der Holocaust geplant und gelenkt wurde», blieben der Tagung fern. Auch inhaltlich war das Ergebnis eher dürftig. Darüber konnten weder die Reden der Spitzenpolitiker Kohl, Schäuble und Momper, die alle formelhaft auf das bisher in der BRD Erreichte verwiesen und daraus Sicherheiten für die Zukunft ableiteten, noch die überwältigende Präsenz der Medienvertreter aus aller Welt hinwegtäuschen, ebensowenig wie die Ansprache des WJC-Präsidenten Bronfman. Er erklärte zwar, der Kongreß tage in Berlin, weil man dem neuen Deutschland etwas zu sagen habe. Doch außer den Mahnungen, nie zu vergessen, der Erinnerung durch das besondere Verhältnis zu den Juden und durch die Beziehungen zu Israel Rechnung zu tragen, vor allem niemals jene zu unterstützen, die Israel zerstören wollen, blieb nur dies:

«The Jewish people pray that you will prove that the world has nothing to fear; that you will follow that path away from your worst traditions and towards the best traditions of which you are so capable.»[36]

Einzig die Reden Heinz Galinskis ließen allenfalls aufhorchen. In seiner Eröffnungsansprache bemerkte er:

«Was wir Juden in Deutschland für die Bundesrepublik geleistet haben, war nicht weniger und nicht mehr, als – über einen Beweis für die Bewohnbarkeit für ehemalige Opfer – den Beweis der wiedererlangten Zivilisationsfähigkeit nach einem Zeitalter der Barbarei zu erbringen.»[37]

Hier konnte noch vermutet werden, der 78jährige Vorsitzende habe nicht beabsichtigt nahezulegen, der jüdischen Gemeinschaft in der BRD sei nur daran gelegen gewesen, 45 Jahre lang an der (gelungenen) «Wiedergutwerdung» der Deutschen zu arbeiten. Mit seiner Darstellung des 8. Mai 1945 als Tag, an dem «Europa und potentiell die ganze Welt von der zu Beginn der 40er Jahre weit verbreiteten Schreckensvorstellung befreit wurde, der Versklavung unter einem unmenschlichen und barbarischen Regime anheimzufallen»[38], vermittelte er den Eindruck, als sei die Vernichtung der Juden nur ein «Nebenprodukt dessen [gewesen], was die Deutschen sich selbst antaten»[39], als teilten – bis auf ein paar Ewiggestrige – alle Deutschen seine Auffassung von diesem Tag als Augenblick der Befreiung. Gemeinsam mit dem in der «Bilanz zum Weltkongreß» durch den damaligen stellvertretenden Direktoriumsvorsitzenden des Zentralrats, Ignatz Bubis, geäußerten «vollen Verständnis für den Wunsch nach (...) Einheit»[40] vermittelten diese und ähnliche Formulierungen den Eindruck, die hier vertretene jüdische Gemeinschaft, insbesondere die in Deutschland lebenden Jüdinnen und Juden, wollten weder Angst vor noch Kritik an Deutschland artikulieren, sondern im Gegenteil möglichst die Haltung der nichtjüdischen Umwelt übernehmen, um Harmonie zu demonstrieren.[41]

Für die Erörterung der Haltung zur deutschen Einheit waren weniger als zwei Stunden eingeräumt, das Fazit war – wohl auch durch die schon bekannte Position des Zentralrats beeinflußt – nicht überraschend:

«[Es] wurde immer betont, daß dies anerkanntermaßen ein deutsches Problem sei, dem man sich nicht in den Weg stellen wolle, daß aber die Hoffnung ausgesprochen, ja sogar als Forderung artikuliert wird, niemals aus den Erinnerungen die schrecklichen Ereignisse während der faschistischen Periode in Deutschland zu streichen.»[42]

Dennoch war die Tagung von (leisen) Dissonanzen begleitet. Dazu gehörte insbesondere, daß der Verband der Jüdischen Gemeinden in der DDR an der Gestaltung dieses Anlasses nicht beteiligt wurde, ebensowenig wie die Ostberliner Gemeinde. Die Existenz der ostdeutschen jüdischen Gemeinschaft wurde auch in den Reden der Politiker wie der jüdischen Funktionäre meist stillschweigend übergangen, allenfalls am Rande erwähnt. Selbst beim Empfang der DDR-Regierung am 8. Mai kamen die Juden der DDR nicht zu Wort. Ministerpräsident Lothar de Maizière hatte Mario Offenberg – wohl nicht zuletzt aufgrund seiner vormaligen anwaltlichen Beziehungen zu dessen Gemeinde – als Vertreter von Adass Jisroel zu dieser Begegnung eingeladen. Vorgesehen war, daß Offenberg, der sich zuvor vergeblich um Mitgliedschaft im Verband, aber auch um Zulassung zur Tagung des WJC wenigstens als Beobachter[43] bemüht hatte, hier eine Rede halten sollte, ebenso wie Heinz Galinski und Siegmund Rotstein. Da Galinski jedoch gegen einen Auftritt Offenbergs protestierte und mit einem Boykott der Veranstaltung drohte, wurde entschieden, daß nur Ministerpräsident de Maizière und WJC-Präsident Bronfman das Wort ergreifen sollten. Nicht nur Adass, auch die übrige jüdische Gemeinschaft der DDR fiel damit dem Alleinvertretungsanspruch Galinskis zum Opfer, sie alle blieben während der Tagung «unsichtbar».[44] Als sichtbare Resultate des Kongresses blieben nach außen die Sanktionierung der deutschen Einheit, nach innen eine Aufwertung des Zentralrates innerhalb der jüdischen Gemeinschaft.

Welche Bedeutung die BRD-Politiker der anläßlich der Tagung vom Mai beschworenen Erinnerung an die Nazizeit und die an den Juden begangenen Verbrechen tatsächlich beimaßen, zeigte sich schon wenig später bei den Beratungen zum Text des Einigungsvertrags der beiden deutschen Staaten. Im Juli 1990 formulierte der Zentralrat seine diesbezüglichen Erwartungen und Wünsche gegenüber Kanzler Helmut Kohl. Dabei ging es hauptsächlich um zwei zusammenhängende Anliegen: Zum einen sollte in einer Präambel zum Einigungsvertrag «eindeutig und verbindlich» festgehalten werden, daß die «Gründung eines neuen deutschen Staates im vollen Bewußtsein der Kontinuität der deutschen Geschichte des 20. Jahrhunderts» vollzogen werde.[45] Im Zusammenhang mit diesem (neuerlichen) Bekenntnis zur Verantwortung stand die Forderung nach «Gleichstellung der Bürger der heu-

tigen DDR mit den Bundesbürgern hinsichtlich der Wiedergutma-
chungsleistung, sofern sie Opfer sind». Erst am 28. 11. 1991 konnte die
«Allgemeine» melden, daß die BRD sich verpflichtet habe, den Bezie-
hern von Ehrenpensionen in der ehemaligen DDR weiterhin Renten
auszuzahlen, wobei die «Kämpfer» den «Opfern» gleichgestellt werden, ihre vormalige Privilegierung also aufgehoben ist. Der von Bundesinnenminister Schäuble im August vorgelegte Entwurf für eine
Präambel trug den Anliegen des Zentralrats jedoch nicht Rechnung.
Deshalb unterbreitete Galinski in einem Memorandum an Bundestag
und Volkskammer einen Kompromißvorschlag, in dem er den Text
Schäubles durch die hier hervorgehobenen Worte ergänzte:

«(...) im Bewußtsein der Kontinuität deutscher Geschichte und *besonders* ein-
gedenk *der zwischen 1933 bis 1945 in ihrer Einmaligkeit begangenen Gewalttaten mit*
der sich daraus ergebenden *Verpflichtung gegenüber allen Opfern und* Verantwortung für eine demokratische Entwicklung in Deutschland, die der Achtung der
Menschenrechte und dem Frieden verpflichtet bleibt (...).»[46]

Obschon Galinskis Appell, diese «unumstößlichen Forderungen» zu
unterstützen, bei zahlreichen Gewerkschaften, Parteien, Kirchen, weiteren Organisationen, aber auch in der Presse Zustimmung fand, war
niemand bereit, sich dafür zu exponieren.[47] Mit der (falschen) Begründung, Ostberlin habe sich gegen die von Galinski eingebrachten Ergänzungen ausgesprochen, wurde der von Schäuble entworfene Text
in die Präambel des Einigungsvertrags übernommen – und damit dem
Wunsch der Regierung Kohl, «die glückliche Zukunft des einigen
deutschen Vaterlandes (...) nicht durch die Schatten einer ‹unglückse-
ligen› Vergangenheit» zu belasten, entsprochen. Mit ihrer Empörung,
mit ihrem Gefühl, der Kanzler sei wortbrüchig geworden, «eine
Chance, in Ehre und Würde diesen Vertrag zu schließen für die Gegenwart und für die Zukunft», sei vertan, wurden die Juden jedoch allein
gelassen. So kommentierte die «Allgemeine»:

«Ein großer Tag, so sagte der Kanzler, für alle Deutschen habe sich mit dem
Einigungsvertrag vollendet.
     Auch wir sind Deutsche. Unser Tag ist ein wenig kleiner geworden am
31. August 1990. Denn der Respekt vor allen Opfern, dessen wir uns so sicher
waren in den 45 Jahren des Bestehens der Bundesrepublik Deutschland: sollte
er nicht mehr ganz so wichtig sein?»

Bemerkenswert ist die Feststellung «auch wir sind Deutsche». Davon jedoch abzuleiten, daß der Zentralrat eine neue Haltung entwickelt habe (die konsequenterweise auch zu seiner Umbenennung in «Zentralrat der deutschen Juden» führen müßte), ist, zumindest für die meisten Überlebenden, noch nicht vorstellbar. Dies zeigen neuerdings auch die Reaktionen auf den seit September 1992 amtierenden Vorsitzenden des Zentralrats, Ignatz Bubis, der sich als «deutscher Staatsbürger jüdischen Glaubens» bezeichnet und damit auf Widerspruch stößt.

3. Jüdische Vereinigung

Die Vereinigung von Zentralrat und Verband zeichnete sich schon früh ab – bevor noch die Zukunft der beiden deutschen Staaten geklärt war. Daß es dabei nicht um die Fusion zweier gleichberechtigter Partner gehen würde, sondern vielmehr um eine vom Zentralrat diktierte Übernahme, klang bereits in einer Notiz der «Allgemeinen» zur Jahrestagung des Zentralrats am 17. Dezember 1989 an: Die ostdeutschen Gäste, der aus Chemnitz kommende Verbandspräsident Rotstein und der Ostberliner Verbandssekretär Fischer wurden als «Dresdner» bezeichnet, inhaltlich blieb ihre Anwesenheit unkommentiert.[48] Dieser Eindruck wurde nach der ersten ‹offiziellen› Begegnung der beiden Gremien im Februar 1990 verstärkt, da der Bericht nur die Mängel und Probleme der jüdischen Gemeinschaft in der DDR erwähnte, nicht aber deren positive Errungenschaften, dafür jedoch ausführlich die Hilfsangebote und Lösungsvorschläge seitens des Zentralrats darstellte. Als einzige konkrete Maßnahme wurde, mit Blick auf den notwendigen Ausbau der Jugendarbeit, westliche Unterstützung bei der Gestaltung des Sommerferienlagers zugesagt[49] – Westberliner Kinder nahmen daran allerdings nicht teil. Die Bildung regionaler Partnerschaften zwischen West- und Ostgemeinden wurde als erstrebenswert angesehen; solche entstanden zwischen Erfurt und Kassel oder zwischen Magdeburg und Braunschweig, beide aber hauptsächlich auf Initiative der beiden ostdeutschen Gemeindevorsitzenden – der Zentralrat selbst bemühte sich nicht darum. Eine engere politische Zusammenarbeit zwischen den Dachorganen blieb vorerst noch offen. Der Vorsitzende, Galinski, zeigte nicht zuletzt durch seine öffentlichen Er-

klärungen an die DDR-Regierung, daß er beabsichtigte, bei der Gestaltung der Zukunft der ostdeutschen Juden eine aktive und bestim-
mende Rolle zu übernehmen – ohne (allzu große) Rücksicht auf deren
eigene Vorstellungen und Gefühle. Schon im November 1989, als er
die DDR-Regierung aufforderte, «die Geschichtsfälschung (zu) korrigieren», oder im Mai 1990, als er betonte, für Erörterungen von Fragen betreffend «Wiedergutmachung» und Rückerstattung sei eine
«Fühlungnahme zwischen dem Zentralrat (...) und der Regierung der
DDR» unabdingbar, wurde dies manifest; von einer Beteiligung des
Verbandes der Jüdischen Gemeinden in der DDR an diesen Kontakten
war nicht die Rede.[50]

Während das «Nachrichtenblatt» in der Ausgabe vom Juni 1990 davon berichtete, es sei zwischen Verband und Zentralrat beschlossen
worden, gegenseitig Delegierte in die jeweiligen Gremien zu entsenden und für den Verband einen Beobachterstatus bei der Zentralwohlfahrtsstelle anzustreben, meldete die «Allgemeine» bereits am 28. Juni,
die Vereinigung der beiden Dachorgane sei beschlossen, die General-
sekretäre seien beauftragt worden, «schnellstmöglich ein Konzept
auszuarbeiten».

Dieses Konzept entsprach allerdings kaum den Interessen der Gemeinden in der ‹Noch-DDR›: Gemäß den Satzungen des Zentralrates
bedarf es zur Bildung eines Landesverbandes einer bestimmten Anzahl
an Gemeindemitgliedern, die jedoch in keinem der neu zu bildenden
Bundesländer erreicht wurde; selbst die drei Gemeinden des neuen
Landes Sachsen – Leipzig, Dresden und Chemnitz – kamen zusammen
nicht auf die geforderte Zahl. Deshalb wurde entschieden, daß Sachsen
und Thüringen (Erfurt) gemeinsam einen «Landesverband» bilden
sollten; Halle, Magdeburg und Schwerin (und jetzt wohl auch Potsdam) wurden zu einem weiteren Verband zusammengefaßt.[51] Daß
sich aus dieser Neugliederung für die Gemeinden auf dem Gebiet der
DDR zahlreiche (insbesondere administrative) Probleme ergaben,
kümmerte den Zentralrat offenbar wenig – eine flexiblere Anwendung
der Statuten auf die neuen Mitglieder wurde nicht erwogen. Aufgabe
dieser Verbände ist die Vertretung gegenüber Staat und Öffentlichkeit,
d. h., sie sind dafür zuständig, mit den jeweils zwei oder drei Regierungen der sie betreffenden Bundesländer Budgets und Projekte auszu-
handeln. Zudem sind die Vorsitzenden verantwortlich für die Betreu-

ung der Gemeindemitglieder, was angesichts der teilweise großen örtlichen Distanzen einige Schwierigkeiten bereitet. Ferner stellt jeder Landesverband einen Delegierten für den Zentralrat.

Die Reorganisation der «Provinzgemeinden» wurde per 15. September 1990 vollzogen und der Verband der Jüdischen Gemeinden in der DDR damit offiziell aufgelöst. Die beiden Landesverbände stellten umgehend einen formellen Antrag auf Aufnahme in den Zentralrat, dessen Direktorium sofort zustimmte. Die notwendige Annahme durch die Ratstagung vom Dezember 1990 war nur noch eine Formsache.[52]

Ebenso schnell strebte Heinz Galinski die Vereinigung der beiden Berliner Gemeinden, konkret also die Auflösung der Ostberliner Gemeinde, an. Auch hier ging es nicht primär um eine Verbesserung jüdischer Existenzbedingungen im Ostteil der Stadt. Auf «Anregung» des Zentralrats wurde im Sommer 1990 eine Geschäfts- und Rechtsstelle eröffnet, deren hauptsächliche Aufgabe in der Inventarisierung des von den Nazis enteigneten und von der DDR nicht zurückerstatteten Gemeindeeigentums bestand. Zweifellos drängte diese Bestandsaufnahme, da gesetzliche Fristen für Rückerstattungsanträge eingehalten werden mußten; sie war auch notwendig, weil die DDR-Gemeinden durch die Währungsunion vom Juli 1990 die Hälfte ihrer Mittel verloren hatten und unklar war, zu welchen Resultaten spätere Verhandlungen mit den neu zu bildenden Landesregierungen führen würden. Zudem bestand gerade für die zukünftige Hauptstadt die Hoffnung, mit dem Verkaufserlös aus zurückerstatteten Liegenschaften, für deren eigene Nutzung kein Bedarf vorlag, die äußerst prekären finanziellen Verhältnisse der (West-)Berliner Gemeinde erheblich zu verbessern[53] – ein dringendes, verständliches Anliegen angesichts der notwendig werdenden sozialen Integration der jüdischen Flüchtlinge aus der UdSSR. Diese Geschäftsstelle wurde anläßlich der Vereinigung von Zentralrat und Verband in eine «Zweigstelle Berlin» des in Bonn ansässigen Zentralrats umgewandelt – wohl vor allem im Hinblick auf die speziellen Probleme (Fusion zweier Gemeinden, sowjetische Flüchtlinge, Vermögensfragen), aber auch, weil Berlin erneut Hauptstadt werden soll.

Hinsichtlich des Gemeindelebens, aber auch der individuellen Situation der von den rasanten Veränderungsprozessen im ‹normalen› Alltag schon oft völlig überforderten Menschen fühlten sich die Ostberliner Jüdinnen und Juden – ebenso wie diejenigen in der ‹Provinz› – von ihren westlichen Brüdern und Schwestern weitgehend allein gelassen. Sie kritisierten, daß kaum Ansätze sichtbar würden, um den Eindruck, hier gehe es bloß um eine administrative Regelung der veränderten Lage, dahin gehend zu korrigieren, daß ein tatsächliches «Zusammenwachsen» erwünscht sei. Dieser negative Eindruck wurde dadurch verstärkt, daß die jüdischen Ostberliner anfänglich befürchten mußten, alle ihre Einrichtungen (außer dem Friedhof in Weißensee und dem prestigeträchtigen Centrum Judaicum) würden dem Vereinigungsprozeß zum Opfer fallen; die Angestellten der Gemeinde sahen sich zudem von Arbeitslosigkeit bedroht. Die Westberliner Gemeindeführung tat wenig, um diese Ängste zu mildern. Im November 1990, einen Monat vor der Vereinigung der Gemeinden, meinte Galinski laut «Allgemeine» in einem Radiointerview: «Sicher gebe es notwendige Strukturveränderungen, da das, was sich bisher in der Ost-Berliner Gemeinde abgespielt habe, kein Maßstab und Beispiel sein könne.»[54]

Hier gab es keine Anerkennung dafür, was unter den schwierigen Bedingungen der DDR im Ostteil der Stadt von Peter Kirchner und seinem Vorstand geleistet worden war; hier gab es vorerst auch kaum Verständnis dafür, daß die Ostberliner Jüdinnen und Juden eine Schließung der Synagoge Rykestraße nicht zulassen wollten – im Westteil war die Auffassung vertreten worden, diese 200 Juden könnten doch auch (trotz teilweise beträchtlicher räumlicher Distanzen und trotz leicht unterschiedlichem, ungewohntem Ritus) die übrigen Synagogen benutzen. Über die Möglichkeit, statt der angestammten Synagoge im Osten eines der im Westteil der Stadt gelegenen Gotteshäuser zu schließen, um so das ‹Überangebot› zu beheben, wurde meines Wissens gar nicht diskutiert.[55] Für viele Ostberliner Gemeindemitglieder lud diese Haltung nicht zur Aufnahme in die bestehenden westlichen Strukturen ein – sondern war vielmehr ein weiterer Angriff auf ihre bisherige Identität –, zumal andere (mögliche) Schritte ausblieben. Dazu hätte beispielsweise gehört, den Eltern schulpflichtiger Kinder anzubieten, diese auf das neue Schuljahr in die von der Westberliner Gemeinde geführte jüdische Schule zu übernehmen (oder mindestens zu erklären, weshalb dies nicht möglich war). Dazu hätte ein Kooperationsangebot an die Sozialarbeiterin der Ostberliner Gemeinde bei der Altenbetreuung gehört. Dazu hätte zweifellos auch gehört, Gelegenheiten anzubieten, bei denen sich die Menschen aus Ost- und Westberlin informell hätten treffen und kennenlernen können. Ebensowenig wie auf staatlicher Ebene bestand bei den Juden auf westlicher Seite Verständnis dafür, daß die Initiative zu solchen Schritten von hier hätte ausgehen müssen, daß sie von den durch die politischen Prozesse überwältigten, unter enormem Anpassungsdruck stehenden Ostdeutschen nicht zu erwarten war. Galinski zeigte sich im Gegenteil davon überzeugt, «daß die Glieder der Gemeinden in beiden Teilen der Stadt einander [nicht] fremd geworden sind, sondern daß sie schnell wieder gemeinsame Anknüpfungspunkte finden werden».[56]

Wenig überraschend also, daß die Ostberliner Jüdinnen und Juden auf ihrer wohl letzten Gemeindeversammlung mehrheitlich gegen eine Vereinigung der Gemeinden stimmten. Allerdings mußte dieser Wunsch nach Beibehaltung der Eigenständigkeit angesichts der westlichen ‹Übermacht› und der eigenen politischen, aber auch numerischen ‹Bedeutungslosigkeit› aufgegeben werden, zumal Peter Kirchner deutlich machte, daß er nicht «an seinem Sessel klebe» und die Aufrechterhaltung der Ostberliner Gemeinde seiner Ansicht nach nicht sinnvoll sei.[57]

Mit der zum Jahreswechsel 1990/91 vollzogenen Vereinigung beider Gemeinden erfolgte die Schließung der *koscheren* Fleischerei. Das gemeindeeigene Altenheim wurde einer neuen Bestimmung zugeführt: Da die 21 Bewohner nichtjüdisch sind, wurde die Stadtverwaltung – gegen den Willen Kirchners – von Galinski gebeten, sie in städtischen Institutionen unterzubringen, damit das Gebäude für die Aufnahme der jüdischen Flüchtlinge benutzt werden könne. Die weitere Nutzung der Synagoge Rykestraße konnte durchgesetzt werden; das Bethaus wurde in den Turnuskalender[58] aller Berliner Synagogen aufgenommen, so daß Kantor Ingster, der weiterhin die Gottesdienste abhält, regelmäßig durch andere Kantoren und Rabbiner unterstützt wird. Langfristig erhalten bleibt außerdem die Bibliothek der Ostberliner Gemeinde; sie wird, nach Beendigung der Bauarbeiten an der Neuen Synagoge, ins Centrum Judaicum integriert.

Mit Blick auf das Centrum zeigte sich exemplarisch die (negative) Einschätzung, die Galinski jüdischem Leben in der DDR entgegenbrachte, aber auch, welche Rolle er sich selbst für die weitere Entwicklung zugedacht hatte: der «Vereinigungsvorsitzende für die Juden»[59] zu sein, der «jede Einrichtung, die in Berlin und anderswo *neu* entsteht, mit Leben» erfüllen wollte.[60] Dazu gehörte auch, das Richtfest für die Neue Synagoge auf einen Termin anzusetzen, von dem Galinski bekannt war, daß der Initiator der Rekonstruktion, Kirchner, nicht würde anwesend sein können; auch andere Repräsentanten der ostdeutschen Juden blieben bei diesem Anlaß unsichtbar – Galinski konnte sich der Öffentlichkeit als führende Kraft dieses Projekts präsentieren, obschon er mit dessen Realisierung bis zu diesem Zeitpunkt nur wenig zu tun gehabt hatte.

Das (vorläufige) Fazit der jüdischen Vereinigung ist das ‹Verschwinden› der Jüdinnen und Juden der DDR. Das «Nachrichtenblatt» als wichtiger Teil ihrer Identität und Bindeglied zwischen den Gemeinden erschien im September 1990 zum letzten Mal. Für die «Allgemeine» jedoch existieren die neuen Mitglieder des Zentralrats höchstens als neue Abonnenten; im ersten Jahr nach der Vereinigung hat sich die «Wochenzeitung der Juden in Deutschland» nicht die Mühe gemacht, diese Gemeinden zu porträtieren, über ihre Aktivitäten zu berichten oder Kontakte herzustellen.

Der Wunsch der Gemeinden in den neuen Bundesländern nach religiöser und kultureller ‹Entwicklungshilfe› – gedacht war an einen Wanderrabbiner und -lehrer für das ganze Gebiet – wurde (vorerst) nicht erfüllt. Die ‹Provinzgemeinden› versuchen, ihre Situation durch direkte Anfragen bei einzelnen westdeutschen Gemeinden zu verbessern. Sie setzen auch große Hoffnungen auf die Zuwanderung sowjetischer (und auf eine mögliche Binnenwanderung westdeutscher) Jüdinnen und Juden. Wenn auch vorläufig kaum zu erwarten ist, daß aus diesem Kreis wesentliche Impulse für das Gemeindeleben kommen, so besteht immerhin Grund zur Annahme, daß der Zentralrat, um deren Integration zu unterstützen, den Gemeinden in Zukunft doch mehr zukommen lassen wird als nur «Nachhilfestunden in Verwaltungsarbeit».[61]

4. Gestörte Totenruhe

Die Vereinigung der beiden deutschen Staaten markiert das Ende der Nachkriegszeit – auch im Hinblick auf jüdisches Leben in Deutschland. Daß dies aber keineswegs mit einem weiteren markanten Schritt in Richtung auf eine wie auch immer definierte ‹Normalität› jüdischen Lebens in Deutschland gleichzusetzen ist, zeigt auch der um den jüdischen Friedhof in Hamburg-Ottensen entbrannte Streit, dessen Bedeutung über die unmittelbare Lokalgeschichte und -politik hinausreicht.

Der im 17. Jahrhundert geweihte Friedhof hatte 1991, als es zum aktuellen Konflikt kam, bereits eine bewegte Geschichte hinter sich.[62] Seit dem 16. Jahrhundert existierte in Altona (das erst 1937 mit Hamburg vereinigt wurde) eine *aschkenasisch*-jüdische Gemeinde; in Hamburg bestand neben der Gemeinde portugiesischer Juden, die sich nach der Inquisition hier niedergelassen hatten, eine weitere aschkenasische Gemeinde. Ohne eigenen Friedhof war diese jedoch nicht in der Lage gewesen, selbständig zu bestehen; erst mit dem Kauf des Areals in Ottensen wurde sie – gegen den Widerstand der Altonaer, aber auch der Portugiesischen Gemeinde – unabhängig. Im Laufe des 18. Jahrhunderts durch weitere Landkäufe vergrößert, diente das Gelände der Gemeinde bis 1897 unbeeinträchtigt als Begräbnisstätte.

In diesem Jahr kam es zu einem Vertrag zwischen der Deutsch-Israelitischen Gemeinde Hamburg und der Stadt Altona, in dem vereinbart wurde, daß zur Verbreiterung einer angrenzenden Straße ein Streifen des Friedhofs zur Verfügung gestellt werden sollte. Da die Totenruhe nach jüdischem Gesetz ewig dauert, die Gräber also bis zum Erscheinen des Messias, wenn die Toten auferstehen sollen, nicht angetastet werden dürfen, mußte eine Lösung gefunden werden, um die Unveräußerlichkeit und Unverletzlichkeit der Gräber zu wahren: Die Gemeinde blieb Eigentümerin des Geländes, erlaubte aber, daß über den betroffenen Gräbern auf Pfeilern ein Betongewölbe für den Bürgersteig errichtet wurde. Eine analoge Vereinbarung wurde auch getroffen, als es ein Jahr später darum ging, eine weitere angrenzende Straße zu verbreitern. Trotz vorsichtiger Arbeitsweise wurden jedoch an Stellen, wo keine Gräber vermutet worden waren, Knochen exhumiert. Der damalige Oberrabbiner und Mitglied des rabbinischen

Rates der ultraorthodoxen Agudat Israel, Dr. Meier Lerner, kam deshalb 1992 in einem Gutachten zum Schluß, daß in einer ähnlichen Situation beim jüdischen Friedhof in Altona die Exhumierung und Umbettung einer Überwölbung vorzuziehen sei. Lerner gab neben der drohenden Leichenverletzung weitere Gründe für seine Entscheidung an: Die Überwölbung diene dem Straßenverkehr, sei also keine würdige Ruhestätte mehr; es könne auch nicht ausgeschlossen werden, daß bei Reparaturen der verschiedenen in die Straße eingelassenen Werkleitungen der Untergrund in Mitleidenschaft gezogen werde, was eine vorsorgliche Exhumierung geradezu gebiete. Außerdem verhindere eine Überwölbung (bei einem Freiraum von 0,2 Meter über den Gräbern) die Erfüllung der religiösen Pflicht der Angehörigen, die Gräber zu besuchen.[63]

Bis 1934 wurden auf dem Friedhof in Ottensen Bestattungen durchgeführt; dann wurde er aus Platzgründen geschlossen. Obschon seit 1935 eine Enteignung dieses Geländes durch die nazistischen Machthaber mehrfach erwogen worden war, kam es 1942 zu Verhandlungen über dessen Verkauf an die Stadt Hamburg.[64] Das Reichssicherungshauptamt, das die «Reichsvereinigung der Juden in Deutschland» kontrollierte, hatte die Veräußerung erzwungen, um so aus der Kasse der Hansestadt Geld zu erhalten, das in der Folge zur Finanzierung der Deportation der jüdischen Bevölkerung dienen sollte. Bereits seit 1938/39 war die Zerstörung des Friedhofs von der jüdischen Gemeinde befürchtet worden; nach Abschluß des Verkaufsvertrags 1943 galt sie als sicher. Gemeinsam mit dem nichtjüdischen Denkmalpfleger Hans Hertz beschloß der Vorstand deshalb, sämtliche Grabsteine fotografisch zu erfassen. Zudem wurden, da auf dem Friedhofsgelände der Bau von zwei Bunkern geplant war, umfangreiche Exhumierungen angestrebt und zwischen Hochbauamt und Gemeinde entsprechende Vereinbarungen getroffen – die allerdings gemäß den Protesten des Gemeindevorsitzenden nicht eingehalten wurden. 175 Grabsteine und die Gebeine einiger weniger hervorragender Persönlichkeiten wurden gerettet, viele andere Gräber konnten jedoch vor der Zerstörung nicht bewahrt werden.[65] Die Nazis verwendeten zahlreiche der verbliebenen Grabsteine für den Bau der beiden Bunker, das Areal wurde zudem asphaltiert.

1950 wurde der zerstörte Friedhof der wiedergegründeten Jüdischen

Gemeinde Hamburg zurückerstattet. Diese verkaufte das Grundstück auf Anraten der Jewish Trust Corporation, um mit dem Erlös das Überleben der Mitglieder – vor allem DP's – zu sichern, für 425 000,– DM an eine Grundstücksgesellschaft. Der Kaufvertrag beinhaltete eine Klausel, wonach die Jüdische Gemeinde zu benachrichtigen sei, wenn bei allfälligen Bautätigkeiten Gebeine oder Grabsteinreste gefunden würden, damit eine dem jüdischen Ritus entsprechende Bergung und Umbettung gewährleistet sei. Diese Klausel sollte auch Bestandteil späterer Verträge mit weiteren Käufern bleiben. Zudem war die Käuferin des Areals bereit, die für Straßenbauzwecke abgetretenen Geländeteile der Stadt als Eigentum zu übertragen, forderte aber gemeinsam mit der Jüdischen Gemeinde, daß die Baubehörde vorgängig die Bergung der Gebeine und Grabsteine unter den Betonüberwölbungen vorzunehmen habe, was 1952/53 erfolgte. Außerdem sollte sich die Stadt verpflichten, bei jenen Teilen des Areals, welche durch die Bauarbeiten für die Bunker nicht tangiert worden waren, dafür Sorge zu tragen, daß Funde bei Neubauten oder Erdarbeiten sachgerecht geborgen und der Gemeinde übergeben werden. Jene Flächen, die innerhalb 30 Jahren unbearbeitet blieben, sollten dann von der Stadt nach weiteren Überresten durchforscht werden. 1952 wurde auf einem Teil des Geländes ein Warenhaus errichtet, wobei den Wünschen der Gemeinde (soweit heute ersichtlich) Rechnung getragen wurde.

Im Herbst 1988 wurde bekannt, daß dieses Warenhaus abgerissen und durch ein Einkaufszentrum mit Kinos und Parkgarage ersetzt werden sollte. Erster Widerstand regte sich im Quartier, zumal befürchtet wurde, daß dieser Gebäudekomplex zu einem Preisdruck auf umliegende Wohn- und Geschäftshäuser führen könnte. Außerdem wurde die Forderung nach einer Gedenkstätte für den jüdischen Friedhof laut.[66] Die Baupläne wurden daraufhin erheblich redimensioniert; die Behörden, welche selbst die Auffassung vertraten, die Grabstätten seien restlos zerstört, einigten sich mit der Jüdischen Gemeinde darauf, daß die Ausschachtungsarbeiten in Anwesenheit eines israelischen Friedhofsexperten vorzunehmen seien.[67]

1991 regte sich neuer Protest gegen das als «Quarree» bekannte Bauprojekt: Mitglieder der ultraorthodoxen Organisation *Atra Kadischa*[68] (Society for the Preservation of Jewish Holy Sites) demonstrierten auf dem Gelände erstmals im August gegen die Bauarbeiten, nachdem bei

Probegrabungen weitere Gebeine entdeckt worden waren. Sie stellten sich auf den Standpunkt, die Gräber seien für immer Eigentum der Toten, weshalb der Verkauf des Friedhofs widerrechtlich erfolgt sei und rückgängig gemacht werden müsse. Die gleiche Auffassung vertraten eine internationale Rabbinerkonferenz, die Ende 1991 in Venedig tagte, und die Rabbinerkonferenz in Deutschland.[69] Während Monaten wurden die Protestkundgebungen auswärtiger orthodoxer Juden fortgesetzt; in den USA, Europa und Australien kam es zu Solidaritätsdemonstrationen. Zudem reichte ein Anwalt, selbst orthodoxer Jude aus Zürich, im März 1992 Strafanzeige gegen Unbekannt ein, da § 168 des deutschen Strafgesetzbuchs («Störung der Totenruhe») durch die Bauarbeiten verletzt worden sei.[70]

Diesem medienwirksamen Protest, der immer wieder zu Unterbrechungen in der Bautätigkeit führte, standen aber auch andere Positionen gegenüber. Heinz Galinski, der den Verkauf des Friedhofs in den 50er Jahren als «gravierenden Fehler» ansah, forderte eine «Bau- und Denkpause» und appellierte an Investoren, Politiker und Demonstranten gleichermaßen, den Streit nicht eskalieren zu lassen, um «das Zusammenleben zwischen uns Juden und unseren Mitmenschen» nicht weiter zu belasten.[71] Als Lösungsmöglichkeit erwogen wurde der Rückkauf des Geländes. Der geforderte Preis (50 Mio. DM) beendete diese Diskussion jedoch sofort wieder, da weder die Hamburger Gemeinde noch der Zentralrat der Juden in Deutschland (beide durch die Kosten für die Integration der Flüchtlinge aus der ehemaligen UdSSR finanziell ohnehin überfordert) noch eine andere jüdische Organisation in der Lage gewesen wäre, diese Summe aufzubringen. Obschon beispielsweise in der Hamburger Rundschau vom 21. Mai 1992 festgehalten wurde, daß der Hamburger Senat seinerseits in den 50er Jahren im Rahmen der Restitution enteigneten jüdischen Vermögens nur etwa ein Drittel desselben zurückerstattet und außerdem 160 ‹arisierte› Grundstücke zu einem Spottpreis erworben habe, konnte auch die Stadt nicht dazu bewegt werden, den Friedhof zugunsten der Jüdischen Gemeinde zurückzukaufen oder der Investorengruppe ein anderes Gelände zur Verfügung zu stellen.[72] Weshalb die Behörden dazu keinen Anlaß sahen, hatte der Erste Bürgermeister, Henning Voscherau, schon früher in einem Schreiben an den Oberrabbiner des Britischen Commonwealth, Lord Jakobovits, deutlich gemacht:

«Der heutige deutsche Staat sieht als eine der zentralen Lehren der NS-Verbrechen die strenge Bindung aller vollziehenden Gewalt an Recht und Gesetz vor. Die Stadt Hamburg hat deshalb kein Recht, zu Lasten Dritter in deren Rechte einzugreifen. Sie kann insbesondere nicht baurechtliche Genehmigungen verweigern, auf deren Erteilung ein gerichtlich durchsetzbarer Anspruch besteht.»[73]

Dieses Beharren auf dem bürgerlichen Recht, das gleichzeitig sämtliche Schuld am Konflikt der damals verkaufenden Jüdischen Gemeinde zuwies, wurde von verschiedener Seite kritisiert, zumal die Stadt für ein anderes Projekt derselben Investorengruppe Büll & Liedtke nach heftigen Protesten im damals betroffenen Stadtviertel ein Ersatzgrundstück zur Verfügung gestellt hatte.[74]

Die Jüdische Gemeinde Hamburg sah sich nicht in der Lage, eine Aufhebung des rechtmäßigen Verkaufs zu verlangen. Geschäftsführer Jaeckel hatte deshalb schon im Herbst 1990 für eine Umbettung sämtlicher Gebeine und Grabsteine plädiert.[75] Gestützt wurde dieser Vorschlag durch ein rabbinisches Gutachten von Natan Peter Levinson, Landesrabbiner von Hamburg und Schleswig-Holstein vom April 1992. Er berief sich auf den *Schulchan Aruch*, der fünf Fälle erwähnt, in denen Exhumierungen erlaubt oder gar geboten sind, darunter den Fall, daß das Gelände in nichtjüdischem Besitz sei und nicht erworben werden könne. Außerdem führte Rabbiner Levinson zahlreiche rabbinische Gutachten der letzten drei Jahrhunderte zu vergleichbaren Problemen an, die wie das erwähnte Gutachten von Lerner seine Entscheidung zugunsten einer umfassenden Umbettung untermauerten.[76]

Levinson und auch der Geschäftsführer der Gemeinde Hamburg, Heinz Jaeckel, betonten, daß die rabbinische Entscheidung einzig dem jeweiligen Landesrabbiner zustehe. Sie verwahrten sich auch gegen die Disqualifizierung von orthodoxer Seite als «liberale» und daher nicht gesetzeskonforme Vertreter des Judentums und betonten vielmehr den Charakter der Einheitsgemeinde, welche «orthodoxe Kriterien im Gottesdienst und insbesondere im Friedhofswesen beachtet».[77]

Diese Stellungnahmen führten jedoch zu keiner Lösung des Konflikts. Der Protest der auswärtigen orthodoxen Juden ging weiter. Die Bauarbeiten, d. h. die Räumung des Geländes von Bunkerresten und Asphalt, wurden unter Polizeischutz weitergeführt. Die Investoren entschieden sich – verunsichert durch die gegensätzlichen Positionen des wissenschaftlichen Gutachtens von Levinson und den Auslassungen der *Atra Kadischa*, die keine Quellenangaben enthielten –, vom Oberrabbiner von Jerusalem, Jitzchak Kulitz, ein Gutachten zu verlangen. Die Jüdische Gemeinde wie auch die orthodoxen Demonstranten erklärten sich mit dieser Wahl einverstanden.[78] Kulitz reiste daraufhin nach Hamburg, besichtigte das Gelände und übersandte am 21. Mai, nach seiner Rückkehr nach Israel, seine Stellungnahme.

Der Vorsitzende des rabbinischen Gerichts von Jerusalem skizzierte darin zunächst die Geschichte des Friedhofs, wobei er den nach dem Krieg erfolgten Verkauf als «widerrechtlich und ohne Verfügungsgewalt erfolgt» schärfstens verurteilte. Er betonte, daß es ihm mit seinem Beschluß nicht um eine juristische Diskussion deutscher Gesetze, sondern ausschließlich um die Würde der Toten gehe, merkte aber auch an, er anerkenne, daß die Käufer viel Geld in das Gelände investiert hätten. Seine Entscheidung umfaßte drei Punkte:

– ein Verbot der Exhumierung, auch nicht zum Zweck der Überführung nach Israel;
– die Erlaubnis, das Gelände zu bebauen, wobei aber nicht ausgeschachtet werden dürfe;
– die Entscheidung, daß ein von ihm berufener Aufseher die Bauarbeiten ständig überwachen werde.

Verknüpft war dieses scheinbar ‹salomonische› rabbinische Urteil mit heftiger Kritik an den Hamburger Behörden und der Bundesregierung, da diese sich geweigert hätten, den von den Nazis geschändeten Friedhof zugunsten der Toten zurückzukaufen; jedes über diesem Gelände errichtete Gebäude werde damit zu einem Schandmal für diese Ablehnung der Verantwortung.[79]

Rabbiner Levinson kritisierte die Äußerungen von Kulitz in einer zehn Punkte umfassenden Stellungnahme. Im Vordergrund stand dabei, daß der Vorstand der Jüdischen Gemeinde Hamburg der 50er Jahre durch die Auslassungen verunglimpft werde, obwohl diese Männer alles in ihrer Macht Stehende getan hätten, um die Würde und Ruhe der Toten zu schützen. Zudem würden die Autonomie der Gemeinde und seine alleinige Zuständigkeit als Rabbiner in Abrede gestellt. Unhaltbar sei auch, daß Kulitz seine Meinung «ex cathedra» verkünde, «ohne sich die Mühe zu machen, rabbinische Quellen anzuführen». Er forderte, daß dem Druck der *Atra Kadischa* nicht nachgegeben werden dürfe, da deren Auftreten in Ottensen weder dem Gebot der Totenruhe entspreche noch durch rabbinische Quellen gerechtfertigt werden könne. Auch das Urteil von Kulitz sei halachisch anfechtbar.[80]

Die Firma Büll & Liedtke lehnte in einer ersten Reaktion das wissenschaftlich nicht belegte Urteil des Jerusalemer Oberrabbiners ebenfalls ab.[81] Die Investorengruppe entschied sich, vermutlich aus Angst vor weiteren Protestaktionen seitens der Ultraorthodoxen, dennoch, ihr Vorhaben entsprechend Kulitz' Forderungen abzuändern. Die Planer reisten in der Folge sogar nach Jerusalem, um das Projekt mit dem Oberrabbiner abzusprechen. Im Dezember 1992 lagen schließlich die definitiven, von Kulitz genehmigten Baupläne vor.

Ob mit der getroffenen Lösung den halachischen Vorschriften zum Schutz der Toten Genüge getan ist, bleibt fraglich. Wesentlich ist jedoch das Fazit des Konflikts für die Lebenden, insbesondere für die Juden in Deutschland. Zu konstatieren waren zunächst antisemitische Reaktionen aus der Bevölkerung, die sich in Äußerungen gegenüber Journalisten ebenso wie in einer großen Zahl von Hetz- und Drohbriefen an die Jüdische Gemeinde Hamburg manifestierten. Unterstellt wurde beispielsweise, es gehe den Juden nur um Geld; gegen den Bau des Warenhauses von Hertie in den 50er Jahren sei ja nur deshalb nicht protestiert worden, weil es sich um einen jüdischen Betrieb gehandelt habe (dies stimmt jedoch seit der Nazizeit nicht mehr – der Konzern war damals ‹arisiert› worden).[82] Gegen solche Verunglimpfungen wurde seitens der Grün-Alternativen Liste GAL Altona und der AnwohnerInnen-Initiative heftig protestiert. Die GAL ging in der Folge allerdings auf Distanz zum ganzen Konflikt. Sie sah es als unhaltbar an, daß jetzt orthodoxe Juden für das Ziel – die Verhinderung des «Quarrees» – instrumentalisiert werden sollten, nachdem eben jene Linken während des Golfkriegs die Lieferung von Verteidigungswaffen nach Israel abgelehnt hätten.[83] Die nichtjüdischen Gegner des Projekts verschwanden in der Folge auch mehr und mehr von der Bildfläche des Konflikts.

Die etablierten Politiker des Hamburger Senats und der Bundesregierung fielen durch eine konsequente Abwesenheit in der Auseinandersetzung auf. Bundeskanzler Kohl reagierte auf keinen der in- und ausländischen Appelle, vermittelnd in den Streit einzugreifen.[84] Bürgermeister Voscherau begründete seine streng legalistische Haltung mit dem Erbe der Nazizeit, weigerte sich aber beharrlich anzuerkennen, daß der Ursprung des Konflikts, der Verkauf des Friedhofs 1950, ebenso als Bestandteil dieses Erbes anzusehen ist. Die Hamburger Regierung bot sich lediglich als (unbeteiligter) Vermittler an, was den Historiker Julius Schoeps dazu veranlaßte, sie als «paralysiertes Karnickel» zu bezeichnen.[85] Von der Tatenlosigkeit der Regierung betroffen war auch die Investorengruppe, die sich redlich bemühte, in dieser politisch und religiös verfahrenen Situation einen praktikablen Kompromiß zwischen Eigeninteresse und Rücksichtnahme auf jüdische Gefühle und Gesetze zu finden.

Wichtiger als die antisemitischen Reaktionen, die «unheilige Allianz» zwischen Linken und Ultraorthodoxen (so der in Hamburg lebende jüdische Autor Arie Goral) und die bedrückende Abstinenz der Politiker mußten aber die Erkenntnisse sein, die sich aus dem innerjüdischen Aspekt des Konflikts ergaben. Die zu Protestkundgebungen angereisten Orthodoxen und die im Ausland mitagierenden Rabbiner waren nicht bereit, Verständnis dafür aufzubringen, daß Jaeckel, Levinson und Galinski versuchten, den in den 50er Jahren angerichteten Schaden möglichst gering zu halten und den heiklen Balanceakt des Zusammenlebens von Juden und Deutschen nicht zusätzlich zu erschweren. Im Gegenteil läßt die massive Verletzung der (sonst vorbehaltlos akzeptierten) Gemeindeautonomie – bei gleichzeitig vollständigem Fehlen jeglicher Solidarität liberaler Kreise der Diaspora – vermuten, daß die noch im Mai 1990 von verschiedenen Persönlichkeiten geäußerte Hoffnung, als Juden in Deutschland nicht mehr stigmatisiert, sondern als vollwertig anerkannt zu sein, verfehlt oder zumindest übertrieben gewesen war.

Vor diesem Hintergrund ist auch die Haltung der Rabbinerkonferenz in Deutschland zu sehen. Schon im November 1991 hatte sie sich in ihrem Gutachten auf den Standpunkt gestellt, eine Umbettung müsse mit allen Mitteln verhindert werden; die jetzigen Eigentümer seien «gesetzwidrig» in den Besitz des Areals gelangt und hätten kein Recht, dort ihr Projekt zu realisieren. Ende Mai 1992, nachdem Oberrabbiner Kulitz sein Urteil verkündet hatte, beeilte sich die Rabbinerkonferenz zu erklären, ihre Mitglieder fühlten sich dadurch in der eigenen Auffassung bestätigt, wonach eine Umbettung der *Halacha* widerspreche. Die Telefonnotiz zu einem Gespräch, das Heinz Jaeckel wenige Tage nach dieser Presseerklärung mit einem Mitglied der Rabbinerkonferenz führte, zeigt aber, daß in diesem Gremium keineswegs Einigkeit herrschte. Vielmehr wurde dort die Ansicht vertreten, man müsse «auf halachische Politik Rücksicht nehmen» und wolle Rabbiner Kulitz nicht desavouieren. Jaeckels Gesprächspartner selbst sei jedoch der Meinung, Levinson habe richtig gehandelt. Diese Haltung vertrat auch der liberale Rabbiner von Berlin, Ernst Stein, in einem Interview. Er betonte, daß es im Judentum kein Dogma und keine Hierarchie, sondern nur verschiedene Lehrmeinungen gebe. Die Tatsache, daß man sich an eine auswärtige Autorität wende und deren Urteil größeres Gewicht beimesse als dem eines eigenen Rabbiners, manifestiere jedoch deutlich, daß die in Deutschland lebende jüdische Gemeinschaft in ihrer geistigen Linie nicht gefestigt sei.[86]

Wie tief diese Verunsicherung reicht, wie schwach das Selbstbewußtsein und wie groß der Legitimationsdruck für Jüdinnen und Juden in Deutschland fast 50 Jahre nach Auschwitz noch sind, zeigt sich auch darin, daß die bisher strikt eingehaltene ‹Spielregel›, innerjüdische Konflikte nicht öffentlich auszutragen, hier vollständig mißachtet wurde. Die Rabbinerkonferenz zog es vor, halachische Argumente zu ignorieren und damit eines ihrer Mitglieder, Rabbiner Levinson, den Zentralrat und die Hamburger Gemeinde zu isolieren, um den Forderungen der auswärtigen Orthodoxen gerecht zu werden.

Das «Quarree» wird nun auf Stützpfeilern gebaut, die dort errichtet werden, wo mit Sicherheit keine Gräber liegen; das Gräberfeld selbst soll mit einer Betonplatte zugedeckt werden.[87]

Nachwort

Die Begründer der jüdischen Nachkriegsgemeinschaft in Deutschland, meist ursprünglich aus Deutschland stammend, sterben allmählich aus. Ihre selbstgewählten Rollen als Mahnende, als Brückenschlagende oder als aktiv Beteiligte beim Aufbau eines ‹anderen Deutschland› dienten nach Auschwitz gerade deutschen Jüdinnen und Juden zur unentbehrlichen (Selbst-)Legitimation für ihr Bleiben oder ihre Rückkehr. Wo Haß oder Rachegefühle vorhanden waren, bemühten sich die meisten, diese nicht zu zeigen oder sich wenigstens nicht davon bestimmen zu lassen. Residuen des Glaubens an eine ‹deutsch-jüdische Symbiose› mochten – trotz deren unmißverständlicher Widerlegung durch das nazistische Deutschland – in einzelnen Fällen die Übernahme einer solchen Rolle erleichtert haben. Für viele lag anscheinend darin aber auch die einzige Möglichkeit, den Schuldgefühlen, überlebt zu haben, zu begegnen.

Diese Schuldgefühle sind wohl bei allen – nicht nur den in Deutschland lebenden – der Vernichtung Entronnenen mehr oder weniger stark vorhanden. Das jeweilige individuelle Überleben schien die Folge einer Kette von Wundern. Angesichts der Millionen sinnlos Ermordeter, aber auch angesichts der ‹Banalität› des Lebens danach drängte sich vielen die nicht zu beantwortende Frage auf, weshalb gerade sie – und nicht andere, ‹bessere› Menschen – das Glück gehabt hatten davonzukommen. Oft machten sie sich auch Vorwürfe, in den konkreten Situationen der Verfolgung anderen nicht genug geholfen, sich letztlich doch nicht ‹gut› genug verhalten zu haben. Die daraus resultierenden Schuldgefühle wurden vielfach auch, wie die neuere Forschung und literarische Zeugnisse verdeutlichen, an die Nachgeborenen weitergegeben.

Für die osteuropäischen DP's, ‹Strandgut› der Geschichte in der nachmaligen BRD, war die Ausgangslage anders. Unterschiedlich war nicht die Erfahrung der monströsen, sinnlosen Greuel, die in Auschwitz kulminierten. Unterschiedlich war die Vorgeschichte, auf die viele derjenigen, welche der vorgesehenen Ausrottung entronnen waren, rekurrierten, um ihrem Weiterleben einen Sinn geben zu können. Der traditionelle, häufig gewalttätige Antisemitismus (und nicht politisch domestizierte Varianten wie in der Weimarer Republik) gehörte zum jüdischen Alltag Osteuropas. In diesem Sinn stellte die planmäßige Vernichtung – anders als für deutsche Jüdinnen und Juden, die sich ihrer nichtjüdischen Umgebung «geradezu organisch zugehörig» gefühlt hatten (Diner) – zwar eine unvorstellbare Steigerung, aber subjektiv keinen radikalen Bruch mit der vornazistischen Vergangenheit dar. Die Erfahrung, daß der Antisemitismus in ihren Herkunftsländern auch nach dem Krieg ungebrochen fortbestand, während die Westalliierten als Garanten für den Schutz vor neuerlicher Verfolgung auftraten, mochte deshalb die westlichen Besatzungszonen als (vorläufiges) Fluchtziel geradezu nahelegen. Der Widerwille, die DP-Lager zu verlassen, die häufige Weigerung, Deutsch zu lernen und in Beziehungen zur deutschen Umwelt zu treten, machen aber deutlich, daß für die osteuropäisch-jüdischen DP's ein Engagement wie das der deutschjüdischen Überlebenden nicht in Frage kam. Für die Mehrheit der DP's blieb die jüdische Gemeinschaft der einzige Bezugsrahmen für ihr weiteres Leben.

Der offiziellen Bundesrepublik kam die Haltung der jüdischen Repräsentanten, die mehrheitlich aus Deutschland stammten, sehr entgegen, konnte sie doch mittels Förderung der jüdischen Gemeinden, ‹Wiedergutmachungs›-Geldern und langjähriger Unterstützung Israels ihre eigene ‹Wiedergutwerdung› unter Beweis stellen. Die DDR hatte ebenfalls großes Interesse an der Existenz jüdischer Gemeinden. Mahnung und Brückenschlag – zwischen Ostdeutschen, Juden oder gar Israel – waren hier zwar nicht gefragt; als Beweis für den ‹Sieg über den Faschismus› waren die Überlebenden jedoch willkommen. Allerdings unternahmen beide Staaten nichts, um die vertriebenen deutschen Juden zur Rückkehr zu bewegen.

Was in Ost und West blieb, waren klar definierte Rituale zu den historisch bedeutsamen Daten. Daneben blieb aber auch der Antisemitismus in beiden Teilen Deutschlands. Die lautstarke Verurteilung antisemitischer Vorfälle in der BRD ohne Entwicklung (oder Anwendung) wirksamer Maßnahmen zu deren Ahndung oder Verhinderung führte letztlich zu einem ähnlichen Resultat wie das schamhafte Verschweigen solcher Vorfälle in der DDR, wo – die Aufrechterhaltung des staatlichen Selbstverständnisses durfte nicht gefährdet werden – nicht sein konnte, was nicht sein durfte. Daß die ‹Umkehr›, die Abkehr von nationalsozialistischem Gedankengut, in weiten Kreisen der jeweiligen Bevölkerung und in den Parteien allenfalls oberflächlich vollzogen wurde, daß eine unübersehbare Kontinuität von Mechanismen und Haltungen aus der Zeit der zusammenbrechenden Weimarer Republik und des Nazismus bis in die Gegenwart besteht, wurde gerade von den in Deutschland lebenden Jüdinnen und Juden meist nur zurückhaltend kritisiert. Sie befürchteten, daß eine adäquate Verurteilung jene jüdischen Kreise bestärkt hätte, welche nach Auschwitz den Gemeinden in Deutschland jede Existenzberechtigung absprachen.

Die Nachkriegszeit ist zu Ende; die unmittelbaren Opfer – und die Täter – sterben aus. Deutschland ist – wider jedes Erwarten – wieder zu einem Einwanderungsland für Jüdinnen und Juden geworden, vorwiegend für jene, die aus der ehemaligen Sowjetunion flüchten müssen. Das Verhältnis dieser Immigranten zu ihrem neuen Umfeld wird sich allerdings anders bestimmen als das der bisherigen jüdischen Bevölkerung, zumal Auschwitz als Schatten der politischen und jüdischen Geschichte auch auf ihre Zukunft fällt, der Bezug zur individuellen Biographie bei ihnen jedoch oft fehlt. (Die sowjetischen Juden der West- und Südgebiete waren zwar zu Beginn des Zweiten Weltkriegs in ihrer Mehrheit nicht von den Behörden ins Landesinnere evakuiert worden, doch ließ Stalin ihre auf eigene Initiative erfolgte Flucht nach Osten und damit ihr Überleben zu.)

Für die Kinder der Überlebenden haben die Rollen ihrer Eltern, zumal in der vorgelebten Form, häufig keine Gültigkeit mehr. Zum einen hat die deutsche Gesellschaft – an den Stammtischen ebenso wie in Intellektuellenkreisen und Parlamenten – deutlich gemacht, daß die jüdischen Mahner ihrer Sehnsucht nach einem ‹Schlußstrich unter die Vergangenheit› (und die damit verbundenen, allenfalls verdrängten Schuldgefühle) im Wege stehen. Vor allem aber sind die Biographien der Nachgeborenen durch die Berichte der Eltern und veröffentlichtes Wissen geprägt und nicht durch unmittelbares persönliches Erleben der Vernichtung.

Die Suche nach einer möglichen Identität für die nach Auschwitz in Deutschland aufgewachsenen und sozialisierten Juden manifestiert sich vor allem seit den 80er Jahren in (auch äußerlich) sichtbaren Veränderungen: einer deutlichen Tendenz zu verstärkter Integration in die deutsche Gesellschaft, die sich beispielsweise in parteipolitischem Engagement oder im publizistischen Bereich niederschlägt, aber auch im teilweise öffentlich geäußerten Widerspruch gegen das bisherige ‹Entscheidungs- und Meinungsmonopol› der jüdischen Führungskräfte.

Diese ihrerseits stehen vor neuen Aufgaben. Nur durch das Angebot inhaltlicher Orientierungen kann die notwendige Integration der Brüder und Schwestern aus der ‹Zone›, aber auch der nach Deutschland geflüchteten Jüdinnen und Juden aus der ehemaligen UdSSR in das bestehende Netz jüdischer Institutionen (und in die Gesellschaft überhaupt) unterstützt werden. Dies müßte für sie auch bedeuten, die Vorstellung eines (immer wieder verlängerten) Provisoriums aufzugeben und die Entwicklung der jüdischen Gemeinschaft in Deutschland nach Auschwitz als eigene, auch aktiv gestaltete – und gestaltbare – Geschichte anzunehmen.

Bleiben wird jedoch für alle, insbesondere für die Nachgeborenen, die Notwendigkeit, sich mit dem Trauma und trotz des Traumas damit auseinanderzusetzen, ob und wie Jüdinnen und Juden in Deutschland leben können. Dies kann jedoch gerade hier nicht bedeuten, das ‹Leben auf gepackten Koffern› – die für die meisten Juden der ganzen Diaspora charakteristische Ahnung, daß auch vollkommen scheinende Zugehörigkeit (oder gar Assimilation) durch antisemitische Ausgrenzungen und Verfolgungen jederzeit und überall widerlegt werden und zur Flucht zwingen kann – als überwunden anzusehen. Auch die Hoffnung auf eine Rekonstruktion des vernichteten deutschen Judentums muß scheitern. Dieser Weg bleibt versperrt, nicht zuletzt deshalb, weil der Versuch, an die vornazistische Existenz anzuknüpfen, einer Relativierung von Auschwitz gleichkäme: Die Massenvernichtung würde damit zu einer weiteren, entsetzlichen jüdischen Katastrophe, letztlich aber zu einem nur temporären Bruch umgedeutet.

Der Sehnsucht nach umfassender Integration, dem Wunsch, uneingeschränkt aufgenommen und angenommen zu werden, nachzugeben, muß zu einer Verleugnung des Entsetzens und der Trauer über das Geschehene führen. Im Gegenteil fordert die Entscheidung, als

Juden innerhalb der deutschen Gesellschaft zu leben, die irreparable Beschädigung der eigenen Existenz bewußt wahrzunehmen und dieses Leben in seiner Brüchigkeit und Ambivalenz auszuhalten. Die Erinnerung an Auschwitz wird dabei das zentrale Element bleiben.

Die Tatsache, daß in beiden deutschen Staaten eine vertiefte und umfassende Auseinandersetzung mit dem Erbe des Dritten Reichs unterlassen wurde, daß vielmehr ein gesamtgesellschaftlicher Verdrängungsprozeß stattfand, half, den Boden für die gegenwärtig manifest werdende Eskalation rassistischer Gewalt und ihrer wachsenden Akzeptanz zu bereiten. Die Aufgabe, Auschwitz als Mahnmal und als Verpflichtung zu begreifen, wurde bis heute weitgehend nicht wahrgenommen.

Anmerkungen

Einleitung

1 Erst bei meinen Nachrecherchen für das Kapitel über den Friedhof Ottensen wurde ich von der Jüdischen Gemeinde Hamburg unterstützt.
2 Mündliche Mitteilungen von M. Richarz, Leiterin der Bibliothek Germania Judaica in Köln, sowie der Historikerin B. Suchy, die im Januar 1986 mit der Errichtung eines Archivs für die Gemeinde Düsseldorf betraut wurde. Der Leiter des Zentralarchivs, P. Honigmann, berichtet zudem, daß Gemeinden, die sich selbst als provisorisch ansahen, während einiger Jahre keine Akten sammelten oder diese gar zerstörten, so daß dort erst seit der Zeit, in welcher der definitive Charakter anerkannt wurde, Unterlagen vorhanden sind.
3 Dieses Buch basiert auf meiner 1992 an der Universität Zürich vorgelegten Dissertation «Jüdisches Leben in Deutschland (BRD und DDR) 1945–1990». Es wurde überarbeitet und um ein Kapitel erweitert.
4 Andere Autoren wiederum meinen, «Kristallnacht» sei eine Sprachschöpfung des Volksmundes gewesen, welche den Zweck hatte, die Brandstiftungen und Zerstörungen jüdischen Eigentums in dieser Nacht – laut Nazis «Ausdruck des Volkszorns wegen der Ermordnung des deutschen Botschaftssekretärs Ernst von Rath in Paris» – als von diesen selbst inszenierte Aktion zu entlarven. Der Begriff «Pogrom» stammt aus dem Russischen und bezeichnet laut Duden «Ausschreitungen gegen nationale, religiöse, rassische Gruppen». «Holocaust» entstand aus dem griechischen «holokauton», was Brandopfer bedeutet, «Shoa» ist hebräisch und bezeichnet Vernichtung, Zerstörung.

1. Die jüdische Nachkriegsbevölkerung Deutschlands

1 Maor, Über den Wiederaufbau der jüdischen Gemeinden in Deutschland, S. I.
2 Wischnitzer, Die jüdische Wanderung unter der Naziherrschaft 1933–1939. In: Ganther (Hg.), Juden in Deutschland – ein Almanach, S. 103.
3 Encyclopaedia Judaica, Jerusalem 1971, Vol. 7, S. 492.

4 Schätzung des Institute of Jewish Affairs, in: Ganther, S. 268.

5 Gross, Versteckt – Wie Juden in Berlin die Nazizeit überlebten, S. 10f. Da die Situation für Berlin am gründlichsten erfaßt ist, soll die Entwicklung in dieser Stadt hier exemplarisch aufgezeigt werden.

6 Diese bildeten die erste Gruppe der Displaced Persons (DP's).

7 Goebbels, Tagebuch. Zitiert in Gross, S. 17.

8 Gross, S. 48.

9 Maor, S. 2.

10 Richarz, Juden in der BRD und in der DDR seit 1945. In: Brumlik / Kiesel / Kugelmann / Schoeps (Hg.), Jüdisches Leben in Deutschland seit 1945, S. 17, bezifferte die Gesamtzahl mit 2000 Personen. Vgl. auch Maor, S. 159, Anm. 2.

11 Hilberg, Die Vernichtung des europäischen Judentums, S. 300.

12 Die UNRRA zählte am 8. 5. 1945 19664 Personen – einschließlich DP's; in Ganther, S. 268. Von diesen galten, entsprechend einer Namensliste von Überlebenden des Holocaust in Deutschland, Österreich und Italien, die 1945 vom «Zentralkomitee der befreiten Juden» in München veröffentlicht wurde, etwa 15000 als deutsche Juden. Für Berlin: Maor, S. 2.

13 Hilberg, S. 58ff.

14 Hilberg, S. 294.

15 Ab 1. 9. 1941 wurde diese Kategorie erweitert, indem nun Ehen zwischen Juden und «Mischlingen 2. Grades» ebenfalls als privilegiert galten.

16 Diese Zahl bezieht sich auf die Statistiken Korherrs vom 31. 12. 1942, die «Altreich, Österreich und Protektorate» erfaßte, und enthält «privilegierte» und «nichtprivilegierte Mischehen». In: Hilberg, S. 300.

17 Maor, S. 2.

18 Liste des «Zentralkomitees der befreiten Juden», München 1945; Grossmann, The Jewish DP-Problem, New York 1951; Maor, S. 184, Anm. 38.

19 Maor, S. 15.

20 Harmsen, Die Integration heimatloser Ausländer und nichtdeutscher Flüchtlinge in Westdeutschland, S. 14.

21 Hilberg, S. 775.

22 Vgl. dazu Jacobmeyer, Vom Zwangsarbeiter zum heimatlosen Ausländer, S. 15ff.

23 Laut Vernant, The Refugee in the Post-War World, S. 62, handelte es sich um ca. 150000 Personen.

24 American Jewish Yearbook (weiterhin: *AJY*) 1947/48, Vol. 49, S. 384.

25 Die hier für Polen gemachten Beobachtungen gelten, wenn auch in weniger krasser Form, für alle ‹Satellitenstaaten› der UdSSR und für diese selbst; eine Ausnahme bildete die spätere DDR.

26 Hilberg, S. 774.

27 Mündliche Mitteilung von W. Jacobmeyer, Braunschweig.

28 Vernant, S. 32.

29 Harmsen, S. 14. Dessen Angaben decken sich weitgehend mit denen Vernants, S. 30 ff.

30 Die UNRRA wurde am 1. Juli 1947 von der IRO, der International Refugee Organization, abgelöst. Diese war bis Ende Januar 1952 tätig.

31 Maor, S. 16. Er stellt fest, daß hier die Staatsangehörigkeit der erfaßten Personen nicht erhoben wurde, so daß der Anteil der außerhalb erfaßten DP's an der deutsch-jüdischen Restgruppe nicht feststeht.

32 Dies steht im Widerspruch zu der von Jacobmeyer festgestellten Tatsache, daß die ostjüdischen DP's überwiegend Männer mit relativ tiefem Durchschnittsalter waren, was eine Folge der selektiven Migration war. Mündliche Mitteilung.

33 Jacobmeyer, S. 179, zählt für 1946 34700 jüdische Beschäftigte, einschließlich der für die Alliierten und die internationalen Organisationen Tätigen. Dabei muß der psychische und physische Zustand gerade der jüdischen Flüchtlingsgruppen berücksichtigt werden.

34 Daher stammt der Begriff der «Paketjuden», eine Bezeichnung für Personen, die sich als jüdisch ausgaben, um in den Genuß dieser Spenden zu kommen.

35 Gross beschreibt, daß schon in der Zeit der Illegalität der Schwarzmarkt für viele die einzige Möglichkeit war, sich Lebensmittel zu beschaffen. Siehe auch Jacobmeyer, S. 48–50.

36 Hilberg, S. 778 f.

37 Viele von denen, die es illegal versucht hatten, waren von den Mandatsbehörden aufgegriffen und auf Zypern interniert worden. Vernant nennt für 1946 7851 legale Einwanderungen.

38 Statistical Abstract of Israel, Jerusalem 1990.

39 Maor, S. 24.

40 Mündliche Mitteilung von Frau R. Salamander, die selbst in diesem Lager geboren wurde und bis zu dessen Auflösung dort lebte.

41 Schoeps, Leiden an Deutschland (weiterhin: Leiden), S. 199 f.

42 Marx, Und neues Leben blüht aus den Ruinen, Jüdisches Gemeindeblatt Nr. 22 vom 21. 2. 1947; zitiert in Maor, S. 37.

43 Engelmann, Deutschland ohne Juden, S. 59, sowie mündliche Mitteilung von Richarz.

44 van Dam, Die Juden in Deutschland nach 1945. In: Böhm/Dirks, Judentum – Schicksal, Wesen, Gegenwart, Bd. II, S. 905.

45 Der Spiegel Nr. 31, 31. 7. 1963, S. 25; Katcher, Post Mortem, S. 88 ff.

46 Diese erschien seit dem 15.4.1946, zuerst als «Mitteilungsblatt für die Jüdischen Gemeinden der Nord-Rheinprovinz», dann, ab September 1946, als «Jüdisches Gemeindeblatt für die Britische Zone», ab August 1948 als das «Jüdische Gemeindeblatt (Allgemeine Zeitung der Juden in Deutschland)», ab September 1948 als «Jüdisches Gemeindeblatt – die Zeitung der Juden in Deutschland» und schließlich seit April 1949 unter ihrem heutigen Namen. Nach Giordano, Narben – Spuren – Zeugen, S. 311 ff (weiterhin als *Allgemeine* bezeichnet).

47 Maor, S. 33.

48 Maor, S. 179, Anm. 52.

49 Maor, S. 40, spricht für 1952 von 300 jüdischen Rechtsanwälten in Deutschland, im Vergleich mit 30 Ärzten und 140 Beamten im öffentlichen Dienst; *Der Spiegel* (Nr. 31, 1963, S. 25) und Katcher (S. 119) erwähnen für 1963 resp. 1967 übereinstimmend 150 Anwälte.

50 Maor, S. 32; *Der Spiegel*, Nr. 31, 1963, S. 28; Richarz, in Brumlik/Kiesel et al., S. 19.

51 Shanghai nahm 1938 und in den folgenen Jahren Flüchtlinge aus Ost- und Mitteleuropa auf, die sich zuerst frei bewegen konnten, später aber in einer Art Ghetto interniert wurden. Das Jüdische Gemeindeblatt vom 17.12.1947 erwähnt die Rückkehr von 470 Juden aus Shanghai.

52 Am deutlichsten auf dem Jüdischen Weltkongreß 1948 in Montreux.

53 *Der Spiegel*, Nr. 31, 1963, S. 29; Katcher, S. 22. Diese These ist umstritten. Im Widerspruch dazu steht Engelmanns Buch «Deutschland ohne Juden»; dieser Autor belegt minutiös die kulturellen, wissenschaftlichen, politischen und militärischen Leistungen der Juden vor 1933 (z. B. mit dem «jüdischen Anteil» an Nobelpreisträgern oder Trägern höchster militärischer Auszeichnungen aus dem Ersten Weltkrieg).

54 Über die Konstanz dieser Zahl trotz Geburten, Todesfällen, Zu- und Abwanderung soll im Zusammenhang mit den demographischen Daten genauer die Rede sein.

2. Jüdisches Leben in der BRD

1 Maor, S. 20.

2 Dies hatte, da zudem die Ostjuden traditionellerweise eher kinderreich sind, für das Gemeindeleben nicht unerhebliche Folgen.

3 Grossmann, The DP-Problem. In: Maor, S. 184, Anm. 38. Ihre Überlebenschance war während der Zeit der Verfolgung am größten, da sie sich für die Zwangsarbeit am besten eigneten.

4 Zahlen 1959; Maor, S. 65; 1980: Mitgliederstatistik der ZWSt.

5 Maor, S. 68.

6 Maor, S. 58 ff und S. 186, Anm. 13; *Der Spiegel*, Nr. 31, 1963, S. 24; *Allgemeine* vom 22. 11. 1990, S. 10; Schoeps, Leiden, S. 99, spricht allerdings von 64 Gemeinden, gibt aber dazu keine Quelle an.

7 Vgl. dazu auch Oppenheimer, Jüdische Jugend in Deutschland, S. 21 f.

8 Maor, S. 19.

9 Kuschner, Die jüdische Minderheit in der Bundesrepublik Deutschland, S. 236.

10 Vgl. z. B. Engelmann. Handel und Wissenschaften dominieren stark über die Zweige Landwirtschaft und Handwerk.

11 Zum Vergleich: Vor 1933 gab es bei einer jüdischen Population von ca. 525 000 rund 3 500 jüdische Anwälte, Richter und Staatsanwälte (*Der Spiegel* Nr. 31, S. 25). Referendare sind Beamte auf Widerruf. Die doppelte Bindung an den Staat durch das Anstellungsverhältnis und durch die Beschränkung der Ausbildung auf nationales Recht bildete wohl lange ein zu großes Hindernis.

12 Maor, S. 76–87.

13 Die Arbeitsgemeinschaft wurde Ende der 70er Jahre aufgelöst. Genauer Zeitpunkt und Gründe waren nicht in Erfahrung zu bringen.

14 Erwähnt seien hier lediglich die Jüdischen Darlehenskassen, die v. a. mit Kapital des American Joint Distribution Committee und der Zentralwohlfahrtsstelle in einem Akt der Selbsthilfe gegründet wurden, da es für Juden nach 1945 äußerst schwierig war, Darlehen zu erhalten. Diese Kassen haben aber mittlerweile an Bedeutung verloren.

15 Oppenheimer, S. 43 ff.

16 Vgl. *Der Spiegel*, Nr. 31, 1963, S. 24 ff.

17 Marx, Wir, die deutschen Juden. In: Giordano, Narben – Spuren – Zeugen (weiterhin: Narben), S. 15.

18 Auch heute finden sich in der BRD noch verschiedene ehemalige Synagogen, die als Ställe, Lagergebäude o. ä. benutzt werden.

19 Ginzel, Phasen der Etablierung einer Jüdischen Gemeinde in der Kölner Trümmerlandschaft 1945–49. In: Köln und das rheinische Judentum. Festschrift Germania Judaica 1959–1984, S. 445.

20 Grossmann, Die jüdischen Auslandsorganisationen und ihre Arbeit in Deutschland. In: Ganther (Hg.), S. 151.

21 Petition von elf Mitgliedern der Gemeinde Köln (Auszug). In: Ginzel, S. 452.

22 Vgl. dazu Nothmann, Die religiöse Situation im Nachkriegsdeutschland. In: Ganther (Hg.), S. 231 ff.

23 van Dam. In: Böhm/Dirks (Hg.), S. 889; Maor, S. 159, Anm. 1, gibt an, daß 1945 die Gründung von 51 Gemeinden erfolgte; 16 Gemeinden sind 1946, je eine 1953 und 1956 entstanden; die weiteren Gründungsdaten sind nicht bekannt, ebensowenig wie Details über das Ende der Existenz einiger dieser Neugründungen.

24 Marx zitiert im Artikel «Deutschland, die Deutschen und wir» 1947 die biblische Erzählung von Sodom und Gomorrha, in der Abraham gegen deren Zerstörung mit Gott stritt und mit dem Argument siegte, diese sei falsch, wenn nur ein Gerechter da lebe. In Giordano, Narben, S. 28.

25 van Dam. In: Böhm/Dirks (Hg.), S. 899f.

26 Nothmann. In: Ganther (Hg.), S. 231.

27 Satzungen vom 26.1.1958. In: Maor, S. 89f.

28 Rabbiner Levinson ist heute in Schleswig-Holstein und Hamburg tätig.

29 Laut Der Spiegel Nr. 10 vom 4.3.1985, S. 170, wird jeweils am Montag ein Schächter aus London nach Frankfurt eingeflogen.

30 Zum Vergleich: Allein in Zürich gibt es mindestens fünf vollamtliche Rabbiner bei einer jüdischen Bevölkerung von ca. 5200 Personen!

31 Maor, S. 106.

32 Oppenheimer, S. 56ff.

33 Heuberger, Traditionsreicher Neubeginn – Die Hochschule für Jüdische Studien in Heidelberg. In: Paulus (Hg.), Juden in Baden 1809–1984, S. 219ff.

34 Navé Levinson, Religiöse Richtungen und Entwicklungen in den Gemeinden. In: Brumlik/Kiesel et al. (Hg.), S. 151.

35 Von wem sie überredet wurden und welche Motive dazu bestanden, war nicht in Erfahrung zu bringen.

36 Schoeps, Leiden, S. 101.

37 Hilberg, S. 36, erwähnt «191 ausgebrannte Synagogen; 14 demolierte Friedhofskapellen, Gemeindesäle und ähnliche Bauten» als Resultat des Pogroms. Bei Ganther, S. 549, ist von 267 im Reichsgebiet zerstörten Synagogen die Rede; diese Differenz ließ sich nicht klären.

38 Ephraim, Der steile Weg zur Wiedergutmachung. In: Ganther, S. 295.

39 Kuschner, Die jüdische Minderheit in der Bundesrepublik Deutschland, S. 246.

40 Maor, S. 200, Anm. 26.

41 Vor 1933 waren es ca. 1600 Gemeinden, nach Kriegsende – bis Ende der 50er Jahre – laut Maor, S. 105, in allen vier Besatzungszonen noch 87.

42 Vgl. dazu Ephraim. In: Ganther (Hg.), S. 296ff.

43 Kropat, Jüdische Gemeinden nach 1945. In: 900 Jahre Geschichte der Juden in Hessen, S. 461. In Frankfurt/M. gibt es heute drei Synagogen.

44 Maor, S. 92. Vgl. dazu auch Ganther, S. 437 und S. 448.

45 Dies sind die Landesverbände und die sog. Landesverbandsfreien Gemeinden (Berlin, Frankfurt/M., Hamburg, Bremen, Köln), das Israelitische Krankenhaus Hamburg, der Jüdische Frauenbund Deutschland u. a.

46 Ganther, S. 448.

47 Liepmann, Ein deutscher Jude denkt über Deutschland nach, S. 9.

48 Kuschner, S. 248.

49 Vgl. dazu Engelmann, S. 12.

50 Vgl. dazu Freund, Deutsche und Juden: Fremdheit oder Nähe der Lebensgefühle? In: Juden in Deutschland 1983 – integriert oder diskriminiert?, S. 51 ff. Er führt an, daß selbst in der Grammatik des modernen Hebräisch wesentliche Einflüsse der deutschen Grammatik nachzuweisen sind.

51 Broder, Der ewige Antisemit, S. 76.

52 Mosse, German Jews Beyond Judaism, S. 10.

53 Engelmann, S. 33.

54 Vgl. dazu Fichtes «Reden an die deutsche Nation».

55 Sholem spricht von einer «Verlustliste der Juden an die Deutschen». In: Melzer, Deutsche und Juden, Reden zum Jüdischen Weltkongreß 1966, S. 23.

56 Vgl. dazu Mosse, S. 42.

57 Mosse, S. 2.

58 Sholem, Against the Myth of the German-Jewish Dialogue. In: On Jews and Judaism in Crisis, S. 62.

59 Sholem, Once more: The German-Jewish Dialogue, S. 65.

60 Gay in: Rabinbach/Zipes (Hg.), Germans and Jews since the Holocaust, S. 4.

61 Rabinbach, Reflections on Germans and Jews since Auschwitz. In: Rabinbach/Zipes (Hg.), S. 4 (Hervorhebung im Original).

62 Diner, Jewish Socialization and Political Identity in Germany. In: Rabinbach/Zipes (Hg.), S. 122. Dies klingt auch im hebräischen Begriff für «Überlebende» an: Sche'erit Hapleta = der Rest der Entronnenen.

63 Landau, Wir Juden und unsere Umwelt. In: Ganther (Hg.), S. 259.

64 Dies war die Aufgabe der vom American Jewish Committee in den 50er Jahren in der BRD gegründeten sogenannten Lessinggesellschaften.

65 Landau. In: Ganther (Hg.), S. 241 – eine m. E. fragwürdige These.

66 Kraft-Sullivan. In: Fremd im eigenen Land – Juden in der Bundesrepublik, S. 240 f.

67 Brumlik, Begin und Schmidt oder: Die Unfähigkeit zu trauern. In: Wetzel (Hg.), Die Verlängerung von Geschichte, S. 96.

68 Man denke z. B. an die Judenräte in den Ghettos, die den Nazis Sammellisten der zu deportierenden Personen zu liefern hatten. Vgl. dazu Sobol, «Ghetto» (Schauspiel, mit Dokumenten).

69 Vgl. dazu Epstein, Children of the Holocaust.

70 Grünberg, Folgen nationalsozialistischer Verfolgung bei jüdischen Kindern Überlebender in der BRD.

71 Heenen (Deutsche Linke, linke Juden und der Zionismus. In: Wetzel, S. 105 f) zitiert die Psychoanalytikerin Grubrich-Simitis.

72 Maor, S. 96.

73 Oppenheimer, S. 67.

74 Yedidot Chadashot, Tel Aviv, 25. 5. 1959. In: Maor, S. 100.

75 Oppenheimer, S. 68 f. Von ZJD-Mitgliedern wird erwartet, daß sie nach Abitur oder Lehre, also im Alter von 17 bis 19 Jahren, nach Israel auswandern – oder den Jugendbund verlassen.

76 Vgl. dazu Heenen. In: Wetzel (Hg.), S. 105 ff.

77 Vgl. dazu Der Spiegel Nr. 31, 1963, S. 29.

78 Deutschlandresolution des Weltkongresses. In: Giordano, Narben, S. 94.

79 Über die Frage des jüdischen Neu-Einbaus in Deutschland. In: Giordano, Narben, S. 22 ff.

80 Bekenntnis zur Verpflichtung. In: Giordano, Narben, S. 76 ff.

81 Israel und Deutschland. In: Giordano, Narben, S. 103.

82 «Allgemeine Wochenzeitung der Juden in Deutschland» (Hg.): Die Arbeitstagung jüdischer Juristen im Bundesgebiet und Berlin, 15. / 16. Dezember 1951 in Düsseldorf, S. 31; das folgende Zitat S. 55.

83 Reparationsbesprechungen in London. In: Giordano, Narben, S. 219. Diese Haltung scheint später revidiert worden zu sein.

84 K. Marx, ... auch eine Frage der Moral. In: Lamm / Lewy (Hg.), Brükken schlagen, S. 115 ff.

85 Vgl. dazu Punkt 10 der Resolution des Zentralkomitees der befreiten Juden. In: Giordano, Narben, S. 27.

86 Vgl. dazu Maor, S. 195, Anm. 31, sowie Kapralik, Reclaiming the Nazi Loot.

87 Gemeint sind hier die Sammelaktionen des Keren Hajessod; dieser finanziert alle Tätigkeiten der Jewish Agency, d. h. Einwanderung, Ansiedlung und Integration. K. Marx, Israel und wir. In: Karger-Karin, Israel und wir, Keren-Hajessod-Jahrbuch 1965/66, S. 97.

88 Maor, S. 97.

89 Ganther, S. 483 und 503.

90 Vgl. dazu z. B. den autobiographischen Roman von Neumann, Heimkehr in die Fremde, S. 69.

91 Dies entspricht den persönlichen Erfahrungen der Verfasserin. Vgl. dazu auch Kuschner, S. 188 ff.

92 *Allgemeine* vom 13. 3. 1953. In: Lamm / Lewy (Hg.), S. 59.

93 *Allgemeine* vom 8. 9. 1972. In: Kuschner, S. 76.

94 Rabbiner N. P. Levinson, Juden in Deutschland heute. In: *Emuna*, Blätter für christlich-jüdische Zusammenarbeit, 2. Jg. Nr. 1, 1967, S. 17.

95 Der Begriff stammt laut Küster, Erfahrungen in der deutschen Wiedergutmachung, S. 3, aus dem Sprachgebrauch des Hitlerregimes.

96 Panamerikanische Konferenz des Jüdischen Weltkongresses in Baltimore. In: Goldmann, Mein Leben als deutscher Jude, S. 372.

97 In Giordano, Narben, S. 34.

98 Vgl. dazu Ephraim. In: Ganther, S. 290 f; Schwarz, Rückerstattung nach den Gesetzen der Alliierten Mächte, S. 28 ff.

99 Die folgenden Ausführungen stützen sich auf Schwarz, S. 7–65.

100 Grossmann, Die Ehrenschuld, S. 78.

101 10 Jahre Zentralrat, S. 11.

102 Hilberg, S. 786 f.

103 Vgl. dazu Kapralik.

104 Ephraim. In: Ganther, S. 296.

105 Grossmann, auf den ich mich hier stütze, erwähnt diese in «Die Ehrenschuld», S. 63 f, ohne detaillierte Angaben. (Maor, S. 96 und S. 197, Anm. 33, berichtet von einem Prozeß der Gemeinde Augsburg gegen die JRSO.)

106 Conference on Jewish Material Against Germany (Hg.), Twenty Years Later (weiterhin «Claims Conference»), S. 9.

107 Shinnar, Bericht eines Beauftragten, S. 203, gibt die Note im Wortlaut wieder.

108 Hilberg, S. 798. Der Ausdruck «Reparationen» ist irreführend, da Israel zur Zeit des Dritten Reiches noch nicht existierte und somit nicht im Krieg mit Deutschland stand. Die Kriegserklärung Hitlers an «die Juden» gab den Entronnenen aber eine gewisse Legitimierung.

109 Wolffsohn, Keine Angst vor Deutschland!, S. 16.

110 Regierungserklärung der BRD vom 27. 9. 1951. In: Giordano, Narben, S. 131.

111 Hier und im folgenden Shinnar, S. 29–38.

112 Grossmann, Ehrenschuld, S. 37. Die jüdisch-israelitischen Forderungen waren im Verhältnis 2 zu 1 an BRD und DDR gerichtet. Die DDR ging, wie erwähnt, nie auf die Forderungen ein.

113 Grossmann, Ehrenschuld, S. 195, gibt den Brief Goldmanns vom 19. 5. 1951 an Adenauer vollständig wieder.

114 In der Literatur wird allgemein vom «Luxemburger Abkommen» oder den «Luxemburger Verträgen» gesprochen.

115 Goldmann, S. 404. Laut Ephraim (in: Ganther, S. 314) wurden diese 50 Millionen den «Hilfsorganisationen der durch die Nürnberger Gesetze Betroffenen» ausbezahlt.

116 Grossmann, Ehrenschuld, S. 52; Besser, Israel – Regierung stimmt zu. In: Giordano, Narben, S. 204.

117 van Dam, Klarheit statt Verwirrung. In: Giordano, Narben, S. 230.

118 «Claims Conference», S. 10 und S. 80. Die Differenz zu den vereinbarten 107 Millionen Dollar beruht auf der Verzinsung des Betrags.

119 Ephraim. In: Ganther, S. 314.

120 10 Jahre Zentralrat, S. 6. Die Details sind aus dem Bericht nicht ersichtlich.

121 Grossmann, Ehrenschuld, S. 15.

122 Küster, Deutsche Wiedergutmachung. In: Böhm/Dirks, S. 863.

123 10 Jahre Zentralrat, S. 8.

124 Küster. In: Böhm/Dirks, S. 872.

125 Grossmann, Ehrenschuld, S. 67.

126 Ephraim. In: Ganther, S. 329.

127 Grossmann, Ehrenschuld, S. 71. Er hatte nachgewiesen, daß von 23000 Berechtigten, die bei ihrer Einwanderung in den Staat New York 67 Jahre und älter waren, bis Mitte Juli 1954 93 Prozent gestorben waren.

128 10 Jahre Zentralrat, S. 10.

129 Grossmann, Ehrenschuld, S. 114.

130 Zitiert in Grossmann, Ehrenschuld, S. 117.

131 Goldmann, S. 444. Gemäß Hartung, Härtelösungen (in Funke, Hg., Von der Gnade der geschenkten Nation, S. 74) wurden aber von den hier kalkulierten 83 Milliarden DM bis 1986 erst deren 75 ausbezahlt. Laut *Neue Zürcher Zeitung* vom 26./27.5.1990, S. 109, waren es bis 1.1.1988 80,5 Milliarden; erwartet werden bis zum Jahr 2037 – so lange reicht die statistische Lebenserwartung der jüngsten Rentenempfänger – etwa 118 Milliarden. Dies entspricht in etwa dem sog. Lastenausgleich, der für die Eingliederung Vertriebener und die Hilfe an Kriegsgeschädigte aufgewendet wurde.

132 Grossmann, Ehrenschuld, S. 108.

133 *Allgemeine* vom 11.10.1990, S. 11.

134 Hier und im weiteren Hartung, S. 75–99.

135 Die zu erwartenden Kosten wurden vom Finanzministerium auf elf Milliarden DM hochgerechnet, was sich der Bund – so wurde behauptet – gar nicht leisten könne.

136 Vor dem Innenausschuß des Berliner Abgeordnetenhauses, das auf Länderebene Verbesserungen in der Entschädigung Verfolgter beriet, solidarisierte sich Galinski, damals stellvertretender Direktoriumsvorsitzender (und Leiter der Jüdischen Gemeinde zu Berlin), am 9. 4. 1986 mit den benachteiligten und diskriminierten NS-Opfern und nannte das BEG «mangelhaft und ergänzungsbedürftig» (Hartung, S. 86).

137 Hartung, S. 96.

138 *Allgemeine* vom 11. 10. 1990, S. 11.

139 *Allgemeine* vom 3. 7. 1987, S. 12.

140 Hartung, S. 88.

141 Hartung, S. 94; Ferencz, Less than Slaves, S. 36.

142 10 Jahre Zentralrat, S. 11; Ferencz, S. 41.

143 Grossmann, Ehrenschuld, S. 96.

144 Nichtjüdische Berechtigte wurden bis heute nur entschädigt, wenn sie außerhalb des Ostblocks lebten. Die Zwangsarbeit war von der BRD als «kriegsbedingte Maßnahme» eingestuft worden, für die allenfalls Reparationen, d. h. Entschädigungen von Staat zu Staat, geleistet wurden, wobei die Opfer leer ausgingen. Noch im November 1990 machte der Bundestag (trotz des Zusammenbruchs der kommunistischen Systeme Osteuropas) eine neue Regelung vom Ausgang der Zwei-plus-Vier-Verhandlungen abhängig und beschloß zudem, daß erst das gesamtdeutsche Parlament, das am 2. Dezember zu wählen war, über künftige Leistungen zu entscheiden hätte (*Allgemeine* vom 29. 11. 1990, S. 11).

145 Vgl. dazu Ferencz.

146 Hilberg, S. 795.

147 *Tages-Anzeiger* vom 10. 1. 1986.

148 Sichrovsky, Wir wissen nicht, was morgen wird, wir wissen wohl, was gestern war, S. 183. Ähnlich äußert sich Broder, der zusätzlich feststellt: «Die Deutschen werden den Juden Auschwitz nie verzeihen» (Der ewige Antisemit, S. 125).

149 Ephraim. In: Ganther, S. 351 ff. Er schätzte die Kosten für die «131er» auf 31 Milliarden DM.

150 Steinbach, Nationalsozialistische Gewaltverbrechen, S. 39. Vgl. auch van Dam, Entschädigung für Verfolger oder Verfolgte. In: Giordano, Narben, S. 280 ff.

151 Der Begriff «Kriegsverbrecher» verdeckt jenes der «Wiedergutmachung») m. E. historische Zusammenhänge: Gemeint sind hier primär die Verbrechen an unbewaffneten, wehrlosen Menschen, also keine Kriegshandlungen. Seriöse Publikationen verwenden heute meist den Begriff «NS-Prozesse».

152 Hilberg, S. 713–753, schildert Fälle, Zusammenhänge und Hintergründe.

153 Lichtenstein, NS-Prozesse – Ein Kapitel deutscher Vergangenheit und Gegenwart. In: M. Brumlik / D. Kiesel et al. (Hg.), S. 75.

154 Kempner, zitiert in Steinbach, S. 44.

155 Hilberg, S. 735.

156 Niethammer, Säuberung und Rehabilitation. Rückblick auf die Entnazifizierung. In: Filmer / Schwan (Hg.), Was von Hitler blieb, S. 231. Affidavits sind eidesstattliche schriftliche Erklärungen zur Untermauerung von Tatsachenbehauptungen (hier: der Unschuld der Angeklagten). Der Begriff «Persilschein» spielt auf das Waschmittel an, das angeblich «weißer als weiß wäscht». Die Parteien waren zu diesem Zeitpunkt noch genehmigungspflichtig; somit galten Zeugnisse von Parteimitgliedern als «sauber».

157 Hilberg, S. 736.

158 Liepmann, S. 10.

159 Steinbach, S. 43, bewertet die Integration der Entnazifizierten in die Gesellschaft der BRD als überaus positive Leistung – eine Einschätzung, die ich nicht teilen kann.

160 Ganther, S. 542.

161 Lichtenstein, NS-Prozesse, S. 81.

162 Broder, Antisemit, S. 131.

163 Vgl. dazu Greive, Geschichte des modernen Antisemitismus in Deutschland, S. 173.

164 Resolution vom 20. Juli 1947. In: Giordano, Narben, S. 35.

165 Assheuer / Sarkowicz, Rechtsradikale in Deutschland, S. 13; Fragen an die deutsche Geschichte. Katalog zur ständigen historischen Ausstellung im Reichstagsgebäude in Berlin, S. 192 (weiterhin: Fragen...). Das zweite Parteiverbot betraf 1956 die Kommunistische Partei Deutschlands.

166 Pechel, 25 Jahre nach Hitlers Anfang: Neo-Nazismus in Deutschland. In: Ganther, S. 366. Er spricht für 1958 von mindestens 20 solcher Gruppen in der BRD.

167 Fragen..., Parteientwicklung 1871–1972. Tabellarischer Anhang.

168 Z. B. Vereine für Entnazifizierungsgeschädigte, Vereine ehemaliger SS-Angehöriger etc. Vgl. dazu Ganther, S. 467 ff.

169 In Giordano, Narben, S. 329 ff.

170 Doerdelmann, Ist die neue Nazi-Literatur wirklich «moralisch tragbar»? In Giordano, Narben, S. 336.

171 Laut Carlebach erhält die «National-Zeitung» jährlich 132 000 DM Sub-

ventionen. In: Broder/Lang (Hg.), S. 107. Laut Assheuer/Sarkowicz, S. 28f, erhielt sie allerdings nur kurze Zeit Zuschüsse vom Bundespresseamt. Gemeinsam mit den ebenfalls vom Verleger Gerhard Frey, dem Vorsitzenden der Deutschen Volksunion DVU, herausgegebenen Blättern «Deutsche Wochen-Zeitung» und «Deutscher Anzeiger», die inhaltlich der «National-Zeitung» entsprechen, erreichten sie 1990 eine Auflage von 160000 Exemplaren. Broder, Deutschland erwacht, dokumentiert das Spektrum rechtsradikaler Publikationen v. a. für die 70er Jahre. Meyers Großes Taschenlexikon, Bd. 15, S. 197, Tab. 2, gibt deren gesamte Wochenauflagen für 1969–1979 an, wobei aber die Meßkriterien unklar sind. 1974 erreichten sie mit 244000 die höchste Auflage, während die Zahl der Publikationen 1975 – mit tieferer Auflage – höher lag. Beide Zahlen sinken jedoch seither.

172 Bei der Ritualmord-Legende handelt es sich um die Behauptung, Juden töteten Nichtjuden, um mit den Körpern resp. dem Blut der Ermordeten kultischen oder magischen Ritualen zu huldigen.

173 10 Jahre Zentralrat, S. 14.

174 Ganther, S. 529 (Erhebung des Koordinationsrates für christlich-jüdische Zusammenarbeit). Bis 1980 war die Zahl auf 598 Vorfälle gestiegen. Schoeps, Sepulcra hostium religiosa nobis non sunt. In ders./Silbermann (Hg.), Antisemitismus nach dem Holocaust, S. 33.

175 Vgl. Aussagen von Neonazis in Filmer/Schwan (Hg.).

176 Bönner, Deutschlands Jugend und das Erbe ihrer Väter, S. 54.

177 Liepmann, S. 13.

178 Weißbuch der Bundesregierung: «Die antisemitischen und nazistischen Vorfälle». Auszugsweise zitiert in Bönner, S. 57ff, bes. S. 62.

179 1966: Hessen, Bayern; 1967: Niedersachsen, Bremen, Rheinland-Pfalz und Schleswig-Holstein; 1968: Baden-Württemberg. Bis 1972 Verlust sämtlicher Mandate (van Dam, Jahresbericht des Zentralrats 1964/65, S. 30).

180 Meyers Großes Taschenlexikon, Bd. 15, S. 197.

181 Dies ist aber nicht nur in der BRD der Fall. Auch in vielen anderen Diaspora-Gemeinden sind jüdische Institutionen durch strenge Sicherheitsvorkehrungen geschützt.

182 10 Jahre Zentralrat, S. 15ff.

183 Ausführlich zu den «Republikanern», insbesondere zu Programmpunkten und Wahlresultaten Assheuer/Sarkowicz, S. 37–44.

184 *Allgemeine* vom 7.11.1986, S. 1.

185 *Allgemeine* vom 27.1.1989, S. 12. Die NPD war aufgrund des alliierten Besatzungsstatuts in Berlin zur Wahl nicht zugelassen.

186 *Allgemeine* vom 3. 2. 1989, S. 1.

187 *Allgemeine* vom 10. 2. 1989, S. 1 f.

188 Dieser Ausdruck stammt gemäß *Allgemeine* vom 24. 2. 1989, S. 12, von Hans Dietrich Genscher.

189 *Allgemeine* vom 24. 2. 1989, S. 12. Ein Dialog mit den «Republikanern» war z. B. von der FDP-Generalsekretärin Cornelia Schmalz-Jacobsen gefordert worden.

190 *Allgemeine* vom 17. 3. 1989, S. 1.

191 Assheuer / Sarkowicz, S. 37. Die ebenfalls angetretene Verbindung von NPD und DVU verfehlte den Einzug ins Europaparlament deutlich (S. 27). Laut *Allgemeine* vom 23. 6. 1989, S. 1, waren allerdings erhebliche regionale Schwankungen zu verzeichnen: In Bayern erzielten die «Republikaner» 14,6 % (in Rosenheim gar mehr als 22 %), in Nordrhein-Westfalen, Bremen, Schleswig-Holstein, Rheinland-Pfalz und Niedersachsen verfehlten sie die Fünf-Prozent-Marke.

192 *Allgemeine* vom 23. 6. 1989, S. 1.

193 *Allgemeine* vom 30. Juni 1989, S. 1.

194 Z. B. *Allgemeine* vom 17. 3. 1989, S. 1.

195 Sänger, Philosemitismus – nutzlos und gefährlich. In: Silenius (Hg.), Antisemitismus – Antizionismus, S. 117.

196 Eine genauere Motivanalyse kann, sofern sie überhaupt möglich ist, hier nicht stattfinden. Vgl. dazu auch Broder, Der ewige Antisemit.

197 Daß es bei einer Auflösung des Generationenkonflikts oder einer Verlagerung – und der deshalb möglichen Versöhnung der Kinder mit den Eltern – zu einer neuerlichen Umkehrung der Stereotype kommen kann, wird am Beispiel der Linken gezeigt.

198 Eggebrecht, Vom Antisemitismus (1949). In: Giordano, Narben, S. 67.

199 Schönbach, Reaktionen auf die antisemitische Welle im Winter 1959/60, S. 10 und S. 14 (Zahlen).

200 Sallen, Zum Antisemitismus in der Bundesrepublik Deutschland, S. 236.

201 Alle Rundfunkanstalten in der BRD sind Körperschaften des öffentlichen Rechts. Das Gesetz, das die Zusammensetzung der Rundfunkräte bestimmt, schreibt vor, daß je Rat ein Mitglied der jüdischen (ebenso wie der katholischen und der protestantischen) Gemeinschaft beteiligt ist. Von diesem Recht wird in der Regel Gebrauch gemacht.

202 Silbermann. In: Broder / Lang (Hg.), S. 363 ff (Hervorhebung im Original).

203 Die zweite Phase mußte separat genehmigt und finanziert werden. Silbermann stellt fest, daß das Verhalten der (anonymen) Gutachter, die sich der Studie gegenüber skeptisch zeigten, einen «dubiosen Eindruck»

hinterließ. Silbermann, Sind wir Antisemiten?, S. 17; Resultate auf S. 83–104.

204 Plack, Wie oft wird Hitler noch besiegt?, S. 188–197.

205 Der andere Gegenstand der Untersuchung sind «die Deutschen», deren antisemitische «Kontaminierung» gemessen werden sollte.

206 Adenauer, Erinnerungen 1953–1955, S. 141 (Hervorhebung durch die Verf.). Auch in seiner Anrede an die «jüdischen Mitbürger» zeigt sich diese Latenz; von «katholischen Mitbürgern» wäre wohl kaum die Rede.

207 Broder, Warum ich lieber kein Jude wäre; und wenn schon unbedingt, dann lieber nicht in Deutschland. In: ders. / Lang (Hg.), S. 86. Er merkt dazu an: «Dieses Strauß-Zitat stand am 13. September 1969 in der Frankfurter Rundschau in einem Leitartikel von Karl Gerold. Bis Ende 1978 blieb dieses Zitat von Strauß unbeanstandet. Erst seit 1979 pflegt F. J. Strauß bei Journalisten und Redaktionen, die dieses Zitat weiter zitieren, anzufragen, woher sie es haben und ob sie es belegen können – was freilich schwer möglich ist, da Karl Gerold, der es als erster veröffentlicht hat, seit ein paar Jahren tot ist.»

208 So z. B. Alfred Dregger in der Bundestagsdebatte vom 9. 2. 1984 (zum Kohl-Besuch in Israel). Vgl. Bodemann, Die «Überwölbung» von Auschwitz. In: *Ästhetik und Kommunikation* Nr. 56, 1985, S. 47. Die Formulierung «Überwölbung» stammt von Helmut Kohl. Das Bedauern über diesen Verlust ist allerdings auch in philosemitischen Kreisen immer wieder zu hören, so insbesondere bei Gedenkansprachen zu den Jahrestagen der «Kristallnacht».

209 10 Jahre Zentralrat, S. 14.

210 Claussen, Im Hause des Henkers. In: Wetzel (Hg.), S. 124 f.

211 *Tages-Anzeiger* vom 10. 1. 1986.

212 *Weltwoche* Nr. 11, 13. 3. 1986.

213 *Die Zeit* vom 18. 12. 1992.

214 *Die Zeit* vom 29. 1. 1993.

215 Das Zitat erschien nur in der 1. Auflage des Buches «Der ewige Antisemit», S. 7. Auf Ersuchen Rühles wurde per Gerichtsbeschluß ein Auslieferungsstopp verfügt. In heute erhältlichen Ausgaben ist es geschwärzt.

216 *Allgemeine* vom 16. 5. 1986 (Jubiläumsnummer).

217 Rabinbach, Reflections... In: ders. / Zipes (Hg.), S. 14.

218 Liepmann, S. 11.

219 Geis, Die Zeit wird kommen... In: Giordano, Narben, S. 12.

220 Bodenheimer, Teilnehmen und nicht dazugehören, S. 88.

221 Kuschner, S. 171–184.

222 Oppenheimer, S. 148 ff.

223 Vgl. dazu z. B. Sichrovsky.

224 Kugelmann, Was heißt jüdische Identität? In: *Alternative*, Nr. 140, 1981.

225 Silbermann, Zum Interaktionsverhältnis von Diskriminierung und Integration. In: Schoeps / ders. (Hg.), S. 16 (Hervorhebung im Original).

226 Maor, S. 143.

227 Dies ist der Titel eines 1921 erschienenen Buches von F. A. Theilhaber.

228 Knopp, Dokumentation zur Geschichte der jüdischen Bevölkerung in Rheinland-Pfalz und im Saarland von 1800 bis 1945, S. 158.

229 Maor, S. 56.

230 Maor, S. 143.

231 Jüdische Bevölkerung in der BRD 1950: 24432, in der Schweiz 19048 – allerdings auf 23 Gemeinden verteilt. Vgl. Guggenheim (Hg.), Juden in der Schweiz, S. 155.

232 Guggenheim, S. 155. 1980 waren es 58,2 % der Männer und 58,6 % der Frauen, die in der Schweiz nichtjüdische Partner wählten. Vgl. S. 105.

233 Zahlen des Bundesamtes für Statistik für 1973–79. Sie wurden unter dem Titel «Alarmierende Zahlen» – allerdings ohne weiteren Kommentar – im Jüdischen Presse-Dienst Nr. 5/6, 1981 veröffentlicht. Vgl. dazu auch Schoeps, S. 101.

234 Zum Beschluß: *Allgemeine* vom 10.11.1985; zur Kontroverse Schoeps, Leiden, S. 101 f.

235 Gemeint sind hier einerseits die verschiedenen Verfolgungstraumata, andererseits eindeutige Außenseiterpositionen, die sich z. B. für Israelis oder Iraner ergeben.

236 Maor, S. 56.

237 Vgl. dazu die Bevölkerungsstatistik 1951–1959 im Anhang. Es handelt sich hier um die Neugeborenen, die in die Mitgliederlisten der Gemeinden eingetragen wurden.

238 Eckert, Jüdisch-Christlicher Dialog heute. In: Strolz (Hg.), Jüdische Hoffnungskraft und christlicher Glaube, S. 258.

239 Als Beispiel sei hier die immer wieder propagierte Schuld ‹der Juden› am Christus-Mord genannt. In der Karfreitagsfürbitte heißt es: «Oremus pro perfidis Iudaeis».

240 Singer, Das Zweite Vaticanum und die Folgen. In: Juden in Deutschland 1983 – integriert oder diskriminiert?, S. 83 f.

241 Vgl. dazu Eckert, Köln in der Nachkriegszeit: Das Verhältnis zu den Juden. In: Köln und das rheinische Judentum, S. 463.

242 In der jüdischen Religionsvermittlung, v. a. im Rahmen der Gemeinden (Predigten etc.), wird zum christlichen Glauben in aller Regel keine direkte Stellung bezogen.

243 Die erste März-Ausgabe der *Allgemeinen* enthält jeweils eine ausführliche
    Sonderbeilage zur «Woche der Brüderlichkeit».

244 Maor, S. 147 ff.

245 Kuschner, S. 147.

246 R. Geis, 15 Jahre christlich-jüdischer Dialog in der Bundesrepublik. In:
    Emuna, 2. Jg., 1967, Nr. 1, S. 11.

247 Liepmann, S. 16.

248 Loewy, Juden in der BRD – Bewältigung oder Mystifizierung? In: *links*,
    14. Jg., Nr. 144 (März 1982), S. 25. Dies ist, wie nicht zuletzt auch das
    Beispiel des Historikers Michael Wolffsohn zeigt, keineswegs auf die Ge-
    neration der Überlebenden beschränkt; v. a. in seinen jüngsten Arbeiten
    greift er allenfalls jüdische, nicht aber deutsche Tabus an.

249 Vgl. dazu Ganther, S. 540–542, sowie Heenen. In: Wetzel (Hg.),
    S. 107 f. Die «Aktion Sühnezeichen», innerhalb derer durch Mithilfe
    beim Aufbau z. B. in Israel «tätige Reue» demonstriert wurde, ist das be-
    kannteste Beispiel.

250 Vogt, Israel – Kritik von links, S. 26 f und S. 128 ff.

251 Améry, Juden, Linke – linke Juden. In: Silenius (Hg.), S. 107.

252 Claussen. In: Wetzel (Hg.), S. 115.

253 In dieser Form skizzieren die Autoren der «Gemeinsamen Erklärung von
    20 Vertretern der deutschen Linken zum Nahostkonflikt» die von ihnen
    kritisierte Haltung der Linken.

254 Osteuropäische Ausprägung des Zionismus, die den Aufbau eines jüdi-
    schen Gemeinwesens nach sozialistischen Idealen in Palästina unter Ein-
    bezug der autochthonen Bevölkerung propagierte. Wichtige Vertreter:
    Ber Borochov, Nachman Syrkin.

255 Heenen. In: Wetzel, S. 110.

256 Simonson, Der Nahostkonflikt und die Verwirrung der Linken, zitiert in
    Vogt, S. 28. Er bezog sich damit v. a. auf den von Nasser geführten Auf-
    ruf zum «Heiligen Krieg» gegen Israel, das «ins Meer getrieben werden»
    sollte. Auffällig ist die Analogie zur Haltung großer Teile der Friedens-
    bewegung, linker und grüner Gruppierungen im Golfkrieg 1991: Der
    Protest gegen das unter amerikanischer Führung stehende Eingreifen der
    alliierten Kräfte – «Kein Blut für Öl» – enthielt auch, daß diese Kreise
    bereit waren, die Annexion Kuweits und die Zerstörung Israels in Kauf
    zu nehmen. Vgl. dazu z. B. Bittermann (Hg.), Liebesgrüße aus Bagdad –
    Die «edlen Seelen» der Friedensbewegung und der Krieg am Golf.

257 Claussen. In: Wetzel (Hg.), S. 116.

258 Galinski, Die Juden und die Linken. In: *das da*, Nr. 7, Juli 1976.

259 Améry. In: Silenius (Hg.), S. 108.

260 Améry, Der ehrbare Antisemitismus, S. 242.

261 Broder, Der ewige Antisemit, S. 62.

262 Claussen. In: *links* Nr. 9, 1976, zitiert in Heenen, S. 111.

263 Broder, Der ewige Antisemit, S. 63–66.

264 Brumlik, Warum ich mit Ignatz Bubis solidarisch bin. In: Kiderlen (Hg.), Fassbinders Sprengsätze, S. 74–80.

265 Fest hat ebenfalls «Hitler: eine Biographie» (1973) verfaßt, die weitaus differenzierter sein soll als der bekanntere Film.

266 Töteberg, Entstehung und Verhinderung eines Theaterstücks. In: Kiderlen (Hg.), S. 23 (*FR* vom 12. 3. 1976) und S. 24 (*FAZ* vom 19. 3. 1976).

267 Zitiert in Töteberg, S. 24. (Das Adorno-Zitat erschien, gleichsam zur Entlastung Fassbinders, in der *Allgemeinen* vom 8. 11. 1985 – zur Zeit der neueren Kontroverse.)

268 Dies der Titel eines Artikels von Zwerenz. In: *das da*, Nr. 9, 1976.

269 Broder, Der ewige Antisemit, S. 67.

270 Am 25. September 1982 demonstrierten (nach einigen weniger großen Kundgebungen in der Woche zuvor) 400000 Menschen in Tel Aviv gegen diesen Krieg – mehr als 10 % der israelischen Gesamtbevölkerung!

271 Broder, Der ewige Antisemit, S. 128 (und S. 14).

272 Die Erklärung findet sich vollständig bei Vogt, S. 134–145.

273 Heenen. In: Wetzel, S. 112.

274 Dies war z. B. bei Uri Avnery der Fall, dessen Buch «Israel ohne Zionismus» ihn «als den einzigen Nonkonformisten im israelischen Parlament» in den 70er Jahren für die Linke zitierbar machte (Vogt, S. 53).

275 Claussen. In: Wetzel (Hg.), S. 117.

276 Auf die Problematik der Sinti und Roma – noch weniger ‹bewältigte› Vergangenheit als die Judenverfolgung, wie gerade die jüngsten Diskussionen über das bundesdeutsche Asylrecht und die rassistischen Übergriffe, aber auch die in der breiten Bevölkerung vorhandenen Vorurteile insbesondere gegenüber den Roma zeigen – kann hier nicht eingegangen werden.

277 In diesem Sinn soll sich z. B. Adenauer am Vorabend seines 90. Geburtstags in einem Interview geäußert haben. Bernstein, Mein Name regt die Phantasie meiner Umwelt an. In: Broder/Lang (Hg.), S. 40.

278 Giordano, Das Problem – der «häßliche Deutsche». In: Broder/Lang (Hg.), S. 186.

279 *Allgemeine* vom 10. 2. 1984. Der Artikel («Bitterer Nachgeschmack») erschien bezeichnenderweise nicht auf der Titelseite.

280 *Allgemeine* vom 24. 2. 1984.

281 Boike Jacobs, damals Redakteurin der *Allgemeinen*, teilte mir mit, daß die Mehrzahl der Leser dieser Zeitung Nichtjuden sind.

282 Brandt, Ein anormales Miteinander, ein Zustand ohne Zukunft. «Makaber» ist dieser «Persilschein» vor allem deshalb, weil *damals* («gestern») auch die Nürnberger Rassengesetze, die zur «Endlösung» führten, (ungeschriebenes) Recht waren.

283 Lang, Fremd in einem fremden Land. In: Broder/ders. (Hg.), S. 267.

284 *Allgemeine* (Berliner Ausgabe) vom 3. 1. 1986.

285 Viele in der BRD lebende Jüdinnen und Juden wundern und empören sich darüber, daß sie immer wieder als Israelis angesehen werden. Der Grund dafür ist aber mindestens teilweise in der Politik der sie vertretenden Repräsentanten zu suchen.

286 Meroz, In schwieriger Mission, S. 153 f.

287 Ausnahme sind auch hier die Juden in den USA, die sich deutlich als Amerikaner jüdischen Glaubens verstehen; die Loyalität Israel gegenüber ist (stark) untergeordnet.

288 Brumlik. In: Wetzel (Hg.), S. 95.

289 *Allgemeine* vom 24. 9. 1982.

290 Diese Kritik war aber denjenigen Jüdinnen und Juden, die sich nach dem israelischen Anschlag auf den irakischen Forschungsreaktor 1981 zu einem Gesprächskreis zusammenfanden, noch zu mild – und zu oberflächlich. Dies geht aus dem Sammelband «Verlängerung von Geschichte» (Wetzel, Hg.) hervor, der als direktes Resultat der Auseinandersetzungen linker Juden über ihre Haltung zur israelischen Politik zu betrachten ist.

291 Diner, Verheddert im Stacheldraht der Geschichte. In: Kiderlen (Hg.), S. 62. Zu den Druckversuchen: Funke, Bitburg und «die Macht der Juden». In: Silbermann/Schoeps (Hg.), S. 41–52.

292 *Allgemeine* vom 10. 5. 1985.

293 *Allgemeine* vom 8. 11. 1985.

294 Zitiert in Kremer, Jüdische Spekulation – Spekulation mit den Juden? In: Kiderlen (Hg.), S. 84.

295 Brumlik, Warum ich mit Ignatz Bubis solidarisch bin. In: Kiderlen (Hg.), S. 79; Hervorhebung im Original.

296 Die Gemeinde Frankfurt kündigte an, sie werde bei weiteren Versuchen, das Stück aufzuführen, mit demselben gewaltfreien Mittel dagegen protestieren. *Allgemeine* vom 8. 11. 1985. Zur Anschuldigung vgl. Brumlik. In: Kiderlen (Hg.), S. 74.

297 Zitate nach Giordano, Die zweite Schuld, S. 322–330.

298 Funke (Hg.), Zeittafel, S. 218.

299 *Allgemeine* vom 22. 3. 1985, S. 1.

300 *Allgemeine* vom 14. 5. 1984, S. 3. Der Artikel wurde vom damaligen stellvertretenden Fraktionsvorsitzenden der SPD, Alfred Emmerlich, verfaßt.

301 Vgl. dazu *Allgemeine* vom 29. 3. 1985, S. 4 («Im Spiegel der veröffentlichten Meinung»).

302 Giordano, Die zweite Schuld, S. 337.

303 *Allgemeine* vom 14. 5. 1984, S. 3.

304 *Allgemeine* vom 22. 3. 1985, S. 1.

305 *Allgemeine* vom 21. 10. 1988, S. 1.

306 Giordano, Die zweite Schuld, S. 338.

307 Habermas, Eine Art Schadensabwicklung, zitiert in «Historikerstreit».
Die Dokumentation der Kontroverse um die Einzigartigkeit der nationalsozialistischen Judenvernichtung, S. 62 ff.

308 Hillgruber, Zweierlei Untergang, S. 90, vgl. auch S. 97 ff.

309 Nolte, Zwischen Geschichtslegende und Revisionismus. Vortrag in der
«Carl-Friedrich-von-Siemens-Stiftung», 1980; gekürzt publiziert am
24. 7. 1980 in der *FAZ* unter dem Titel «Between Myth and Revisionism»
(in H. W. Koch, Ed., Aspects of the Third Reich, 1985) erstmals integral
veröffentlicht, hier in Historikerstreit, S. 13 ff.

310 Nolte, Vergangenheit, die nicht vergehen will. In: Historikerstreit,
S. 39 ff, besonders S. 43–47.

311 Schoeps, Leiden, S. 85 und Anm. 5, S. 93.

312 Nolte, Zwischen Geschichtslegende und Revisionismus. Weiter verzerrt
wird die Behauptung dadurch, daß Nolte Weizmann als Präsident der Jewish Agency quasi als Staatsoberhaupt (eines damals inexistenten Staates)
darstellte und dessen Aussage damit die Qualität einer «Kriegserklärung»
verlieh. Vgl. dazu auch *Aufbau* vom 25. 3. 1988. Einer der Revisionisten,
deren Thesen Nolte aufgriff, ist Robert Faurisson, der in Frankreich wegen solcher Behauptungen angeklagt wurde. Hier ist das Verbreiten der
«Auschwitz-Lüge» ein Offizialdelikt. *Tages-Anzeiger* vom 2. 4. 1991, S. 5.

313 Schoeps, Leiden, S. 87.

314 Nolte, Zwischen Geschichtslegende und Revisionismus, S. 33.

315 Nolte, Vergangenheit, die nicht vergehen will, S. 41.

316 Brumlik, Neuer Staatsmythos Ostfront. In: Historikerstreit, S. 81 f.

317 Vgl. dazu z. B. Stürmer, Geschichte in geschichtslosem Land. In: Historikerstreit, S. 36 ff.

318 *Allgemeine* vom 31. 10. 1986, S. 3.

319 *Allgemeine* vom 7. 11. 1986, S. 1 f. Der Artikel «Ist Auschwitz vergleichbar» von Giordano entspricht weitgehend dem gleichnamigen Kapitel in
«Die zweite Schuld», S. 342 ff.

320 Galinski, Beweiszwang für die Opfer, Freispruch für die Täter. In: *Blätter
für deutsche und internationale Politik*, Nr. 1 / 1987, S. 21. Der Vorwurf methodischer Inkompetenz wurde vom Historiker und FAZ-Herausgeber

Joachim Fest auch gegenüber dem Soziologen und Sozialphilosophen Jürgen Habermas erhoben, bestimmte also auch die «innerakademischen» Auseinandersetzungen mit. Vgl. dazu Fest, Die geschuldete Erinnerung. In: Historikerstreit, z. B. S. 101: «akademische Legasthenie».

321 Nolte, Das Vergehen der Vergangenheit, S. 36, zitiert in Schoeps, Leiden, S. 91.

322 Titel eines Aufsatzes von Funke. In: *links*, Februar 1986, S. 8. Broder greift diese Einschätzung vom Umgang der Deutschen mit ihrer Geschichte in «Der ewige Antisemit» auf, ebenso wie Diner in seinem Essay «Negative Symbiose». In: *Babylon* 1 / 1986, S. 9 ff.

323 *Allgemeine* vom 28. 4. 1989, S. 1.

324 Vgl. dazu z. B. H. Broder, Der ewige Antisemit.

325 *Allgemeine* vom 18. 11. 1988, S. 5; vgl. auch *Allgemeine* vom 4. 11. 1988, S. 4.

326 Jenninger besuchte Israel z. B. zu dessen 40. Unabhängigkeitstag 1988, was zu diesem Zeitpunkt, als Israel wegen seiner Besatzungspolitik in zunehmende Isolation geriet, als «Ausdruck echter Freundschaft und persönlicher Loyalität» gewertet wurde. *Allgemeine* vom 20. 5. 1988, S. 2. Vgl. auch Laschet / Malangré, Philipp Jenninger, Rede und Reaktion. Die Rede ist auf S. 13–26 abgedruckt. Zum Eklat vgl. auch *Allgemeine* vom 18. 11. 1988, S. 5.

327 *Allgemeine* vom 18. 11. 1988, S. 5.

328 Zitiert in Laschet / Malangré, S. 35.

329 *Allgemeine* vom 25. November 1988, S. 1 und 3.

330 Interview von Barry Mahler mit Heinz Galinski. In: *Semit*, Nr. 1 (Januar / Februar), 1989, S. 9.

331 Laschet / Malangré, S. 56 ff. Gemäß *Allgemeine* vom 18. 11. 1988, S. 5, begrüßten in einer repräsentativen Blitzumfrage 61 Prozent der Deutschen den Rücktritt Jenningers.

332 So auch in Galinskis Stellungnahme zum Rücktritt von Fürst, *Allgemeine* vom 25. 11. 1988, S. 3.

333 *Aufbau* vom 3. 6. 1988, S. 1. Die Feststellung dieses Mankos hatte erst die Überprüfung der Konten des Zentralrats ausgelöst; *Aufbau* vom 1. 7. 1988, S. 1 f; *Allgemeine* vom 18. 10. 1988, S. 1; *Neue Zürcher Zeitung* vom 20. 5. 1988, *Aufbau* vom 3. 6. 1988, S. 1, und 1. 7. 1988, S. 1. In *Semit*, Nr. 5 (Dezember / Januar), 1991 / 92, S. 53, gelangt allerdings das Protokoll eines Gesprächs zwischen dem Ermittlungsbüro KDM und einer Geschäftsfreundin Nachmanns zum Abdruck, in dem diese behauptet, Nachmann sei von seiner Frau und einem Angehörigen des israelischen Geheimdienstes Mossad erpreßt worden. Diese Spekulation wird durch einen Bericht

des *Aufbau* vom 15. 7. 1988, S. 2, unterstützt, wonach der damalige Generalsekretär Alexander Ginsburg und Nachmann in der Schweiz ein gemeinsames Nummernkonto unterhielten, auf dem 1,4 Millionen DM als Lösegeld im Falle einer Entführung Nachmanns deponiert waren.

334 *Allgemeine* vom 27. 5. 1988, S. 1.

335 Zitiert in *Allgemeine* vom 27. 5. 1988, S. 3. Galinski selbst warf der Bundesregierung diese ungleiche Behandlung ebenfalls vor.

336 *Aufbau* vom 15. 7. 1988, S. 2.

337 In *Semit*, Nr. 4 (Oktober/November) 1991, S. 30 ff, wurde der Briefwechsel eines (hier) anonym bleibenden Gemeindemitglieds mit dem Zentralrat veröffentlicht, in dem «Herr K.» sich über den Inhalt eines Rechtsgutachtens zur möglichen Schadenersatzpflicht von Ginsburg erkundigte. Der Zentralrat, der sich in der Beantwortung der Briefe K.'s jeweils sehr viel Zeit ließ, verweigerte jedoch aus «juristischen Gründen (Fürsorge des Arbeitgebers/Datenschutz)» die Einsicht in dieses Gutachten.

338 *Allgemeine* vom 28. 10. 1988, S. 1.

339 *Allgemeine* vom 16. 12. 1988, S. 1.

340 *Allgemeine* vom 22./29. 12. 1989, S. 4.

341 Interview von Oswald Le Winter mit dem damals noch amtierenden Direktoriumsmitglied Hermann Alter. In: *Semit*, Nr. 1 (Januar/Februar) 1989, S. 15.

342 Dieser Vorwurf wurde auch an der außerordentlichen Tagung des Zentralrats zum Fall Nachmann im Oktober 1988 erhoben. *Allgemeine* vom 28. 10. 1988, S. 2.

343 Blumenthal, Perestroika im Zentralrat. In: *Semit*, Nr. 1 (Januar/Februar) 1989, S. 13. Auch seitens einiger meiner Interviewpartner in der ehemaligen DDR wurde Galinski (als Sprachrohr der jüdischen Gemeinschaft in Deutschland) als «der letzte Stalinist» oder als «absolutistischer Herrscher» bezeichnet.

3. Jüdisches Leben in der DDR

1 Maor, S. 19, gibt an, daß es sich in der SBZ ausschließlich um deutsche Juden handelte. Möglicherweise gab es jedoch auch hier vereinzelte Zuzügler aus dem Osten.

2 Interview mit A. Hergt vom 23. 8. 1990, S. 1.

3 Interview mit S. Rotstein vom 31. 8. 1990, S. 3.

4 Im Britischen Sektor bereits am 15. Juli 1945; die beiden Teile wurden aber am früheren Sitz der Gemeinde in der Oranienburgerstr. 28, dem

späteren Ostberliner Sitz, zusammengelegt. *AJY*, Vol. 49, 1947/48, S. 365; vgl. auch *Nachrichtenblatt der Jüdischen Gemeinde von Groß-Berlin und des Verbandes der Jüdischen Gemeinden in der Deutschen Demokratischen Republik* (weiterhin *NB*) vom Juni 1972, S. 5. Hier manifestiert sich das mangelnde Geschichtsbewußtsein der Juden in der DDR: Nur einer der befragten Gemeindevorsitzenden nannte Gründungsdaten oder Anzahl der Gründungsmitglieder seiner Gemeinde.

5 *AJY*, Vol. 49, 1947/48, S. 367.

6 Maor, Anlage IV, Mitgliederstatistik der heutigen jüdischen Gemeinden.

7 Interview mit S. Rotstein vom 31.8.1990, S. 3.

8 Einzig Eschwege, Die jüdische Bevölkerung. In: Schoeps (Hg.) Juden in der DDR, Geschichte – Probleme – Perspektiven (weiterhin: Schoeps, DDR), nennt widersprüchlich 8 (S. 65) und 9 (S. 67) Gemeinden. Die von Eschwege erwähnte Gemeinde Zwickau (etwa 30 km südwestlich von Chemnitz) wird aber bei Maor nicht genannt.

9 Laut *NB* vom Juni 1984, S. 6, existierte die Gemeinde aber schon seit 1957 nicht mehr.

10 Erst 1981 wurde diese durch die Auflösung der anderen thüringischen Gemeinden bis 1948 irreführend gewordene Bezeichnung in «Jüdische Landesgemeinde Thüringen, Sitz Erfurt» umgewandelt (*NB* vom März 1981, S. 25).

11 *AJY*, Vol. 49, 1947/48, S. 368. Dieses Organ wurde ebenfalls von keinem Interviewpartner erwähnt.

12 *AJY*, Vol. 50, 1948/49, S. 383.

13 Eschwege (in Schoeps, DDR), S. 84.

14 Thompson, The political status of the Jews in the German Democratic Republic since 1945, S. 5, schließt nicht aus, daß sich deshalb vereinzelt wohl auch Nichtjuden bei den Gemeinden anmeldeten.

15 Eschwege (in Schoeps, DDR), S. 75.

16 Schwarz, S. 325 ff; ausführlich dazu auch Timm, Der Streit um Restitution und Wiedergutmachung in der Sowjetischen Besatzungszone Deutschlands. In: *Babylon*, Heft 10–11 (Oktober 1992), S. 125–138.

17 Veröffentlichung des Regierungsblattes für Mecklenburg, Jg. 1948, Nr. 11, vom 28.5.1948, S. 76.

18 Beglaubigte Abschrift «Landesregierung Mecklenburg, Der Ministerpräsident, Amt zum Schutze des Volkseigentums, Tgb.-Nr. 3272» vom 19.8.1948.

19 Interview mit A. Hergt vom 7.11.1990, S. 7.

20 *Allgemeine* vom 27.10.1989, S. 1 (Interview mit P. Kirchner).

21 *AJY*, Vol. 49, 1947/48, S. 370.

22 Interview mit K. Gysi vom 22. 9. 1990, S. 4.

23 Schwarz, S. 66.

24 Interview mit K. Gysi vom 22. 9. 1990, S. 3 f.

25 *Allgemeine* vom 29. 10. 1989, S. 1.

26 Interview mit S. Rotstein vom 31. 8. 1990, S. 4.

27 *NB* vom Dezember 1961, S. 4.

28 Mampel, Die Verfassung der Sowjetischen Besatzungszone Deutschlands, Art. 41 ff, S. 165 ff. Diese Artikel wurden in die späteren Verfas-
   sungen (Art. 39; vgl. *NB* vom September 1972, S. 9) übernommen.

29 Eschwege (in Schoeps, DDR), S. 66.

30 Protokoll der Verbandstagung vom 18. 5. 1966, S. 6.

31 Verband der Jüdischen Gemeinden in der DDR (Hg.): Damit die Nacht
   nicht wiederkehre, S. 109.

32 Riesenburger, Das Licht verlöschte nicht, Nachwort Kirchner, S. 113.

33 *AJY*, Vol. 55, 1954, S. 271.

34 *NB* vom Dezember 1968, S. 11 ff, insbes. S. 13.

35 *NB* vom April 1962, S. 5.

36 *NB* vom September 1966, S. 9.

37 Der Vorsitzende von Schwerin lebt ca. 80 km, derjenige von Dresden
   etwa 60 km vom jeweiligen Sitz der Gemeinde entfernt.

38 Riesenburger, Nachwort, S. 112 f.

39 Eschwege (in Schoeps, DDR), S. 66.

40 Riesenburger, S. 17.

41 *NB* (Sonderbeilage) April 1965. Nachruf auf M. Riesenburger, S. 1; *NB*
   vom März 1966, S. 2.

42 Mertens, Schwindende Minorität. In: Schoeps, DDR, S. 151 f und
   Anm. 141 f. Die Ordination erfolgt durch ein rabbinisches Gremium.

43 *NB* vom Juni 1987, S. 19 f.

44 *NB* vom Dezember 1987, S. 21.

45 Mertens (in: Schoeps), S. 156. Er beruft sich auf ein Interview im
   Deutschlandfunk (DDR) vom 24. 9. 1987.

46 *NB* vom Juni 1988, S. 23. Die «Neuen» waren «Bürger jüdischer Herkunft», die noch nicht – oder gerade erst – Gemeindemitglieder geworden waren.

47 Vgl. dazu beispielsweise die Aussagen eines Jugendlichen der Ostberliner
   Gemeinde in: Ostow, Jüdisches Leben in der DDR, S. 206 f.

48 Interview mit H. Eschwege vom 13. 8. 1990, S. 12.

49 Mertens, S. 157.

50 Die zu diesem Fest notwendige *Mazzah* wurde, ebenso wie *koscherer*
   Wein, meist aus Ungarn eingeführt.

51 Brief des Verbandes an die Gemeinden (hier: Jüdische Landesgemeinde Mecklenburg) vom 17. Juni 1963, S. 2. Diese Haltung vertritt auch der Westberliner Rabbiner Ernst Stein, der dazu meinte: «Ich zähle einfach nicht, ich bin kein Mathematiker! (...) Es ist Gottesdienst und keine Volkszählung» (Interview vom 8.1.1990, S. 10f).

52 Ansprache zur konstituierenden Sitzung der Kultuskommission, am 6.2.1966 in Leipzig, S. 1. Die Kommission hatte sich nach dem Tod von Riesenburger aufgelöst und Neuwahlen abgehalten.

53 In Schwerin fanden religiöse Veranstaltungen ab 1973, nach dem Tod des Gemeindevorsitzenden A. Scheidemann (laut mündlicher Auskunft von A. Hergt) nicht mehr statt. Ob und in welcher Gemeinde die Schweriner Juden am Gottesdienst teilnahmen, wurde nicht erwähnt.

54 Interview mit H. Eschwege vom 13.8.1990, S. 16.

55 Giradet, Die Juden in der Deutschen Demokratischen Republik, Nachdruck aus der *Neuen Zürcher Zeitung* vom 22.9.1984 in: *Pogrom*, Zeitschrift für bedrohte Völker, S. 57. Dieser Wechsel war nicht politisch bedingt: Auch die BRD mußte einen Schächter ‹importieren›.

56 Mir ist nicht bekannt, ob die *Mikwoh* in Berlin außer für Übertritte überhaupt genutzt wurde. Sie ist, offensichtlich seit einiger Zeit, reparaturbedürftig und nicht mehr in Betrieb; vgl. dazu Ostow, S. 59 (Interview mit H. Simon) und S. 69 (Interview mit I. Runge). Im *NB* wurden für die Zeit von 1953 bis 1990 nur 14 Beschneidungen gezählt.

57 Interview mit E. Stein vom 8.11.1990, S. 9f.

58 Vgl. dazu z. B. *NB* vom Dezember 1983, S. 19.

59 Vgl. dazu z. B. *NB* vom März 1981, S. 15; *AJY*, Vol. 89, 1989, S. 350.

60 Das hätte allenfalls auch Auswirkungen im Hinblick auf das israelische Heimkehrergesetz, demgemäß alle Juden ein Recht auf Einwanderung und Erlangung der israelischen Staatsbürgerschaft haben.

61 Interview mit E. Stein vom 8.11.1990, S. 8.

62 So heißt es z. B. im Protokoll der Verbandstagung vom 31.5.1970, S. 3: «Wer nicht Mitglied unserer Gemeinden ist, ist kein Jude.»

63 Protokoll der Verbandstagung vom 9.1.1966, S. 2. Beiräte waren die Vertreter der Gemeinden im Verband, in der Regel die Gemeindevorsitzenden.

64 P. Kirchner, Interview vom 4.5.1990, S. 1, gibt an, daß jüdische Vertriebene aus Schlesien sich v. a. in Thüringen angesiedelt hätten, von da aus auch «weitergezogen» seien. Genauere Angaben liegen nicht vor.

65 Lesser, Jews and the DDR, S. 21.

66 Interview mit H. Levy vom 3.7.1990, S. 4.

67 Deutschkron, Israel und die Deutschen, S. 188.

68 Die Angaben stützen sich auf Mertens (in Schoeps), S. 147f; *NB* vom Dezember 1977, S. 19; Ostow, S. 33 und 37; *Allgemeine* vom 27. 10. 1989, S. 4. Offensichtlich stammen die Angaben von P. Kirchner.

69 *Allgemeine* vom 24. 6. 1949, S. 7.

70 Eschwege (in Schoeps, DDR), S. 65.

71 Katcher, S. 202; Meyers Großes Taschenlexikon, Bd. 11, S. 94, verzeichnet für 1977 in der DDR eine jüdische Bevölkerung von 9000 Personen, allerdings ohne Quellenangabe.

72 Lesser erwähnte 1973 – ohne Quellenangabe – 7970 als «rassisch Verfolgte» anerkannte Personen; Kirchner sprach in einem unveröffentlichten Interview (wohl Mitte der 80er Jahre) von etwa 3900 Personen; vgl. dazu Mertens, S. 128, Anm. 19 und S. 137, Anm. 65.

73 Maor, S. 83 f.

74 Eine genaue Zahl liegt nicht vor. Diamant (Materialien zur Geschichte der Juden in der DDR – ein wissenschaftliches Fragment, S. 1) zählte 136 Orte mit Friedhöfen, wurde aber von Eschwege darauf hingewiesen, daß solche an zwei Orten nicht (mehr) existieren. Zudem bestanden in Berlin, Dresden, Halberstadt und Halle mehrere Friedhöfe, an anderen Orten ‹verschwanden› Gräberfelder nach 1945. Seit 1990 wird eine detaillierte Bestandsaufnahme vorgenommen.

75 Vgl. dazu Eschwege (in Schoeps, DDR), S. 73 und 79. Neue Statuten erließ z. B. Schwerin; diese traten jedoch erst am 1. 7. 1959 in Kraft.

76 Lesser, S. 15 und Anm. 2.

77 Z. B. im Januar 1962, *NB* vom April 1962, S. 8.

78 Eschwege (in Schoeps, DDR), S. 70.

79 *NB* vom September 1972, S. 12 f. Immer wieder finden sich solche Hinweise. Die Kurse wurden wohl phasenweise durchgeführt, dann wieder eingestellt – ob aus politischen, personellen Gründen oder wegen mangelndem Interesse, ist unklar.

80 *NB* vom Dezember 1973, S. 14. Nur in Dresden bestand eine weitere Frauengruppe.

81 Berlin beantragte als weitaus größte Gemeinde wiederholt, zwei Beiräte stellen zu dürfen, was jedoch abgelehnt wurde – so an der Verbandstagung vom 18. 3. 1962. Auch bei der Änderung der Verbandsstatuten (Protokoll vom 31. 5. 1965) wurde diese Regelung beibehalten.

82 Z. B. im Protokoll der Verbandstagung vom 31. 5. 1970, S. 2.

83 Auszug der Beschlüsse aus den Protokollen über Tagungen des Verbandes, S. 3, zur Tagung vom 24. 3. 1957.

84 Z. B. Protokoll der Verbandstagung vom 31. 3. 1963, S. 1.

85 Protokoll der Verbandstagung vom 4. 12. 1960, S. 1.

86 Antrag auf Herausgabe eines Nachrichtenblattes für die Bürger jüdischen Glaubens in Berlin und in der DDR, Anlage zum Protokoll vom 4. 12. 1960.

87 Z. B. auf der Verbandstagung vom 31. 5. 1970, Protokoll S. 4.

88 *NB* vom Dezember 1989, S. 12.

89 *NB* vom Dezember 1972, S. 3 (Nachruf) und S. 19. Nach Sanders Tod wurde seine Arbeit von einem Chormitglied, Helmut Klotz, übernommen. Fassler, Versöhnung heißt Erinnerung, in: *Kirche im Sozialismus*, 11. Jg., Nr. 3, Juni 1985, S. 104.

90 Protokoll der Verbandstagung vom 1. 11. 1964, S. 6.

91 *NB* vom Juni 1973, S. 4.

92 Protokoll der Verbandstagung vom 4. 12. 1960, S. 1.

93 Protestschreiben des Verbands an den Zentralrat vom 19. 6. 1963.

94 Zitiert im Protokoll der Verbandstagung vom 4. 8. 1963, S. 3.

95 Z. B. in der Liste der «wichtigsten Postein- und -ausgänge» des Verbandes vom November 1967.

96 Im Protokoll der Verbandstagung vom 18. 5. 1969, S. 2, wird z. B. über die Beschlagnahmung jüdischer Zeitungen durch die Zollbehörden der DDR berichtet, obschon vom Staatssekretariat für Kirchenfragen eine grundsätzliche Bewilligung für deren Einfuhr vorlag.

97 *NB* vom 6. 8. 1956, S. 5.

98 Verband der Jüdischen Gemeinden in der DDR (Hg.): Antisemitismus in Westdeutschland, Judenfeinde und Judenmörder im Herrschaftsapparat der Bundesrepublik. Gemäß den für mich einsehbaren Unterlagen stammten die darin enthaltenen Beiträge aber nur zu geringen Teilen von Mitgliedern des Verbands. «Auftraggeber» dieser Dokumentation war möglicherweise das Staatssekretariat für Kirchenfragen; wahrscheinlicher ist aber, daß sie unter Federführung des (jüdischen) Leiters der Agitationskommission des Politbüros, Albert Norden, entstand. Vgl. dazu Dornberg, Deutschlands andere Hälfte, S. 96 f.

99 Vogel (Hg.), Die gleiche Sprache: Erst für Hitler – jetzt für Ulbricht.

100 *Israelitisches Wochenblatt*, 4. 3. 1966, S. 9.

101 Protokoll der Sitzung des Verbandspräsidiums vom 23. 3. 1966, S. 1.

102 Aktennotizen zu Besprechungen im Staatssekretariat für Kirchenfragen vom 21. 6., 29. 6., 4. 7. und 18. 8. 1966.

103 Brief des Gemeindevorsitzenden von Schwerin, A. Scheidemann, an H. Aris, Präsident des Verbandes, vom 10. 4. 1967.

104 *NB* vom Dezember 1976, S. 4; gemeint ist das KSZE-Gipfeltreffen vom Sommer 1975.

105 Marx, Zur Kritik der Hegelschen Rechtsphilosophie. In: Frühe Schrif-

ten, S. 488 (Hervorhebungen im Original). Ausführlich dazu: Maser, Genossen beten nicht. Kirchenkampf des Kommunismus.

106 Marx, Zur Judenfrage, S. 465.
107 Mampel, S. 165, Art. 41. Bei der Verfassungsänderung vom April 1968 wurde dieser durch den neu «der jetzigen Struktur unseres sozialistischen Staates entsprechend» formulierten Art. 39 ersetzt, der aber faktisch keine Veränderung der rechtlichen Situation zur Folge hatte. Vgl. *NB* vom September 1972, S. 9.
108 Maser, S. 126.
109 Maser, S. 106. Mampel, S. 166f, bemerkt in seinem Kommentar zu Art. 41, daß die evangelische Kirche sich bereit erklärte, Jugendliche trotz Teilnahme an der Jugendweihe zu konfirmieren, um den Gewissenskonflikt der Betroffenen zu mildern. Ob von den jüdischen Gemeinden eine ähnliche Regelung getroffen wurde, war nicht schlüssig in Erfahrung zu bringen.
110 Silberner, S. 24ff.
111 Marx, Zur Judenfrage, S. 485 (Hervorhebung im Original).
112 Silberner, S. 17.
113 Marx, Zur Judenfrage, S. 481 (Hervorhebungen im Original).
114 Für die folgenden Ausführungen stütze ich mich auf Silberner, insbes. S. 120–126, 266ff und 311ff.
115 Silberner, S. 126.
116 Lendvai, Antisemitismus ohne Juden, S. 29. Vgl. dazu auch Czollek, Mahnmal für den unbekannten Kommunisten. In: *Transatlantik*, Nr. 1, 1991, S. 73.
117 Lendvai, S. 79f.
118 Fejtö, Die Geschichte der Volksdemokratien, Bd. I, Die Ära Stalin 1945–1953 (weiterhin: Volksdemokratien), insbesondere S. 137ff.
119 Fejtö, Volksdemokratien, S. 217.
120 Lendvai, S. 72f; vgl. auch Fejtö, Volksdemokratien, S. 256ff.
121 Fejtö, Judentum und Kommunismus (weiterhin: Judentum), S. 37.
122 Meyer, The Jewish Purge in the Satellite Countries. In: Cohen (Ed.), The New Red Antisemitism (weiterhin: Jewish Purge), S. 25f.
123 Meyer, Stalin Follows in Hitler's Footsteps. In: E. Cohen (Ed.) (weiterhin: Stalin), S. 14.
124 Abosch, S. 56; Ehrenburg war das einzige Mitglied, das nicht verhaftet wurde. Schon 1955 wurde ein Gerichtsurteil gegen Mitglieder des Komitees revidiert, die Revision allerdings nicht veröffentlicht. Die Publikation der Rehabilitierung der Mitglieder erfolgte erst im Zuge von Glasnost 1989. *Allgemeine* vom 10. 2. 1989, S. 1.

125 Fejtö, Judentum, S. 37.

126 Abosch, S. 56.

127 Meyer, Stalin, S. 15.

128 Abosch, S. 58.

129 Picker, Hitlers Tischgespräche im Führerhauptquartier 1941–42, S. 119, zitiert in Silberner, S. 128.

130 Lendvai, S. 267 ff, Fabian, Hungary's Jewry Faces Liquidation. In: Cohen (Ed.), S. 32 ff; allgemein zu den «Säuberungen» im Ostblock: Hodos, Schauprozesse.

131 Meyer, Stalin, S. 16.

132 Lendvai, S. 278 f.

133 Fejtö, Volksdemokratien, S. 296.

134 Lendvai, S. 221.

135 Vgl. dazu Thompson, S. 51; Meyer, Czechoslovakia. In: Meyer/Weinryb/Duschinsky/Sylvain (Eds.), Jews in the Soviet Satellites (weiterhin: Czechoslovakia), S. 173.

136 Meyer, Czechoslovakia, S. 201, Anm. 5.

137 Fejtö, Judentum, S. 60.

138 Meyer, Czechoslovakia, S. 174.

139 Lendvai, S. 223. Er merkt an, daß Frau London diese Forderung aus freien Stücken erhoben habe (Anm. 4, S. 322); London wurde zu lebenslanger Haft verurteilt. Tomas Frejka beging etwa eine Woche nach der Hinrichtung seines Vaters Selbstmord (Meyer, Czechoslovakia, S. 187).

140 Meyer, Czechoslovakia, S. 184. Lesny, Der Slansky-Prozeß. In: Osteuropa, Heft 1, Februar 1953, S. 1–12, bemerkt außerdem, daß zahlreiche der «Zeugen» – z. B. der israelische Sozialist Mordechai Oren – ebenfalls hingerichtet worden seien oder hinter dem Eisernen Vorhang verschwanden. Im Widerspruch dazu steht, daß Hodos, Schauprozesse, Oren mit einer Publikation (Prisonnier politique à Prag, Paris 1960) anführt.

141 Lendvai, S. 221.

142 Meyer, Czechoslovakia, S. 187 ff. Die Rede Gottwalds wurde am 16. Dezember 1952 von Radio Prag ausgestrahlt.

143 Silberner, S. 133.

144 Abosch, S. 59. Der Prozeß gegen die Ärzte war auf den 18. März 1953 anberaumt, wurde aber nach Stalins Tod am 5. März verschoben. Die Vermutung geplanter Pogrome bestätigte der Stalin-Biograph Isaac Deutscher (in Silberner, S. 133).

145 Laut Abosch, S. 59 f, waren zwei der Angeklagten unter den Folterungen gestorben.

146 Silberner, S. 133.

147 Lendvai, S. 221.

148 Fejtö, Judentum, S. 37.

149 Weber, DDR, Grundriß der Geschichte 1945–1976 (weiterhin: DDR), S. 57 ff. Bis zu diesem Zeitpunkt hatte auf östlicher Seite noch die Hoffnung auf ein vereinigtes (sozialistisches) Deutschland bestanden; die Souveränität der DDR wurde als Hindernis für diesen Plan angesehen.

150 Danziger, «Die Partei hat immer recht», S. 27 f.

151 Eschwege (in Schoeps, DDR), S. 81 ff.

152 Fricke, Warten auf Gerechtigkeit, S. 78 ff, und Anlage 10, S. 153 ff.

153 Fricke, S. 74.

154 Beschluß des Zentralkomitees vom 27. Oktober 1950 «Überprüfung der Parteimitglieder und Kandidaten sowie Umtausch der Parteimitgliedsbücher und Kandidatenkarten». In: Fricke, S. 143, Anlage 7.

155 Fricke, Anlage 7, S. 144. Der Objektivismus besagt, daß (unabhängig von der «Klassenlage») eine objektive Wahrheit feststellbar ist, und steht im Widerspruch zur marxistischen These, wonach das Sein das Bewußtsein bestimme.

156 Zitiert nach Muhlen, The Survivors, S. 200, Übersetzung durch die Verf.

157 Muhlen, Survivors, S. 77. Tatsächlich schrumpfte die Mitgliederzahl der SED von 1949 bis 1952 um ein Drittel. Vgl. dazu auch Muhlen, 2 × Deutschland, S. 120 f. Genaue Zahlen zum jüdischen Anteil liegen bisher nicht vor.

158 Zitiert von Hermann Matern, «Grundsätze der Erhaltung der Einheit und Reinheit der Partei». In: Fricke, Anlage 11, S. 164.

159 Deutschkron, S. 189.

160 Werner, Survey Reports, The Soviet Satellites, 1. Terror East of the Elbe. In Congress Weekly, Vol. 20, No. 16, 4. Mai 1953, S. 15 f.

161 Thompson, S. 24.

162 NB vom September 1982, S. 10 f. Als Gründungsdatum gilt das Datum des staatlichen Anerkennungsschreibens.

163 Werner, S. 16.

164 Fricke, Anlage 12, S. 168 ff.

165 AJY, Vol. 55, 1954, S. 269. Die Listen waren vermutlich nach Bespitzelungen angelegt oder aus Gemeinde- oder «Joint»-Beständen ‹übernommen› worden.

166 Werner, S. 18.

167 Fricke, S. 87; Werner, S. 18.

168 Scharf-Katz (Interview vom 25. 6. 1990, S. 20) bestätigt, daß die Beamten

der Staatssicherheit wiederholt versuchten, jüdische Spitzel in die jüdischen Organisationen einzuschleusen.

169 *AJY*, Vol. 55, 1954, S. 269f.

170 Werner, S. 17.

171 Über die genauen Hintergründe und Umstände ist nichts bekannt. Sie stehen aber offensichtlich in direktem Zusammenhang mit den antijüdischen Maßnahmen.

172 Ostow, S. 15.

173 Werner, S. 17.

174 Herrmann, Political and social dimensions of the Jewish communities in the German Democratic Republic. In: *Nationalities Papers*. Vol. 10, S. 52f. Die Bemerkung von Eschwege (in Schoeps, DDR, S. 96), die «ganze Elite der damaligen Juden» sei geflohen, hat zweifellos ihre Berechtigung.

175 Deutschkron, S. 187.

176 Der Austritt mußte amtlich bekundet werden, um gültig zu sein, was von der Partei ebenfalls kontrolliert wurde. Vgl. dazu Czollek, S. 73. Die Forderung nach «Abstinenz» wurde z. B. auch von Kirchner (Interview vom 4. 5. 1990, S. 3) bestätigt; Klaus Gysi allerdings meint: «...daß es die Wahl gab zwischen SED und Judentum – nein, das kann ich mir beim besten Willen nicht vorstellen» (Interview vom 22. 6. 1990, S. 10).

177 Honigmann, Juden und jüdische Geschichte in der DDR. In: Schoeps, DDR, S. 104f.

178 Brandt, Ein Traum, der nicht entführbar ist. Mein Weg zwischen Ost und West, S. 190ff.

179 Fricke, Die SED und die Juden. In: *SBZ-Archiv*, Nr. 23, Dezember 1964, S. 355 (weiterhin: SED).

180 Zur «Affäre Merker» und zu Noël Field: Fricke, S. 78 und Anlage 12, S. 166ff.

181 Die Formulierung erstaunt, da es ein «jüdisches Volk» gemäß kommunistischer Doktrin nicht gibt!

182 Eschwege (in Schoeps, DDR, S. 94) bezeichnet Merker als Juden; Meyer (Anti-Semitism, S. 19) betont seine nichtjüdische Herkunft; aus den Darstellungen von Weber (DDR, S. 42 und S. 142) und Fricke (S. 78ff) läßt sich eine jüdische Herkunft ebensowenig ableiten wie aus Äußerungen des ZK der SED selbst zu Field (in Fricke, Anlage 10, S. 153ff) und zum Slansky-Prozeß (Anlage 12, S. 166ff). Zum Ausschluß: Fricke, SED, S. 355.

183 Ausschluß der «zionistischen Agenten» aus der VVN. In: Fricke, Anlage 14, S. 187f.

184 Ostow, S. 16; *AJY*, Vol. 55, 1954, S. 270.

185 Silberner, S. 295; Weber (DDR), S. 61; vgl. auch Fricke, S. 55 f.

186 *NB* (Mitteilungsblatt), Herbst 1953, S. 1.

187 *NB* (Mitteilungsblatt) vom 6. 3. 1954, S. 1. Als Vorbereitung galt z. B. die Evakuierung des größten Teils der Bibliothek von Ost- nach Westberlin Ende 1952; vgl. Ostow, S. 15 f.

188 Dieser Begriff taucht in den jüdischen Beschreibungen über das Verhältnis zum Staat immer wieder auf, vor allem im Zusammenhang mit der finanziellen Existenzsicherung durch die öffentliche Hand. Impliziert wird aber sicherlich auch Dankbarkeit dafür, daß ein Jude in der DDR «wahrscheinlich so sicher wie in keinem anderen Staat» lebt (Honigmann, S. 105).

189 *NB* (Mitteilungsblatt) vom 6. 8. 1956, S. 5.

190 P. Fischer, Interview vom 12. 11. 1990, S. 4.

191 Silberner, S. 204.

192 Fejtö, Judentum, S. 37 und 57.

193 Draper, Israel and world politics. In: *Commentary*, Vol. 44, No. 2, August 1967, S. 20.

194 Vgl. dazu Dittmar, DDR und Israel, Ambivalenz einer Nicht-Beziehung (I). In: *Deutschland-Archiv*, Juli 1977, S. 741 ff.

195 Eschwege (in Schoeps, DDR), S. 90. Die problematische synonyme Verwendung von «jüdisch» und «israelisch» ist also nicht ausschließlich ein nichtjüdisches Phänomen.

196 Deutschkron, S. 184 ff.

197 Eschwege (in Schoeps, DDR), S. 90.

198 Vgl. dazu Silberner, S. 293 ff.

199 Deutschkron, S. 186.

200 Dittmar, S. 750.

201 *Neues Deutschland* vom 4. 4. 1957, zitiert in Deutschkron, S. 191.

202 Dittmar, DDR und Israel (II), in: *Deutschland-Archiv*, August 1977, S. 850 (weiterhin: Dittmar II). Die Hallstein-Doktrin wurde Ende der 60er Jahre aufgegeben, was aber auf die Beziehungen der DDR zu den Nahoststaaten ohne direkten Einfluß blieb. Daß auch die DDR in dieser Zeit den Alleinvertretungsanspruch für «alle Deutschen» reklamierte und der BRD-Regierung jegliche Legitimität absprach, sei hier nur am Rande erwähnt.

203 Dittmar, S. 749 f.

204 Dittmar II, S. 849.

205 Zum Anteil der Ostblockstaaten am Nahostkonflikt und der zugehörigen kommunistischen Sprachregelung vgl. Wagenlehner, Eskalation im Nahen Osten.

206 Vgl. dazu Dürrenmatt, Zusammenhänge, S. 197; Dittmar II, S. 849. Eine Ausnahme bildete laut Dittmar (II, S. 850) Rumänien, das im April 1967 den kommunistischen Handelsboykott gegen Israel durchbrach, seine diplomatischen Beziehungen selbst nach diesem Krieg aufrechterhielt und sogar aufwertete – und damit demonstrierte, daß es vermutlich auch der DDR möglich gewesen wäre, eine gegenüber der UdSSR autonome Position im Nahostkonflikt einzunehmen.

207 Der Artikel erschien in der Rubrik «Forum des Lesers» der in Erfurt herausgegebenen Zeitung Das Volk vom 21. 2. 1967 unter dem Titel «Ein gehorsamer Satellit des Weltimperialismus».

208 Brief des Vizepräsidenten des Verbands, Scheidemann, an den Chefredaktor von Das Volk vom 10. März 1967 (Hervorhebung im Original). Die Bezeichnung der israelischen KP als «sehr aktiv» ist eine Fehleinschätzung, die allerdings der offiziellen Beurteilung entspricht; die israelische KP war die einzige israelische Organisation, mit der die SED Beziehungen unterhielt.

209 Brief des Abteilungsleiters für Propaganda (!) von Das Volk an A. Scheidemann vom 14. 4. 1967.

210 Neues Deutschland vom 3. 6. 1967, zitiert in Dittmar II, S. 849. Israel hatte diese Gasmasken tatsächlich erhalten, weil Ägypten im Jemen Giftgas eingesetzt hatte und im Kriegsfall für Israel ähnliches befürchtet wurde; von englischen Giftgaslieferungen an Israel konnte aber keine Rede sein.

211 Zitiert in Laqueur, Nahost – Vor dem Sturm, S. 236.

212 Honigmann, S. 114.

213 Schweriner Volkszeitung, Organ der Bezirksleitung Schwerin der SED, 17. / 18. Juni 1967, S. 2: «Die Aggression Israels widerspricht der jüdischen Verantwortung». Später erklärte Scheidemann gegenüber dem Verband, die im Artikel verwendete Bezeichnung «Aggressor» für Israel stamme nicht von ihm, sondern sei nachträglich eingefügt worden. Protokoll der Verbandstagung vom 12. 11. 1967, S. 7.

214 Ulbrichts Bewertung des Sechs-Tage-Kriegs lautete: «Es gab keine militärische Bedrohung des Staates Israel». Zitiert in Silberner, S. 296.

215 Diese Honecker zugeschriebene Formulierung findet sich im Nachrichtenblatt oder anderen ostdeutschen jüdischen Publikationen unzählige Male. Sie entspricht wohl in etwa dem «Axiom» von Zwerenz: «Linke Antisemiten gibt es nicht!» Hier wirkt gerade die Verwendung des zum Sprachgebrauch der Nazis gehörenden Wortes «ausgerottet» entlarvend.

216 Diese vom Verbandspräsidium, allen Gemeindevorsitzenden und dem Oberrabbiner unterzeichnete Erklärung ist undatiert. Vermutlich wurde sie, wie aus dem Protokoll der Verbandstagung vom 12. 11. 1967, S. 8,

hervorgeht, an einer Sondersitzung des Verbands am 30. 6. 1967 verfaßt und der Presse übergeben.

217 Vermutlich handelte es sich hier um das Staatssekretariat für Kirchenfragen; möglich wäre aber auch das Presseamt. Der abgelehnte Text liegt vor; er enthält tatsächlich keine – allenfalls auch zwischen den Zeilen – feststellbare Parteinahme; der Nahostkonflikt wird lediglich als Bedrohung für den Frieden in Europa bezeichnet. Protokoll der Verbandstagung vom 12. 11. 1967, S. 2 f.

218 Gemäß eigener Aussage sprach er nur zu den bevorstehenden Wahlen. Seine Handnotizen zu diesem Treffen (die allerdings teilweise unleserlich sind) legen dies ebenfalls nahe.

219 Am 9. 6. 1967 wurde in Leipzig der vormalige Gemeindevorsitzende Henik bestattet; im Anschluß an die Beerdigung traf sich das Verbandspräsidium und entschied, den Krieg in der Öffentlichkeit nicht zu kommentieren. Der Hinweis auf die Finanzierung durch ominöse «Dritte» legt nahe, daß sich die Vorurteile in der Bevölkerung seit 1953 (oder 1933) nicht wesentlich gewandelt hatten.

220 Protokoll vom 12. 11. 1967, S. 10. Diese Maßnahme entsprach einem gängigen Verfahren, das v. a. in der SED gegen gestrauchelte Mitglieder angewandt wurde, die Selbstkritik und Besserung gelobten. (Vgl. dazu z. B. Fricke, Warten auf Gerechtigkeit.)

221 Z. B. am 14. 8. 1969 und 31. 5. 1970; Protokoll der Verbandstagung vom 31. 5. 1970, S. 4.

222 Deutschkron, S. 197.

223 Dittmar II, S. 852.

224 Günther Leuschner in: Radio DDR I am 10. 3. 1973, zitiert in Dittmar II, S. 851 ff. Die Eröffnung dieses Büros kam einer diplomatischen Anerkennung gleich (vgl. dazu auch Deutschkron, S. 198).

225 Abosch, S. 99. «Antiisraelitisch» bedeutet im strengen Wortsinn «antijüdisch»; die hier verwendete Formulierung scheint m. E. aber dennoch passend, da sie die Unmöglichkeit bezeichnet, zwischen sozialistischem Antizionismus und Antisemitismus in der Praxis einen eindeutigen Unterschied festzustellen.

226 Dittmar II, S. 855.

227 Z. B. die Aufsätze von Eschwege und Honigmann.

228 So z. B. im NB vom Dezember 1973, vom Juni 1974 (nach Ausbruch des israelisch-arabischen Oktoberkriegs 1973) oder vom März 1981, jeweils in der Rubrik «Unsere Meinung».

229 Honigmann, S. 114 (Hervorhebung durch die Verf.). Der Sechs-Tage-Krieg wurde 1967 im NB nicht explizit erwähnt.

230 Blänsdorf, Zur Konfrontation mit der NS-Vergangenheit in der Bundesrepublik, der DDR und in Österreich. In: *Aus Politik und Zeitgeschichte*,
B 16–17/87, S. 12.

231 Wippermann, Antifaschismus in der DDR. Wirklichkeit und Ideologie,
S. 2. 95% der Verurteilungen erfolgten vor Ende 1950. Aus DDR-Sicht:
Jacobus, Eine Art Revolution. In: *Prisma*, Nr. 3, 1989, S. 62.

232 Vgl. dazu *NB* vom Juni 1967, S. 4. Gemäß Lichtenstein (NS-Prozesse,
S. 86) waren es bis 1985 rund 7000 Hauptverhandlungen.

233 Jacobus, S. 63. Die rigorose Neubesetzung der ostdeutschen Justiz hatte
allerdings auch deutlich negative Folgen: Ersetzt wurden die Verurteilten
(oder Entlassenen) durch im Schnellverfahren «ausgebildete» Laienrich-
ter, deren wesentlichste Qualifikation die «richtige» Gesinnung war. Vgl.
dazu Muhlen, 2 × Deutschland, S. 115.

234 Der SMAD-Befehl Nr. 201 vom 16. 8. 1947 leitete das Ende der Entnazifizierung ein. Damit wurde der Entzug der politischen Rechte aufgehoben.
Vgl. Blänsdorf, S. 13.

235 Kappelt, Braunbuch DDR, dokumentiert gegen 900 Biographien von
z. T. ranghohen ehemaligen Nazis, die später in der DDR bis in höchste
Funktionen aufsteigen konnten. Vgl. außerdem Vogel (Hg.).

236 Leonhard, Die Revolution entläßt ihre Kinder, S. 457.

237 *Neues Deutschland* vom 30. 4. 1948, zitiert in: Bundesministerium für gesamtdeutsche Fragen (Hg.), SBZ von 1945 bis 1954, S. 85.

238 Heydemann, Geschichtswissenschaft und Geschichtsverständnis in der
DDR seit 1945. In: *Aus Politik und Zeitgeschichte*, B 13/87, S. 18.

239 Heydemann, S. 20.

240 Thamer, Nationalsozialismus und Faschismus in der DDR-Historiographie. In: *Aus Politik und Zeitgeschichte*, B 13/87, S. 30.

241 Definition gemäß XIII. Plenum des Exekutivkomitees der Kommunistischen Internationale von 1933; zitiert in Wippermann, S. 5.

242 Immer wieder genannte Personen sind z. B. Krupp und Thyssen; für die
Personifizierung sei «Hitler-Faschismus» als geläufigstes Beispiel erwähnt
– das allerdings nicht nur DDR-typisch, sondern auch im Westen verbreitet war und ist.

243 Vgl. dazu Wippermann, S. 5 f; Diner, Der Krieg der Erinnerungen,
S. 45–53.

244 Die Sozialdemokraten wurden z. B. als «Sozialfaschisten» diffamiert. Zu
einem geeinten Kampf der «Arbeiterklasse» gegen die Nazis kam es nicht,
da machtpolitische Erwägungen gegenüber dem gemeinsamen Ziel den
Vorrang hatten. Vgl. dazu Ammon, Antifaschismus im Wandel? In:
Backes/Jesse/Zitelmann (Hg.), Die Schatten der Vergangenheit, S. 569.

245 Grunenberg, Antifaschismus – ein deutscher Mythos. In: *Die Zeit*, 26. 4. 1991, S. 64.

246 Gemäß Eschwege, Nachlese zur Wende (Manuskript, S. 9), war für das von ihm und Konrad Kwiet verfaßte Buch «Selbstbehauptung und Widerstand. Deutsche Juden im Kampf um Existenz und Menschenwürde 1933–1945» während Jahren in der DDR kein Verlag zu finden; es erschien erst 1984 – in Hamburg!

247 Dieser Begriff wurde in der DDR zu einem geflügelten Wort.

248 Mammach, Die deutsche antifaschistische Widerstandsbewegung 1933–1939, S. 262 f.

249 Berliner, in Ostow, S. 116.

250 Vgl. dazu Thamer, S. 35.

251 Die Arbeiten von K. Pätzold bilden eine der (spärlichen) Ausnahmen: Faschismus, Rassenwahn, Judenverfolgung (1975); Von der Vertreibung zum Genozid. In: Eichholz / Gossweiler (Hg.), Faschismusforschung (1980); Verfolgung, Vertreibung, Vernichtung. Dokumente des faschistischen Antisemitismus 1933–1942 (1983). Allerdings entspricht Pätzold der antizionistischen Grundtendenz, indem er den Juden vorwirft, sie hätten durch mangelnde Kooperationsbereitschaft und zionistische Bestrebungen den kommunistischen Widerstand geschwächt. Vgl. dazu auch Kwiet, Historians of the GDR on Antisemitism. In: *Leo Baeck Institute Yearbook*, Vol. XXI, 1976, S. 173 ff, insbesondere S. 196 f.

252 Vgl. z. B. Interview mit P. Kirchner, *Allgemeine* vom 27. 10. 1989, S. 1.

253 Vgl. Uhlig, «Auschwitz» als Element der Friedenserziehung in der DDR. In: Rathenau / Weber, Erziehung nach Auschwitz, S. 90.

254 Feinberg, Wiedergutmachung im Programm, S. 66.

255 Uhlig, S. 90.

256 Kuhrt / v. Löwis, Griff nach der deutschen Geschichte, S. 72.

257 Feinberg, S. 65; *tageszeitung* vom 26. 10. 1990, S. 12.

258 Eschwege (in Schoeps, DDR), S. 96.

259 Honigmann, S. 109. Die von Eschwege und Honigmann erwähnten Archive waren u. a. im Zusammenhang mit «Wiedergutmachungs»-Fragen von Bedeutung, doch die DDR verweigerte auch ausländischen Organisationen meist die Akteneinsicht. Vgl. auch Kwiet, S. 194.

260 Auch auf jüdischer Seite wurden keine Angaben darüber gemacht, wie oft solche Vorfälle zu verzeichnen waren.

261 Vgl. z. B. *Neues Deutschland* vom 16. / 17. 12. 1989, S. 7. Unter dem Titel «Die Stunde der Rechten in der DDR?» erschien ein Interview mit dem Kriminalsoziologen W. Brück, der feststellte, daß rechtsradikale Strömungen seit 1987 intensiv beobachtet würden, bisher aber über das (neo-)

nazistische Potential keine wissenschaftlichen Untersuchungen durchgeführt wurden. Das beigefügte Bild zeigt die auf eine Säule gesprayte Parole «Nazis raus!» mit der Bildlegende «Eine Forderung, wie sie bislang in Westberlin vonnöten und anzutreffen war, in der Straße der Pariser Kommune».

262 Katcher, S. 198.

263 Vgl. dazu Lust, Two Germanies, S. 212f.

264 Hier sei an den Allgemeinen Jüdischen Arbeiterbund (in Litauen, Polen und Rußland), oft nur «Bund» genannt, erinnert; die «Bundisten» stellten v. a. in der Sozialdemokratischen Arbeiterpartei Rußlands eine ernstzunehmende Fraktion.

265 Es ist anzunehmen, daß seitens der SED eine inhaltliche Auseinandersetzung mit jiddischer Kultur überhaupt nicht stattfand; denn diese hätte unvermeidlich das Eingeständnis zur Folge haben müssen, daß gerade die Juden im osteuropäischen Raum sehr wohl über eine gemeinsame Sprache, Kultur und (wenigstens teilweise) Wirtschaft – also über drei der vier gemäß Stalin konstituierenden Faktoren einer Nation – verfügten. Einzig das gemeinsame Territorium war den Juden bis zur Gründung des Staates Israel nicht gewährt worden. Eine andere Politik wurde von der DDR allerdings gegenüber den Sorben praktiziert. Diese, eine etwa 100 000 Personen umfassende westslawische Minderheit, leben v. a. im Südosten der ehemaligen DDR und besitzen seit 1945 Kulturautonomie.

266 Ostow, S. 83 ff, Interview mit ihrer Tochter Jalda Rebling, die in die Fußstapfen ihrer Mutter trat.

267 Vgl. dazu NB vom Juni 1987, S. 10 ff.

268 Eschwege, Nachlese zur Wende der SED anläßlich des 50. Jahrestages der Kristallnacht (Manuskript), S. 9.

269 Honigmann, S. 107.

270 Runge, S. 945.

271 Uhe, Der Nationalsozialismus in deutschen Schulbüchern, S. 63.

272 NB vom Dezember 1978, S. 2.

273 «Museum pieces and puppets» ist der Titel des Kapitels in Thompsons Untersuchung (a. a. O., S. 97 ff), das die Lage der jüdischen Gemeinden nach 1953 beschreibt. Diese Metapher erscheint in mehreren Darstellungen.

274 Runge, S. 948.

275 NB vom September 1983, S. 2.

276 In: Hirt-Mannheimer, Zehn Tage in Ostdeutschland (Manuskript, Übersetzung Eschwege), S. 1.

277 Interview mit P. Kirchner vom 4. 5. 1990, S. 3.

278 Die nachfolgende Darstellung stützt sich – sofern nicht anders vermerkt –
auf die unveröffentlichte Dokumentation von R. Srowig, Ein Kapitel nationalsozialistischer Vergangenheitsbewältigung in der DDR. Deren Aussagen stimmen mit den Schilderungen von Eschwege und Wolff überein.

279 Interview mit H. Eschwege vom 13. 8. 1990, S. 6 (unter Vorlage einer Kopie der Geburtsurkunde).

280 Die genauen Daten beider Amtsantritte sind aufgrund der vorliegenden
Unterlagen nicht festzustellen; anzunehmen ist jedoch, daß Baden und
Karin Loebel ab 1954, d. h. nach der großen Fluchtwelle im Zusammenhang mit dem Slansky-Prozeß, ihre Funktionen übernahmen: Der Nachruf auf Baden (Anhang zum Protokoll der Verbandstagung vom
24. 6. 1962) vermerkt lediglich, daß er die Leitung übernahm, als der Verband «ins Wanken zu geraten drohte».

281 Die Legende von der Adoption eines jüdischen Kindes kann bei der Entnazifizierung Paul Loebels kaum eine Rolle gespielt haben; denn Karin, von
der die Legende stammte, war bei Kriegsende elf Jahre alt. Die Eltern
wurden wohl, als Karin Loebel Anfang der 60er Jahre mit der Verbreitung
dieser Geschichte begann, nicht dazu befragt.

282 Goeseke, Nachwort: Zur Aufhellung des dunklen Kapitels der Observierung und Reglementierung des Verbandes der Jüdischen Gemeinden in
der DDR durch die Regierung mit Hilfe des offensichtlich eigens solchen
Zwecken dienenden Staatssekretariats für Kirchenfragen, S. 2. Die Betroffenen sahen ihren Verdacht, Landesrabbiner Riesenburger habe im
Auftrag des Staates die Gemeinden überwacht, durch ein Ereignis von
1954 bestärkt: Damals hatte die Gemeinde Leipzig einen Teil ihrer Kinder
in ein Ferienlager nach Westberlin geschickt und war deswegen von Riesenburger und dem Berliner Vorstandsmitglied Bendit bei den Behörden
angezeigt worden. Die beiden verwahrten sich auf einer nachfolgenden
Verbandstagung gegen den Vorwurf der Denunzierung, gaben aber zu,
«Meldung erstattet» zu haben, da sie den «faschistischen» Einfluß westdeutscher Kreise (der auch auf die Westberliner Jüdische Gemeinde über-
gegriffen habe) fürchteten und zu unterdrücken suchten. Protokoll der
Verbandstagung vom 20. 3. 1955, S. 1 f.

283 Brief von K. Mylius an den Verband vom 15. 12. 1968, S. 2.

284 Brief von F. Kowalski an den Verband vom 14. 10. 1968.

285 Brief der Gemeinde Halle an den Verband vom 10. 10. 1968. Über die
Amtsführung Kowalskis kann hier kein Urteil abgegeben werden. Die
vorliegenden Unterlagen enthalten jedoch keinerlei Hinweise auf voran-
gegangene Klagen seitens der Gemeindemitglieder oder Kritik durch den
Verband.

286 Brief von F. Kowalski an den Verband vom 14. 10. 1968.

287 Brief der Gemeinde Berlin an den Verband vom 2. 12. 1968. (Das Proto-koll dieser Verbandstagung und die Niederschrift der Verhandlungen zwischen Schiedskommission, Kowalski und Mylius liegen nicht vor.)

288 Briefe der Gemeinden Magdeburg und Leipzig an den Verband, beide datiert vom 4. 12. 1968.

289 Brief von K. Mylius an den Verband vom 15. 12. 1968. Der Leitsatz be-sagt, daß staatliches Recht auch für die Juden des jeweiligen Landes Geset-zeskraft hat.

290 Brief der Gemeinde Halle an den Verband vom 15. 12. 1968. Die Schieds-kommission hatte offenbar versucht, dadurch Einigung zu erreichen, daß Kowalski als stellvertretender Vorsitzender einzusetzen sei. In dieser Funktion ist er auch auf einer Einladung der Gemeinde Halle vom No-vember zur *Chanukka*feier 1968 angeführt. Danach brachen die Kontakte zu ihm ab, nicht zuletzt deshalb, weil der Verband (oder Helmut Aris) der von Karin Mylius an ihrem Vorgänger geübten Kritik Glauben schenkte.

291 Protokolle der Verbandstagungen vom 18. 5. 1969 und vom 31. 5. 1970.

292 Protokoll der Verbandstagung vom 18. 5. 1969, S. 6, und Brief des Ver-bandes an die Gemeinden (hier: Landesgemeinde Mecklenburg) vom 31. 7. 1969.

293 Srowig, S. 23 ff und S. 14 ff.

294 Mündliche Auskunft von S. Wolff.

295 Srowig, S. 10. Es ist unvorstellbar, daß jüdische Menschen solche ‹Pro-dukte› in ihrem Privatbesitz halten würden – auch nicht als Beweisstücke. Srowig bezeichnet dies (m. E. zu Recht) als «Gipfel der Pietätlosigkeit».

296 Srowig, S. 25, bemerkt, daß Verbandspräsident Aris «aufgrund der engen Freundschaft, welche ihn mit Frau Mylius verband», als Ansprechpartner nicht in Frage kam.

297 1959 wurde die zur Synagoge umgebaute Abdankungshalle eingeweiht, danach jedoch – gemäß Srowig, S. 18 – einzig für die *Bar-Mitzwa*-Feier des Sohns der Vorsitzenden, Frank-Chaim Mylius, benutzt!

298 Srowig, S. 28.

299 Eschwege wurde allerdings (gemäß eigenen Angaben; Interview vom 13. 8. 1990, S. 11) jeweils von den Sicherheitsorganen um «objektive» In-formationen zur dortigen Lage «gebeten», da deren Beschaffung für die Behörden selbst angeblich ungleich schwieriger gewesen wäre.

300 Srowig, S. 29. Die Klage lautete vermutlich u. a. auf Betrug, möglicher-weise waren auch andere Straftatbestände wie Veruntreuung Gegenstand der Ermittlungen. Details sind jedoch nicht bekannt.

301 Eschwege, Interview, S. 1 und 6 f.

302 Srowig, S. 30f.

303 Briefe des Verbandspräsidenten an Klaus Mylius sowie an den Rat des Bezirkes Halle, beide datiert vom 9. 9. 1986.

304 Eidesstattliche Erklärung von G. Wolfson vom 31. 1. 1990, Schreiben der Gemeinde Halle an das Verbandspräsidium vom 3. 10. 1986, und Aktennotiz von Hans Levy (undatiert, unterzeichnet) zu einer Besprechung mit Käthe Ring, Familie Wolfson sowie dem Referenten für Kirchenfragen des Rates des Bezirks Halle, Voigt, vom 24. 11. 1986, S. 1. Die eidesstattliche Erklärung steht im Zusammenhang mit einer Klage, die Prof. Mylius nach dem Tod seiner Frau wegen Verleumdung gegen die Jüdische Gemeinde erhob.

305 Brief von K. Mylius an den Staatssekretär für Kirchenfragen, Klaus Gysi, vom 5. 12. 1986.

306 Brief des Verbandspräsidenten Aris an den Vorstand der Gemeinde Halle vom 27. 11. 1986: «Die bisherige Vorsitzende der Gemeinde Halle hat keinerlei Rechte und natürlich auch keine Unterschriftsvollmacht für die Bank.»

307 Brief von Karin Mylius an Verbandspräsident Helmut Aris vom 5. 12. 1986, S. 1.

308 Eschwege (in Schoeps, DDR, S. 73 und S. 91) bezichtigt Aris ebenfalls autokratischen Verhaltens. Er bemerkt, daß dieser bereits 1954 die Statuten der Gemeinde Dresden außer Kraft gesetzt habe, da er auf dem Standpunkt beharrt habe, «daß Rechenschaft Mißtrauen bedeute». Zudem habe er 1981 die Verbandsstatuten außer Kraft gesetzt, wozu Eschwege bemerkt: «Der Verband besteht seit diesem Zeitpunkt nur noch auf dem Papier». Anzunehmen ist jedoch, daß mindestens 1985 im Zusammenhang mit dem «Fall Karin Mylius» eine Sondertagung stattfand.

309 Goeseke, Nachtrag, S. 2.

310 Wolff (selbst Jüdin aus Halle, die allerdings erst durch ihre Arbeit für die «Aktion Sühnezeichen» in Kontakt zur Gemeinde kam) beteiligte sich ebenfalls an den Recherchen. Sie berichtete (Interview vom 9. 5. 1990, S. 8), daß alle an diesen Nachforschungen Beteiligten selbst nach dem Tod von Karin Mylius massiven Drohungen und Verleumdungen seitens der Behörden ausgesetzt gewesen seien.

311 Über die Folgen, die ihre Tätigkeit für den Verband hatte, d. h. über Konsequenzen, die sich aus ihrer (als gesichert geltenden) Arbeit für die Staatssicherheit ergaben, war keine Auskunft zu erhalten.

312 Srowig, S. 5; Interview G. Goeseke / D. Mitschke, 29. 6. 1990, S. 8f.

313 Srowig, S. 12f.

314 Wegen einer Veröffentlichung über die Machenschaften der verstorbenen

Karin Mylius in «Blattwerk», einer ökologischen Publikation, erhob Klaus Mylius Klage gegen die Gemeinde. G. Goeseke stellte darauf eine Liste zusammen, auf der zu diversen Klagepunkten Stellung genommen wird, u. a. zum Vorwurf der Entwendung von Kultusgegenständen und zu Käufen für private Zwecke, die aber dem Gemeindehaushalt belastet wurden. Hierzu: S. 2.

315 Srowig, S. 12.

316 Srowig, S. 18 f (Hervorhebung im Original).

317 Laut Goeseke (Liste zu Klagepunkten, S. 3) ließ sie sich einen Stempel mit diesem Titel anfertigen – auf Kosten der Gemeinde.

318 Gemäß *FAZ* vom 20. 2. 1990 wurde der Leichnam des Vaters auf Betreiben von Gemeindemitgliedern inzwischen exhumiert und andernorts beigesetzt. Karin Mylius selbst wurde allerdings auf dem jüdischen Friedhof bestattet.

319 *NB* vom März 1982; zitiert in Srowig, S. 20.

320 Srowig, S. 22; auch Eschwege (Interview vom 13. 8. 1990, S. 7) bestätigte dies.

321 Brief von P. Kirchner an H. Eschwege vom 21. 10. 1985, S. 1.

322 Ausnahmen waren v. a. Kontakte zur KP Israels und zu dort lebenden (anerkannten) Antifaschisten.

323 Vgl. dazu ausführlich Weber, Aufbau und Fall einer Diktatur. Kritische Beiträge zur Geschichte der DDR.

324 Robejsek, Abschied von der Utopie, S. 193. Etwa 40 % des Westhandels wurden mit der BRD abgewickelt; in der ersten Hälfte der 80er Jahre war die DDR-Bilanz im innerdeutschen Handel positiv. Vgl. dazu Haendcke-Hoppe, Die Außenwirtschaftsbeziehungen der DDR und der innerdeutsche Handel. In: Weidenfeld/Zimmermann (Hg.), Deutschland-Handbuch, Eine doppelte Bilanz 1949–1989, S. 648.

325 Zitiert in Haendcke-Hoppe, S. 645.

326 Weidenfeld/Zimmermann (Hg.), Chronik, S. 824.

327 Diese Formulierung stammt von einem meiner Interview-Partner.

328 Robejsek, S. 215 f.

329 Anders als das Deutschland-Handbuch (Weidenfeld/Zimmermann, Hg., Chronik, S. 826) und *Neues Deutschland* (24. 6. 1987, S. 1) bemerkt das jüdische *Nachrichtenblatt* vom September 1987, S. 12, ausdrücklich, daß der Besuch Rabbiner Millers auf Einladung der DDR-Regierung erfolgte.

330 *Neues Deutschland* vom 24. 6. 1987, S. 1. Gemeint sind die Beziehungen zwischen der DDR und den USA – nicht etwa zu Israel.

331 *Allgemeine* vom 18. 7. 1986, S. 1.

332 *Allgemeine* vom 7. 2. 1986, S. 2, zitiert hier Kirchner, der dieser Delegation

als Vorsitzender der (größten) Gemeinde Berlin und als Vizepräsident des Verbandes angehörte. DDR-Bürger waren in Israel visumspflichtig; da keine diplomatischen Beziehungen bestanden, mußten Anträge über ein Drittland laufen, in dem beide Vertretungen hatten.

333 Wolffsohn stellt handels- und geschichtspolitische Ambitionen als gleichbedeutende Motive dar – eine Beurteilung, die ich nicht teilen kann: Der «PR-Bonus» gegenüber der BRD war (zu diesem Zeitpunkt) ein wohl eher geringer, wenn auch erfreulicher Nebeneffekt.

334 Wolffsohn, Aufs falsche Pferd gesetzt. In: *Semit* Nr. 1 (März/April), 1991, S. 36.

335 *Neues Deutschland* vom 4. 5. 1988, S. 2.

336 Z. B. in *Neues Deutschland* vom 24. 11. 1987, S. 1; 4. 12. 1987, S. 1; 18. 2. 1988, S. 1; 14. 3. 1988, S. 2; 2./3. 4. 1988, S. 2.

337 *Neues Deutschland* vom 11. 11. 1987, S. 2. Bezeichnend ist auch, daß unmittelbar neben dieser Rede eine Notiz plaziert wurde, die über den Besuch Whiteheads bei der Jüdischen Gemeinde Ostberlin berichtet, an dem auch der US-Botschafter in der DDR, Francis Meehan, und Mitarbeiter des State Departement teilnahmen.

338 *Allgemeine* vom 5. 2. 1988, S. 12, die sich auf die Washington Post beruft. Vgl. auch *Aufbau* vom 12. 2. 1988, S. 1.

339 *Aufbau* vom 12. 2. 1988, S. 1. Zweifellos bestand die Hoffnung, mittels des (nicht nur von der SED stark überschätzten) WJC Einfluß auf die «jüdische Lobby» und damit auf Washington zu gewinnen – eine auf Mißverständnissen basierende Vorstellung: Im *Tages-Anzeiger* vom 17. 9. 1991, S. 3, bemerkt Schenk, daß in den USA eine «proisraelische Lobby» (vergleichbar mit der Öl- oder Immobilienlobby) tätig sei. Diese vereine 6 Mio. jüdische Wähler, sei gut organisiert und finanzkräftig, ihr hauptsächliches Interesse gelte der Unterstützung Israels in der US-Regierung (mit wechselndem Erfolg), weniger den Anliegen der Diaspora.

340 *Aufbau* vom 20. 5. 1988, S. 6.

341 Interview mit P. Kirchner vom 5. 11. 1990, S. 3. Auch die Juden der DDR erfuhren davon mindestens offiziell nichts, denn das *NB* vom September 1988, S. 25 f, druckte die dieses Projekt betreffende Passage vom Artikel in *Neues Deutschland* vom 3. 6. 1988, S. 1, im Wortlaut ab.

342 *Neues Deutschland* vom 6. 7. 1988, S. 2.

343 *Neues Deutschland* vom 7. 6. 1988, S. 1; *Allgemeine* vom 10. 6. 1988, S. 1.

344 *Allgemeine* vom 10. 6. 1988, S. 1.

345 *Neues Deutschland* vom 7. 6. 1988, S. 1. Originalton Galinski: «(...) das ist doch wirklich ein historischer Moment, Sie sehen das ja an der Länge des Gespräches.»

346 *Allgemeine* vom 10. 6. 1988, S. 1. Erinnert sei hier daran, daß die Forderungen der «Claims Conference» an die DDR zum Zeitpunkt des Vertrags-
abschlusses mit der BRD über Entschädigungsleistungen 500 Mio. $ be-
tragen hatten. In Anbetracht der Kurseinbußen und der Geldentwertung
in diesen 35 Jahren hätte die hier erwähnte Zahlung nur einen geringen
Teil der Forderungen gedeckt.

347 *Aufbau* vom 17. 6. 1988, S. 1, und vom 29. 7. 1988, S. 2.

348 *Allgemeine* vom 8. 1. 1988 (der Bericht stützt sich auf die ostdeutsche
Nachrichtenagentur ADN); *Neues Deutschland* vom 28. 6. 1988, S. 2.

349 *Allgemeine* vom 12. 8. 1988, S. 1; *Allgemeine* vom 16. 9. 1988, S. 1; *Neues
Deutschland* vom 8. 9. 1988, S. 2.

350 Interview mit R. Scharf-Katz vom 25. 6. 1990, S. 23.

351 *Neues Deutschland* vom 25. 7. 1988, S. 1, und vom 26. 7. 1988, S. 2.

352 *Neues Deutschland* vom 29. 9. 1988, S. 5.

353 *Neues Deutschland* vom 17. 10. 1988, S. 1.

354 Laut Wolffsohn (in *Semit*, S. 36) soll Stern seit 1987 Bevollmächtigter des
WJC für Kontakte mit der DDR gewesen sein. Dafür gibt es jedoch keine
konkreten Anhaltspunkte. Stern hatte zwar im Juli 1987 mit einem Füh-
rungsmitglied des FDJ in Berlin konferiert, doch ging es dabei (zumindest
offiziell) ausschließlich um Belange der Jugend- und Studentenarbeit. Vgl.
Neues Deutschland vom 14. 7. 1987, S. 2, und *NB* vom Dezember 1987,
S. 17f.

355 *NB* vom Dezember 1988, S. 3.

356 *Neues Deutschland* vom 15./ 16. 10. 1988, S. 8, und vom 18. 10. 1988, S. 2.

357 *Neues Deutschland* vom 18. 10. 1988, S. 2. *Der Spiegel* (Nr. 44/ 1988, S. 125)
berichtete über den Bronfman-Besuch unter dem Titel «Schnaps und
Schminke» (Bronfman ist Chef des kanadischen Spirituosen-Konzerns
Seagram) und behauptete, der Präsident des WJC habe sich lange – vergeblich – gegen die Ordensverleihung gewehrt, da er befürchtete, diese
könne ihm als Anbiederung angelastet werden. Selbst Wolffsohn, der Gelegenheit erhielt, interne Akten des DDR-Ministeriums für Auswärtige
Angelegenheiten auszuwerten, scheint dies gemäß seinen Ausführungen
in *Semit* (S. 36f) und in «Keine Angst vor Deutschland!» (S. 213ff) nicht
bekannt zu sein.

358 Eine solche Konferenz wurde zu jenem Zeitpunkt von Israel abgelehnt, da
verschiedene UNO-Resolutionen der Vergangenheit befürchten ließen,
Israel würde dabei begrenzt mit US-Unterstützung rechnen können,
sonst aber einer eindeutig propalästinensischen Übermacht gegenüberstehen.

359 *NB* vom Dezember 1988, S. 4. *Der Spiegel* (Nr. 44/ 1988) bemerkt gar,

Honecker habe eine «definitive Zusage» zur Aufnahme diplomatischer Beziehungen abgegeben, die zuvor mit den Mitgliedern des Warschauer Pakts abgesprochen worden sei.

360 Zu diesem Zeitpunkt wurden nur 0,3 % des DDR-Außenhandels mit den USA abgewickelt (*NB* vom Dezember 1988, S. 4).

361 *Neues Deutschland* vom 18. 10. 1988, S. 2 (Toast von Edgar Bronfman).

362 *NB* vom Dezember 1988, S. 5.

363 Mit dieser Äußerung begab sich Bronfman – vermutlich unbewußt und unfreiwillig – in die Nähe jener Historiker, die im «Historikerstreit» die sog. revisionistischen Positionen vertraten.

364 *Neues Deutschland* vom 19. 10. 1988, S. 1.

365 Dachauer («Ein Whisky für den Holocaust», in *Semit* 2 / 1990, S. 16) bestätigt diese Aussagen, ebenso *Allgemeine* vom 28. 10. 1988, S. 12.

366 *Neues Deutschland* vom 9. 11. 1988, S. 1.

367 *Neues Deutschland* vom 28. 10. 1988, S. 1, und vom 29. / 30. 10. 1988, S. 2.

368 *Neues Deutschland* vom 31. 10. 1988, S. 2, vom 7. 11. 1988, S. 2, und vom 8. 11. 1988, S. 2.

369 *Neues Deutschland* vom 9. 11. 1988, S. 1.

370 Sie war inzwischen offenbar zum Judentum übergetreten (wie und wann, ist unbekannt), denn das *NB* vom März 1988, S. 12, das die Ordensträger auflistet, bezeichnet sie als Mitglied der Gemeinde Berlin.

371 *Neues Deutschland* vom 9. 11. 1988, S. 2; mit Galinski wurde ein Mann geehrt, den die SED während Jahren verunglimpft hatte, weil er als Verursacher der Spaltung der Gemeinde Berlin angesehen wurde. Galinskis Bereitschaft, sich so auszeichnen zu lassen, wurde ihm später nicht nur durch die «Republikaner» in ihrer Wahlpropaganda vorgeworfen, sondern auch von jüdischer Seite. Wolffsohn, der Bronfman und Galinski (in Keine Angst vor Deutschland!, S. 214 ff) kritisierte, weil sie nicht wenigstens nach der «Wende», anläßlich der Tagung des WJC in Berlin, ihre Orden an die SED-Nachfolgepartei PDS zurückgaben, erwähnt einen Briefwechsel mit Galinski zu diesem Thema und zitiert diesen: «Als die Verleihung eines Ordens an mich zur Diskussion stand, habe ich den Ratschlag vieler politisch Verantwortlichen in der Bundesrepublik darüber gesucht und geprüft, wie ich mich zu verhalten habe. Es wurde mir empfohlen, diese Geste anzunehmen, weil zu vieles auf dem Spiele stand. Es war zu befürchten, daß der Vorhang, den etwas angehoben zu haben ich mir anmaße, als Folge einer Ablehnung wieder zufallen könnte» (Wolffsohn, Die häßlichen Deutschen? In: Trautmann, Hg., Die häßlichen Deutschen?, S. 82).

372 Verband der Jüdischen Gemeinden in der DDR (Hg.), Damit die Nacht nicht wiederkehre. Diese Dokumentation enthält u. a. die im Staatsrat bei

der Ordensvergabe und in der Sondersitzung der Volkskammer gehaltenen Reden, die Ansprachen zu Gedenkveranstaltungen des Verbandes vom 9. November 1988, Äußerungen ausländischer Gäste sowie einen Überblick über alle dem 50. Jahrestag der «Kristallnacht» gewidmeten Aktivitäten des Jahres 1988 in der DDR.

373 Zimmermann (Deutschland 1989: Probleme und Tendenzen nach vierzig Jahren Zweistaatlichkeit. In: Weidenfeld/Zimmermann, Hg., S. 700 f) bemerkt dazu vorsichtig: «Die Gefahr, daß hier eine spezielle politische Indienstnahme mitbeabsichtigt war, kann sicher nicht ausgeschlossen werden.»

374 Ein gewisser Bruno Baum war in den 50er Jahren Sekretär der Berliner Bezirksleitung der SED, soweit feststellbar aber kein bekannter Widerstandskämpfer. Vgl. dazu Brandt, S. 188.

375 Verband (Hg.), Damit die Nacht…, S. 61 ff.

376 Ebenso wie den eigenen (positiven) Aktivitäten wurde diesem (negativen) Anlaß und seinen Folgen in *Neues Deutschland* viel Platz eingeräumt: Die DDR-Veranstaltungen vom 8. 11. 1988 füllten insgesamt fünf der acht Seiten umfassenden Ausgabe vom 9. 11. 1988, während die Debatte um die Rede Jenningers am 11. und 12. / 13. 11. 1988 je auf knapp einer Seite als «Skandal» dokumentiert wurde.

377 Dachauer. In: *Semit*, S. 16.

378 *NB* vom Dezember 1988, S. 2.

379 *NB* vom März 1989, S. 4.

380 Laut *Allgemeine* vom 22. 11. 1990, S. 10, war Peter Fischer im Frühjahr 1989 zum Sekretär ernannt worden.

381 *NB* vom Dezember 1988, S. 14 zur EUJS-Veranstaltung; *NB* vom Dezember 1989, S. 3 ff zur Israelreise zweier junger Berliner Gemeindemitglieder und S. 7 zur Teilnahme von 14 Kindern an einem Sommerlager des vormals so verschrieenen «Joint» in Ungarn sowie S. 23 zur Teilnahme an Sommerkursen der Jüdischen Hochschule in Heidelberg.

382 *NB* vom September 1989, S. 17.

383 *Aufbau* vom 18. 11. 1988, S. 3.

384 *NB* vom September 1989, S. 17.

385 Vermutlich wollte Ostberlin damit manifestieren, daß es die Annexion Ostjerusalems, die der Neubestimmung der Hauptstadt vorangegangen war, verurteilte.

386 So z. B. in *Neues Deutschland* vom 5. 2. 1987, S. 1, vom 17. 12. 1987, S. 1, vom 18. 3. 1988, S. 5, vom 8. 1. 1988, S. 5, und vom 16. 2. 1988, S. 1.

387 Eschwege (in Schoeps, DDR), S. 96; *NB* vom März 1989, S. 13; *Neues Deutschland* vom 5. / 6. 11. 1988, S. 1.

388 *NB* vom September 1988, S. 24.

389 Gemäß der Reportage von Spiegel-TV vom 15. 10. 1991 handelt es sich dabei nicht um ein wörtliches Zitat, sondern um die sinngemäße Übertragung einer Äußerung Gorbatschows. Vgl. auch Wickert (Hg.), Angst vor Deutschland, Chronologie 1989/90, S. 334.

390 *NB* vom Dezember 1989, S. 13 ff.

391 Zu erinnern ist hier auch daran, daß im Oktober 1989 die in der DDR demonstrierenden Menschen als Reaktion auf die Massenflucht ihrer Nachbarn Reformen, nicht die «Abschaffung» der DDR forderten – und zunächst «Wir bleiben hier» skandierten, bevor «Wir sind das Volk» oder später «Wir sind *ein* Volk» zu den Leitparolen der Kundgebungen wurden. Vgl. dazu Maaz, Gefühlsstau. Ein Psychogramm der DDR, S. 142.

392 *Neues Deutschland* vom 6. 11. 1989, S. 3, Veröffentlichung im Wortlaut.

393 Die *Allgemeine* vom 15. 12. 1989, S. 2, enthält die Erklärung im Wortlaut. *Neues Deutschland* vom 5. 12. 1989, S. 2, berichtet über die Erklärung und enthält zudem einen Aufruf an die Öffentlichkeit, den Text mitzuunterzeichnen. Vgl. auch *NB* vom März 1990, S. 12.

394 Dieser Ausdruck stammt aus Giordanos Buch «Die zweite Schuld», das sich kritisch mit dem Umgang beider deutscher Staaten mit der gemeinsamen faschistischen Vergangenheit auseinandersetzt. Da diese Bezeichnung auf die DDR gemünzt ist und somit einen offenen Angriff auf deren nationales Selbstverständnis darstellt, gehörte diese Publikation vor der «Wende» aus Sicht der SED zweifellos zur ‹Giftschrank-Literatur›, war also auch für die Juden kaum zugänglich.

395 Am 15. November 1988 hatte die 19. Außerordentliche Tagung des Palästinensischen Nationalrates in Algier die Gründung des Staates Palästina mit Jerusalem als Hauptstadt proklamiert und den PLO-Vorsitzenden Arafat zum Staatsoberhaupt gewählt. Die DDR reagierte am 18. November 1988 auf diesen symbolischen Akt mit der umgehenden Anerkennung des Staates Palästina – als einer der ersten Staaten überhaupt. *Neues Deutschland* vom 16. 11. 1988, S. 1, vom 19./20. 11. 1988, S. 1, und vom 30. 11. 1988, S. 1.

396 Eine Ausnahme ist Irene Runge, ein Mitglied des Ostberliner Gemeindevorstandes, die bekanntermaßen engagiert an den Debatten mitwirkte.

397 *Allgemeine* vom 17. 11. 1989, S. 3.

398 Hier und im folgenden *NB* vom März 1990, S. 12 ff.

399 Am 22. Januar 1990 wurden erstmals DDR-Bürgerinnen, die während der Nazizeit Juden unter Einsatz ihres Lebens versteckt oder sonst unterstützt hatten, von Yad Vaschem, der nationalen israelischen Gedenk- und For-

schungsstätte für den Holocaust, als «Gerechte der Völker» geehrt. De Maizière als Stellvertretender Ministerpräsident für Kirchenfragen hielt zu diesem Anlaß eine der Reden. (Die anderen Redner bei dieser Veranstaltung des Verbands der jüdischen Gemeinden waren der ehemalige israelische Religionsminister, der aus Dresden gebürtige Josef Burg, und der Zentralratsvorsitzende Heinz Galinski; die DDR-Juden selbst blieben im Hintergrund.)

400 *EUJS-Newsletter* vom Mai 1990, S. 8, und *Allgemeine* vom 15. 2. 1990, S. 2. Die Erklärung wurde im Wortlaut veröffentlicht. Unverständlich ist daher, weshalb der WJC im März 1990 von der DDR eine «klare und aufrichtige Erklärung» zur deutschen Verantwortung für den Holocaust forderte und davon seine Unterstützung für die deutsche Einheit abhängig machte. *Allgemeine* vom 29. 3. 190, S. 1.

401 *Allgemeine* vom 15. 2. 1990, S. 2, und vom 26. 4. 1990, S. 1; vgl. auch Seligmann, Mit beschränkter Hoffnung, S. 277.

402 Wolffsohn, Keine Angst vor Deutschland!, S. 48; *Allgemeine* vom 5. 7. 1990, S. 3.

403 *NB* vom März 1990, S. 13. Die *Allgemeine* berichtete erst am 5. 4. 1990 von der Gründung dieser Gesellschaft.

404 Persönliche Mitteilung von Kurt Stillmann. Stillmann, selbst Jude, der in der Nazizeit nach Palästina emigriert, dort in der KP tätig gewesen und 1951 in die DDR zurückgekehrt war, hatte als überzeugter Kommunist und Atheist eine Gemeindemitgliedschaft immer abgelehnt.

405 *NB* vom Juni 1990, S. 19 ff, *Allgemeine* vom 3. 5. 1990, S. 2, und vom 23. 8. 1990, S. 11. Am 3. und 10. 2. 1989 (jeweils S. 4) hatte die *Allgemeine* über diese Stiftung berichtet, deren Jahresbudget für 1989 bei rund 340 000 US-Dollar lag, wobei dem Amcha-Vorsitzenden zu diesem Zeitpunkt noch unklar war, wie diese Summe aufgebracht werden sollte. Der Beitrag der DDR-Regierung war also groß genug, die Stiftungsaktivitäten auf mindestens zehn Jahre hinaus zu sichern. Die BRD-Regierung war zu einer solchen Unterstützung nicht bereit gewesen.

406 Vgl. dazu auch Wolffsohn. In: Trautmann (Hg.), S. 82.

407 *Allgemeine* vom 26. 4. 1990, S. 1, und vom 19. 7. 1990, S. 2.

408 *Allgemeine* vom 27. 9. 1990, S. 1, und vom 4. 10. 1990, S. 1. (Vgl. auch *Tages-Anzeiger* vom 14. 3. 1990, S. 27: Der Hinweis auf Anspruchsberechtigung, Form und Fristen für Rückerstattungsbegehren erschien bei den amtlichen Anzeigen, unmittelbar unter einer Todesanzeige.) Ob – und in welcher Form – Entschädigungszahlungen für ehemalige jüdische DDR-Bürger beschlossen wurden, ist nicht bekannt. Die vom Verband nach der «Wende» geforderte Gleichstellung von «Kämpfern» und «Opfern» (*NB*

vom März 1990, S. 13) und die damit verbundene Angleichung der Renten
erfolgte erst im November 1991.

409 *NB* vom September 1986, S. 12ff.

410 Aus den Reihen der Mitglieder gab es vereinzelt Widerstand gegen eine
Öffnung. Dieser mag im Selbstverständnis einer ausschließlich religiösen
Gemeinschaft, aber auch in der Angst vor politisch motivierter ‹Unter-
wanderung› begründet gewesen sein.

411 Vgl. dazu *NB* vom September 1987, S. 12.

412 Interview mit Peter Kirchner vom 4. 5. 1990, S. 4. Das Gespräch fand zu
einem Zeitpunkt statt, in dem v. a. von westlicher Seite oft schon die bloße
Parteimitgliedschaft pauschal verurteilt wurde. Kaum überraschend also,
daß er nicht bereit war, hier Zahlen oder gar Namen zu nennen.

413 Dieses wurde erstmals 1987 formuliert. *NB* vom Juni 1987, S. 19, vom
September 1987, S. 12, und vom Dezember 1987, S. 18.

414 Selbsthilfegruppen (medizinisch, sozial oder gar politisch) waren vor
der «Wende» in der DDR offiziell nicht erlaubt – der Staat sorgte ja für
alle, so daß Bedürfnisse nach Selbsthilfegruppen gemäß DDR-Selbst-
verständnis gar nicht entstehen konnten. Vgl. dazu Maaz, Befreiung
durchs Gespräch. In: Moeller / Maaz, Die Einheit beginnt zu zweit,
S. 11.

415 Mitteilung des Gründungsmitglieds Irene Runge. Zum Hintergrund des
Kulturvereins vgl. auch Runge, insbes. S. 944f.

416 *NB* vom Juni 1990, S. 26.

417 Die «Unsinnlichkeit» des vor der «Wende» in der DDR praktizierten Judentums, aber auch die weitgehende Verwässerung oder Mißachtung religiöser Grundsätze wurde gelegentlich selbst von langjährigen loyalen Gemeindemitgliedern moniert.

418 Interview mit P. Kirchner vom 4. 5. 1990, S. 14ff.

419 Mündliche Mitteilung von I. Runge.

420 R. Scharf-Katz verurteilte die Namensgebung mit derselben Begründung. Interview vom 25. 6. 1990, S. 10.

421 Bubis ist Vorsitzender der Gemeinde Frankfurt / M., war damals Mitglied
des Direktoriums des Zentralrates und ist heute dessen Vorsitzender.

422 So die Bezeichnung der Gemeinde (wörtlich: Gemeinde Israel) in der Ver-
ordnung Kaiser Wilhelms vom 28. 10. 1885 (Ausgabe-Datum), welche
Adass Jisroel, wie sie allgemein genannt wird, als selbständige Gemeinde
legitimierte.

423 Hier und im folgenden Offenberg (Hg.), Adass Jisroel. Vernichtet und
Vergessen. Die Jüdische Gemeinde in Berlin (1896–1942), bes. S. 12ff. Zu
den Anliegen der Orthodoxen gehörte auch die «Stellung des Rabbiners

als hervorragender Institution in der Leitung der Gemeinde, nicht als Angestellter zur Verrichtung von Kultusaufgaben».

424 Anders als bei den meisten Synagogen- und Kirchengemeinden, die einen prozentualen Anteil des Einkommens als Steuer erheben, wurde hier – wohl mit Rücksicht auf die prekären finanziellen Verhältnisse vieler Anhänger – lediglich ein Minimalbetrag festgelegt.

425 Dies war notwendig geworden, weil die Jüdische Gemeinde den Adassianern nach deren Austritt Bestattungen auf ihren Friedhöfen untersagte. *Allgemeine* vom 4. 7. 1986, S. 4.

426 Melzer, Kabale und Intrige. In: *Semit* Nr. 4 (Oktober/November), 1991, S. 24.

427 Dies ist das Datum der Anordnung der Sicherheitspolizei, d. h. der Gestapo. Bis zu diesem Zeitpunkt hatte sich Adass der Zwangseingliederung in die von den Nazis geschaffene «Reichsvereinigung der Juden in Deutschland» widersetzt.

428 Zitiert bei Offenberg (Hg.), S. 262 f.

429 Offenberg (Hg.), S. 17, bemerkte 1986, daß eines der Quellbäder noch benutzt werde und widersprach somit den Aussagen der Jüdischen Gemeinde, eine Mikwa stehe nicht zur Verfügung. Möglicherweise galt dies aber nur für die letzten drei Jahre vor der «Wende».

430 *FAZ* vom 6. 5. 1991, S. 37. Der Artikel stützt sich v. a. auf Aussagen Offenbergs, der allerdings in seinem Buch (Adass Jisroel) feststellt, die Synagoge sei bei Bombardierungen beschädigt worden.

431 Ewige Lampe in Beton. In: *Semit* Nr. 4 (Oktober/November), 1991, S. 50.

432 Offenberg (Hg.), S. 18 ff.

433 *FAZ* vom 6. 5. 1991, S. 37; Interview mit U. Zoels vom 8. / 12. 11. 1990, S. 4 f.

434 Offenberg (Hg.), S. 292 ff. Die Maurerarbeiten wurden auf mit Plastik isolierten Gerüsten durchgeführt; das jeweils zu bearbeitende Mauerstück mußte mit Öfen und Ventilatoren beheizt werden – ein tatsächlich außerordentlicher Aufwand für die ‹Mangelwirtschaft› der DDR, der nur damit zu erklären ist, daß Honecker bei den westlichen Besuchern buchstäblich um jeden Preis einen guten Eindruck hinterlassen wollte.

435 *Allgemeine* vom 4. 7. 1986. Bemerkenswert ist, daß das Vorgehen Offenbergs Heinz Galinski offenbar dazu veranlaßte, Honecker in einem Brief seine Besorgnis über den Zustand des Friedhofs von Weißensee mitzuteilen. Auch hier reagierte der SED-Chef umgehend, indem er Galinski zu einem Gespräch mit dem Staatssekretär für Kirchenfragen, Gysi, nach Ostberlin einlud, wo Gysi ihm mitteilen konnte, alles Notwendige zur

Erhaltung des Friedhofs sei bereits veranlaßt worden. *Allgemeine* vom 3. 10. 1986, S. 2, und vom 17. 10. 1986, S. 3.

436 Brief der Gemeinde Adass Jisroel an die Stadtverordnetenversammlung von Berlin vom 22. 10. 1990, S. 2.

437 Offenberg, Polen ja, Juden nein? In: *Semit* Nr. 1 (Januar / Februar), 1990, S. 15.

438 *Der Spiegel*, Nr. 29 / 1989, S. 44 («Leben eingestellt»).

439 Zitiert bei Offenberg. In: *Semit*, S. 16.

440 Brief der Gemeinde Adass Jisroel Berlin an die Stadtverordnetenversammlung von Berlin vom 22. 10. 1990, S. 2.

441 Pressemitteilung des Ministerrats der DDR für Kirchenfragen vom 18. 12. 1989. Stellvertretender Vorsitzender dieses Ministerrats war zu diesem Zeitpunkt Lothar de Maizière – der als Anwalt der Gemeinde Adass Jisroel deren Begehren um Wiedereinsetzung in ihre Rechte gegenüber der (früheren) DDR-Regierung vertreten hatte.

442 Mitteilung von M. Offenberg an der Pressekonferenz der Adass Jisroel vom 7. 5. 1990. (Dies wurde mir von mehreren Gesprächspartnern, z. T. auch Gemeindevorsitzenden, bestätigt.)

443 Interview mit U. Zoels vom 8. / 12. 11. 1990, S. 3.

444 Brief der Jüdischen Gemeinde zu Berlin an die Stadtverordnetenversammlung von Berlin, datiert «im Oktober 1990» und unterzeichnet von Heinz Galinski und Peter Kirchner.

445 Brief von Adass Jisroel an die Stadtverordnetenversammlung von Berlin vom 22. 10. 1990, S. 2.

446 Brief des Zentralrats der Juden in Deutschland an den Ministerpräsidenten der DDR, Lothar de Maizière, vom 24. 8. 1990, zitiert in: Melzer, Kabale und Intrige, S. 26.

447 Offenberg (Hg.), S. 10.

448 Dieser Zeitung wurde von verschiedenen Seiten der Vorwurf gemacht, sie berichte allgemein nicht umfassend genug über jüdisches Leben in Deutschland, sondern betreibe vielmehr ‹Hofberichterstattung› für Heinz Galinski. Ob sich nach seinem Tod daran etwas geändert hat, war nicht zu eruieren.

449 Interview der *tageszeitung* mit Heinz Galinski vom 27. 3. 1991, S. 22; vgl. auch *FAZ* vom 6. 5. 1991, S. 37. Mario Offenberg wurde in Israel geboren, lebt aber seit über 20 Jahren in Berlin, der vormaligen Heimat seiner Eltern. Vgl. auch *Süddeutsche Zeitung* vom 4. 7. 1991, S. 12.

450 Zwecksetzung gemäß Eintrag ins israelische Vereinsregister, zitiert in Melzer, Kabale und Intrige, S. 28. Es kann vermutet werden, daß dieser Verein darunter verstand, die Adass gehörenden Werte zu veräußern und

die Erlöse nach Israel zu transferieren und dort (im Sinn von Adass) auszuschütten. Über tatsächliche Motivationen, Ziele und Pläne kann allerdings nur spekuliert werden, da die Gesellschafter sich dazu ausschweigen. Vgl. auch *Süddeutsche Zeitung* vom 4.7.1991, S. 12.

451 Brief von S. Auerbach, Vorsitzender der Gesellschaft zur Förderung von Adass Jisroel Berlin in Israel, an den Regierenden Bürgermeister von Berlin, Walter Momper, vom 8.7.1990, vorgelegt von H. Eschwege, Interview vom 13.8.1990.

452 Zitiert von Broder (in *Die Zeit* vom 26.9.1991, S. 52, «Tote Seelen in Berlin»). Worauf die *Süddeutsche Zeitung* vom 4.7.1991, S. 12, ihre Aussage stützt, wonach die Vollmacht gemäß Auskunft von S. Auerbach einzig die notwendigen Maßnahmen zur Sanierung des Friedhofs von Adass in Berlin-Weißensee betroffen habe, ist unklar.

453 *Allgemeine* vom 27.9.1990, S. 1. Hier wurde (für einmal) das Verschweigen von Adass aufgehoben, wohl auch deshalb, weil die *Allgemeine* über jeden öffentlichen Auftritt von Galinski getreulich berichtete – und gerade eine solche Pressekonferenz der (jüdischen) Leserschaft ohnehin nicht hätte verschwiegen werden können.

454 *Süddeutsche Zeitung* vom 4.7.1991, S. 12.

455 Melzer, Kabale und Intrige, S. 27f.

456 Vgl. dazu *Die Zeit* vom 26.9.1991, S. 52.

457 Melzer in *Semit*, S. 27; Nachrichten von Adass Jisroel, April 1992, S. 5.

458 Zitiert in einem Brief von Jens Aue, einem der (potentiellen, nichtjüdischen) Kursteilnehmer, an Heinz Galinski vom 25.5.1990, abgedruckt in *Semit* Nr. 3 (Juni/Juli), 1990, S. 6.

459 Mündliche Mitteilung von U. Zoels, Adass Jisroel, vom 31.10.1991. Vgl. auch *Süddeutsche Zeitung* vom 4.7.1991, S. 12. Die hier (und von Galinski) aufgestellte Behauptung, der Familie Offenberg gehe es nur um die Verfügungsgewalt über das rückzuerstattende Vermögen, ist m. E. durch die umfangreichen Bemühungen um Revitalisierung des Gemeindelebens hinlänglich widerlegt.

4. Gesamtdeutsche Entwicklungen

1 Moneta, Wir wollten doch nur weg. In: *Semit* Nr. 2 (Mai/Juni), 1991, S. 55, spricht von 3 Mio., die meisten anderen Autoren von etwa 2 Mio. Jüdinnen und Juden. Genaue Angaben sind jedoch nicht möglich, da viele von ihnen eine Registrierung zu vermeiden suchen und zudem die Auswanderungswelle einen Überblick verunmöglicht. Erst in jüngster

Zeit hat auch in der UdSSR, insbesondere in Rußland, eine Revitalisierung jüdischen Lebens stattgefunden, die langfristig zur Reduktion der «Dunkelziffern» führen könnte. Vorerst ist allerdings die Angst dominierend – und damit eine präzise Ziffer unmöglich. Vgl. auch Seligmann, S. 294; *Der Spiegel* Nr. 16, 16.4.1990, S. 176ff, Pogrom am 5. Mai?; *Tages-Anzeiger* vom 21.5.1990, S. 2, und vom 23.7.1990, S. 4.

2 *Allgemeine* vom 23.8.1990, S. 3.

3 Wolffsohn, Keine Angst vor Deutschland!, S. 211. Weshalb sie gerade Berlin wählten, ist nicht bekannt.

4 Vgl. z. B. *Allgemeine* vom 10.1.1991, S. 1f und S. 11.

5 *Der Spiegel*, Nr. 40 vom 1.10.1990, S. 68, Geht doch nach Israel; *Allgemeine* vom 18.10.1990, S. 3.

6 Kugler, Eine sowjetische Jüdin in Berlin (in *Semit* Nr. 3, Juli/August 1991, S. 44), erwähnt als unmittelbare Reaktion auf die Volkskammererklärung die Einreise von 200 Juden aus der UdSSR. Vgl. außerdem Wolffsohn, Keine Angst vor Deutschland!, S. 211; *Tages-Anzeiger* vom 22.11.1990, S. 2; *Allgemeine* vom 23.8.1990, S. 3.

7 *Allgemeine* vom 29.11.1990, S. 3.

8 *Allgemeine* vom 4.4.1991, S. 3.

9 Interview mit U. Zoels vom 8. und 12.11.1990, S. 8.

10 *Allgemeine* vom 19.9.1990, S. 1. Gemäß *Allgemeine* vom 10.1.1991, S. 2, entsprach die DDR diesem Anliegen jedoch nicht.

11 Für diese Zahl gibt es allerdings keine Bestätigung. Über die Zahlen der Anträge bei den zwei weiteren Konsulaten in Moskau und Leningrad ist nichts bekannt.

12 *Der Spiegel*, Nr. 40 vom 1.10.1990 («Geht doch nach Israel»), S. 66.

13 Vgl. auch *Allgemeine* vom 19.9.1990., S. 1, und vom 27.9.1990, S. 3.

14 Seligmann, S. 299ff; Broder (in *Tages-Anzeiger* vom 22.11.1990, S. 2). P. Fischer, Interview vom 12.11.1990, S. 11, bemerkt: «Wenn 20000 im Jahr kämen, bräuchten wir 25 Jahre, bis die Zahl der jüdischen Menschen wieder erreicht wäre, die es mal gab in Deutschland.» Daß unter den Verjagten und Ermordeten ebenso wie unter den potentiellen Einwanderern nicht nur Menschen waren und sind, von denen ein «Beitrag zur deutschen Kultur» zu erhoffen wäre (sondern wohl mehrheitlich «Durchschnittsbürger») – während offenbar vorab die Prominenz vermißt wird –, sei hier nur am Rande vermerkt.

15 *Allgemeine* vom 4.10.1990, S. 1.

16 *Allgemeine* vom 15.11.1990, S. 11, mit Auszügen aus der Debatte.

17 «Kontingentsflüchtlinge» sind anerkannten Asylbewerbern gleichgestellt, müssen also das Verfahren nicht mehr durchlaufen.

18 *Allgemeine* vom 19.9.1990, S. 1, und vom 13.12.1990, S. 11; *Tages-Anzeiger* vom 22.11.1990, S. 2; allgemein zur Debatte um die Aufnahme von jüdischen Flüchtlingen aus der ehemaligen Sowjetunion: Seligmann, S. 293–313.

19 Gemäß *Allgemeine* vom 13.12.1990, S. 2, waren die Vorstellungen, der Zentralrat werde sich an einer solchen Selektion beteiligen, in der vom Bundesinnenministerium vorgelegten vertraulichen Vorlage zur Innenministerkonferenz vom 14./15.12.1990 enthalten. Vgl. auch S. 11, Antworten der Innenminister der Länder zur Umfrage der *Allgemeinen*.

20 *Allgemeine* vom 21.2.1991, S. 11.

21 Seligmann, S. 308. Anders hingegen in *Allgemeine* vom 29.11.1990, S. 3.

22 *Allgemeine* vom 18.10.1990, S. 3. Eine Ausnahme bildete Berlin. Hier wurde festgelegt, daß die von der DDR gewährten Rechte in Ostberlin bis zum Jahresende zur Anwendung gelangen sollten. Allerdings konnten nach dem 3. Oktober aufgenommene Flüchtlinge nicht mehr auf die anderen Bundesländer verteilt werden. *Allgemeine* vom 29.11.1990, S. 3.

23 *Allgemeine* vom 21.2.1991, S. 11.

24 Vgl. dazu Wickert (Hg.), Angst vor Deutschland, eine Sammlung von Stellungnahmen verschiedener Politiker, Schriftsteller und Kommentatoren aus beiden Teilen Deutschlands, vor allem aus dem west- und osteuropäischen Ausland.

25 Zitiert bei Wolffsohn, Nicht mehr das alte Deutschland. In: *Die Zeit*, 15.12.1989.

26 *Der Spiegel* Nr. 50, 11.12.1989, S. 150, «Ein Volk, ein Reich, ein Führer?»; *Die Welt*, 5.12.1990, zitiert in Seligmann, S. 277, mit Hervorhebung.

27 *Allgemeine* vom 15.2.1990, S. 1.

28 *Allgemeine* vom 22./29.12.1989, S. 1, und vom 8.1.1990, S. 1.

29 *Allgemeine* vom 12.4.1990, S. 3. Hans Levy, der Vorsitzende der Synagogengemeinde Magdeburg, bemerkte: «Ich bin kein Gegner der Vereinigung, insofern sie nicht überhastet vollzogen wird.» Wolffsohn, Keine Angst vor Deutschland!, besonders S. 12 ff.

30 Wolffsohn, Ewige Schuld? (1988), S. 178; Seligmann, S. 289, bemerkt zum Plädoyer von 1990 allerdings m. E. zutreffend, die ständige Wiederholung des versal gedruckten Titels «KEINE ANGST VOR DEUTSCHLAND!» (mit bis zu drei Ausrufungszeichen) als Fazit eigener Feststellungen und fremder Untersuchungen lasse eher vermuten, «daß Wolffsohn seiner *angstfreien* Sache doch nicht so sicher ist, wie er wohl selbst meint» (Hervorhebung im Original).

31 Vermutlich handelt es sich dabei nicht um eine tatsächliche Häufung, nur

wurde erst jetzt über solche Angriffe offen berichtet. Vgl. dazu Böndte, «Report» vom 8. 5. 1990, ARD, «Das ganze Deutschland und die Juden». Verschiedentlich wurde allerdings die Vermutung geäußert, die Vandalenakte könnten von der Stasi lanciert worden sein, um den «antifaschistischen Widerstand» zu stärken und rechte Kräfte zu diskreditieren. Aufgeklärt wurde bisher keiner der Vorfälle.

32 Hirsch/Heim, S. 108 ff, belegen allein für die Zeit vom Februar 1989 bis zum November 1990 zehn gravierende Übergriffe. In der *Allgemeinen* wurde keiner dieser Vorfälle erwähnt.

33 Meldung von Reuters Information Services Inc. vom 3. 5. 1990. Wörtlich heißt es darin: «The WJC is meeting in Berlin to sound an alarm on the dangers of German reunification and to lay the groundwork for a further reconciliation of Germans and Jews.»

34 *Allgemeine* vom 15. 4. 1990, S. 2.

35 *Allgemeine* vom 3. 5. 1990, S. 1. Vgl. auch *Der Spiegel* Nr. 20, 14. 5. 1990, S. 181, Deutschland nur mit den Juden.

36 Rede von Edgar Bronfman zur Eröffnung der Tagung am 6. 5. 1990, Manuskript S. 2 f.

37 Ansprache von Heinz Galinski vom 6. 5. 1990, Manuskript S. 5.

38 Ansprache von Heinz Galinski vom 8. 5. 1990, Manuskript S. 1.

39 *Der Spiegel* Nr. 20, 14. 5. 1990, S. 1.

40 *Allgemeine* vom 17. 5. 1990, S. 1.

41 Vgl. dazu auch *Semit* Nr. 3 (Juni/Juli), 1990, S. 4–16 (verschiedene Artikel zur WJC-Tagung).

42 *NB* vom September 1990, S. 7.

43 Der Antrag an den Verband der Jüdischen Gemeinden in der DDR wurde abgelehnt – angeblich, weil dazu eine Statutenänderung erforderlich gewesen wäre (Interview mit H. Eschwege vom 13. 8. 1990, S. 23 f). Der Antrag an den WJC wurde abgelehnt, weil dieser den Verband als einzige legitime Vertretung der Juden der DDR ansah. Dies steht allerdings im Widerspruch zu den (im Pressematerial zum WJC enthaltenen) Grundsätzen für Mitgliedschaft oder Beobachterstatus des WJC, wonach jede Körperschaft – auch wenn sie nicht einem existierenden Landesverband angehört – zugelassen werden kann. Anzunehmen ist, daß Gastgeber Galinski gegen die Aufnahme von Adass intervenierte.

44 Adass veranstaltete zwar am 7. 5. 1990 eine Pressekonferenz, ließ aber dazu keine Details verlauten. Die Angaben stammen von zwei meiner Gesprächspartner. Das *NB* vom September 1990, S. 23, vermerkte unter den Berichten aus Erfurt, Rotstein habe die vorgesehene Rede nicht gehalten, was bedauert werde.

45 *Allgemeine* vom 26. 7. 1990, S. 1.

46 *Allgemeine* vom 20. 8. 1990, S. 2.

47 Seligmann, S. 283 ff; vgl. auch *Allgemeine* vom 6. 9. 1990, S. 1.

48 *Allgemeine* vom 22. / 29. 12. 1990, S. 3 (Datum der Tagung gemäß *NB* vom März 1990, S. 14).

49 *Allgemeine* vom 15. 2. 1990, S. 3.

50 *Allgemeine* vom 1. 12. 1989, S. 1, und vom 3. 5. 1990, S. 1.

51 Ob allerdings Erfurt im «Landesverband Sachsen-Thüringen» verbleibt, ist unklar. Der Vorsitzende von Erfurt, der sich dagegen zur Wehr setzte, daß der ehemalige Verbandspräsident, dessen Unbelastetheit er in Zweifel zog, nun Vorsitzender dieses Landesverbandes wurde, stellte beim Zentralrat den Antrag, an den Landesverband Hessen angeschlossen zu werden. Interview mit R. Scharf-Katz vom 14. 8. 1990, S. 6.

52 *Allgemeine* vom 17. 9. 1990, S. 1.

53 *NB* vom September 1990, S. 16; Interview mit P. Kirchner vom 5. 11. 1990, S. 2.

54 *Allgemeine* vom 20. / 27. 12. 1990, S. 14.

55 Interview mit P. Kirchner vom 5. 11. 1990, S. 4.

56 *Allgemeine* vom 26. 7. 1990, S. 11.

57 Interview mit P. Kirchner vom 5. 11. 1990, S. 2.

58 In Berlin bestehen einige Synagogen, in denen regelmäßig Gottesdienste stattfinden. Da jedoch nur zwei Rabbiner in der ganzen Stadt amtieren, wurde ein Turnus vereinbart, nach dem sie die sonst ‹rabbinerlosen› Synagogen besuchen und dort predigen.

59 Analog zum «Vereinigungskanzler» Kohl. Der Ausdruck stammt von einem meiner Interviewpartner.

60 *Allgemeine* vom 26. 7. 1990, S. 11 (Hervorhebung durch die Verf.).

61 Titel eines Artikels in der *Allgemeinen* vom 4. 4. 1991, S. 3, zur Situation der ostdeutschen Gemeinden.

62 Vgl. dazu Hinnenberg, Der Jüdische Friedhof in Ottensen 1582–1992.

63 Levinson referiert das Gutachten Lerners in der *Allgemeinen* vom 16. 7. 1992.

64 Hinnenberg, S. 51 ff.

65 Memorandum von Hertz vom 12. 3. 1951. In: Hinnenberg, S. 64 f.

66 *elbe-Wochenblatt* vom 26. 9. 1990.

67 *Konkret* Nr. 7 vom 7. 7. 1992, S. 42 ff; *Deutsches Allgemeines Sonntagsblatt* vom 21. 2. 1992, S. 17.

68 Wörtlich: der heilige Ort.

69 *Deutsches Allgemeines Sonntagsblatt* vom 21. 2. 1992; Gutachten der Rabbinerkonferenz in Deutschland. In: Hinnenberg, S. 86; vgl. auch S. 104 f.

70 Pressemitteilung Dr. B. Rosenberg vom 4. 3. 1992 zu seiner Strafanzeige vom selben Tag.

71 *Hamburger Abendblatt* vom 9. 3. 1992; Pressemitteilung des Zentralrats vom 15. 4. 1992.

72 Vgl. auch *Die Welt* vom 3. 6. 1992.

73 Zitiert in Hinnenberg, S. 108.

74 *Die Welt* vom 11. 4. 1992; *Konkret* Nr. 7, S. 43.

75 *Deutsches Allgemeines Sonntagsblatt* vom 21. 2. 1992.

76 In: Hinnenberg, S. 109–111.

77 Jaeckel, Ewige Toten-Ruhe läßt sich mit Demos nicht vereinbaren. In: *Welt am Sonntag* vom 3. 5. 1992.

78 *Hamburger Abendblatt* vom 6. 5. 1992 und vom 7. 5. 1992.

79 Stellungnahme von Oberrabbiner J. Kulitz vom 21. Mai 1992.

80 Stellungnahme von Rabbiner N. P. Levinson vom 27. 5. 1992; vgl. auch *Allgemeine* vom 4. 6. 1992 und vom 16. 7. 1992.

81 *Hamburger Abendblatt* vom 22. 5. 1992.

82 *Hamburger Abendblatt* vom 3. 3. 1992; Flugblätter der *AnwohnerInnen-Initiative* vom Mai 1992; Sammlung antisemitischer Briefe an die Jüdische Gemeinde Hamburg.

83 *elbe-Wochenblatt* vom 29. 1. 1992.

84 *Hamburger Abendblatt* vom 29. 2. / 1. 3. 1992; *Philadelphia Inquirer* vom 6. 5. 1992; *Die Zeit* vom 15. 5. 1992.

85 *Hamburger Abendblatt* vom 14. 5. 1992; vgl. auch *Konkret* vom 7. 7. 1992.

86 *Freitag*, Nr. 24 vom 5. 6. 1992.

87 *Hamburger Abendblatt* vom 23. 6. 1992 und vom 9. 12. 1992.

Tabellen

Tabelle 1: Überlebende der deutsch-jüdischen Restgruppe

	Berlin	in Prozent	total (Schätzung)
Illegale	1416	18	2800
Nichtsternträger	4147	53	8300
Sternträger	1791	23	3600
Ehemalige KZ-Insassen	463	6	900
total	7817	100	15600

Hilberg (S. 710) gibt an, daß sich 1945 80000 Juden, davon 60000 Verschleppte, in Deutschland aufgehalten hätten. Bei der Schätzung von 20000 Personen der deutsch-jüdischen Restgruppe handelte es sich um die höchste von mir angetroffene Zahl.

Tabelle 2: Mitgliederzahlen der jüdischen Gemeinden

Jahr	Mitgliederzahlen	
1945/46	21454	(Gründungsmitglieder ohne DP's)
1948	26316	
1949	20496	(israelische Staatsgründung)
1950	24431	
1955	17825/15684	(2. Zahl: Angabe des Zentralrats)
1959	23070/21563	(Einführung Soforthilfe)
1960	21755	
1964	23027/25132	
1970	26314/26799	
1980	27768/28173	

Aufgrund der Probleme bei der Erschließung dieser Daten stütze ich mich für die Jahre 1945 bis 1955 ausschließlich auf die von Maor (S. 53 und Bibliographie) 1959 erhobenen Zahlen. Ab 1955 bis 1960 können diese den Zahlen des Zentralrats der Juden in Deutschland gegenübergestellt werden (Zehn Jahre Zentralrat der Juden in Deutschland, S. 30f); für die späteren Jahre (1964/1970/1980) standen mir die Statistiken der Zentralwohlfahrtsstelle zur Verfügung, die sich aber z. B. mit den von Kropat (S. 457) veröffentlichten nicht decken, obschon er angibt, sich auf eben diese Quellen zu stützen.

Tabelle 3: Bevölkerungsstatistik: 1. April 1955 bis 1. Januar 1959

Länder und wichtige Städte	Gesamtzahl 1.4.1955	Zugänge				Abgänge				Gesamtzahl 1.1.1959
		Geburten	Rückwanderungen	Übersiedlungen etc.	Gesamt	Todesfälle	Auswanderungen	Abwanderungen in andere Gemeinden	Gesamt	1.1.1959
Baden	456	13	174	204	391	65	46	94	205	642
Bayern	2942	38	227	981	1246	102	344	258	704	3484
Berlin	4386	40	2115	936	3091	522	368	248	1138	6339
Bremen	108	7	40	10	57	10	19	12	41	124
Hamburg	1106	8	558	102	668	136	147	110	393	1381
Hessen	1831	32	1307	813	2152	157	388	381	926	3057
Köln	829	14	346	108	468	75	73	89	237	1060
Niedersachsen	713	6	162	53	221	52	59	104	215	719
Nordrhein	1339	26	770	226	1002	100	112	213	425	1936
Rheinland-Pfalz	405	5	125	141	271	34	34	98	166	510
Schleswig-Holstein	130	–	24	11	35	6	8	36	50	115
Westfalen	894	17	287	87	391	74	70	111	255	1030
Württemberg-Hohenzollern	595	14	164	130	308	26	73	132	231	622
Saar (erst ab 1. 10. 1957)	–	2	17	423	442	4	–	8	12	430
Gesamte BRD	15648	222	6316	4225	10763	1363	1741	1894	4998	21449
Dortmund (enthalten in Westfalen)	283	–	161	39	200	25	30	36	91	394
Düsseldorf (enthalten in Nordrhein)	497	14	432	131	577	37	63	97	197	877
Frankfurt/M. (enthalten in Hessen)	1308	21	1173	737	1931	126	341	294	761	2478
Hannover (enthalten in Niedersachsen)	367	1	104	25	130	30	33	22	85	412

Ernest Landau: Die Bevölkerungsstatistik: Wenig Geburten – Viele Todesfälle. In: Ganther, S. 460

Tabelle 4: Altersaufbau

	Stationär	Jüdische Gemeinden		
		1928	1959	1971
0–20 Jahre	33 %	25,9 %	14,2 %	15,7 %
21–40 Jahre	30 %	31,1 %	19,8 %	17,5 %
41–60 Jahre	25 %	27,7 %	37,8 %	35,0 %
über 60 Jahre	12 %	14,3 %	28,8 %	31,6 %

Maor (S. 65) vergleicht den Aufbau 1928 und 1959, wobei schon eine deutliche Überalterung zu konstatieren ist. Die Zahlen von Kuschner für 1971 (S. 62) zeigen nur geringe, eher negative Veränderungen.

Tabelle 5: Altersaufbau der Mitglieder in absoluten Zahlen
(Angaben Zentralwohlfahrtsstelle)

	1970	1980
Gesamt	26 314	27 768
0–20 Jahre	5 289	4 430
21–40 Jahre	4 310	6 909
über 41 Jahre	17 715	16 429

Tabelle 6: Mitgliederzahl nach Ländern und wichtigen Städten 1980
gemäß Statistiken der Zentralwohlfahrtsstelle

Länder/Städte	Mitgliederzahl
Baden (mit Stuttgart)	1 249
Bayern (mit München)	5 398
Berlin	6 145
Bremen	156
Hamburg	1 375
Hessen	1 627
Frankfurt/Main	4 931
Köln	1 248
Niedersachsen	556
Nordrhein (mit Düsseldorf)	2 780
Rheinland-Pfalz	552
Saar	249
Westfalen	788
Württemberg	714
Total	27 768

Tabelle 7: Mitgliederstatistik der DDR-Gemeinden 1955 bis 1990

	1955	1959	1969	1970	1976	1982	1987	1990	Ver- lust
Berlin	1100	1058	690	690	405	240	177	203	82%
Dresden	100	100	100	96	81	60	49	52	48%
Leipzig	195	115	99	97	79	51	41	30	85%
Chemnitz	37	30	19	19	15	12	12	12	68%
Erfurt	112	98	65	64	49	40	31	28	75%
Magdeburg	106	95	49	49	43	35	29	35	67%
Halle	25	15	34	34	31	20	14	6	76%
Schwerin	40	32	28	29	25	12	10	6	85%
Total	1715	1543	1084	1078	728	470	370	372	78%

Maor (1961, Anm. 8 und 9, S. 181) stützt sich für 1955 und 1959 auf briefliche Mitteilungen der Vorsitzenden von Leipzig, Magdeburg und Ostberlin sowie auf den Artikel von Arnold Zweig «No Soil for Antisemitism» (in: *World Jewry*, London, Juli 1958). Nicht gezählt wurden hier die ‹kurzlebigen› Gemeinden. Die für die Jahre 1945/46, 1948 und 1952 verzeichneten Zahlen wurden nicht verwendet, da Berlin noch ungeteilt war, was zu einer Verzerrung des Bildes geführt hätte. Die Zahlen für 1969 und 1970 (1. Quartal) entstammen Handnotizen von A. Scheidemann, damals Vorsitzender der Gemeinde Schwerin, zur Verbandstagung vom 31. 5. 1970. Laut Handnotiz zur Verbandstagung vom 29. 11. 1970 war der gesamte Mitgliederbestand bereits sechs Monate später auf 1062 gesunken. Die Angaben für 1976 finden sich im *AJY*, Vol. 78, 1978, S. 424f, diejenigen für 1982 bei Herrmann, S. 52f. Mertens, auf dessen Angaben die Zahlen für 1987 beruhen, hat die im *NB* veröffentlichten Sterbefälle berechnet. Die Zahlen von 1990 beruhen für Schwerin und Leipzig auf Angaben des vormaligen Verbandssekretärs, P. Fischer; die übrigen Zahlen stammen von den jeweiligen Gemeindevorsitzenden. Die Zahlen für Halle sind bis 1987 nur mit Vorbehalten zu betrachten. Der prozentuale Verlust, berechnet auf 35 Jahre, ist gerundet.

Glossar

Alijah Aufstieg, d. h. Auswanderung nach Palästina. Umgekehrt werden Auswanderer aus Israel als *Jordim* (Absteiger) bezeichnet; beide Ausdrücke haben eine stark wertende Komponente.

Aschkenasim Die aus Mittel- und Osteuropa stammenden Juden werden mit dieser Bezeichnung von den *sefardischen* Juden aus Nordafrika und der Iberischen Halbinsel unterschieden.

Atra Kadischa Der heilige Ort. Name der «Society for the Preservation of Jewish Holy Sites».

Bar Mitzwa Sohn des Gebots. Im religiösen Sinn werden Knaben im Alter von 13 Jahren zu «Männern» und im Quorum von zehn Männern *(Minjan)* mitgezählt. Sie erlangen religiöse Mündigkeit, was sie bei diesem Anlaß erstmals dadurch bekunden, daß sie vor versammelter Gemeinde am Sabbat einen Abschnitt aus der *Thora* vorlesen.

Bat Mitzwa Tochter des Gebots. Mädchen erreichen die Mündigkeit im Judentum mit zwölf Jahren; für den Gottesdienst hat dies keine Bedeutung.

Bet Din Haus des Rechts; Gericht, das in der Regel aus drei ordinierten Rabbinern besteht.

B'rit Milah Bund der Beschneidung.

Chanukka Achttägiges Lichterfest; erinnert an den Aufstand der Makkabäer, eines jüdischen Stamms, gegen die Forderung der Syrer, ihren Glauben aufzugeben, und an die damit zusammenhängende Verwüstung des 2. Tempels 165 v. Chr. Die Bedeutung der Lichter rührt daher, daß nach der Verwüstung Öl für die heilige Lampe gefunden wurde, das üblicherweise nur für einen Tag gereicht hätte, nun aber die Lampe acht Tage brennen ließ.

Halacha Sammlung religionsgesetzlich bindender Verordnungen.

Jom Haschoa Tag des Gedenkens an die Opfer der nationalsozialistischen Vernichtung, am Tag vor dem israelischen Unabhängigkeitstag.

Jom Kippur Sühnetag, Versöhnungsfest, Ende der Bußzeit; höchster, wichtigster Feiertag.

Kehilla	(Religions-)Gemeinde.
Kibbutz / im	Israelische Siedlungen, wo außer den persönlichen Effekten sämtlicher Besitz der Gemeinschaft gehört, Entscheidungen von allen getroffen werden.
Klezmer	Jüdische Musik Osteuropas, die von (meist wandernden) Einzelmusikern oder Gruppen vor allem bei Familienanlässen gespielt und bis zur Jahrhundertwende meist nur mündlich tradiert wurde. Erst dann wurde, besonders durch in die USA ausgewanderte Klezmermusiker, mit der Niederschrift begonnen; zudem entstanden in dieser Zeit zahlreiche Schallplattenaufnahmen, so daß dieses kulturelle Erbe trotz der Vernichtung großenteils erhalten blieb.
koscher	einwandfrei, rein, d. h. den jüdischen Speisegesetzen (Kaschrut) entsprechend.
Mazza	Ungesäuertes (d. h. ohne Gärung hergestelltes) Brot, das an *Pessach* zur Erinnerung an den Auszug aus Ägypten gegessen wird.
Mikwa	Rituelles Tauchbad.
Minjan	Quorum von zehn religiös mündigen Männern, das für die Abhaltung von Gottesdiensten, Hochzeiten, Beschneidungen, Bestattungen notwendig ist.
Pessach	Feiertage zur Erinnerung der Befreiung aus der ägyptischen Knechtschaft, Frühlingsfest; eines der drei Wallfahrtsfeste.
Purim	Fest der Lose, beruhend auf dem Buch Esther; erinnert an die Rettung vor der drohenden Vernichtung im babylonischen Exil.
Rosch Haschanah	Neujahrsfest; Beginn der zehntägigen Bußzeit.
Sabbat	Ruhetag, an dem keinerlei Arbeit verrichtet werden soll; beginnt, wie alle jüdischen Feiertage, am Vorabend, d. h. am Freitagabend, und endet am Samstagabend.
Schächter	Nach jüdischem Ritual schlachtender Metzger.
Schawuot	Wochenfest (sieben Wochen nach *Pessach*) zur Feier der Offenbarung der Zehn Gebote am Berg Sinai; eines der drei Wallfahrtsfeste.
Schulchan Aruch	Religiöse Gesetzessammlung aus dem 16. Jahrhundert.
Sefardim	Juden aus Nordafrika und der Iberischen Halbinsel.
Sukkot	Laubhütten-, Erntedankfest; eines der drei Wallfahrtsfeste.
Thora	Schriftrolle, welche die Fünf Bücher Moses enthält.

Bibliographie

Schriftliche Quellen

Adass Jisroel Tonbandprotokoll der Pressekonferenz vom 7. 5. 1990.

Akten der Jüdischen Landesgemeinde Mecklenburg-Vorpommern Schwerin, 1955–1971, unvollständig.

Allgemeine Jüdische Wochenzeitung Düsseldorf, 1.–46. Jahrgang.

Allgemeine Wochenzeitung der Juden in Deutschland (Hg.) Die Arbeitstagung jüdischer Juristen im Bundesgebiet und Berlin, 15./16. Dezember 1951. Düsseldorf 1951.

Goeseke, G. Nachwort: Zur Aufhellung des dunklen Kapitels der Observierung und Reglementierung des Verbandes der Jüdischen Gemeinden in der DDR durch die Regierung mit Hilfe des offensichtlich eigens solchen Zwecken dienenden Staatssekretariats für Kirchenfragen.

Nachrichtenblatt des Verbandes der Jüdischen Gemeinden in der Deutschen Demokratischen Republik Dresden, ab 1961 (davor 1953–1960: Mitteilungsblatt der Jüdischen Gemeinde von Groß-Berlin).

Srowig, R. Ein Kapitel nationalsozialistischer Vergangenheitsbewältigung in der DDR. Dokumentation mit Aktenbelegen (lückenhaft). Halle o. J. (1986)

Verband der Jüdischen Gemeinden in der DDR (Hg.) Antisemitismus in Westdeutschland. Judenfeinde und Judenmörder im Herrschaftsapparat der Bundesrepublik. Berlin (Ost) 1967.

Verband der Jüdischen Gemeinden in der DDR (Hg.) Damit die Nacht nicht wiederkehre. Dresden 1988.

World Jewish Congress Pressedokumentation zum Kongreß vom 6. bis 8. 5. 1990 in Berlin.

Zentralrat der Juden in Deutschland (Hg.) Die jüdische Gemeinschaft in Deutschland. Jahresbericht des Generalsekretärs H. G. van Dam für 1964/65.

Zentralrat der Juden in Deutschland (Hg.) Jüdischer Pressedienst, bes. Nr. 5/6, 1981.

Zentralwohlfahrtsstelle der Juden in Deutschland Mitgliederstatistiken der Jahre 1964, 1970, 1980.

Barthel, T. Vorsitzender der Jüdischen Landesgemeinde Mecklenburg-Vorpommern, 4. 7. 1990.

Eschwege, H. Mitglied der Gemeinde Dresden, 13. 8. 1990.

Fischer, P. Generalsekretär des Verbandes der Jüdischen Gemeinden in der DDR, Berlin, 22. 8. und 12. 11. 1990.

Goeseke, G. / Mitschke, D. Sekretariat und Verwaltung der Jüdischen Gemeinde Halle / Saale, 29. 6. 1990.

Gysi, K. ehemaliger Staatssekretär für Kirchenfragen (1979–1988), 22. 6. 1990.

Hergt, A. Leiterin der Gedenkstätte der Jüdischen Landesgemeinde Mecklenburg-Vorpommern, Schwerin, 23. 8. und 7. 11. 1990.

Kirchner, G. Mitglied der Jüdischen Gemeinde Berlin, 19. 6. 1990.

Kirchner, P. Vorsitzender der Jüdischen Gemeinde Berlin, 4. 5. und 5. 11. 1990.

König, R. Vorsitzender der Gemeinde Dresden, 27. 6. 1990.

Levy, H. J. Vorsitzender der Synagogengemeinde Magdeburg, 3. 7. 1990.

Rotstein, S. Präsident des Verbandes der Jüdischen Gemeinden in der DDR und Vorsitzender der Jüdischen Gemeinde Karl-Marx-Stadt (Chemnitz), 31. 8. 1990.

Scharf-Katz, R. Vorsitzender der Landesgemeinde Thüringen, Erfurt, 25. 6. und 14. 8. 1990.

Schrader, S. Mitglied der Jüdischen Gemeinde Berlin, 9. 4. 1990.

Schwab, M. Mitglied (heute Vorsitzender) der Jüdischen Gemeinde Halle / Saale, 26. 6. 1990.

Stein, E. Rabbiner der Jüdischen Gemeinde zu Berlin (West), 8. 11. 1990.

Wolff, S. Mitglied der Jüdischen Gemeinde Halle / Saale, zeitweilig Ausländerbeauftragte der Stadt Halle für die Integration der sowjetischen Juden, 9. 5. 1990.

Zoels, U. Mitglied der Gemeinde Adass Jisroel Berlin, 8. und 12. 11. 1990.

Literatur

Abosch, H. Antisemitismus in Rußland. Darmstadt 1972.

Adenauer, K. Erinnerungen 1953–1955. Stuttgart 1966.

Améry, J. Widersprüche. Stuttgart 1971.

Assheuer, T. / Sarkowicz, H. Rechtsradikale in Deutschland. Die alte und die neue Rechte. München 1990.

Backes, U./Jesse, E./Zitelmann, R. Die Schatten der Vergangenheit. Impulse zur Historisierung des Nationalsozialismus. Frankfurt/M. 1990.

Becker, K. E./Popitz, P./Schreiner, H. P. (Hg.) Juden in Deutschland 1983 – integriert oder diskriminiert? Ein Symposion. Landau/Pfalz 1983.

Berlin Museum (Hg.) Leistung und Schicksal. 300 Jahre Jüdische Gemeinde zu Berlin. Berlin 1971.

Best, M. Der Frankfurter Börneplatz. Zur Archäologie eines politischen Konflikts. Frankfurt/M. 1988.

Bittermann, K. (Hg.) Liebesgrüße aus Bagdad. Die «edlen Seelen» der Friedensbewegung und der Krieg am Golf. Berlin 1991.

Blänsdorf, A. Zur Konfrontation mit der NS-Vergangenheit in der Bundesrepublik, der DDR und in Österreich. In: Aus Politik und Zeitgeschichte, B 16–17/1987.

Bodemann, Y. M. Die «Überwölbung» von Auschwitz. In: Ästhetik und Kommunikation, Nr. 56, 1985.

Bodenheimer, A. Teilnehmen und nicht dazugehören. Wald/ZH 1985.

Böhm, F./Dirks, W. (Hg.) Judentum – Schicksal, Wesen, Gegenwart. Bd. II. Wiesbaden 1965.

Bohnke-Kollwitz, J./Eckert, W. P./Golczewski, F./Greive, H. (Hg.) Köln und das rheinische Judentum. Festschrift Germania Judaica 1959–1984. Köln 1984.

Bönner, K. Deutschlands Jugend und das Erbe ihrer Väter. Bergisch Gladbach 1967.

Brandt, H. Ein Traum, der nicht entführbar ist. Mein Weg zwischen Ost und West. Berlin 1977.

Broder, H. Deutschland erwacht. Die neuen Nazis – Aktionen und Provokationen. Köln 1978.

Broder, H. Der ewige Antisemit. Frankfurt/M. 1986.

Broder, H./Lang, M. (Hg.) Fremd im eigenen Land. Juden in der Bundesrepublik. Frankfurt/M. 1981.

Brumlik, M./Kiesel, D./Kugelmann, C./Schoeps, J. H. (Hg.) Jüdisches Leben in Deutschland seit 1945. Frankfurt/M. 1986.

Brumlik, M./Kunik, P. (Hg.) Reichspogromnacht. Vergangenheitsbewältigung aus jüdischer Sicht. Frankfurt/M. 1988.

Bundesministerium für Gesamtdeutsche Fragen (Hg.) SBZ von 1945 bis 1954. 2. durchges. Aufl. Berlin 1959.

Cohen, E. (Hg.) The New Red Anti-Semitism. Boston (Mass.) 1953.

Conference of Jewish Material Claims Against Germany Inc. (Hg.) Twenty Years Later. 1952–1972. New York o. J.

Dachauer, J. Ein Whisky für den Holocaust. In: Semit Nr. 2, 1990.

Danziger, C.-J. «Die Partei hat immer recht». Stuttgart 1976.

Deutschkron, I. Israel und die Deutschen. Köln 1983.

Diamant, A. Materialien zur Geschichte der Juden in der Deutschen Demokratischen Republik – ein wissenschaftliches Fragment. Frankfurt/M. 1984.

Diner, D. Der Krieg der Erinnerungen und die Ordnung der Welt. Berlin 1991.

Diner, D. Negative Symbiose. In: Babylon, Nr. 1, 1986.

Dittmar, P. DDR und Israel. Ambivalenz einer Nicht-Beziehung. In: Deutschland-Archiv Juli 1977 (Teil I) und August 1977 (Teil II).

Dornberg, J. Deutschlands andere Hälfte. Profil und Charakter der DDR. Wien/München/Zürich 1968.

Dürrenmatt, F. Zusammenhänge. Essay über Israel. Zürich 1976.

Ebban, A. Dies ist mein Volk. Zürich 1970.

Engelmann, B. Deutschland ohne Juden. Eine Bilanz. München 1970.

Epstein, H. Die Kinder des Holocaust. München 1987.

Eschwege, H. Die jüdische Bevölkerung der Jahre nach der Kapitulation Hitlerdeutschlands auf dem Gebiet der DDR bis zum Jahre 1953. In: J. H. Schoeps (Hg.) Duisburg 1988.

Eschwege, H. Nachlese zur Wende der SED anläßlich des 50. Jahrestages der Kristallnacht. Unveröff. Manuskript. o. O. /o. J. (Dresden 1989).

Feinberg, A. Wiedergutmachung im Programm. Jüdisches Schicksal im deutschen Nachkriegsdrama. Köln 1988.

Fejtö, F. Judentum und Kommunismus. Wien 1967.

Fejtö, F. Die Geschichte der Volksdemokratien. Die Ära Stalin 1945–1953. Band I. Graz/Wien/Köln 1972.

Ferencz, B. Less Than Slaves. Jewish Forced Labor and the Quest für Compensation. Cambridge (Mass.) 1979.

Filmer, W./Schwan, H. (Hg.) Was von Hitler blieb. 50 Jahre nach der Machtergreifung. Frankfurt/M. 1983.

Fricke, K. W. Warten auf Gerechtigkeit. Kommunistische Säuberungen und Rehabilitierungen. Bericht und Dokumentation. Köln 1971.

Fragen an die deutsche Geschichte Katalog zur ständigen historischen Ausstellung im Reichstagsgebäude in Berlin. Berlin o. J.

Funke, H. (Hg.) Von der Gnade der geschenkten Nation. Zur politischen Moral der Bonner Republik. Berlin 1988.

Galinski, H. Beweiszwang für die Opfer, Freispruch für die Täter. In: Blätter für deutsche und internationale Politik, Nr. 1/1987.

Galinski, H. Die Juden und die Linke. In: das da, Nr. 7, 1976.

Ganther, H. (Hg.) Juden in Deutschland 1951/52 – ein Almanach. 2. erw. Aufl. Hamburg 1959.

Gill, U./Steffani, W. (Hg.) Eine Rede und ihre Wirkung. Die Rede des Bundespräsidenten Richard von Weizsäcker vom 8. Mai 1985 anläßlich des 40. Jahrestages der Beendigung des Zweiten Weltkrieges. Berlin 1986.

Giordano, R. (Hg.) Narben, Spuren, Zeugen. 15 Jahre Allgemeine. Düsseldorf 1961.

Giordano, R. Die Partei hat immer recht. Berlin 1980.

Giordano, R. Die zweite Schuld oder Von der Last, Deutscher zu sein. Hamburg 1987.

Giradet, C. Die Juden in der Deutschen Demokratischen Republik. In: Pogrom. Zeitschrift für bedrohte Völker, 16. Jg. (1985), Nr. 113.

Goldmann, N. Mein Leben als deutscher Jude. München 1980.

Greive, H. Geschichte des modernen Antisemitismus in Deutschland. Darmstadt 1983.

Gross, L. Versteckt – Wie Juden in Berlin die Nazizeit überlebten. Reinbek bei Hamburg 1983.

Grossmann, K. Die Ehrenschuld. Kurzgeschichte der Wiedergutmachung. Frankfurt/M. 1967.

Grünberg, K. Folgen nationalsozialistischer Verfolgung bei Kindern Überlebender in der BRD. Unveröff. Diplomarbeit. Marburg 1985.

Guggenheim, W. (Hg.) Juden in der Schweiz. Küsnacht/ZH o. J.

Harmsen, H. Die Integration heimatloser Ausländer und nichtdeutscher Flüchtlinge in Westdeutschland. Schriftenreihe der Deutschen Nansen-Gesellschaft I. Augsburg 1958.

Henrich, W. Das unverzichtbare Feindbild. Haßerziehung in der DDR. Bonn 1981.

Herrmann, K. Political and Social Dimensions of the Jewish Communities in the German Democratic Republic. In: Nationalities Papers, Vol. 10, 1982.

Heydemann, G. Geschichtswissenschaft und Geschichtsverständnis in der DDR seit 1945. In: Aus Politik und Zeitgeschichte, B 13/1987.

Hilberg, R. Die Vernichtung der europäischen Juden. Die Gesamtgeschichte des Holocaust. Berlin 1982.

Hillgruber, A. Zweierlei Untergang: die Zerschlagung des Deutschen Reiches und das Ende des europäischen Judentums. Berlin 1986.

Hinnenberg, U. Der jüdische Friedhof in Ottensen 1582–1992. Hamburg 1992

Hirsch, K./Heim, P. B. Von links nach rechts. Rechtsradikale Aktivitäten in den neuen Bundesländern. München 1991.

Hirt-Mannheimer, A. Zehn Tage in Ostdeutschland. Bericht eines amerikanisch-jüdischen Journalisten über einen Besuch der DDR. Manuskript in der Übersetzung von H. Eschwege. o. J. (1980).

«Historikerstreit» Die Dokumentation der Kontroverse um die Einzigartigkeit der nationalsozialistischen Judenvernichtung. München 1987.

Hodos, G. H. Schauprozesse. Stalinistische Säuberungen in Osteuropa 1948–1954. Zürich 1988.

Hoffmann, H. (Hg.) Gegen den Versuch, Vergangenheit zu verbiegen. Frankfurt/M. 1987.

Honigmann, P. Über den Umgang mit Juden und jüdischer Geschichte in der DDR. In: J. H. Schoeps (Hg.). Duisburg 1988.

Jacobmeyer, W. Vom Zwangsarbeiter zum heimatlosen Ausländer. Kritische Studien zur Geschichtswissenschaft 65. Göttingen 1985.

Kapralik, C. Reclaiming the Nazi Loot. London 1962.

Karger-Karin, M. (Hg.) Israel und wir. Keren-Hajessod-Jahrbuch 1965/66. Frankfurt/M. 1966.

Katcher, L. Post-Mortem. The Jews in Germany Today. New York 1968.

Kiderlen, E. (Hg.) Fassbinders Sprengsätze – Deutsch-jüdische Normalität... Pflasterstrand Flugschrift 1. Frankfurt/M. 1985.

Klemperer, V. «LTI». Die unbewältigte Sprache. München 1969.

Knopp, W. Dokumentation zur Geschichte der jüdischen Bevölkerung in Rheinland-Pfalz und im Saarland von 1800–1945. Koblenz 1975.

Ködderitzsch, P./Müller, L. A. Rechtsextremismus in der DDR. Göttingen 1990.

Kropat, W. A. Jüdische Gemeinden nach 1945. In: Kommission für die Geschichte der Juden in Hessen: 900 Jahre Geschichte der Juden in Hessen. Wiesbaden 1983.

Kugelmann, C. Was heißt jüdische Identität? In: Alternative, Nr. 140, 1981.

Kugler, A. Eine sowjetische Jüdin in Berlin: In: Semit Nr. 3, 1991.

Kuhrt, E./v. Löwis, H. Griff nach der deutschen Geschichte. Erbaneignung und Traditionspflege in der DDR. Paderborn 1988.

Kuschner, D. Die jüdische Minderheit in der BRD. Diss. Universität Köln 1977.

Küster, O. Erfahrungen in der deutschen Wiedergutmachung. Bd. 346/347. Reihe Recht und Staat. Tübingen 1967.

Kwiet, K. Historians of the GDR on Antisemitism. In: Leo Baeck Institute Yearbook, Vol. XXI, 1976.

Lamm, H./Lewy, H. (Hg.) Brücken schlagen. Aufsätze und Reden. Festschrift für Karl Marx zum 60. Geburtstag. Düsseldorf 1962.

Laqueur, W. Nahost – Vor dem Sturm. Die Vorgeschichte des Sechstage-Krieges im Juni 1967. London 1968.

Laschet, A./Malangré, H. (Hg.) Philipp Jenninger. Rede und Reaktion. Koblenz 1989.

Lendvai, P. Antisemitismus ohne Juden. Entwicklungen und Tendenzen in Osteuropa. Wien 1972.

Leonhard, W. Die Revolution entläßt ihre Kinder. Köln/Berlin 1955.

Lesser, A. Jews and the DDR – with special reference to the Jewish Community of East Berlin. Unveröff. Diplomarbeit. Lanchester Polytechnic. Coventry 1973.

Levinson, N. P. Ein Rabbiner in Deutschland. Gerlingen 1987.

Lichtenstein, H. NS-Prozesse – ein Kapitel deutscher Vergangenheit und Gegenwart. Vortragsmanuskript. 1986.

Lichtenstein, H. (Hg.) Die Fassbinder-Kontroverse oder Das Ende der Schonzeit. Königstein/Ts. 1986.

Liepmann, H. Ein deutscher Jude denkt über Deutschland nach. München 1961.

Lust, P. Two Germanies. Montreal 1966.

Maaz, H.-J. Der Gefühlsstau. Ein Psychogramm der DDR. Berlin 1990.

Mammach, K. Die deutsche antifaschistische Widerstandsbewegung 1933–1939. Berlin 1974.

Mampel, S. Die Verfassung der Sowjetischen Besatzungszone. Text und Kommentar. Frankfurt/M. 1962.

Maor, H. Über den Wiederaufbau der jüdischen Gemeinden in Deutschland seit 1945. Diss. Universität Mainz 1961.

Marx, K. Schriften. Erster Band. Stuttgart 1962.

Maser, W. Kirchenkampf des Kommunismus. Köln 1963.

Melzer, A. (Hg.) Deutsche und Juden. Reden zum Jüdischen Weltkongreß. o. O. 1966.

Melzer, A. Kabale und Intrige. In: Semit Nr. 4, 1991.

Meroz, Y. In schwieriger Mission. Frankfurt/M. 1986.

Mertens, L. Schwindende Minorität. Das Judentum in der DDR. In: J. H. Schoeps (Hg.). Duisburg 1988.

Meyer, P./Weinryb, B. D./Duschinsky, E./Sylvain, N. (Hg.) Jews in the Soviet Satellites. New York 1953 (insbesondere: P. Meyer, Czechoslovakia).

Moeller, M. L./Maaz, H. J. Die Einheit beginnt zu zweit. Berlin 1991.

Moneta, D. Wir wollten doch nur weg. In: Semit Nr. 2, 1991.

Mosse, G. L. German Jews Beyond Judaism. Cincinnati 1985.

Muhlen, N. Zweimal Deutschland. Unna 1955.

Muhlen, N. The Survivors. A report on the Jews in Germany today. New York 1962.

Neumann, R. Heimkehr in die Fremde. Zu Hause in Israel oder zu Hause in Deutschland? Göttingen 1985.

Offenberg, M. (Hg.) Adass Jisroel. Vernichtet und Vergessen. Die Jüdische Gemeinde in Berlin (1896–1942). Berlin 1986.

Offenberg, M. Polen ja, Juden nein? In: Semit Nr. 1, 1990.

Oppenheimer, W. J. Jüdische Jugend in Deutschland. München 1967.

Ostow, R. Jüdisches Leben in der DDR. Frankfurt/M. 1988.

Paulus, J. (Hg.) Juden in Baden 1809–1984. 175 Jahre Oberrat der Israeliten Badens. Karlsruhe 1984.

Plack, A. Wie oft wird Hitler noch besiegt? Heidelberg 1982.

Rabinbach, A./Zipes, J. (Hg.) Germans and Jews since the Holocaust. New York 1986.

Rat des Bezirkes Leipzig (Hg.) Juden in Leipzig. Leipzig 1989.

Rathenow, H.-F./Weber, N. H. (Hg.) Erziehung nach Auschwitz. Pfaffenweiler 1988.

Riesenberger, D. Geschichte und Geschichtsunterricht in der DDR. Aspekte und Tendenzen. Göttingen 1973.

Riesenburger, M. Das Licht verlöschte nicht. Berlin 1960.

Robejsek, P. Abschied von der Utopie. Östliche Reformen und westliche Interessen. Herford 1989.

Runge, I. Die Grauzone des Wartens. In: Blätter für deutsche und internationale Politik, Nr. 8/1990.

Sallen, H. A. Zum Antisemitismus in der Bundesrepublik Deutschland. Konzepte, Methoden und Ergebnisse der empirischen Antisemitismusforschung. Frankfurt/M. 1977.

Schoeps, J. H. (Hg.) Juden in der DDR. Geschichte – Probleme – Perspektiven. Duisburg 1988.

Schoeps, J. H. Leiden an Deutschland. Vom antisemitischen Wahn und der Last der Erinnerung. München 1990.

Scholem, G. On Jews and Judaism in Crisis. New York 1977.

Schönbach, P. Reaktionen auf die antisemitische Welle im Winter 1959/60. Frankfurter Beiträge zur Soziologie, Sonderheft 3. Frankfurt/M. 1961.

Schwarz, W. Rückerstattung nach den Gesetzen der Alliierten Mächte. München 1974.

Seligmann, R. Mit beschränkter Hoffnung. Juden, Deutsche, Israelis. Hamburg 1991.

Shinnar, F. Bericht eines Beauftragten. Die deutsch-israelischen Beziehungen 1951–1966. Tübingen 1967.

Sichrovsky, P. Wir wissen nicht, was morgen wird, wir wissen wohl, was gestern war. Junge Juden in Deutschland und Österreich. Köln 1985.

Silbermann, A. Sind wir Antisemiten? Ausmaß und Wirkung eines sozialen Vorurteils in der Bundesrepublik Deutschland. Köln 1982.

Silbermann, A. / Schoeps, J. H. (Hg.) Antisemitismus nach dem Holocaust. Köln 1986.

Silberner, E. Kommunisten zur Judenfrage. Opladen 1983.

Silenius, A. (Hg.) Antisemitismus – Antizionismus. Analyse, Funktionen, Wirkungen. Frankfurt / M. 1973.

Sobol, J. Ghetto. Berlin 1984.

Staritz, D. Die Gründung der DDR. Von der sowjetischen Besatzungsherrschaft zum sozialistischen Staat. München 1984.

Staritz, D. Geschichte der DDR 1949–1985. Frankfurt / M. 1985.

Steinbach, P. Nationalsozialistische Gewaltverbrechen. Die Diskussion in der deutschen Öffentlichkeit nach 1945. Beiträge zur Zeitgeschichte. Berlin 1981.

Strolz, W. (Hg.) Jüdische Hoffnungskraft und christlicher Glaube. Freiburg / Br. 1971.

Thamer, H. U. Nationalsozialismus und Faschismus in der DDR-Historiographie. In: Aus Politik und Zeitgeschichte, B 13 / 1987.

Thompson, G. E. The political status of the Jews in the German Democratic Republic since 1945. Unveröff. Diss. Universität Iowa 1967.

Trautmann, G. (Hg.) Die häßlichen Deutschen? Deutschland im Spiegel der westlichen und östlichen Nachbarn. Darmstadt 1991.

Turner, H. A. Geschichte der beiden deutschen Staaten seit 1945. München 1989.

Uhe, E. Der Nationalsozialismus in den deutschen Schulbüchern. Frankfurt / M. 1972.

Vernant, J. The Refugee in the Post-War World. London 1953.

Vogel, R. (Hg.) Die gleiche Sprache: Erst für Hitler – jetzt für Ulbricht. Pressekonferenz von Simon Wiesenthal am 6. September 1968 in Wien. Dokumentation der Deutschland-Berichte. Köln o. J.

Vogt, E. Israel – Kritik von links. Dokumentation einer Entwicklung. Wuppertal 1976.

Wagenlehner, G. Eskalation im Nahen Osten. Stuttgart-Degerloch 1968.

Weber, H. DDR, Grundriß der Geschichte 1945–1976. Hannover 1976.

Weber, H. Aufbau und Fall einer Diktatur. Kritische Beiträge zur Geschichte der DDR. Köln 1991.

Weidenfeld, W. / Zimmermann, H. (Hg.) Deutschland-Handbuch. Eine doppelte Bilanz 1949–1989. Bonn 1989.

Welsh, H. A. Revolutionärer Wandel auf Befehl? Entnazifizierungs- und Personalpolitik in Thüringen und Sachsen (1945–1948). München 1989.

Werner, A. Survey Reports. The Soviet Satellites. 1. Terror East of the Elbe. In: Congress Weekly, Vol. 20, No. 16, 1953.

Wetzel, D. (Hg.) Die Verlängerung von Geschichte. Deutsche, Juden und der Palästinakonflikt. Frankfurt/M. 1983.

Wickert, U. (Hg.) Angst vor Deutschland. Hamburg 1990.

Wippermann, W. Antifaschismus in der DDR: Wirklichkeit und Ideologie. Beiträge zum Thema Widerstand Nr. 16. Berlin 1980.

Wolffsohn, M. Aufs falsche Pferd gesetzt. In: Semit Nr. 1, 1991.

Wolffsohn, M. Ewige Schuld? 40 Jahre deutsch-jüdisch-israelische Beziehungen. München 1988.

Wolffsohn, M. Keine Angst vor Deutschland! Erlangen/Bonn/Wien 1990.

Zwerenz, G. Linke Antisemiten gibt es nicht! In: das da, Nr. 9, 1976.

Personen- und Sachregister

A

Abusch, Alexander 23, 182 f
Acheson, Dean 173
Adenauer, Konrad 56, 66 ff, 92
Adorno, Theodor 22, 24, 47, 110 f
Aktion Sühnezeichen 229
Allg. Jüdische Wochenzeitung «Allgemeine» 23, 36, 55 ff, 112 f, 117, 285, 303
American Joint Distribution Committee s. «Joint»
Aris, Helmut 193, 210, 214 ff
Art. 131 Grundgesetz («131er-Gesetz») 78, 81, 105
Auschwitz-Lüge-Gesetz 123 f
Atra Kadischa 288 ff
Axen, Hermann 226

B

Baden, Hermann 161, 209 f
Baeck, Leo 36 f
Ben Gurion, David 174
Bitburg 88, 119 ff, 225
B'nai B'rit-Logen 43
Branche Française 40, 58, 65
Bronfman, Edgar 226, 230 ff, 276 ff
Bubis, Ignatz 94, 121, 251, 277, 347
Bundesverband Jüdischer Studenten BJSD 43

C

Claims Conference (Conference on Jewish Material Claims against Germany) 62 ff, 77, 133, 183 f, 224, 229, 263, 342

D

Displaced Persons (DP's) 17 ff, 32 f, 49, 53, 69, 82, 96 f, 137
Dregger, Alfred 87

E

Ehrenburg, Ilja 172, 186 ff, 327
Einheitsgemeinde 260 f, 290
Eisler, Gerhard 23, 182
Engels, Friedrich 167
Entebbe 109
Entnazifizierung 79 ff, 105, 196 f, 209, 311, 334
European Union of Jewish Students EUJS 224, 230, 233, 236

F

Fassbinder-Kontroverse 94, 110 f, 119 ff
Fichte, Johann Gottlieb 45
Field, Noël 174 ff, 182 f
Fischer, Oskar 224, 230 f, 244 f, 274
Fischer, Peter 235 f
Frauenorganisationen 43, 158
Frejka, Ludvik 174
Freie Deutsche Jugend FDJ 229 ff

G

Galinski, Heinz 37, 74 f, 124, 128 f, 179, 181, 227 f, 233 ff, 238, 251, 255, 259 ff, 268 ff, 274 ff, 280 ff, 289 ff, 310, 324
Germania Judaica 43
Giese, Goldi 211
Ginsburg, Alexander 133 f
Globke, Hans 80, 197
Goldmann, Nahum 62, 67
Golomb, Eugen 213 f
Gomulka, Wladislaw 171
Gorbatschow, Michail 222, 240, 265
Götting, Gerald 193
Gottwald, Klement 174 f
Gromyko, Andrei 187
Grotewohl, Otto 183 f
Guttmann, Micha 260, 276
Gysi, Gregor 247
Gysi, Klaus 141, 208 f, 216, 227

H

Habermas, Jürgen 124 f
Hallstein-Doktrin 190, 331
Heine, Heinrich 47
Hillgruber, Andreas 125
Historikerstreit 88, 124 ff, 225
Hochschule für Jüdische Studien 39, 228, 236
Honecker, Erich 223 ff, 230, 233 ff, 243, 257 ff
Horkheimer, Max 22 ff, 90

I

International Restitution Organization IRO 21, 302
International Tracing Service 33

J

Israel 106 ff, 111 f, 117 ff, 203 ff, 224, 237 f, 242 ff, 263, 273 f, 276

J

Jaeckel, Heinz 290 ff
Jaldati, Lin 204
Jenninger, Philipp 129, 223, 320
Jewish Agency 41, 53
Jewish Restitution Successor Organization JRSO 40, 58, 65, 139, 225
Jewish Trust Corporation JTC 40, 58, 65, 255, 288
Jiddisch 45, 205
Joint 32, 41, 59, 139, 174 f, 180, 304
Jüdischer Kulturverein 250 ff
Jüdischer Pressedienst 36
Jüdische Volkshochschule 43
Jüdischer Weltkongress WJC 53, 59, 62, 163 ff, 180, 224 ff, 230 ff, 236, 245, 274 f
Jungmann, Erich 182 f

K

Kirchner, Peter 158, 213 f, 227, 238 f, 248 ff, 259, 283 ff
Kohl, Helmut 88 f, 93, 115 f, 123, 276, 278 f, 292
Kosmopolitismus 172, 177 f
Kowalski, Franz 210 ff, 337
Kulitz, Jitzchak 291 ff

L

Lenin, Wladimir I. 167
Lerner, Meier 287 ff
Levinson, Nathan Peter 37, 181, 290 ff

Levy, Hans 216, 244
Loebel, Karin s. Mylius-Loebel, Karin
Löffler, Kurt 229 ff
London, Artur 174
Lummer, Heinrich 88
Luxemburg, Rosa 167

M

de Maizière, Lothar 245, 261, 278, 349
Marx, Karl (Philosoph) 47, 164 ff
Marx, Karl (Publizist) 23
Meistbegünstigungsklausel 223 ff
Mendelssohn, Moses 45 ff
Meïr, Golda 188
Merker, Paul 183 ff
Meyer, Julius 180 ff
Modrow, Hans 244 f
Momper, Walter 257 f, 262, 276
Morgenthau, Henry 174
Moskowiter 169 ff, 186
Mylius-Loebel, Karin 209 ff
Mylius, Klaus 212, 215 f, 219

N

Nachfolgeorganisationen 58, 62 ff
Nachmann, Werner 75, 115 f, 132 ff
Nachrichtenblatt des Verbandes der Jüdischen Gemeinden in der DDR 158 ff, 214 f, 285, 322
Neuman, Isaac 146 ff
Neue Synagoge Berlin – Stiftung Centrum Judaicum 227, 230, 238 f, 283 ff
Nolte, Ernst 125 ff
Norden, Albert 23, 182, 191, 326

O

Oberländer, Theodor 80 f, 197
Offenberg, Mario 257 ff, 278

P

Palästina 19 ff, 41
PLO 107, 194 f, 345

R

Rajk, Lazslo 171, 176 f
Rakosi, Matyas 173
Rathenau, Walter 47
Republikaner 85 ff
Riegner, Gerhard 233
Ring, Käthe 211, 215, 218
Riesenburger, Martin 145 f, 210, 216, 337
Rotstein, Siegmund 227, 233 f, 240, 243, 278
Runge, Irene 251, 345

S

Sabra und Shatila 111, 119
Schächter 37, 150
Schäuble, Wolfgang 269 ff, 276, 279
Scheidemann, Alfred 192 ff
Schenk, Heinz 158, 193, 211
Schönhuber, Franz 85, 88
Sharett, Moshe 174
Sholem, Gerschom 47 f
Simon, Hermann 213
Sindermann, Horst 234
Singer, Israel 230
Singer, Ödön 146, 193, 211
Slansky, Rudolf, Slansky-Prozeß 173 ff, 179, 201
Sowjetische Juden 29, 259

Späth, Lothar 87
Staatssicherheitsdienst 11, 214f,
    243, 256, 329f
Stalin, Josef 167, 171, 175, 178,
    184, 222
Stein, Ernst 151, 236, 240, 250f,
    294
Stern, Maram 230, 274
Strauß, Franz Josef 86, 92f,
    314

T
Trotzki, Leon 167
Truman, Harry 173
Tucholsky, Kurt 47

U
Überlebensschuld 51f
Ulbricht, Walter 189, 198,
    332
United Relief and Rehabilitation
    Administration UNRRA 18ff,
    33, 170

V
Verband der Jüdischen Gemein-
    den in der Deutschen Demo-
    kratischen Republik (Verband)
    143, 179f, 190ff, 235f, 240,
    278f, 280ff
Vereinigung der Verfolgten des
    Naziregimes VVN 184

Volksbund Deutscher Kriegsgrä-
    berfürsorge 122f
Voscherau, Henning 289ff

W
Weimarer Republik 46f, 88f, 199,
    261
Weizmann, Chaim 126
Wiedergutmachung 24f, 29f, 35,
    40, 59, 139f, 154, 183f, 188f,
    224, 228f, 238, 245ff, 279, 310
Wiesel, Elie 274
Wiesenthal, Simon 131, 163
Willner, Max 40
Wir für uns 249ff
Wolfson, Gerhard 215f
Wolffsohn, Michael 274, 316
Wollheim, Norbert 76f

Z
Zentralrat der Juden in Deutsch-
    land (Zentralrat) 10, 25, 35ff,
    39, 43, 56ff, 68f, 76f, 93,
    118ff, 123f, 131ff, 161f, 236,
    259, 275ff, 280ff
Zentralwohlfahrtsstelle ZWSt
    42f, 65, 68, 100, 268, 280
Zionistische Jugend Deutschlands
    ZJD 43, 53f, 60
Zionistische Organisation
    Deutschlands 53, 59
Zweig, Arnold 23, 177

Auswahl

Kurt Bayertz
GenEthik
Probleme der Technisierung menschlicher Fortpflanzung (450)

Kurt Bayertz (Hg.)
Praktische Philosophie
Grundorientierungen angewandter Ethik (522)

John Berger
Glanz und Elend des Malers Pablo Picasso
(kulturen und ideen 459)

Helmut Brackert/Jörn Stückrath (Hg.)
Literaturwissenschaft
Ein Grundkurs (523)

Eberhard Braun / Felix Heine / Uwe Opolka
Politische Philosophie
Ein Lesebuch. Texte, Analysen, Kommentare (406)

Manfred Brauneck
Theater im 20. Jahrhundert
Programmschriften, Stilperioden, Reformmodelle (433)
Klassiker der Schauspielregie
Positionen und Kommentare zum Theater im 20. Jahrhundert (477)

Manfred Brauneck / Gérard Schneilin (Hg.)
Theaterlexikon
Begriffe, Epochen, Bühnen und Ensembles (465)

Gene Brucker
Giovanni und Lusanna
Die Geschichte einer Liebe im Florenz der Renaissance
(kulturen und ideen 466)

Gene Brucker
Florenz in der Renaissance
Stadt, Gesellschaft, Kultur
(kulturen und ideen 480)

Herbert Bruhn / Rolf Oerter / Helmut Rösing (Hg.)
Musikpsychologie
Ein Handbuch (526)

rowohlts enzyklopädie

Martin Damus
Malerei der DDR
Funktionen der bildenden Kunst im Realen Sozialismus (524)

Jean Delumeau
Angst im Abendland
Die Geschichte kollektiver Ängste im Europa
des 14. bis 18. Jahrhunderts
(kulturen und ideen 503)

Hans Ebeling
Martin Heidegger
Philosophie und Ideologie (520)

Das Subjekt in der Moderne
Rekonstruktion der Philosophie
im Zeitalter der Zerstörung (484)

Hans Eggers
Deutsche Sprachgeschichte
Band 1: Das Althochdeutsche und das Mittelhochdeutsche (425)
Band 2: Das Frühneuhochdeutsche und das Neuhochdeutsche (426)

Martin Esslin
Das Theater des Absurden
Von Beckett bis Pinter (414)
Die Zeichen des Dramas
Theater, Film, Fernsehen (502)

Ferdinand Fellmann
Symbolischer Pragmatismus
Hermeneutik nach Dilthey (508)
Lebensphilosophie (533)

Iring Fetscher/ Herfried Münkler (Hg.)
Politikwissenschaft
Begriffe – Analysen – Theorien. Ein Grundkurs (418)

Hugo Friedrich
Die Struktur der modernen Lyrik
Von der Mitte des 19. bis zur Mitte
des 20. Jahrhunderts (420)

Peter Garnsey/ Richard Saller
Das römische Kaiserreich
Wirtschaft, Gesellschaft, Kultur (501)

Gebauer / Kamper / Lenzen / Mattenklott / Wulf / Wünsche
Historische Anthropologie
Zum Problem der Humanwissenschaften heute
oder Versuche einer Neubegründung (486)

Gunter Gebauer / Christoph Wulf
Mimesis
Kultur – Kunst – Gesellschaft (497)

Arnold Gehlen
**Anthropologische und sozialpsychologische
Untersuchungen** (424)

Manfred Geier
Das Sprachspiel der Philosophen
Von Parmenides bis Wittgenstein (500)

Sander L. Gilman
Rasse, Sexualität und Seuche
Stereotype aus der Innenwelt der westlichen Kultur
(kulturen und ideen 527)

Axel Görlitz / Rainer Prätorius (Hg.)
Handbuch Politikwissenschaft
Grundlagen – Forschungsstand – Perspektiven (432)

Jean Marie Goulemot
Gefährliche Bücher
Erotische Literatur, Pornographie,
Leser und Zensor im 18. Jahrhundert
(kulturen und ideen 528)

Siegfried Grubitzsch / Günter Rexilius (Hg.)
Psychologische Grundbegriffe
Mensch und Gesellschaft in der Psychologie
Ein Handbuch (438)

Gerhard Hauck
Geschichte der soziologischen Theorie
Eine ideologiekritische Einführung (401)

Peter Ulrich Hein
Die Brücke ins Geisterreich
Künstlerische Avantgarde zwischen Kulturkritik und Faschismus
(kulturen und ideen 521)

rowohlts enzyklopädie

rowohlts enzyklopädie

Walter Hess
Dokumente zum Verständnis der modernen Malerei (410)

Georg Hörmann / Wilhelm Körner (Hg.)
Klinische Psychologie
Ein kritisches Handbuch (518)

Peter R. Hofstätter
Gruppendynamik
Kritik der Massenpsychologie (430)

Anton Hügli / Poul Lübcke (Hg.)
Philosophie im 20. Jahrhundert
Band 1: Phänomenologie,
Hermeneutik, Existenzphilosophie
und Kritische Theorie (455)
Band 2: Wissenschaftstheorie und
Analytische Philosophie (456)

Richard Huelsenbeck (Hg.)
Dada
Eine literarische Dokumentation (402)

Andreas Huyssen / Klaus R. Scherpe (Hg.)
Postmoderne
Zeichen eines kulturellen Wandels (427)

Toshihiko Izutsu
Philosophie des Zen-Buddhismus (428)

Fredric Jameson
Das politische Unbewußte
Literatur als Symbol sozialen Handelns (461)

Gerd Jüttemann
Psyche und Subjekt
Für eine Psychologie jenseits von Dogma und Mythos (507)

Dietmar Kamper
Zur Geschichte der Einbildungskraft (509)

Maurice Keen
Das Rittertum
(kulturen und ideen 515)

Harald Kerber/Arnold Schmieder (Hg.)
Handbuch Soziologie
Zur Theorie und Praxis sozialer Beziehungen (407)
Soziologie
Arbeitsfelder, Theorien, Ausbildung. Ein Grundkurs (445)

Geoffrey Stephen Kirk
Griechische Mythen
Ihre Bedeutung und Funktion (444)

Thomas Kleinspehn
Der flüchtige Blick
Sehen und Identität in der Kultur der Neuzeit
(kulturen und ideen 485)

Volker Klotz
Bürgerliches Lachtheater
Komödie – Posse – Schwank – Operette (451)

Helmut König
Zivilisation und Leidenschaften
Die Masse im bürgerlichen Zeitalter (513)

Traugott König (Hg.)
Sartre
Ein Kongreß (475)

Dieter Lenzen
Mythologie der Kindheit
Die Verewigung des Kindlichen in der Erwachsenenkultur.
Versteckte Bilder und vergessene Geschichten (421)
Vaterschaft
Vom Patriarchat zur Alimentation (551)

Dieter Lenzen (Hg.)
Pädagogische Grundbegriffe
Band 1: Aggression bis Interdisziplinarität (487)
Band 2: Jugend bis Zeugnis (488)

Rudolf zur Lippe
Sinnenbewußtsein
Grundlegung einer anthropologischen Ästhetik (423)
Vom Leib zum Körper
Naturbeherrschung am Menschen in der Renaissance (466)

rowohlts enzyklopädie

rowohlts enzyklopädie

Alexander Litschev / Dietrich Kegler (Hg.)
Abschied vom Marxismus
Sowjetische Philosophie im Umbruch (529)

Ekkehard Martens / Herbert Schnädelbach (Hg.)
Philosophie
Ein Grundkurs (457)

Eugene J. Meehan
Praxis des wissenschaftlichen Denkens
Ein Arbeitsbuch für Studierende (519)

Robert Muchembled
Die Erfindung des modernen Menschen
Gefühlsdifferenzierung und kollektive Verhaltensweisen
im Zeitalter des Absolutismus
(kulturen und ideen 510)

Maurice Nadeau
Geschichte des Surrealismus (437)

Lutz Niethammer
Posthistoire
Ist die Geschichte zu Ende? (504)

Peter Moritz Pickshaus
Kunstzerstörer
Fallstudien: Tatmotive und Psychogramme
(kulturen und ideen 463)

Robert von Ranke-Graves
Griechische Mythologie
Quellen und Deutung (404)
Die Weiße Göttin
Sprache des Mythos (416)

Robert von Ranke-Graves / Raphael Patai
Hebräische Mythologie
Über die Schöpfungsgeschichte und andere Mythen aus dem
Alten Testament (441)

Günther Rexilius / Siegfried Grubitzsch (Hg.)
Psychologie
Theorien – Methoden – Arbeitsfelder
Ein Grundkurs (419)

Stefan Rohrbacher/Michael Schmidt
Judenbilder
Kulturgeschichte antijüdischer Mythen
und antisemitischer Vorurteile
(kulturen und ideen 498)

Richard Schechner
Theater-Anthropologie
Spiel und Ritual im Kulturvergleich (439)

Hartmut Scheible
Wahrheit und Subjekt
Ästhetik im bürgerlichen Zeitalter (468)

Klaus R. Scherpe (Hg.)
Die Unwirklichkeit der Städte
Großstadtdarstellungen zwischen Moderne und Postmoderne (471)

Gert Selle
Gebrauch der Sinne
Eine kunstpädagogische Praxis
(kulturen und ideen 467)

Gert Selle (Hg.)
Experiment ästhetische Bildung
Aktuelle Beispiele für Handeln und Verstehen
(kulturen und ideen 506)

Werner Sombart
Der Bourgeois
Zur Geistesgeschichte des modernen Wirtschaftsmenschen
(kulturen und ideen 473)

Ulrich Steinvorth
Klassische und moderne Ethik
Grundlinien einer materialen Moraltheorie (505)

Bernhard H. F. Taureck
Französische Philosophie im 20. Jahrhundert
Analysen, Texte, Kommentare (481)
Ethikkrise – Krisenethik
Analysen, Texte, Modelle (525)

rowohlts enzyklopädie

Klaus-Jürgen Tillmann
Sozialisationstheorien
Eine Einführung in den Zusammenhang von
Gesellschaft, Institution und Subjektwerdung (476)

Leo Trepp
Die Juden
Volk, Geschichte, Religion (452)

Karl Vorländer
Geschichte der Philosophie
mit Quellentexten (495)
Band 1: Altertum (492)
Band 2: Mittelalter und Renaissance (493)
Band 3: Neuzeit bis Kant (494)

Monika Wagner (Hg.)
Moderne Kunst
Das Funkkolleg zum Verständnis der Gegenwartskunst
Band 1 (516)
Band 2 (517)

Sigrid Weigel
Die Stimme der Medusa
Schreibweisen in der Gegenwartsliteratur von Frauen (490)
Topographien der Geschlechter
Kulturgeschichtliche Studien zur Literatur (514)

Benjamin Lee Whorf
Sprache – Denken – Wirklichkeit
Beiträge zur Metalinguistik und Sprachphilosophie (403)

Siegfried Zielinski
Audiovisionen
Kino und Fernsehen als Zwischenspiele in der Geschichte
(kulturen und ideen 489)

Hans Zygowski (Hg.)
Psychotherapie und Gesellschaft
Therapeutische Schulen in der Kritik (440)